Guía del síndrome de Asperger

D1246521

Autoayuda

Tony Attwood
Guía del síndrome de Asperger

PAIDÓS

Barcelona
Buenos Aires
México

Título original: *The Complete Guide to Asperger's Syndrome*, de Tony Attwood
Publicado en inglés, en 2007, por Jessica Kingsley Publishers, Londres y Filadelfia
Esta traducción ha sido publicada por acuerdo con Jessica Kingsley Publishers, Ltd

Traducción de Bibiana Lienas

Cubierta de Mª José del Rey

1ª edición, 2009
5ª impresión, mayo 2015

No se permite la reproducción total o parcial de este libro, ni su incorporación a un sistema
informático, ni su transmisión en cualquier forma o por cualquier medio, sea éste electrónico,
mecánico, por fotocopia, por grabación u otros métodos, sin el permiso previo y por escrito
del editor. La infracción de los derechos mencionados puede ser constitutiva de delito
contra la propiedad intelectual (Art. 270 y siguientes del Código Penal). Diríjase a CEDRO
(Centro Español de Derechos Reprográficos) si necesita fotocopiar o escanear algún fragmento
de esta obra. Puede contactar con CEDRO a través de la web www.conlicencia.com
o por teléfono en el 91 702 19 70 / 93 272 04 47

© Tony Attwood, 2007
© 2009 de la traducción, Bibiana Lienas
© 2009 de todas las ediciones en castellano,
  Espasa Libros, S. L. U.,
  Avda. Diagonal, 662-664. 08034 Barcelona, España
  Paidós es un sello editorial de Espasa Libros, S. L. U.
  www.paidos.com
  www.espacioculturalyacademico.com
  www.planetadelibros.com

ISBN: 978-84-493-2291-4
Depósito legal: B-30538-2011

Impreso en Arvato Services Iberia, S. A.

El papel utilizado para la impresión de este libro es cien por cien libre de cloro
y está calificado como papel ecológico

Impreso en España – *Printed in Spain*

*En recuerdo de mi abuela Elsie May Dovey (1903-1987)
y mi abuelo William Howard Dovey (1905-2000)*

Sumario

Agradecimientos

Deseo expresar mi agradecimiento a las personas que menciono más adelante por su incansable aliento, sugerencias y apoyo, que han contribuido a aumentar mis conocimientos, lo que me ha servido para completar esta obra. Así mismo, a mi esposa Sara, que también revisó el manuscrito de todos los capítulos para asegurarse de la coherencia de las frases y de su corrección gramatical. Ésa nunca es una tarea fácil. También doy las gracias a las muchas personas con síndrome de Asperger y a sus padres, que me han contado los retos a los que se enfrentan cada día y las estrategias que usan para vencerlos. Son mis mentores. Y, por supuesto, a mis amigos y colegas que han hecho valiosos comentarios sobre el manuscrito y me han proporcionado consejos y un aliento valiosísimos. En particular y, por orden alfabético, deseo dar las gracias a Kari Dunn, Michelle Garnett, Carol Gray, Isabelle Hénault, Kathy Hoopmann, Janine Manjiviona, Stephen Shore y Liane Willey. Por último, también quiero expresar mi gratitud a mis clientes, amigos y familiares que padecen síndrome de Asperger. Han llenado mi vida de luz.

Extractos de Asperger, H. (1991) [1944] «Autistic psychopathy in childhood.» En U. Frith (ed) *Autism and AspergerSyndrome.* Cambridge: Cambridge University Press. Reproducidos con permiso de Springer- Verlag.

Extractos de Asperger, H. (1938) «Das psychisch abnorme Kind.» *Wiener klinische Wochenschrift* 49, 1-12. («The mentally abnormal child.» *Viennese Clinical Weekly* 49.) Reproducidos con permiso de Springer-Verlag. Extractos traducidos por Brit Wilczek.

Extractos de Jackson, N. (2002) *Standing Down Falling Up: Asperger's Syndrome from the Inside Out*. Bristol: Lucky Duck Publishing. Reproducido con el permiso de Sage Publications Ltd, Thousand Oaks, London and New Delhi. Copyright © Nita Jackson 2002.

Extractos de Williams, D. (1998) *Nobody Nowhere: The Remarkable Autobiography of an Autistic Girl*. London: Jessica Kingsley Publishers. Reproducido con el permiso de Jessica Kingsley Publishers. Copyright © Donna Williams 1998.

Extractos de Willey, L. H. (1999) *Pretending to be Normal: Living with Asperger's Syndrome*. Londres: Jessica Kingsley Publishers. Reproducido con el permiso de Jessica Kingsley Publishers. Copyright © Liane Holliday Willey 1999.

Criterios diagnósticos de Gillberg de la tabla 2.1 (1989) 'Asperger syndrome some epidemiological considerations: a research note' *journal of Child Psychology and Psychiatry 30, 631-8*. Reproducidos con permiso de Blackwell Publishing.

DSM-IV (TR) Criterios diagnósticos en la Table 2.2 de American Psychiatric Association (2000) *Diagnosticand Statistical Manual of Mental Disorders,* 4ª ed. Washington, D. C.: American psychiatric Association. Reproducido con permiso.

AAA Criterios diagnósticos de evaluación de Asperger en adultos del capítulo 2 de Baron-Cohen, S., Wheelwright, S., Robinson, J. y Woodberry Smith, M. (2005) «The Adult Asperger Assessment (AAA): A diagnostic method.» *Journal of Autism and Developmental Disorders* 35, 807-819. Reproducido con permiso.

Lista de figuras y tablas

Prólogo

En la *Guía del síndrome de Asperger* ofrezco una percepción muy personal de los niños, adolescentes y adultos que tienen este síndrome partiendo de mi extensa experiencia clínica y de la revisión y la contribución a los estudios de investigación y otras publicaciones. Soy psicólogo en ejercicio y he tratado de escribir una guía que tenga un valor práctico para padres, profesionales y personas con síndrome de Asperger. He procurado evitar el exceso de términos técnicos, para que cualquier lector sin formación académica específica en psicología pueda leer el libro con facilidad. Para los psicólogos en prácticas y los profesionales académicos que busquen más información, se adjunta bibliografía, la cual puede reforzar la información proporcionada y ofrecer más datos. También he incluido muchas citas de las autobiografías de personas con síndrome de Asperger. Cada capítulo empieza con una cita de Hans Asperger y acaba con una cita de una persona con síndrome de Asperger. Considero que esas personas son las que tienen la última palabra.

La obra se ha escrito para proporcionar tanto a padres como a profesionales la información más reciente y novedosa, a fin de que sirva para entender el síndrome y ayudar a los familiares afectados, pero también se ha escrito para el beneficio de las personas que padecen síndrome de Asperger. Mi intención es que la lectura de esta guía ayude a las personas con síndrome de Asperger a entender por

qué son diferentes de los demás y para que no se sientan menosprecia-
dos ni rechazados. También es importante que otras personas recuer-
den que el comportamiento, en apariencia excéntrico, de personas con
síndrome de Asperger siempre tiene una explicación lógica. Esta guía
explica la lógica y la perspectiva de las personas con síndrome de Asperger.

El año de su publicación (2006) coincidió con el centenario del
nacimiento de Hans Asperger y deseo destacar que, cuanto más in-
vestigo el mundo según lo perciben las personas afectadas, más
reconozco la precisión de las descripciones detalladas de cuatro niños, Fritz, Harro, Ernst y Hellmuth, hace más de sesenta años. Nunca
conocí a Hans Asperger pero respeto sus conocimientos, su comprensión de unos niños diferentes y su admiración por ellos, que
también son mis héroes. Unos años atrás, conocí a su hija, Maria As-
perger-Felder, una psiquiatra infantil afincada en Suiza, y me cauti-
varon los relatos sobre su padre, sus facultades y su personalidad, y
en particular, las circunstancias en las que trabajó en Viena a finales
de la década de 1930.

Maria me entregó uno de los artículos de su padre, publicado en
1938, cuando describió por primera vez las características que años
más tarde se conocerían como trastorno autístico de la personalidad,
y, finalmente, en 1981, como síndrome de Asperger. Como pediatra
en la Austria ocupada por los nazis, defendió a ultranza la abolición
de la ley que se acababa de promulgar para la «prevención de descendencia que sufriera enfermedades hereditarias». Defendía que la
educación «hacía inofensivos los peligros que hay en la predisposición genética de un niño». Deseaba salvar a los niños de su clínica
de «ser asesinados» y sostenía con vehemencia que los niños que no
son como los demás no necesariamente son inferiores. Sin ninguna
duda, se oponía a la ideología nazi.

Aunque la historia del desarrollo de nuestros conocimientos sobre niños y adultos con síndrome de Asperger es muy interesante,
¿cuáles son nuestras esperanzas de futuro? En la próxima década,
necesitamos alcanzar un consenso sobre los criterios diagnósticos y

estudiar los signos del síndrome en niños muy pequeños, de modo que puedan beneficiarse de programas de intervención precoces. Los gobiernos han de aumentar la asignación de recursos para financiar escuelas para niños con síndrome de Asperger y ayudar a los adultos afectados a obtener un empleo adecuado a su formación y a sus aptitudes. En la sociedad moderna necesitamos el talento de esas personas con síndrome de Asperger y con seguridad nos beneficiaremos de él.

Me preocupa que, en general, los gobiernos rara vez tengan políticas y recursos dedicados específicamente a personas con este síndrome. De hecho, en ocasiones, los distintos departamentos gubernamentales aprovechan ese diagnóstico para negar los servicios más que para dar acceso a ellos. Espero que una mayor concienciación del público acerca de las circunstancias y las aptitudes de las personas con síndrome de Asperger influya en las decisiones de los políticos, en particular, ya que pronto se producirá un verdadero aluvión de adultos que soliciten evaluación diagnóstica. Es la generación que ha perdido la oportunidad de ser diagnosticada y comprendida.

En la próxima década, habrá más profesionales que se especializarán en el síndrome de Asperger y seremos testigos de la creación de clínicas diagnósticas y de tratamiento dedicadas específicamente a niños y adultos con este trastorno. Por lo tanto, si la prevalencia de este síndrome es de alrededor de una persona de cada doscientas cincuenta, habrá suficientes remisiones al especialista como para mantener una red nacional de clínicas y especialistas.

Es obvio que necesitamos más investigación sobre el síndrome de Asperger, en particular sobre cómo afecta a la percepción sensitiva. Muchas personas que lo padecen están desesperadas por reducir la sensibilidad que tienen a algunos ruidos y a otras experiencias sensitivas. Hoy día, los médicos y terapeutas tienen poco que ofrecer para reducir la hipersensibilidad auditiva, táctil y olfativa de las personas afectadas. También necesitamos establecer y evaluar programas de estímulo de las habilidades para establecer lazos de amistad y, en general, sociales, así como de control de las emociones y aplicación constructiva de los intereses especiales de estas personas con síndrome de Asperger.

Así mismo, espero que en el futuro la gente muestre una actitud más positiva y alentadora ante estas personas, lo que, sin duda, mejorará su autoestima. He escrito esta obra para divulgar los conocimientos recientes que se han adquirido sobre el síndrome, pero mi objetivo también es tratar de cambiar las actitudes. Los conocimientos cambian las actitudes, lo que, a su vez, puede modificar las aptitudes y las circunstancias personales de esas personas.

1

¿Qué es el síndrome de Asperger?

> No todo lo que se sale de lo normal y, en consecuencia, es *anormal*, es necesariamente *inferior*.
>
> *Hans Asperger (1938)*

Sonó el timbre de la puerta anunciando la llegada de otro invitado a la fiesta de cumpleaños de Alicia. Su madre abrió la puerta y observó a Jack, el último invitado en llegar. Era el noveno aniversario de su hija y en la lista de invitados había diez niñas y un niño. A la madre de Alicia le había sorprendido la inclusión de ese niño, pensando que las niñas de la edad de su hija suelen considerar que los niños son aburridos y estúpidos, y no merecen ser invitados a una fiesta de cumpleaños. Sin embargo, Alicia le había dicho que Jack era diferente. Su familia se había mudado hacía poco a Birmingham y desde hacía sólo unas pocas semanas Jack había empezado asistir a su clase. Aunque trató de unirse al grupo de los otros niños, no había conseguido hacer amigos. Los otros niños se burlaban de él y no le dejaban participar en sus juegos. La última semana se había sentado cerca de Alicia a la hora del almuerzo y, al oírlo hablar, la niña llegó a la conclusión de que era un niño simpático y solitario que parecía exageradamente asustado por el ruido en el comedor y por la actividad frenética en el patio de recreo. Tenía un aspecto agradable, parecía un Harry Potter más joven y daba la impresión de saber mucho de cantidad de cosas. Alicia se había apiadado de él y, a pesar de la mirada atónita de sus amigas cuando les dijo que lo había invitado a su fiesta, estaba decidida a hacerlo.

Y, por fin, allí estaba, una figura solitaria que llevaba una tarjeta de cumpleaños y un regalo que entregó de inmediato a la madre de Alicia. Ésta se fijó en el nombre de su hija, visible en el envoltorio pero con una caligrafía sorprendentemente ilegible para un niño de ocho años de edad. «Tú debes de ser Jack», le dijo, y el niño simplemente le replicó asintiendo con una inclinación de cabeza. Ella le sonrió y, cuando estaba a punto de sugerirle que saliera al jardín para ir al encuentro de Alicia y sus amigas, Jack exclamó: «El regalo de cumpleaños de Alicia es una de esas muñecas especiales que mi madre dice que desean todas las niñas, y lo ha escogido ella, pero en realidad lo que yo quería traerle eran unas cuantas pilas. ¿Te gustan? ¡A mí me encantan, tengo 197! Son muy útiles. ¿Qué pilas tiene en los mandos a distancia?». Sin esperar respuesta, el niño continuó: «Tengo unas pilas especiales de Rusia. Mi padre es ingeniero y trabajaba en una refinería de allí. Cuando regresó, me trajo seis pilas triple A, con el rótulo en ruso. Son mis favoritas. Cuando me voy a la cama me gusta mirar mi caja de pilas y clasificarlas en orden alfabético antes de dormirme. Siempre guardo una de mis pilas rusas en la mano hasta que me duermo. Mi madre dice que sería mejor que durmiera abrazado a mi oso Tedy pero yo prefiero coger mis pilas. ¿Cuántas tienes tú?».

La madre de Alicia contestó: «Eh... no lo sé pero debo de tener unas cuantas...» y, de pronto, no supo qué más decirle. Su hija era una niña muy educada, cariñosa y maternal, por lo que podía entender la razón de que hubiera *adoptado* a ese extraño niño como amigo. Jack continuó con su monólogo sobre las pilas, cómo se fabricaban y qué hacer con ellas cuando estuvieran agotadas. La madre de Alicia también se sentía agotada como única oyente de aquella conferencia, que ya duraba más de diez minutos. A pesar de sus sutiles señales de que necesitaba atender a otras personas y de que, como último recurso, dijo: «Debo ir a la cocina y comprobar si está todo listo para la fiesta», el niño continuó hablando y la siguió a la cocina. Observó que, cuando el niño hablaba, rara vez la miraba y su vocabulario era insólito para un niño de su edad. Le daba la sensación de que estaba escuchando a un adulto, ya que se expresaba con una elocuencia fuera de lo común, aunque no parecía querer que lo escucharan.

Finalmente, la madre de Alicia dijo: «Jack, debes ir al jardín para saludar a Alicia ahora mismo», con una cara que indicaba claramente que no tenía alternativa. El niño la miró durante unos segundos como si tratara de interpretar su expresión y a continuación salió. La madre de Alicia miró por la ventana de la cocina y lo vio correr en dirección a su hija. Se dio cuenta de que cuando corría entre un grupo de cuatro niñas, una puso deliberadamente el pie para que el niño se cayera. Jack cayó de bruces en la hierba, y las niñas se echaron a reír burlándose de él, pero Alicia, que había presenciado lo ocurrido, corrió a su encuentro y lo ayudó a levantarse.

Esa escena ficticia es típica de un encuentro con un niño con síndrome de Asperger. La ausencia de comprensión social, la limitada capacidad para mantener una conversación y el intenso interés en un tema concreto son las características básicas del síndrome. Quizás el modo más simple de entenderlo es considerar que describe a alguien que percibe el mundo y piensa en él de manera diferente a como lo hace el resto de la gente.

Aunque hace poco que los médicos han descrito esas diferencias, es probable que el perfil insólito de talentos y aptitudes que describimos como síndrome de Asperger haya sido una característica importante y valiosa para nuestra especie a lo largo de la evolución. Hasta finales del siglo XX, el problema de esas personas no tenía nombre. En la actualidad usamos el término diagnóstico de síndrome de Asperger, basado en las descripciones notablemente intuitivas del doctor Hans Asperger, un pediatra vienés que, en 1944, observó que algunos de los niños remitidos a su clínica tenían rasgos de personalidad y comportamientos muy similares. A mediados de la década de 1940, la psicología infantil se convirtió en Europa y Norteamérica en un área reconocida y cada vez más importante de la ciencia, con progresos significativos en las descripciones, los modelos teóricos y los instrumentos de evaluación, pero Asperger no pudo hallar una descripción y una explicación para ese reducido grupo de niños similares entre ellos y poco comunes, que consideraba fascinantes. Sugirió el término *Autistische Psychopathen im Kindesalter* (trastorno autista de la personalidad). En la terminología inglesa actual, una traducción moderna del término psicológico alemán original *psicopatía* sería *trastorno de la personalidad*, es decir, la descripción de la personalidad de un individuo más que de una enfermedad mental como la esquizofrenia.

Está claro que Asperger estaba fascinado por los niños con un trastorno autista de la personalidad y efectuó una descripción muy clarividente de las dificultades y las aptitudes de esos niños (Asperger, 1944). Observó que la madurez social y el razonamiento social de esos niños sufrían un retraso y algunos aspectos de sus aptitudes sociales eran poco comunes para cualquier estadio del desarrollo. Los niños tenían dificultades para hacer amigos, y Asperger observó que, con frecuencia, eran objeto de burlas por parte de otros niños. También describió alteraciones de la comunicación verbal y no verbal, en especial los aspectos coloquiales del lenguaje. Aquellos niños tenían un lenguaje pedante, y algunos manifestaban una prosodia poco frecuente que afectaba al tono, al timbre y al ritmo del habla. La gramática y el vocabulario podían ser relativamente avanzados pero, al final de la conversación, se tenía la impresión de que había algo raro en su capacidad para mantener la conversación que se habría esperado de niños de su edad. Asperger también observó deterioros claros de la comunicación y del control de las emociones y una tendencia a intelectualizar los sentimientos. La empatía no era tan madura como cabría esperar, teniendo en cuenta las capacidades intelectuales del niño. Los niños también manifestaban una preocupación egocéntrica por un tema o interés concreto que dominaba sus sentimientos y su tiempo. Algunos de aquellos niños tenían dificultades para mantener la atención en clase y problemas específicos de aprendizaje. Así mismo vio que, con frecuencia, necesitaban más ayuda de sus madres con las habilidades organizativas y de autosuficiencia de lo que cabría esperar para su edad. Describió cierto grado de torpeza evidente relacionada con la coordinación motora. También observó que algunos niños eran muy sensibles a ciertos ruidos, olores y texturas.

Asperger consideraba que podían identificarse estas características en algunos niños de dos a tres años de edad, mientras que para otros sólo se hacían evidentes años más tarde. También describió que algunos progenitores, en particular los padres, parecían compartir algunas de las características de la personalidad de su hijo. Destacó que, probablemente, el proceso se debía a factores genéticos o neurológicos, más que psicológicos o ambientales. En sus publicaciones iniciales y ulteriores, y en un análisis reciente de las historias clínicas de las personas que visitó durante más de tres décadas, es evidente que consideraba el trastorno autístico de la personalidad como parte de un *continuum* natural de las aptitudes, que se fusionan en los límites de lo normal (Asperger, 1944, 1952, 1979; Hippler y Klicpera, 2004). Formuló la idea de que era un trastorno estable y crónico de la personalidad, y no observó la desintegración y la fragmentación que se producen en la esquizofrenia. También observó que algunos de los niños tenían habilidades concretas, que les podían ayudar a conseguir un empleo o un trabajo satisfactorio, y sugirió que algunos incluso podrían establecer relaciones duraderas.

Medios para llegar al diagnóstico

Hoy en día, cuando se envía un niño o un adulto para una evaluación, pueden haber pasado por diferentes diagnósticos. El niño remitido tendrá antecedentes poco frecuentes en su desarrollo y un perfil poco común de aptitudes desde la primera infancia, aunque la edad media del diagnóstico del síndrome de Asperger es de ocho a once años (Eisenmajer y otros, 1996; Howlin y Asgharian, 1999). Particularmente he identificado para dicho diagnóstico diversos caminos, que pueden iniciarse cuando el niño es un bebé, en otros estadios del desarrollo o incluso en la edad adulta.

Lorna Wing, que utilizó por primera vez el término «síndrome de Asperger», consideraba que era necesaria una nueva categoría diagnóstica. Había observado que algunos niños que presentaban signos claros de autismo grave en los primeros meses de vida y en la primera infancia podían alcanzar un notable progreso y llegar a un *continuum* del autismo si se diagnosticaban pronto y se les aplicaban programas de intervención precoz, intensivos y eficaces (Wing, 1981). Ahora, el niño previamente solitario y callado quiere jugar con otros niños y puede hablar utilizando frases complejas. A pesar de que antes había un motivo para su aislamiento, en este momento el niño está motivado para participar en actividades sociales. Después de largas horas de inmersión en programas intensivos para fomentar las habilidades de comunicación, el problema ya no es animarlo a hablar, sino tratar de que no hable tanto, que aprenda a escuchar y tenga un conocimiento mayor del contexto social. Cuando el niño es pequeño puede manifestar una intensa preocupación por las experiencias sensitivas; por ejemplo, es posible que el giro de la rueda de un coche de juguete o de una bicicleta lo hipnotizara, mientras que, con el paso de los años, se sienta fascinado por un tema concreto, como las órbitas de los planetas. Las evaluaciones y las observaciones previas del juego del niño habrán indicado la posibilidad de que presente un deterioro intelectual significativo, pero, con el paso de los años, se confirma que el niño tiene un coeficiente intelectual (CI) dentro de los límites normales.

Peter Szatmari ha sugerido que los niños con autismo que desarrollan un lenguaje funcional en la primera infancia al final se incorporan a la trayectoria del desarrollo y presentan un perfil de aptitudes típicas de los niños con síndrome de Asperger (Szatmari, 2000). En las etapas tempranas del desarrollo, el autismo es el diagnóstico adecuado, pero entre los cuatro y seis años, algunos niños con autismo pueden manifestar una notable mejora del lenguaje, el juego y la motivación para socializarse con sus compañeros. Para esos niños la trayectoria del desarrollo ha cambiado, y su perfil de aptitudes en los años de la escuela primaria coincide con las características de los que presentan síndrome de Asperger (Attwood, 1998; Dissanayake, 2004; Gillberg, 1998; Wing, 1981). Esos niños, a los que más tarde se puede diagnosticar autismo de alto funcionamiento o síndrome de Asperger, se beneficiarán de las estrategias y servicios destinados más a niños con síndrome de Asperger que a los que padecen autismo.

RECONOCIMIENTO DEL SÍNDROME DE ASPERGER EN LOS PRIMEROS AÑOS DE ESCOLARIDAD

Durante la evaluación diagnóstica de los adultos, suelo preguntar cuándo reconoció el paciente por primera vez que era diferente de los demás. Muchos adultos a los que se les diagnostica síndrome de Asperger al principio de la vida adulta refieren que la primera vez que se sintieron distintos de los demás fue cuando empezaron a ir a la escuela. Cuentan que han sido capaces de entender a los miembros de su familia y de relacionarse con ellos, incluidas las interacciones sociales con hermanos y hermanas, pero, cuando se esperaba que jugaran con los compañeros de la escuela y que se relacionaran con el maestro, se dieron cuenta de que eran muy distintos del resto de los niños de su edad. Cuando pido a esos adultos que describan tales diferencias, habitualmente contestan que no tenían interés por las actividades sociales de sus compañeros, que no querían compartir con los demás sus actividades y que no comprendían las convenciones sociales en el patio de recreo o en clase.

La trayectoria del diagnóstico se inicia cuando un maestro con experiencia observa a un niño que no tiene antecedentes evidentes de las características asociadas con el autismo pero que se sale de lo común en lo que respecta a su capacidad para entender las situaciones y convenciones sociales. También se reconoce que el niño es inmaduro en el control de las emociones y en la expresión de empatía. Puede manifestar un estilo de aprendizaje poco habitual, con conocimientos notables en un área de interés concreta pero con problemas significativos de aprendizaje o de atención para otras disciplinas académicas. El maestro también puede observar problemas de la coordinación motora, por ejemplo, a la hora de escribir, correr o jugar con una pelota, y también es posible que el niño se tape los oídos ante los ruidos que otros niños no perciben como desagradables.

Cuando se encuentra en el patio de recreo, el niño puede evitar activamente la interacción social con sus compañeros o ser, en sus relaciones sociales, cándido, impertinente o dominante. En clase el maestro ve que el niño no parece darse cuenta de las señales no verbales que transmiten mensajes como «ahora, no» o «estoy empezando a enfadarme» o no las entiende. El niño puede destacar entre los demás por interrumpir o por no responder al contexto social de la forma que sería de esperar para un niño de su edad y su capacidad intelectual. El maestro también puede observar que el niño manifiesta una ansiedad extrema si se le cambian las rutinas o no puede resolver un problema.

Sin duda, el niño no presenta deterioro intelectual pero parece carecer de la comprensión social que tienen sus compañeros. El maestro sabe que el niño mejoraría con programas que lo ayudaran a entender las convenciones sociales de la clase y el patio de recreo. Pero ese maestro también necesita formación, para tener un apoyo en clase, y recursos y experiencia en el síndrome que faciliten la integración social satisfactoria y los logros académicos de esos niños. El niño necesita ayuda pero el maestro también.

Mi experiencia clínica sugiere que en la mayor parte de los niños con síndrome de Asperger se alcanza un diagnóstico mediante esta vía. El perfil poco común de las aptitudes y el comportamiento del niño no es visible en el hogar, pero un maestro reconoce las diferencias cualitativas de esas aptitudes y ese comportamiento, tanto en clase como en el recreo. En una reunión ulterior con los padres y representantes escolares se anima a los primeros a solicitar evaluación diagnóstica tanto para explicar el comportamiento y el perfil poco común de aptitudes, como para que los padres y la escuela puedan acceder a programas y recursos apropiados.

DIAGNÓSTICO PREVIO DE OTRO TRASTORNO DEL DESARROLLO

Otra forma de llegar al diagnóstico es que en el desarrollo del niño haya antecedentes de algún trastorno que pueda asociarse con el síndrome de Asperger. El diagnóstico de trastornos de déficit de atención, del lenguaje, del movimiento, emocionales, de la conducta alimentaria o de las capacidades de aprendizaje puede ser el comienzo del proceso de evaluación formal que, en último término, dará lugar al diagnóstico del síndrome.

Trastorno de hiperactividad y déficit de atención

La población general tiene unos conocimientos razonables sobre el trastorno de hiperactividad y déficit de atención, por lo que el niño puede preocupar tanto a sus padres como a los maestros debido a sus problemas para mantener la atención, a su impulsividad y a su hiperactividad. Ese diagnóstico puede explicar las dificultades del niño en esas áreas pero no explica su perfil poco corriente en lo que respecta a sus aptitudes sociales, lingüísticas y cognitivas, que se describen con más precisión mediante los criterios diagnósticos del síndrome de Asperger. Primero, se ha diagnosticado con precisión un trastorno de hiperactividad y déficit de atención pero no representa el final del camino del diagnóstico.

Los médicos han reconocido desde hace tiempo que los niños con síndrome de Asperger también pueden manifestar signos del trastorno de déficit de atención con hiperactividad, lo que se ha confirmado en diversos estudios de investigación y descripciones de casos (Ehlers y Gillberg, 1993; Fein y otros, 2005; Ghaziuddin, Weider-

27

Mikhail y Ghaziuddin, 1998; Klin y Volkmar, 1997; Perry, 1998; Tani y otros, 2006). Ambos diagnósticos no son mutuamente excluyentes, y el niño puede beneficiarse del tratamiento médico y de las estrategias usadas para ambos problemas.

He observado a niños pequeños con síndrome de Asperger que han sido hiperactivos, pero no necesariamente sufrían un trastorno de déficit de atención con hiperactividad. Esta última característica puede ser una respuesta a un elevado grado de estrés y ansiedad, en particular, en situaciones sociales nuevas, que hacen que el niño sea incapaz de permanecer sentado, quieto y relajado. Antes de confirmar ese diagnóstico, es importante distinguir entre los muchos factores que pueden influir en el mantenimiento de la atención (como la motivación) y la hiperactividad.

Trastornos del lenguaje

Es posible que en un niño pequeño se detecte síndrome de Asperger por el retraso en el desarrollo del lenguaje, lo que hace que se le envíe a un logopeda para su evaluación y tratamiento. Los exámenes formales de las habilidades comunicativas pueden identificar tanto el retraso en el desarrollo del lenguaje como rasgos concretos que no son típicos de ninguno de los estadios de dicho desarrollo. La evaluación indicará retraso y desviación del lenguaje, con un patrón de capacidades lingüísticas parecido al característico del trastorno del lenguaje semántico-pragmático. Los niños con este trastorno presentan habilidades relativamente buenas del lenguaje en cuanto a sintaxis, vocabulario y pronunciación, pero un uso deficiente del lenguaje en su contexto social, es decir, en el arte de la conversación o los aspectos pragmáticos del lenguaje (Rapin, 1992). Las habilidades semánticas están tan afectadas que el niño tiene tendencia a interpretar literalmente lo que oye. El diagnóstico de este trastorno explica las habilidades lingüísticas del niño, pero una evaluación exhaustiva de sus capacidades y su comportamiento indica que el cuadro clínico completo lo explica el síndrome de Asperger.

28

Los límites diagnósticos entre el síndrome de Asperger y los trastornos específicos del lenguaje, como el del lenguaje semántico-pragmático, no están tan claros (Bishop, 2000). Con frecuencia, en los niños pequeños el retraso del lenguaje receptivo se asocia con problemas de socialización (Paul, Spangle-Looney y Dahm, 1991). Un niño que tiene dificultades tanto para comprender lo que le están diciendo como para que los demás lo entiendan a él puede manifestar ansiedad y mostrarse retraído en situaciones sociales. La razón de ese retraimiento social es la alteración del lenguaje más que la del razonamiento social, que es característico del síndrome de Asperger. Durante la evaluación diagnóstica, es importante distinguir entre las consecuencias secundarias del trastorno del lenguaje y el síndrome de Asperger. Sin embargo, el niño con este síndrome que también presenta signos de trastorno del lenguaje pragmático-semántico obtendrá buenos resultados si sigue programas destinados a niños con dicho trastorno.

Trastornos del movimiento

Los padres y maestros pueden identificar que un niño es torpe y que tiene problemas de coordinación y destreza. Puede tener problemas para atarse los zapatos, aprender a montar en bicicleta, de escritura y con los juegos de pelota, y una manera rara o inmadura de andar o correr; entonces se le remite a un terapeuta ocupacional o a un fisioterapeuta para su evaluación y tratamiento. La evaluación puede confirmar que sufre retraso del desarrollo de la capacidad motora o un trastorno específico del movimiento, pero en la anamnesis el terapeuta puede observar otras características raras del desarrollo y de las aptitudes, y es posible que sea el primer profesional que sospeche que el niño padece síndrome de Asperger. Aunque los problemas de coordinación han sido el comienzo del camino para diagnosticar el síndrome de Asperger, obviamente será beneficioso que el niño siga programas de mejora de las habilidades motoras.

Algunos niños con síndrome de Asperger pueden tener movimientos corporales involuntarios, rápidos y súbitos (tics motores) acompañados de la emisión incontrolable de sonidos (tics vocales) que recuerdan los signos del síndrome de Gilles de la Tourette (Ehlers y Gillberg, 1993; Gillberg y Billstedt, 2000; Kadesjo y Gillberg, 2000; Ringman y Jankovic, 2000). El diagnóstico del síndrome de Gilles de la Tourette debido al reconocimientos de tics motores y vocales puede ser otra vía para llegar al diagnóstico del síndrome de Asperger.

Trastornos emocionales

Sabemos que los niños pequeños con síndrome de Asperger son propensos a presentar trastornos emocionales (Attwood, 2003a). Algunos parecen presentar ansiedad casi constantemente, lo que podría ser una indicación de un trastorno de ansiedad generalizada. Uno de los problemas a los que se enfrentan los niños con Asperger es que utilizan el razonamiento más que la intuición para superar algunas situaciones sociales, de manera que pueden estar en estado de alerta y ansiedad casi constante; eso entraña un riesgo de agotamiento mental y físico.

El niño puede haber establecido mecanismos compensadores para evitar las situaciones que le provocan ansiedad, como la escuela, por lo que se niega a ir o enmudece cuando está en ella (Kopp y Gillberg, 1997). Puede manifestar ansiedad o una reacción fóbica intensa a ciertas situaciones sociales, o a experiencias sensoriales, como el ladrido de un perro, o a un cambio de las expectativas, como la alteración de la rutina diaria en la escuela. Llevarlo a un psicólogo clínico, a un psiquiatra o a un departamento de salud mental pediátrica especializado en niños con trastornos emocionales, donde se completará una historia clínica detallada de su desarrollo, puede conducir al diagnóstico del síndrome de Asperger (Towbin y otros, 2005).

Algunos niños con Asperger pueden padecer una depresión clínica, lo que es una reacción lógica al darse cuenta de las dificultades que tienen para conseguir su integración social. La reacción depresiva puede interiorizarse, y dar lugar a la autocrítica e incluso a ideas de suicidio; o puede exteriorizarse, lo que se acompañará de críticas de los demás y la expresión de frustración o cólera, en particular cuando el niño tiene dificultades para entender una situación social. Puede echarse las culpas y decirse: «Soy estúpido», o bien culpar a los demás: «Es culpa tuya». Los signos de depresión clínica o la dificultad para controlar la cólera pueden ser los primeros indicadores de un problema del desarrollo como el síndrome de Asperger.

Trastornos de la conducta alimentaria

Los trastornos de la conducta alimentaria pueden manifestarse por el rechazo de alimentos de una consistencia, aroma o sabor determinados, debido a la hipersensibilidad sensitiva del niño (Ahearn y otros, 2001). También pueden observarse preferencias poco habituales por determinados alimentos al igual que rutinas relacionadas con las horas de las comidas y la presentación de los platos o la comida en general (Nieminen-Von Wendt, 2004). Hacer que un pediatra evalúe los problemas de conducta alimentaria, de dieta o de peso del niño puede contribuir a establecer el diagnóstico de síndrome de Asperger. En diversos estudios sobre este síndrome se ha sugerido que hay demasiados pacientes con un peso inferior al normal para su edad, lo que puede deberse a la ansiedad o a una sensibilidad sensitiva asociada a los alimentos (Bolte, Ozkara y Poustka, 2002; Hebebrand y otros, 1997; Sobanski y otros, 1999)

Algunos trastornos de la conducta alimentaria, como la anorexia nerviosa, pueden asociarse con el síndrome de Asperger. Además, entre el 18 % y el 23 % de niñas adolescentes con anorexia nerviosa presentan signos de síndrome de Asperger (Gillberg y Billstedt, 2000; Gillberg y Rastam, 1992; Gillberg y otros, 1996; Rastam, Gillberg y Wentz, 2003; Wentz y otros, 2005; Wentz Nilsson y otros, 1999). Por lo tanto, las preocupaciones relacionadas con trastornos de la conducta alimentaria o un diagnóstico de esos trastornos puede ser el punto de partida para la evaluación en busca del síndrome de Asperger.

Discapacidades del aprendizaje no verbal

Puede ocurrir que se observe en un niño pequeño que sus aptitudes intelectuales y escolares se salen de lo habitual; en ese caso, el examen por parte de un neuropsicólogo puede indicar un desajuste significativo entre las aptitudes de razonamiento verbal (coeficiente intelectual verbal) y el razonamiento visuoespacial (coeficiente intelectual de ejecución). Si el desajuste consiste en que el primero es sustancialmente mayor que el segundo, se puede llegar a diagnosticar una discapacidad del aprendizaje no verbal mediante una evaluación ulterior más detallada de las capacidades cognitivas.

Las principales características de la discapacidad del aprendizaje no verbal son déficits en los aspectos siguientes: aptitudes visuales-perceptivas-organizativas; habilidades psicomotoras complejas y percepción táctil; adaptación a situaciones nuevas; percepción del tiempo; aritmética mecánica; y habilidades de percepción social y de interacción social, mientras que el niño es relativamente hábil en cuanto a percepción auditiva, reconocimiento de palabras, aprendizaje verbal de memoria y pronunciación. Este patrón sugiere una disfunción del hemisferio derecho y una lesión de la sustancia blanca del cerebro (Rourke y Tsatsanis, 2000). El solapamiento entre la discapacidad del aprendizaje no verbal y el síndrome de Asperger es un campo de estudio y discusión continuos entre los médicos (Volkmar y Klin, 2000). Si, más tarde, en el niño con una discapacidad del aprendizaje no verbal se diagnostica síndrome de Asperger, la información sobre el perfil poco común de habilidades cognitivas puede ser inestimable para un maestro a fin de adaptar el plan de estudios de la escuela a un estilo diferente de aprendizaje.

A medida que el niño madura y se convierte en adolescente, su mundo social y académico se hace más complejo, y las expectativas son que el niño llegue a ser más independiente y seguro de sí mismo. En los primeros años de escolarización, la interacción social tiende a ser más acción que conversación, de manera que las amistades son transitorias, y los juegos sociales, relativamente simples y con normas claras. En la adolescencia, las amistades se basan en necesidades interpersonales más complejas que prácticas, alguien en quien confiar más que alguien con quien jugar.

En los primeros años de escolarización, el niño tiene un maestro para todo el curso, y tanto maestro como niño aprenden cómo interpretar las señales mutuas y a establecer una relación funcional. También se guía más al niño; hay más flexibilidad con respecto al plan de estudios y la madurez social y emocional que se esperan de él. La vida es relativamente simple y el niño puede ser menos consciente de que es diferente de los otros, y en clase o en el patio de recreo sus dificultades no son tan evidentes.

Durante la adolescencia, es probable que el niño con síndrome de Asperger tenga dificultades cada vez más visibles a la hora de planificar y organizar, al igual que para completar sus tareas y deberes a tiempo. Eso puede acompañarse de la disminución del rendimiento escolar y peores notas, que llamarán la atención de padres y maestros. La capacidad intelectual del adolescente no está deteriorada pero han cambiado los métodos de evaluación usados por los maestros. Por ejemplo, en historia ya no es importante recordar fechas y acontecimientos, sino analizar coherentemente; el estudio del inglés requiere aptitudes con la caracterización y leer entre líneas. También es previsible que el adolescente que padece Asperger no sea admitido en un grupo de estudiantes que formen un equipo para presentar un proyecto de ciencias. Las malas notas y el estrés consiguiente pueden propiciar que se envíe al adolescente al psicólogo de la escuela, el cual reconocerá los signos del síndrome de Asperger.

He observado que tales signos son más visibles en épocas de estrés y cambios, y durante los años de la adolescencia tienen lugar importantes modificaciones de las expectativas y de las circunstancias. El niño puede haber afrontado bien la preadolescencia, pero los cambios en la naturaleza de las amistades, el cuerpo, las rutinas escolares y el apoyo pueden precipitar una crisis que ponga en guardia a los expertos para descubrir la presencia del síndrome de Asperger en un niño que previamente sabía afrontar tan bien circunstancias muy diversas.

La adolescencia también es una época en la que se valora de nuevo lo que uno es y desea ser. La influencia de los padres en la vida de un adolescente disminuye, y aumenta la influencia de los otros jóvenes y la identificación con el grupo de compañeros. Se espera que el adolescente se relacione con los diferentes maestros, cada uno con su propia personalidad y estilo didáctico, y que se involucre en la evaluación académica que se basa en el razonamiento abstracto más que en los hechos. Los problemas de inclusión y aceptación social y los resultados académicos pueden precipitar una depresión clínica o una reacción de cólera dirigida a los demás o al *sistema*.

Es posible que el pediatra mande al adolescente a un departamento de psiquiatría de la adolescencia para que le traten la depresión o un trastorno de la ansiedad, que, a esa edad, puede ir acompañado de trastornos obsesivo-compulsivos (Bejerot, Nylander y Lindstrom, 2001), trastornos de la conducta alimentaria, como la anorexia nerviosa, problemas debidos a la cólera o trastornos del comportamiento. También he visitado a algunos jóvenes que presentan diversos grados de expresión de cuatro trastornos que pueden ir juntos: trastorno de hiperactividad y déficit de atención, síndrome de Asperger, trastorno de Gilles de la Tourette y trastorno obsesivo-compulsivo. Cada diagnóstico por separado puede ser correcto y el niño, o el adulto, necesitará tratamiento de los cuatro trastornos.

Asperger describió un subgrupo de niños con tendencia a presentar problemas de comportamiento, que provocaron su expulsión de la escuela. Esos problemas fueron una de las principales razones por las que fueron remitidos a su clínica de Viena. Más tarde, se les diagnosticó trastorno autístico de la personalidad. En ocasiones, los niños con síndrome de Asperger tienen una visión de sí mismos más como adultos que como niños. De hecho, en clase, esos niños pueden actuar como ayudantes del maestro, y corregir y castigar a los otros niños. En situaciones de conflicto, es menos probable que consulten a un adulto, ya que suelen actuar como árbitros y son propensos a tomarse la justicia por su mano. También aprenden que los actos de agresión sirven para repeler a los otros niños, lo que les garantiza una soledad sin interrupciones. El conflicto y la confrontación con los adultos pueden empeorar por su desobediencia, su negatividad y las dificultades para percibir las diferencias de posición o jerarquía social, lo que se traducirá en falta de respeto a la autoridad o a las personas mayores.

Con frecuencia, el niño con Asperger es inmaduro en el arte de la negociación y el compromiso, y no sabe cuándo es preciso recapacitar y pedir disculpas. No aceptará una norma concreta de la escuela si le parece ilógica y continuará con su razonamiento por principios. Esto dará lugar a conflictos importantes con los maestros, el director y otras autoridades escolares.

Sabemos que el niño con Asperger tiene dificultades de integración social con sus compañeros. Si tiene una capacidad intelectual superior, las dificultades para integrarse aumentarán. Los niños con un coeficiente intelectual excepcionalmente alto pueden compensarlo volviéndose arrogantes y egocéntricos y tendrán dificultades considerables para reconocer que han cometido un error. Pueden ser hipersensibles a cualquier crítica, en especial las críticas excesivas de los demás, incluidos los maestros, padres o tutores autoritarios. La escuela o los padres pueden recurrir a la ayuda profesional en relación con la actitud y el comportamiento de esos niños, lo que contribuirá al diagnóstico del síndrome. Mandarlos a un especialista del comportamiento puede ser el punto de partida del camino del diagnóstico del síndrome.

DIAGNÓSTICO DE AUTISMO O SÍNDROME DE ASPERGER EN UN FAMILIAR

Cuando se establece el diagnóstico de autismo o síndrome de Asperger en un niño o adulto, los padres o familiares pronto se dan cuenta de las diferentes formas de expresión de ese proceso, y es importante que examinen los antecedentes familiares y las características de otros miembros de la familia en busca de signos de un trastorno del espectro autístico, en particular del síndrome de Asperger. Los estudios de investigación recientes han indicado que el 46 % de los familiares en primer grado de un niño con síndrome de Asperger tiene un perfil similar de aptitudes y comportamientos (Volkmar, Klin y Pauls, 1998), aunque habitualmente en un grado que es subclínico, es decir, es más una descripción de la personalidad que un síndrome o trastorno.

Después de confirmar el diagnóstico en el niño, es posible que se envíe al médico a un hermano u otro familiar del niño, para su evaluación. El diagnóstico puede confirmarse, ya que la experiencia indica que en algunas familias hay niños y adultos con síndrome de Asperger en la misma generación o en generaciones diferentes. Esto se ha visto confirmado por las autobiografías de algunos adultos con síndrome de Asperger (Willey, 1999). Sin embargo, la evaluación ulterior puede indicar que el grado de expresión de las características es demasiado *leve* como para establecer un diagnóstico, o que el paciente presenta una serie de *fragmentos* del síndrome que son insuficientes para llegar a dicho diagnóstico. Sin embargo, algunas de las estrategias diseñadas para las características o fragmentos presentes en su perfil de aptitudes pueden beneficiar a esa persona.

Un programa de televisión o una noticia que describe el síndrome de Asperger, el artículo aparecido en una revista o la autobiografía de un adulto con síndrome de Asperger puede ser el punto de partida para que algunas personas soliciten una evaluación diagnóstica para sí mismas o para un familiar, amigo o colega. Hace poco, yo estaba en Australia explicando la naturaleza del síndrome en un programa en directo de un canal nacional de televisión, y el estudio de televisión se inundó de llamadas de padres que reconocían los signos del síndrome de Asperger en un hijo o hija adulto que, debido a su edad, nunca había tenido acceso a los conocimientos de los que hoy se dispone para diagnosticar el síndrome en niños. Es más que probable que en los próximos años se produzca un aluvión de adultos que necesiten ser evaluados por un posible diagnóstico de síndrome de Asperger.

En ocasiones, el miembro de una pareja se informa a partir de las noticias aparecidas en los medios de comunicación y cree que el diagnóstico del síndrome de Asperger explicaría las aficiones fuera de lo común y extravagantes, las dificultades para sentir empatía y la falta de habilidades sociales de su cónyuge. Es muy importante recordar que es frecuente que las mujeres consideren que su pareja no entiende su forma de pensar o sus sentimientos, por lo que pueden creer que muchas de las características naturales del sexo masculino corresponden a los signos del síndrome de Asperger. Sin embargo, en realidad he observado un aumento de personas que llegan a los especialistas enviados por consejeros matrimoniales, que saben cada vez mejor cómo reconocer los signos genuinos del síndrome en todas aquellas parejas que solicitan consejo matrimonial (Aston, 2003).

Aunque las personas con síndrome de Asperger pueden obtener buenos resultados académicos, sus dificultades para relacionarse pueden afectar a su rendimiento en una entrevista de trabajo, a los aspectos sociales relacionados con la actividad laboral, al trabajo en equipo que requiera su empleo o a la comprensión de las convenciones sociales, como no sentarse demasiado cerca de otra persona o no mirar a alguien durante demasiado tiempo. Conseguir un empleo y mantenerlo puede ser un problema para esas personas. El primer paso para el reconocimiento del síndrome puede ser la valoración del individuo por parte de una oficina de empleo o del departamento de personal de una empresa. Entre las personas que se encuentran en paro es probable que exista un elevado porcentaje de individuos que tienen síndrome de Asperger.

Otra forma de llegar al diagnóstico en el área laboral es un cambio de las expectativas del empleo. Por ejemplo, la promoción a un puesto directivo que requiera tener habilidades interpersonales y asumir responsabilidades que exigen capacidades de planificación y organizativas puede resultar difícil o inalcanzable para una persona con síndrome de Asperger. También pueden surgir problemas al no aceptar los procedimientos convencionales, y dificultades con el control del tiempo y el reconocimiento de la jerarquía organizativa de la empresa.

Por qué es importante buscar un diagnóstico

Un niño muy pequeño con síndrome de Asperger no es consciente de ser distinto de los de su edad. Sin embargo, los adultos y los otros niños perciben cada vez más que el niño no se comporta, piensa o juega como los demás. Al principio, los adultos de la familia y los maestros pueden pensar que el niño es maleducado o tímido, mientras que sus compañeros simplemente pensarán que es extraño

38

y huraño. Si no se establece un diagnóstico ni se busca explicación de su comportamiento, es posible que otras personas hagan juicios morales que, inevitablemente, perjudicarán a la autoestima del niño y se traducirán en actitudes y consecuencias inoportunas.

Poco a poco, el niño reconocerá que percibe el mundo de una manera poco común y se inquietará cada vez más por ser diferente de los otros niños, no sólo porque tiene intereses, prioridades y un conocimiento social distintos, sino también porque con frecuencia recibe críticas de sus compañeros y de los adultos. Por lo general, un niño con síndrome de Asperger empieza a darse cuenta de que es distinto de los demás entre los seis y los ocho años de edad.

Claire Sainsbury tenía unos ocho años cuando escribió:

> Uno de mis recuerdos más vívidos de la escuela es el de un día en el que estaba sentada en un rincón del patio de recreo, como siempre lo más lejos posible de otros niños que podían golpearme o empujarme, con la mirada fija en el cielo y absorta en mis propios pensamientos. Tenía ocho o nueve años y había empezado a darme cuenta de que era diferente de los demás en casi cualquier aspecto.
>
> No entendía a mis compañeros. Les tenía miedo y me desconcertaban. No querían hablar de lo que a mí me parecía tan interesante. Antes, pensaba que eran tontos, pero entonces empecé a entender que era yo la que tenía un problema y era *diferente* (Sainsbury, 2000, pág. 8).

Como consecuencia de sentirse rechazado, socialmente aislado e incomprendido, el niño puede desarrollar pensamientos y actitudes compensadoras.

Estrategias compensadoras y de ajuste frente a la diferencia

Con el tiempo, he identificado cuatro estrategias compensadoras o de ajuste desarrolladas por los niños pequeños que presentan síndrome de Asperger como respuesta a su percepción de que son diferentes de los demás. La estrategia utilizada dependerá de la personalidad, las experiencias y las circunstancias del niño. Los que tienden a interiorizar sus pensamientos y sentimientos pueden manifestar signos de culpabilidad y depresión o, alternativamente, utilizar la imaginación y una vida de fantasía para crear otro mundo donde tienen más éxito. Los niños que tienen tendencia a exteriorizar sus ideas y sentimientos pueden volverse arrogantes y culpar a los demás de sus problemas, o también puede ser que consideren que los demás no son la causa, sino la solución de sus problemas y desarrollen aptitudes para imitar a otros niños o a diversos personajes. Por lo tanto, algunas reacciones psicológicas pueden ser constructivas mientras que otras darán lugar a problemas psicológicos sustanciales.

Depresión reactiva

En general, los compañeros y los adultos valoran las aptitudes sociales y las habilidades para hacer amigos, y el hecho de estar poco dotados en esas áreas hace que algunos niños con síndrome de Asperger interioricen sus pensamientos y sentimientos y se muestren cada vez más autocríticos y retraídos. Incluso un niño de sólo siete años puede presentar una depresión clínica como consecuencia de darse cuenta de que es diferente y de que carece de habilidades sociales.

Desde un punto de vista intelectual, el niño es capaz de darse cuenta de su aislamiento social pero carece de habilidades sociales, en comparación con los que tienen su misma edad y capacidad intelectual, y no sabe de manera intuitiva qué hacer para tener éxito social. Sus valientes tentativas para mejorar su integración social con otros niños pueden ser ridiculizadas, lo que hará que rechace deliberadamente a sus compañeros. Los maestros y los padres no proporcionan a esos niños el grado necesario de orientación y aliento que necesitan. El niño desea desesperadamente ser incluido en los grupos de compañeros y tener amigos pero no sabe cómo hacerlo. El resultado puede ser una crisis de confianza en sí mismo, como la siguiente cita, extraída de la autobiografía no publicada de mi cuñada, que tiene síndrome de Asperger:

> Lo cierto es que nadie desea que otras personas conozcan nuestras debilidades, pero con una aflicción como la mía, no siempre es posible evitar hacer el ridículo o dar la impresión de estar exasperada. Puesto que nunca sé cuándo volveré a *meter la pata*, evito confiarme demasiado al hablar.

La falta de habilidades sociales producirá un retraimiento social cada vez mayor, que disminuirá las oportunidades de madurar y desarrollar aptitudes sociales. La depresión también puede afectar a la motivación y a la energía para llevar a cabo otras actividades con las que previamente la persona lo pasaba bien en clase y en casa. Esto puede acompañarse de cambios en los patrones de sueño y del apetito, y una actitud negativa que invade cualquier aspecto de la vida; en los casos extremos puede haber pensamientos de suicidio o tentativas de suicidio, bien impulsivas o bien planificadas.

HUIR CON LA IMAGINACIÓN

Una persona con pocas habilidades sociales puede interiorizar sus pensamientos y sentimientos de manera más constructiva huyendo con la imaginación. Los niños con síndrome de Asperger pueden desarrollar un mundo complejo, en ocasiones con amigos imaginarios.

Thomas tiene síndrome de Asperger y unas aptitudes intelectuales considerables. En su biografía, escrita por su madre, ésta describe una de las razones por las que su hijo hacía volar su imaginación:

> Durante una charla en la escuela, la maestra le preguntó a Thomas: «Así pues, ¿con quién juegas en el recreo?».
> «Con mi imaginación. ¡Qué se creía!», respondió Thomas.

41

«¿Con quién piensas que tendrías que jugar en el recreo?», preguntó de nuevo la maestra.

«Con cualquier niño que me comprenda, pero sólo me entienden los adultos, que nunca tienen tiempo para mí», contestó Thomas sin rodeos (Barber, 2006, pág. 103).

En sus mundos imaginarios con amigos imaginarios, los niños con síndrome de Asperger son comprendidos y tienen éxito tanto social como académicamente. Otra ventaja es que el niño controla las respuestas de los amigos imaginarios y, además, los amigos siempre están disponibles. Por otra parte, pueden impedir que el niño se sienta solo. Liane Holliday Willey refería lo siguiente:

Cuando pienso en mi infancia, recuerdo un deseo abrumador de alejarme de mis compañeros. Prefería la compañía de mis amigos imaginarios. Mis mejores amigos eran Penny y su hermano Johnna, aunque nadie podía verlos excepto yo. Mi madre siempre me explica que, cuando yo era pequeña, solía insistir en ponerles cubiertos en la mesa, incluirlos en nuestros viajes en coche y tratarlos como si fueran reales (Willie, 1999, pág.16).

En una conversación personal, Liane me explicaba que tener amigos imaginarios «no era fingir un juego, sino el único juego que la motivaba».

Muchos niños juegan a tener un amigo imaginario, y no necesariamente tiene un significado clínico. Sin embargo, el niño con síndrome de Asperger sólo tiene amigos imaginarios, y la intensidad y la duración de las interacciones imaginarias pueden ser de una magnitud fuera de lo común desde un punto de vista cualitativo.

La búsqueda de un mundo alternativo puede propiciar que en algunos de esos niños nazca un interés por otro país, otra cultura, otro período de la historia o el mundo de los animales, como describe en el pasaje siguiente mi cuñada:

Cuando tenía unos siete años, probablemente observé en algún libro algo que me fascinó, y que todavía me obsesiona, ya que era algo que no había visto nunca antes y no tenía ninguna relación con nuestro mundo y nuestra cultura. Eran los países escandinavos y sus habitantes, por completo diferentes y opuestos a cualquier paisaje o persona que yo conociera. Aquello me sirvió de evasión. Un mundo de ensueño donde nada me recordaría la vida de todos los días y que constituía una sorpresa para mí. La gente de aquel lugar maravilloso no tenía nada que ver con las personas del mundo real. Al mirar sus caras, no podía recordar a nadie que pudiera haberme humillado, asustado o rechazado. Lo fundamental es que daba la espalda a la vida real y su capacidad para hacerme daño, y podía evadirme (autobiografía no publicada).

El interés en otras culturas y mundos explica el desarrollo de una afición especial por la geografía, la astronomía o la ciencia ficción, de modo que esos niños descubren un lugar donde se reconocen y valoran sus conocimientos y aptitudes.

En ocasiones el grado de pensamiento imaginario puede traducirse en un interés por la ficción como lectores, pero también como escritores. Algunos niños con Asperger, en particular las niñas, pueden desarrollar una aptitud para usar a sus amigos, personajes y mundos imaginarios para escribir relatos de ficción notables, lo que puede traducirse en su éxito como autores de ficción, sea para niños o para adultos.

La evasión mediante la imaginación puede ser una adaptación psicológicamente constructiva, pero corren el riesgo de que otros malinterpreten su intención o su estado mental. Con respecto a uno de los cuatro niños que se convirtieron en la base de su tesis sobre el trastorno autístico de la personalidad, Hans Asperger escribió:

Se dijo de él que era un mentiroso consumado. No mentía para librarse de algo que hubiera hecho y, sin duda, ése no era el problema, puesto que siempre decía la verdad, pero explicaba largas historias fantásticas y sus fabulaciones se hacían cada vez más extrañas e incoherentes. Le gustaba inventarse relatos, en los que él aparecía como el héroe. Por ejemplo, podía contarle a su madre cómo su maestro lo había elogiado delante de toda la clase, y otras fábulas similares (Asperger, [1994] 1991, pág. 51).

En condiciones de estrés o soledad extremos la propensión a evadirse mediante la imaginación en un mundo y unos amigos inventados puede favorecer que la fantasía se convierta en *realidad* para una persona con síndrome de Asperger, y es posible que los demás piensen que sufre delirios y que ha perdido el contacto con la realidad (Adamo, 2004). Esto puede originar que el paciente sea remitido a un especialista para una valoración diagnóstica de esquizofrenia, como describe la madre, Barbara LaSalle, en la biografía de Ben (2003).

NEGACIÓN Y PETULANCIA

Una alternativa a interiorizar los pensamientos y sentimientos negativos es exteriorizar la causa y la solución manifestando sentimientos diferentes. Al sentirse inferior en situaciones sociales, el niño puede desarrollar una forma de compensación excesiva consistente en negar que tenga un problema y volverse arrogante, de modo que traslada la *culpa* o el problema a los demás y considera que él está *por encima de las normas*, las cuales le resultan tan difíciles de entender. El niño, o el adulto, se convierte en lo que yo describo como una *forma de Dios*, una persona omnipotente que nunca comete un error, que no puede estar equivocada y cuya inteligencia debe darse por sentada. Esos niños pueden negar que tengan dificultades para hacer amigos, o para interpretar las situaciones sociales o los pensamientos o intenciones de otra persona. Consideran que no necesitan ningún tratamiento ni que se los trate de manera diferente a los otros niños. No desean, de ningún modo, ir a un psicólogo o psiquiatra y están convencidos de que no están locos ni son estúpidos. Sin embargo, aunque no lo reconozcan en público, saben que tienen unas aptitudes sociales limitadas y se desesperan tratando de ocultar cualquier dificultad a la que se enfrentan con la finalidad de no parecer estúpidos.

La falta de aptitudes en el juego social con sus compañeros y en las interacciones con los adultos puede traducirse en la aparición de comportamientos dirigidos a dominar y controlar el contexto social; esos comportamientos comprenden el uso de la intimidación y una actitud arrogante e inflexible. Es probable que los otros niños y los padres acaben por capitular para evitar otra confrontación. La sensación de poder y dominio acaba por intoxicar al niño, y esto se acompañará de problemas de comportamiento.

Cuando esos niños malinterpretan la intención de los demás o el comportamiento que deben seguir en determinadas situaciones sociales, o han cometido un error manifiesto, la emoción *negativa* resultante puede originar una percepción errónea de que las acciones de las otras personas son deliberadamente malintencionadas. La respuesta del niño es infligirles el mismo daño y malestar, incluso físicamente: «Ha herido mis sentimientos y, por lo tanto, le haré daño». Esos niños y algunos adultos pueden rumiar durante muchos años las injusticias cometidas con ellos en el pasado y buscar venganza (Tantam, 2000a).

La arrogancia y la petulancia como mecanismos compensadores también pueden afectar a otros aspectos de la interacción social. El niño tiene dificultades para admitir que está equivocado y puede destacar por estar siempre discutiendo. Hans Asperger recomendaba lo siguiente:

> Con estos niños, se corre el riesgo de embarcarse en discusiones interminables para demostrarles que están equivocados o hacerles entrar en razón. Esto es especialmente verdad para los padres, que con frecuencia se encuentran atrapados en discusiones interminables (Asperger, [1994] 1991, pág. 48).

Esos niños se caracterizan por recordar con notable precisión lo que otra persona les dijo o hizo para demostrar que tenía razón y, por lo tanto, no hacen ninguna concesión ni aceptan un compromiso o una perspectiva diferente. Los padres consideran que tal característica podría favorecer que orientaran sus estudios hacia una carrera como abogados. Sin duda, el niño tiene una notable experiencia práctica en defender sus argumentos.

Por desgracia, la actitud pedante de esos niños puede dificultarles aún más el hacer amigos, y su rechazo y resistencia a aceptar tratamientos para mejorar su comprensión social pueden aumentar la distancia entre sus aptitudes sociales y las de sus compañeros. Podemos entender la razón de que el niño establezca estrategias de ajuste y compensadoras. Por desgracia, sus consecuencias a largo plazo pueden producir un efecto importante sobre sus amistades y también sobre las perspectivas de relaciones y de trabajo cuando sea adulto.

Imitación

Algunos niños utilizan un mecanismo compensador inteligente y constructivo que consiste en observar y asimilar la personalidad de los que tienen éxito social. Al principio permanecen en la periferia de la interacción social, observando y anotando mentalmente lo que deben hacer. Por consiguiente, pueden representar las actividades que han observado en su propio juego solitario y utilizar muñecas, personajes o amigos imaginarios en su hogar. Están interpretando un papel, se aprenden el guión y su personaje para lograr fluidez y confianza antes de intentar que cuenten con ellos en situaciones sociales reales. Algunos pueden ser sorprendentemente perspicaces en la observación, y copiar los gestos, el tono de voz y los manierismos. Están desarrollando la habilidad de ser actores naturales. Por ejemplo, en su autobiografía, Liane Holliday Willey describe la técnica que usaba:

> Podía participar en el mundo como observadora. Era una ávida observadora. Me cautivaban los matices y las sutilezas de las acciones de la gente. De hecho, con frecuencia, creía que era de-

seable transformarme en otra persona. No era mi intención hacerlo, al menos de manera consciente, sino que más bien sucedía como algo que simplemente hacía. Como si no tuviera elección. Mi madre siempre me dice que sabía captar muy bien las características esenciales y la personalidad de la gente (Willey, 1999, pág. 22).

Tenía una capacidad asombrosa para imitar los acentos, las inflexiones de voz, las expresiones faciales, los movimientos de las manos, la forma de andar y los gestos más insignificantes. Era como si me transformara en la persona a la que estaba imitando (Willey, 1993, pág. 23).

Convertirse en un imitador experto puede tener otras ventajas. El niño se hace popular por imitar la voz y la imagen de un profesor o un personaje de la televisión. El adolescente con síndrome de Asperger puede aplicar los conocimientos adquiridos en las clases de teatro a las situaciones cotidianas; determinará quién tendría éxito en esa situación y adoptará su imagen. El niño, o el adulto, puede recordar las palabras y las posturas corporales de una persona en una situación similar de la vida real, en un programa de televisión o en una película. A continuación, reinterpreta la escena utilizando un diálogo y un lenguaje corporal *prestados*. A primera vista, tiene un barniz de éxito social pero, con un examen más detenido, se ve que su aparente destreza social no es espontánea ni original, sino artificial y forzada. No obstante, la práctica y el éxito pueden mejorar las habilidades interpretativas de la persona con síndrome de Asperger, de modo que la carrera de actor se convierte en una posible opción profesional.

Un actor con síndrome de Asperger que ahora está jubilado me escribió explicándome que «como actor, encontré guiones en el teatro que eran mucho más reales que la vida cotidiana. La interpretación me sale de modo natural». Donna Williams describe con las palabras siguientes la aptitud para representar un papel en la vida cotidiana:

Era imposible hablar con ella en un tono normal. Yo empezaba hablando con un marcado acento norteamericano, de manera que creaba una historia y una identidad para mí misma que quedara bien con ella. Como siempre, acababa convenciéndome a mí misma de que yo era ese nuevo personaje y lo mantenía durante seis meses (Williams, 1998, pág. 73).

Pero la imitación también puede ocasionar algunos inconvenientes. El primero es la observación y la imitación de modelos populares pero de mala reputación, por ejemplo, los *gamberros* de la escuela. Puede que ese grupo acepte al adolescente con Asperger porque lleva el *uniforme* del grupo, habla su lenguaje y conoce sus gestos y su código ético; pero esto, a su vez, puede alejar al adolescente de los modelos más convenientes. Probablemente esa pandilla se dará cuenta de que ese niño es un impostor, que se muere por ser aceptado en su grupo y, sin duda, no sabe que están tomándole el pelo disimuladamente. Otro inconveniente es que un psicólogo o un psiquiatra puede creer que esa persona manifiesta signos de algún trastorno múltiple de la personalidad, y no se dará cuenta de que se trata de una adaptación constructiva de alguien que padece síndrome de Asperger.

A algunos niños con síndrome de Asperger no les gusta su forma de ser y desearían ser otra persona distinta, con habilidades sociales y amigos. Quizás el niño observe lo popular que es su hermana entre sus compañeros. También puede darse cuenta de que las niñas y las mujeres, en particular su madre, son naturalmente intuitivas desde un punto de vista social, lo que hará que, para adquirir habilidades sociales, empiece a imitar a las niñas; entre otras cosas, eso puede comportar que quiera vestirse como una niña. Se han publicado diversos informes de casos y, en mi experiencia clínica, he visitado a varios hombres y mujeres afectados de Asperger que tienen problemas de identidad sexual (Gallucci, Hackerman y Schmidt, 2005; Kraemer y otros, 2005). También puede observarse en niñas con síndrome de Asperger que se aborrecen y desean convertirse en otra persona. En ocasiones, desearían ser niños, en particular cuando no pueden identificarse con los intereses y aspiraciones de otras niñas, y las actividades y los juegos de acción de los niños les parecen más interesantes. Sin embargo, ese cambio de *identidad sexual* no modifica automáticamente su aceptación social ni la aceptación de sí mismas.

Cuando los adultos con síndrome de Asperger han utilizado la imitación y han representado un papel para conseguir una competencia social que sólo es superficial, pueden tener dificultades considerables para convencer a las personas de que tienen un problema real con la comprensión social y la empatía; han llegado a ser demasiado verosímiles en la representación de su papel para que los demás los crean.

Ventajas e inconvenientes de tener un diagnóstico

La ventaja de que a un niño se le diagnostique síndrome de Asperger no sólo es la prevención o la disminución de los efectos de algunas estrategias compensadoras o de ajuste, sino también que se disipa la preocupación de que pueda haber otros diagnósticos, como el de un trastorno mental. El niño tiene verdaderas dificultades para afrontar las experiencias que otros consideran simples y que son un motivo de placer o satisfacción. Cuando un adulto tiene problemas con los aspectos no verbales de la comunicación, en particular el contacto visual, la gente puede suponer que presenta una enfermedad mental o que lleva malas intenciones. Cuando se explican al círculo de personas más próximas las características del síndrome de Asperger, pueden corregirse tales suposiciones.

Los niños afectados carecen de características físicas que indiquen que son diferentes y, puesto que tienen unas aptitudes y un coeficiente intelectual en los límites de la normalidad, los demás pueden tener grandes expectativas con respecto a su comprensión social. Una vez que se confirma y se comprende el diagnóstico, pueden cambiar sustancialmente tales expectativas, así como la aceptación y el apoyo de otras personas. Entonces se comprende mejor al niño y, por lo tanto, es más probable que se le respete. Por lo que se refiere a las habilidades sociales, debe darse prioridad a los cumplidos sobre las críticas, y ser consciente de la confusión y el agotamiento del niño, puesto que necesita un aprendizaje simultáneo de dos *planes de estudio*: el académico y el social.

Para los padres, la ventaja de aceptar y comprender el diagnóstico es que, por fin, tienen una explicación de los comportamientos extravagantes y las aptitudes poco comunes de su hijo y entienden que no se deben a que sean malos padres. La familia podrá conocer el síndrome de Asperger gracias a los estudios publicados, Internet, los recursos de los servicios sanitarios y sociales, y los grupos de apoyo, y podrá acceder a programas y tratamientos para mejorar las relaciones sociales y el control de las emociones, lo que beneficiará considerablemente a la familia en conjunto. También se producirá una mayor aceptación del niño en el núcleo familiar y entre los amigos de la familia. A partir de ahí, los padres pueden proporcionar una explicación aceptable a otras personas del comportamiento poco común y extravagante de su hijo. También es importante que los padres expliquen a su hijo que el hecho de tener síndrome de Asperger no sirve de excusa para soslayar sus tareas y responsabilidades.

Además, los hermanos del niño se habrán dado cuenta de que éste es peculiar y habrán manifestado su compasión, tolerancia y preocupación por sus dificultades, o bien pueden manifestar vergüenza, intolerancia y animadversión. Cada hermano se adaptará a su manera a la persona con síndrome de Asperger. Los padres pueden explicar a sus hijos la razón de que su hermano sea un niño fuera de lo común, y cómo la familia tiene que adaptarse y trabajar en equipo y de manera constructiva para implementar estrategias que lo ayuden. Tanto los padres como los profesionales expertos pueden proporcionarles explicaciones apropiadas para su edad sobre el síndrome, para que puedan contarlo a sus amigos sin arriesgarse a perjudicar a sus propias redes sociales. Los hermanos también necesitan saber cómo ayudar a su hermano en el hogar cuando los amigos los visitan, y cuál es su papel y sus responsabilidades en la escuela y en el vecindario.

Por otra parte, tener un diagnóstico puede que confiera a los servicios escolares, en particular los maestros, la ventaja de percibir que el comportamiento y el perfil poco comunes del niño, por lo que respecta a habilidades sociales, cognitivas, lingüísticas y motoras, es un trastorno legítimo que requiere el acceso a recursos que ayuden a los maestros. La confirmación del diagnóstico también debe tener un efecto positivo en las actitudes de los otros niños en clase y del resto del personal de la escuela que esté en contacto con el niño. El maestro puede acceder a la información sobre libros de texto y recursos creados específicamente para la enseñanza de niños con síndrome de Asperger. El maestro también puede explicar a los otros niños de la clase y al resto del personal docente o a los responsables de la supervisión de la persona con síndrome de Asperger la razón de su comportamiento y de sus reacciones fuera de lo común.

Las ventajas de que se establezca el diagnóstico de un adolescente o un adulto pueden estar en que se le ofrezca apoyo, mientras es estudiante o en el lugar de trabajo. Conocer el diagnóstico puede traducirse en una mayor comprensión de sí mismo, una mejor defensa de sus intereses y una toma de decisiones más fácil con respecto a la carrera profesional, sus amistades y otras relaciones (Shore, 2004). Es más probable que un empresario, director o jefe entienda el perfil de aptitudes y de necesidades de un empleado con síndrome de Asperger; por ejemplo, puede surgir un problema si un trabajador con hipersensibilidad visual tiene que trabajar en un despacho de pocas dimensiones, sin ventanas y cuya única iluminación son fluorescentes.

Para un adulto al que se le ha diagnosticado síndrome de Asperger puede ser beneficioso apuntarse a un grupo de apoyo para adultos afectados que se reúna con asiduidad, o a uno que funcione en Internet o a un chat. Eso le proporcionará la sensación de pertenecer a una cultura diferente y valorada, y le permitirá consultar a los miembros de esos grupos de apoyo en busca de su opinión o experiencia. También sabemos que la aceptación del diagnóstico puede ser un paso importante para el desarrollo de relaciones adultas satisfactorias de pareja y es inestimable cuando se solicita consejo y tratamiento a partir de un consejero matrimonial (Aston, 2003).

He observado que cuando a un adulto se le diagnostica Asperger puede tener reacciones emocionales muy variadas. La mayor parte de los adultos refiere que contar con un diagnóstico ha sido una experiencia muy positiva (Gresley, 2000). Puede resultar un gran alivio: «No estoy loco». Muchos hablan de una sensación de euforia por terminar con su vagabundeo de un especialista a otro y descubrir, al fin, por qué sus sentimientos y pensamientos son diferentes de los del resto de la gente, al igual que su excitación al darse cuenta de que, a partir de ahora, su vida cambiará para mejor. Un hombre joven me mandó un correo electrónico donde decía: «Sé que tengo síndrome de Asperger, porque ningún otro problema de salud describe con tanta precisión y tan perfectamente mis extravagancias como este síndrome».

Las personas con síndrome de Asperger también pueden manifestar momentos de cólera por el retraso del diagnóstico o porque el sistema sanitario no haya reconocido los signos de su problema durante tantos años. También pueden expresar sentimientos de desesperación al pensar lo fácil que hubiera sido su vida si el diagnóstico se hubiera confirmado décadas antes. Otras de las reacciones emocionales puede ser la sensación de ansiedad por todos los sufrimientos que les han acarreado sus esfuerzos constantes por tener el mismo éxito social que los demás y los largos años de sentirse incomprendidos, ineptos y rechazados.

Nita Jackson proporciona unos sensatos consejos para personas con síndrome de Asperger:

> Puesto que las personas con síndrome de Asperger pueden ser excepcionalmente tercas cuando tienen la oportunidad, la negación puede representar un grave problema. Cuanto menos reconocen su enfermedad, menos pueden mejorar sus habilidades sociales y, en consecuencia, mayores son las probabilidades de que no tengan amigos o de que sean víctimas de su situación. Aunque el

conocimiento no lo resuelve todo, como mínimo les proporciona un cierto grado de conciencia de sí mismos que puede ir aumentando. Una vez que la persona con síndrome de Asperger sabe lo que le ocurre, le será posible aprender todos los *trucos del oficio* o las normas del juego, como dice la gente, siempre que se deje aconsejar y orientar por alguien que tenga al menos unos conocimientos básicos sobre el síndrome (N. Jackson, 2002, pág. 28).

También pueden tener una nueva sensación de valía personal y optimismo, ya que, en último término, dejan de sentirse estúpidos, deficientes o locos. Como refería Liane Holliday Willey eufóricamente al conocer su diagnóstico, «ahora se por qué soy diferente, no soy tonta ni estoy loca» (Attwood y Willey, 2000). Puede ser beneficioso desde el punto de vista de su autoestima y del apoyo moral su identificación con otros adultos con síndrome de Asperger mediante Internet y los grupos de apoyo y de autoayuda organizados por adultos con síndrome de Asperger. Al principio, un grupo de apoyo local para padres o personal de apoyo para personas con discapacidad puede organizar reuniones de grupo en una universidad donde diversos estudiantes inscritos presenten síndrome de Asperger (Harpur, Lawlor y Fitzgerald, 2004). Algunos grupos de apoyo se han formado espontáneamente en grandes ciudades, como ocurrió en Los Ángeles cuando Jerry Newport, un hombre con síndrome de Asperger, formó y coordinó un grupo de apoyo llamado AGUA (Adult Gathering, United and Autistic). Puede ser una red de afinidad, empatía y apoyo con miembros de la misma tribu o clan que comparten las mismas experiencias, ideas y percepción del mundo.

Cuando hablo del diagnóstico con adultos que padecen síndrome de Asperger, con frecuencia hago referencia a la promesa de autoafirmación de las personas con síndrome de Asperger escrita por Liane Holliday Willey.

- No soy deficiente. Soy diferente.
- No sacrificaré mi valía personal para que los demás me acepten.
- Soy una persona aceptable e interesante.

- Puedo cuidar de mí mismo.
- En sociedad, soy capaz de llevarme bien con los demás.
- Pediré ayuda cuando la necesite.
- Soy una persona que merece el respeto y la aceptación de los demás.
- Encontraré un interés o camino profesional que sea adecuado a mis aptitudes y destrezas.
- Tendré paciencia con las personas que necesiten tiempo para entenderme.
- Nunca me daré por vencido.
- Me aceptaré por lo que soy.

(Willey, 2001, pág. 164).

Considero que la última promesa, «me aceptaré por lo que soy», es un objetivo importante cuando se lleva a cabo psicoterapia con un adolescente o un adulto.

Aunque poco frecuente, la reacción de algunas personas es negar que tengan síndrome de Asperger, e insisten en que no son diferentes de los demás y que su forma de ser no es en absoluto patológica. A pesar de reconocer que las descripciones clínicas encajan con su desarrollo y su perfil de aptitudes, pueden poner en duda la validez del síndrome (o del diagnóstico) y rechazar cualquier programa o servicio que se les proponga. No obstante, ésta sólo es una reacción inicial y, si se les da tiempo para reflexionar, al final aceptan que su personalidad y perfil de aptitudes se corresponden con las características del síndrome de Asperger, y que es una información inestimable cuando se toman decisiones importantes en ámbitos vitales como el empleo y las relaciones personales.

Obtener el diagnóstico puede comportar inconvenientes relacionados con la manera en que la persona con síndrome de Asperger y los demás perciben las características. Si la información diagnóstica se divulga a los cuatro vientos, inevitablemente algunos adultos se aprovecharán de esa *confesión* para atormentar a la persona con síndrome de Asperger y burlarse de él. Hay que ser prudente en el uso del término «síndrome de Asperger», ya que algunos niños pueden pensar que es un problema contagioso (o tomarle el pelo afirmando que lo es) o pueden usarlo como burla: síndrome de Asparagus, síndrome de Hamburger, síndrome de Aspersor, etcétera. Los niños pueden tener mucha imaginación para estigmatizar las diferencias, pero las personas más compasivas pueden reparar parte del daño que sufre la autoestima de una persona con síndrome de Asperger que se ha ridiculizado por ser diferente.

Una de las preocupaciones de los adultos con síndrome de Asperger es la necesidad de dar información sobre éste cuando optan a un puesto de trabajo o mandan su currículo como respuesta a un anuncio. Si hay una competencia considerable con muchos candidatos para una vacante, el solicitante con síndrome de Asperger, al que el empresario o personal que efectúa la entrevista desconoce por completo, corre el riesgo de ser rechazado porque supondrá que no es un candidato apropiado. Una posible solución es que el adulto redacte una breve descripción del síndrome (de una página como máximo) y las cualidades y dificultades relacionadas con el trabajo solicitado. Ese informe personalizado también puede usarse para explicarlo a los colegas y otro personal del lugar de trabajo. También se puede proporcionar una tarjeta con una versión más breve a cualquier persona que necesite conocer esa información sobre el afectado.

Tener el diagnóstico del síndrome puede limitar las expectativas de los demás, que supondrán que la persona afectada nunca será capaz de alcanzar los mismos logros que sus compañeros, tanto en el ámbito social como en el académico y en el personal. El diagnóstico facilita que se creen expectativas realistas pero no dicta en absoluto los límites superiores de la capacidad de la persona con síndrome de Asperger. He conocido adultos con síndrome de Asperger con satisfactorias carreras profesionales muy variadas, desde profesor de matemáticas hasta asistente social; y otros cuya capacidad en el campo de las relaciones varía desde disfrutar de una vida plena pero célibe, hasta los que tienen una pareja durante muchos años y son padres o madres afectuosos y queridos.

Como sociedad, hemos de reconocer el valor de las personas con síndrome de Asperger en una comunidad multicultural y diversa. En resumen, es posible que debamos considerar el comentario de un adulto con síndrome de Asperger que me sugirió que quizás el próximo estadio de la evolución de la humanidad sea dicho síndrome.

Puntos clave y estrategias

- Los niños con síndrome de Asperger tienen las características siguientes:

  — Retraso de la madurez y del razonamiento sociales.
  — Empatía inmadura.
  — Dificultades para hacer amigos; con frecuencia, son objeto de burlas por parte de otros niños.
  — Dificultades con la comunicación y el control de las emociones.
  — Destrezas poco comunes del lenguaje: vocabulario y sintaxis normales pero retraso de la capacidad de conversación, prosodia poco común y tendencia a ser pedantes.
  — Fascinación por un tema que es extravagante, en la intensidad o en su forma de prestarle atención.
  — Dificultades para mantener la atención en clase.
  — Perfil poco común de aptitudes de aprendizaje.
  — Necesidad de apoyo en algunas destrezas de autosuficiencia y de organización.
  — Torpeza motora tanto por lo que se refiere a la marcha como a la coordinación.
  — Sensibilidad a ruidos, aromas o texturas concretos.

- Se puede llegar al diagnóstico por diversas vías:

  — Diagnóstico de autismo en la primera infancia y progresión en los años de escolarización hasta autismo de alto funcionamiento o síndrome de Asperger.

56

— Reconocimiento del síndrome por parte de un maestro cuando el niño inicia la escuela primaria.
— Diagnóstico previo de otro trastorno del desarrollo como un trastorno por hiperactividad y déficit de atención, trastorno o retraso del lenguaje o del movimiento, trastorno de la conducta alimentaria, o discapacidad del aprendizaje no verbal.
— Los signos del síndrome de Asperger sólo se manifiestan durante la adolescencia, cuando las expectativas sociales y académicas llegan a ser más complejas.
— Aparición de problemas de comportamiento y conflictos con los padres, los maestros y otras autoridades escolares.
— Identificación de los signos del síndrome de Asperger en un familiar, cuando la revisión de los antecedentes familiares del niño identifica a otros miembros de la familia con características similares.
— Las descripciones del síndrome de Asperger en los medios de comunicación, libros y artículos en revistas pueden favorecer que una persona solicite un diagnóstico para sí misma o un miembro de su familia.
— Problemas laborales, en especial para conseguir y mantener un empleo apropiado a la preparación, formación y aptitudes de la persona con síndrome de Asperger.

• Cuando el niño se da cuenta de que es diferente de los demás puede poner en marcha una de las siguientes cuatro estrategias compensadoras o de adaptación:

— Sentimientos de culpabilidad y depresión.
— Evasión mediante la imaginación.
— Negación y petulancia.
— Imitación de otros niños y de personajes.

• Las ventajas de obtener un diagnóstico son:

— Prevención o reducción de los efectos de algunas estrategias compensadoras o de adaptación.

57

— Disipación de la preocupación de padecer otras enfermedades o de la posibilidad de estar loco.
— Reconocimiento de que esa persona tiene verdaderas dificultades para afrontar las experiencias que para los demás son sencillas y motivo de dicha y de satisfacción.
— Cambio positivo en las expectativas, la aceptación y el apoyo que recibe de los demás.
— Necesitan elogios más que críticas con respecto a sus habilidades sociales.
— Pueden reconocer su confusión y agotamiento en las situaciones sociales.
— La escuela puede acceder a los recursos disponibles para ayudar al niño y a su maestro.
— Una persona con síndrome de Asperger adulto puede acceder a los servicios de apoyo para su orientación profesional y su formación y educación adicional.
— Mayor conocimiento sobre sí mismo, mayor capacidad de autodefensa y mejor toma de decisiones relativas a su carrera o profesión, amigos y relaciones.
— Sensación de identificación con una *cultura* valorada.
— La persona deja de sentirse estúpida, deficiente o loca.

• Los inconvenientes de tener el diagnóstico pueden ser:

— Algunos niños o adultos pueden hacer la vida imposible a la persona con síndrome de Asperger y burlarse de él por padecer un trastorno diagnosticado por un psicólogo o un psiquiatra.
— El diagnóstico puede limitar las expectativas de los demás, que suponen, incorrectamente, que la persona con síndrome de Asperger nunca será capaz de tener éxito social, académico y personal en el mismo grado que el resto de la gente.

2

El diagnóstico

> Se puede identificar a esos niños de modo casi instantáneo. Se les reconoce por pequeños detalles, por ejemplo, su forma de entrar en el consultorio en su primera visita, su comportamiento en los momentos iniciales de ésta y las primeras palabras que pronuncian.
>
> *Hans Asperger ([1944] 1991)*

Al mismo tiempo que Hans Asperger describía el trastorno autístico de la personalidad en la década de 1940, otro médico austríaco, Leo Kanner, que vivía en Baltimore (Estados Unidos), describió otra parte de lo que hoy día conocemos como espectro autístico. Ese médico, que aparentemente desconocía los estudios de Asperger, describió una expresión del autismo caracterizada por deterioros muy graves del lenguaje, la socialización y la cognición: el niño silencioso y distante con discapacidad intelectual (Kanner, 1943). Durante los cuarenta años siguientes, en los países anglosajones, en la investigación ulterior y en los estudios publicados, predominó esa expresión del autismo, considerado al principio una forma de psicosis infantil. Hasta donde sé, Hans Asperger y Leo Kanner nunca intercambiaron correspondencia relativa a los niños que estaban describiendo, aunque ambos usaban el término «autismo».

Hasta la muerte de Asperger, en 1980, no utilizamos por primera vez el término «síndrome de Asperger». Una famosa psiquiatra inglesa especializada en trastornos del espectro autístico, Lorna Wing, se dio cuenta progresivamente de que las descripciones de Leo Kanner, que eran la base de los conocimientos y del diagnóstico del autismo en Norteamérica y en Inglaterra, no definían con precisión a algunos de los niños y adultos de su dilatada experiencia clínica e investigadora. En un artículo publicado en 1981, describía 34 casos de niños y adultos con autismo, con edades entre los cinco y los treinta y cinco años, y cuyo perfil de aptitudes se parecía mucho más a las descripciones de Asperger que a las de Kanner, y que no se correspondía fácilmente con los criterios diagnósticos del autismo usados por los académicos y los médicos en aquel momento. Lorna Wing utilizó por primera vez el término «síndrome de Asperger» para proporcionar una nueva categoría diagnóstica dentro del espectro autístico (Wing, 1981).

Sus ejemplos de casos y conclusiones eran muy convincentes, y un grupo de psicólogos y psiquiatras ingleses y suecos inició un estudio más exhaustivo de las descripciones de Hans Asperger y del perfil de aptitudes del síndrome. A pesar de que las descripciones originales de Asperger eran sumamente detalladas, no proporcionaban criterios diagnósticos claros. En 1988 se celebró en Londres una conferencia internacional a pequeña escala sobre el síndrome con expertos que habían empezado a investigar esa área recién descubierta del espectro autístico. Uno de los resultados de los debates y presentaciones de artículos fue la publicación de los primeros criterios diagnósticos en 1989, que se revisarían en 1991 (Gillberg, 1991; Gillberg y Gillberg, 1989). A pesar de los criterios ulteriores publicados en los dos principales manuales diagnósticos, y por el psiquiatra infantil canadiense Peter Szatmari y sus colaboradores (Szatmari, Bremner y Nagy, 1989b), los criterios de Christopher Gillberg, que se basan en las investigaciones de Suecia y Londres, siguen siendo los que se parecen más a las descripciones de Hans Asperger. Por esa razón, en mi opinión y la de muchos médicos expertos, son los criterios preferentes, tal como se muestran en la tabla 2.1. En la práctica clínica, se diagnostica síndrome de Asperger si se cumple el criterio de deterioro social junto con, al menos, cuatro de los otros cinco criterios (Gillberg, 2002).

En 1993, la Organización Mundial de la Salud (OMS) publicó la décima edición de la *Clasificación internacional de las enfermeda-*

60

Tabla 2.1. Criterios diagnósticos de Gillberg para el síndrome de Asperger (Gillberg, 1991)

1. *Alteración cualitativa de la relación social (egocentrismo extremo) (manifestada por, como mínimo, dos de las características siguientes):*
- Dificultades de interacción con los compañeros.
- Indiferencia y falta de interés en los contactos con los compañeros.
- Dificultades para interpretar las claves sociales.
- Comportamiento inapropiado a la situación tanto desde el punto de vista social como emocional.

2. *Intereses restringidos y absorbentes (como mínimo una de las características siguientes):*
- Exclusión de otras actividades.
- Adhesión repetitiva.
- Más mecánicos que significativos.

3. *Necesidad compulsiva de introducir rutinas e intereses (como mínimo una de las características siguientes):*
- Afectan a todos los aspectos de la vida del individuo.
- Afectan a los demás.

4. *Problemas y peculiaridades del habla y del lenguaje (como mínimo tres de las características siguientes):*
- Retraso inicial en el desarrollo del lenguaje.
- Lenguaje expresivo superficialmente perfecto.
- Lenguaje formal pedante.
- Características peculiares de prosodia y entonación.
- Dificultades de comprensión, entre ellas, interpretación literal de expresiones ambiguas, implícitas y de doble sentido.

5. *Dificultades en la comunicación no verbal (como mínimo una de las características siguientes):*
- Uso limitado de gestos.
- Lenguaje corporal torpe y carente de aplomo.
- Expresión facial limitada.
- Expresión inapropiada a la situación.
- Mirada peculiar, rígida.

6. *Torpeza motora:*
- Retraso en el área motora o alteraciones en los tests del desarrollo neurológico.

des (CIE-10) y, en 1994, la American Psychiatric Association publicó la cuarta edición del *Diagnostic and Statistic Manual of Mental Disorders* (DSM-IV). Por primera vez, ambos manuales de diagnóstico incluían el síndrome de Asperger o, para ser más exactos, el trastorno de Asperger, como uno de los trastornos persistentes del desarrollo (American Psychiatric Association, 1994; Organización Mundial de la Salud, 1993). Ambas listas de criterios son muy similares. En los dos manuales se reconocía que el autismo, o trastorno generalizado del desarrollo, es una entidad heterogénea que parece comprender diversos subtipos, uno de los cuales es el síndrome de Asperger.

Cuando se confirma un nuevo síndrome, se busca la bibliografía clínica internacional para comprobar si algún otro autor ha descrito un perfil similar de aptitudes. Hoy día, sabemos que, probablemente, fue un ayudante científico de neurología ruso, la doctora Ewa Ssucharewa, quien publicó por primera vez una descripción de niños que hoy describiríamos como con síndrome de Asperger (Ssucharewa, 1926; Ssucharewa y Wolff, 1996). Su descripción llegó a conocerse como trastorno esquizoide de la personalidad. Sula Wolff (1995, 1998) ha revisado nuestros conocimientos sobre este trastorno y sugirió que tiene características muy similares a las del síndrome de Asperger. Yo creo que en la actualidad usamos el término «síndrome de Asperger» porque para los anglosajones es más fácil de pronunciar y escribir que «síndrome de Ssucharewa».

Hans Asperger falleció en 1980 y no pudo comentar la interpretación de su estudio fundamental que habían hecho los psicólogos y psiquiatras de habla inglesa. Sólo hace relativamente poco tiempo, en 1991, Uta Frith tradujo su artículo original sobre el trastorno autístico de la personalidad al inglés (Asperger [1944], 1991). No obstante, en estos momentos disponemos de más de 2.000 estudios publicados sobre el síndrome de Asperger, y más de 100 libros. Desde mediados de la década de 1990, los médicos de todo el mundo han descrito un aumento de la tasa de personas con síndrome de Asperger para los que se solicita una valoración diagnóstica de dicho síndrome.

Cuestionarios y escalas de valoración del síndrome de Asperger

Cuando un maestro, un terapeuta, un familiar, una organización o el propio interesado ha identificado las características que indicarían un síndrome de Asperger, el paso siguiente es someter a esa persona a un cuestionario o una escala de valoración para corroborar que necesita visitar a un especialista. Al completar el cuestionario pueden ponerse de manifiesto otras características y comportamientos sintomáticos del síndrome de Asperger, que confirmarán que la orientación diagnóstica es apropiada. En la actualidad disponemos de ocho cuestionarios de detección específicos para niños, y seis para adultos. Recientemente, se ha efectuado una revisión de las escalas de evaluación y de los cuestionarios para el síndrome de Asperger y se ha llegado a la conclusión de que todos tienen problemas de validez, fiabilidad, sensibilidad y especificidad (Howlin, 2000). Hasta la fecha, no se dispone de ningún cuestionario o escala de evaluación que sea ideal. A continuación, se citan los cuestionarios y escalas para niños en orden alfabético, no por su mérito:

- ASAS: Escala australiana para el síndrome de Asperger (Australian Scale for Asperger's Syndrome) (Garnett y Attwood, 1998).
- ASDI: Cuestionario diagnóstico para el síndrome de Asperger (Asperger Syndrome Diagnostic Interview) (Gillberg y otros, 2001).
- ASDS: Escala diagnóstica del síndrome de Asperger (Asperger Syndrome Diagnostic Scale) (Myles, Bock y Simpson, 2001).
- ASSQ: Cuestionario de detección del espectro autístico (Autism Spectrum Screening Questionnaire) (Ehlers, Gillberg y Wing, 1999).
- CAST: Test del síndrome de Asperger en la infancia (Childhood Asperger Syndrome Test) (Scott y otros, 2002; Williams y otros, 2005).
- GADS: Escala de Gilliam del trastorno de Asperger (Gilliam Asperger Disorder Scale) (Gilliam, 2002).

- KADI: Índice de Krug del trastorno de Asperger (Krug Asperger's Disorder Index (Krug y Arick, 2002).

En una revisión reciente de ASDS, ASSQ, CAST, GADS y KADI se sugiere que esas cinco escalas de evaluación tienen puntos débiles sustanciales en cuanto a la psicometría, en particular en el uso de muestras normativas. El índice KADI demostró ser el instrumento de mejores propiedades psicométricas, mientras que las más débiles correspondieron a la ASDS (Campbell, 2005).

Los cuestionarios descritos más adelante están diseñados para adultos que pueden presentar síndrome de Asperger. Simon Baron-Cohen y Sally Wheelwright han diseñado la mayor parte de los instrumentos de evaluación actuales que se publican en el apéndice del libro *La gran diferencia: cómo son realmente los cerebros de hombres y mujeres*, cuyo autor es Simon Baron-Cohen (2003):

- ASQ: Cociente del espectro autístico (Autism Spectrum Quotient) (Baron-Cohen y otros, 2001b; Woodbury Smith y otros, 2005).
- EQ: Cociente de empatía (Empathy Quotient) (Baron-Cohen y Wheelwright, 2004).
- The Reading the Mind in the Eyes Test: Leer la mente con el test ocular (Baron-Cohen y otros, 2001a).
- The Reading the Mind in the Voice Test: Leer la mente con el test de la voz (Rutherford, Baron-Cohen y Wheelwright, 2002).
- FQ: Cuestionario de amistad (Friendship Questionnaire) (Baron-Cohen y Wheelwright, 2003).
- ASDASQ: Trastornos del espectro autístico en el cuestionario de detección para adultos (Autism Spectrum Disorders in Adults Screening Questionnaire) (Nylander y Gillberg, 2001).

En la actualidad, Michelle Garnett y yo estamos revisando la escala australiana original para el síndrome de Asperger aplicada a niños y adolescentes de cinco a dieciocho años de edad. Los resultados de la evaluación se publicarán este año.

Evaluación diagnóstica

Los instrumentos de detección suelen diseñarse de manera amplia, para poder identificar todos los casos potenciales de síndrome de Asperger, pero no pueden sustituir a una evaluación diagnóstica, que proporcionará una validación objetiva del perfil de comportamientos y aptitudes identificado mediante los instrumentos de detección. Es necesario que un médico experto lleve a cabo la valoración de las esferas de razonamiento social, la comunicación de las emociones, las habilidades del lenguaje y cognitivas, y los intereses y las destrezas relativas al movimiento y la coordinación, al igual que un examen de los aspectos relacionados con las aptitudes de percepción sensorial y de cuidado personal. Puede obtenerse una información inestimable leyendo los informes y evaluaciones previos que identifican características asociadas al síndrome de Asperger, que deberán ser valoradas y confirmadas durante la evaluación diagnóstica. Ésta también incluirá una revisión de los antecedentes personales y familiares del desarrollo (Klin y otros, 2000). Para analizar los antecedentes familiares es necesario incluir preguntas sobre cualquier miembro de la familia con un perfil similar de aptitudes, al que no necesariamente se le habrá diagnosticado síndrome de Asperger.

Hay dos pruebas diagnósticas diseñadas para niños con autismo. La Autism Diagnostic Interview Revisada (ADI-R) (entrevista diagnóstica para el autismo revisada) (Lord, Rutter y Le Couteur, 1994) y la Autism Diagnostic Observation Schedule Genérica (ADOS-G) (lista genérica de observación diagnóstica para el autismo) (Lord y otros, 2000). La ADI-R usa una entrevista semiestructurada en la que un progenitor o cuidador proporciona la información sobre el niño y representa un parámetro dimensional de la gravedad de los signos de autismo. La ADOS-G es un protocolo para la observación de las aptitudes sociales y de comunicación asociadas al autismo, con una valoración de la calidad de los comportamientos y las aptitudes. No obstante, estos instrumentos de evaluación diagnóstica se diseñaron principalmente para el diagnóstico del autismo, y no del síndrome de Asperger, y carecen de la sensibilidad suficiente para valorar las características más sutiles del síndrome (Gillberg, 2002; Klin y otros, 2000).

La valoración diagnóstica del síndrome de Asperger requiere un protocolo (a menudo creado por médicos individuales) que utiliza un *guión* o secuencia de actividades y tests que determinan si el patrón de aptitudes en un ámbito concreto es típico de un niño de esa edad o de un adulto, o indica un retraso del desarrollo o una desviación. El médico puede consultar una lista de control, que incluye las características del síndrome de Asperger que comprenden los criterios diagnósticos, y las características identificadas en los estudios publicados o mediante una amplia experiencia clínica personal como típicas de niños o adultos con síndrome de Asperger.

En algunos niños y adultos es relativamente fácil establecer el diagnóstico. Un médico puede sospechar que un paciente tiene Asperger en pocos minutos, pero será necesario emprender una evaluación diagnóstica completa para confirmar la impresión inicial. En algunas niñas y mujeres con síndrome de Asperger y, en general, en adultos con una capacidad intelectual considerable, el diagnóstico puede ser más difícil, debido a su capacidad para camuflar sus limitaciones. La evaluación puede tardar una hora o más, en función del número y de la profundidad de las pruebas de las aptitudes específicas. En los capítulos siguientes de esta obra incluyo algunos procedimientos de evaluación diagnóstica que utilizo para examinar aptitudes y comportamientos específicos.

En la evaluación diagnóstica de estas personas no sólo deben examinarse las áreas de dificultad, sino también las áreas de aptitudes que pueden atribuirse a las características del síndrome. Por ejemplo, el niño puede haber obtenido premios y diplomas por sus conocimientos relacionados con uno de sus intereses o aficiones, o haber demostrado sus aptitudes académicas ganando un concurso de matemáticas o artístico. El paciente puede dibujar con un realismo casi fotográfico o inventarse juegos de ordenador. Se pueden formular preguntas a los padres acerca de las cualidades atractivas de la personalidad de su hijo, por ejemplo, que es afectuoso y amable, que tiene un firme sentido de la justicia social o que manifiesta un marcado amor por los animales.

La Diagnostic Interview for Social and Communication Disorders (DISCO) (entrevista diagnóstica para los trastornos sociales y de la comunicación) es una guía para que los médicos puedan obtener, sistemáticamente, información detallada sobre los antecedentes del desarrollo y el estado actual del paciente, necesaria para el diagnóstico de los trastornos del espectro autístico y los trastornos del desarrollo relacionados con él en niños y adultos de todas las edades (Wing y otros, 2002). Sólo está disponible para profesionales expertos en su uso.

Criterios diagnósticos actuales

Es previsible que los médicos utilicen los criterios DSM-IV de la American Psychiatric Association al emprender una evaluación diagnóstica de trastornos del desarrollo como el síndrome de Asperger. En la tabla 2.2 se proporcionan los criterios para el síndrome de Asperger descritos en el DSM-IV, que se revisaron para la edición publicada en el año 2000.

Destinado a complementar los criterios, el texto en el DSM-IV sólo proporciona unas directrices someras para el proceso diagnóstico y una descripción superficial del trastorno. Con la lectura de los criterios DSM-IV como fuente exclusiva de información para establecer un diagnóstico, un médico no tendrá los datos suficientes para establecer un diagnóstico fiable del síndrome de Asperger. Para poder emitir ese diagnóstico con total seguridad, el médico necesita formación, supervisión y amplia experiencia clínica en relación con el síndrome de Asperger.

TABLA 2.2. Criterios diagnósticos del síndrome de Asperger de acuerdo con el DSM-IV-TR (American Psychiatric Association, 2000)

A. Alteración cualitativa de la interacción social, manifestada, al menos, por dos de las características siguientes:

1. Importante alteración del uso de múltiples comportamientos no verbales, como el contacto ocular, la expresión facial, las posturas corporales, y los gestos que regulan la interacción social.
2. Incapacidad para establecer relaciones con compañeros adecuadas al nivel de desarrollo de la persona.
3. Ausencia de la tendencia espontánea a compartir emociones, satisfacciones, intereses y logros con otras personas (p. ej., no mostrar, traer o enseñar objetos de su interés a otras personas).
4. Falta de reciprocidad social y emocional.

B. Patrones de comportamiento, intereses y actividades restringidos, repetitivos y estereotipados, manifestados, por lo menos, en una de las siguientes características:

1. Preocupación absorbente por uno o más patrones estereotipados y restringidos de intereses, que resulta anormal, bien por su intensidad o bien por su objetivo.
2. Adhesión en apariencia inflexible a rutinas o rituales concretos no funcionales.
3. Gestos motores estereotipados y repetitivos (p. ej., sacudir o girar manos y dedos, o movimientos corporales complejos).
4. Preocupación persistente por partes de objetos.

C. El trastorno causa un deterioro claramente significativo de la actividad social y laboral, así como de otros ámbitos importantes de la actividad del paciente.

D. No hay retraso general del lenguaje clínicamente significativo (p. ej., a los dos años usa palabras sencillas y a los tres frases comunicativas).

E. No hay retraso clínicamente significativo del desarrollo cognitivo ni del desarrollo de habilidades de autosuficiencia propias de su edad, comportamiento adaptativo (diferente de la interacción social) y curiosidad por el entorno durante la infancia.

F. No cumple los criterios de otro trastorno generalizado del desarrollo ni relacionado con la esquizofrenia.

PROBLEMAS ASOCIADOS CON LOS CRITERIOS DIAGNÓSTICOS ACTUALES DEL DSM-IV

La inclusión original del trastorno de Asperger en el DSM-IV fue aceptada por los médicos como una decisión sensata, al igual que la decisión de trasladar los trastornos persistentes del desarrollo, incluido el autismo y el síndrome de Asperger, del eje II (un eje para los trastornos estables, crónicos con un pronóstico relativamente malo en cuanto a mejoría) al eje I (que implica que los signos pueden mejorar con intervención y tratamiento precoces). No obstante, los criterios diagnósticos del DSM-IV plantean problemas, sobre todo los criterios diferenciales descritos en el manual que distinguen entre el diagnóstico de autismo o el de síndrome de Asperger.

Retraso del lenguaje

Los criterios diagnósticos incluidos en el DSM-IV han sido motivo de crítica por parte de logopedas, por lo que respecta a la afirmación de que, para establecer un diagnóstico de síndrome de Asperger en niños y adultos, «no debe identificarse un retraso general clínicamente significativo del lenguaje (es decir, a los dos años edad, uso de palabras aisladas, a los tres años de edad, uso de frases comunicativas)». Dicho de otro modo, si hay signos de un retraso precoz del lenguaje, el diagnóstico no debe ser síndrome de Asperger, sino autismo, aun cuando se cumplan todos los demás criterios relacionados con los antecedentes del desarrollo (aparte de la adquisición del lenguaje) y el perfil actual de aptitudes para el síndrome de Asperger.

Una logopeda con experiencia considerable en los trastornos de espectro autístico, Diane Twatchman-Cullen (1998), ha criticado ese criterio de exclusión partiendo de que el término *clínicamente significativo* no es científico ni preciso y se deja a criterio de los médicos sin una definición operativa. Otra crítica que se ha hecho es que la investigación sobre los estadios de la adquisición precoz del lenguaje han establecido que las palabras aisladas emergen alrededor del

69

primer aniversario del niño, las frases comunicativas alrededor de los dieciocho meses de edad y las frases cortas en torno a los dos años. De hecho, los criterios del DSM-IV describen a un niño que, en realidad, presenta un retraso sustancial del lenguaje.

¿Diferencia en realidad el desarrollo de habilidades precoces del lenguaje entre los adolescentes con autismo y un coeficiente intelectual dentro de unos límites normales (es decir, autismo de alto funcionamiento) y el síndrome de Asperger? En la actualidad se ha emprendido una investigación sobre la posibilidad de que el retraso del lenguaje en niños con autismo pueda predecir con precisión síntomas clínicos más tardíos. Se han publicado cuatro estudios que han arrojado dudas considerables sobre el uso del retraso precoz del lenguaje como criterio diferencial entre el autismo de alto funcionamiento y el síndrome de Asperger (Eisenmajer y otros, 1998; Howlin, 2003; Manjiviona y Prior, 1999; Mayes y Calhoun, 2001). Cualquier diferencia en las habilidades del lenguaje entre niños con autismo y un coeficiente intelectual dentro de los límites normales y aquellos con síndrome de Asperger que sea evidente en los años preescolares habrá desaparecido a principios de la adolescencia.

En realidad, el retraso del desarrollo del lenguaje es uno de los criterios diagnósticos de Gillberg y Gillberg para el síndrome de Asperger (Gillberg, 1991; Gillberg y Gillberg, 1989). En último término, los niños pequeños con autismo típico que más tarde desarrollan un lenguaje fluido manifiestan un perfil de aptitudes similar al de aquellos con síndrome de Asperger que no han presentado un retraso precoz del lenguaje. En mi opinión, y la de muchos médicos, el retraso precoz del lenguaje no es un criterio de exclusión del síndrome y, en realidad, podría ser un criterio de inclusión, como en los criterios establecidos por Gillberg. Durante la evaluación diagnóstica deberá prestarse atención al uso actual del lenguaje (aspectos pragmáticos del lenguaje) más que a los antecedentes del desarrollo del mismo.

Destrezas de autosuficiencia y comportamiento adaptativo

Los criterios del DSM-IV hacen referencia a los niños con síndrome de Asperger como aquellos «sin un retraso clínicamente significativo del desarrollo cognitivo o en el desarrollo de las destrezas de autosuficiencia apropiadas para la edad, comportamiento de adaptación (diferente de la interacción social), y curiosidad por el entorno en la infancia». La experiencia clínica y la investigación indican que, con frecuencia, los progenitores, en particular las madres, de niños y adolescentes con síndrome de Asperger tienen que proporcionarles recordatorios verbales y consejos relativos a las destrezas de autosuficiencia y de la vida diaria. Eso puede ir desde ayudarlos en actividades como usar los cubiertos hasta recordarles aspectos de la higiene personal y del gusto para vestirse, y alentarlos con las aptitudes de planificación, organización y control del tiempo. Cuando los padres completan una evaluación estandarizada de las aptitudes de cuidado personal y funcionamiento adaptativo, en niños con síndrome de Asperger, dichas aptitudes están por debajo del nivel esperado para su edad y capacidad intelectual (Smyrnios, 2002). Los médicos también han reconocido problemas sustanciales con el comportamiento adaptativo, en particular con respecto al control de la cólera, la ansiedad y la depresión (Atwood, 2003a).

Inclusión de otras características importantes o transitorias

Los criterios diagnósticos del DSM-IV no incluyen una descripción de las características poco habituales de los aspectos pragmáticos del lenguaje descritas originalmente por Asperger y en los estudios clínicos publicados; es decir, el uso pedante del lenguaje y una prosodia poco común. Los criterios DSM-IV tampoco hacen referencia suficiente a los problemas relacionados con la percepción y la integración sensitiva, en especial la sensibilidad auditiva y la hipersensibilidad a la intensidad de la luz, el tacto y los olores. Estos aspectos del síndrome pueden producir un efecto profundo en la cali-

71

dad de vida de la persona que lo padece. Los criterios también contemplan la torpeza motora, descrita por Asperger y corroborada en los estudios publicados (Green y otros, 2002).

También se han criticado los criterios diagnósticos del DSM-IV por hacer hincapié en características que pueden ser infrecuentes o transitorias. Los criterios hacen referencia a los «gestos motores estereotipados y repetitivos (p. ej., sacudir o girar las manos o los dedos, o movimientos complejos de todo el cuerpo)», a pesar de que la experiencia clínica indica que muchos niños con síndrome de Asperger nunca manifiestan esas características y, para los que las presentan, la investigación revela que desaparecen a los nueve años de edad (Church, Alisanski y Amanullah, 2000).

Una estrategia jerárquica

Las directrices del DSM-IV son que, si en una evaluación diagnóstica se confirman los criterios de autismo, a pesar de que las aptitudes cognitivas, sociales, lingüísticas, motoras y sensitivas y los intereses del niño sean compatibles con las descripciones del síndrome de Asperger, tiene prioridad el diagnóstico de autismo.

En diversos estudios se ha examinado el problema de la prioridad (Dickerson Mayes, Calhoun y Crites, 2001; Eisenmajer y otros, 1996; Ghaziuddin, Tsai y Ghaziuddin, 1992; Manjiviona y Prior, 1995; Millar y Ozonoff, 1997; Szatmari y otros, 1995). La conclusión general de los autores de esos estudios es que, utilizando los criterios actuales DSM-IV, es casi imposible diagnosticar síndrome de Asperger.

Muchos médicos, entre los que me incluyo, han rechazado la norma jerárquica. Hoy día, el consenso general entre los médicos es que, si el perfil actual de aptitudes del niño concuerda con las descripciones de Asperger, el diagnóstico de ese síndrome tiene prioridad sobre el de autismo. Por consiguiente, al contrario de lo que se describe en el DSM-IV, si un niño cumple los criterios tanto para el autismo como para el síndrome de Asperger, los médicos suelen diagnosticar síndrome de Asperger (Mahoney y otros, 1998). También es importante reconocer que los criterios diagnósticos siguen siendo una investigación en marcha.

¿Síndrome de Asperger o autismo de alto funcionamiento?

En 1981, el mismo año en que Lorna Wing usó por primera vez el término «síndrome de Asperger», DeMyer, Hingtgen y Jackson utilizaron por primera vez el término «autismo de alto funcionamiento». Anteriormente, ese término se había utilizado para describir el trastorno de niños que presentaban los signos clásicos del autismo en la primera infancia pero que, a medida que crecían, mostraban, en las pruebas de habilidades cognitivas, más capacidad intelectual, mejores aptitudes en el comportamiento adaptativo y social, y más destrezas comunicativas de lo que es habitual en niños con autismo (DeMyer y otros, 1981). El pronóstico clínico del niño era mucho mejor de lo que se esperaba. No obstante, en la actualidad carecemos de directrices diagnósticas explícitas para diagnosticar autismo de alto funcionamiento.

Las aptitudes cognitivas de ese grupo de niños se han comparado con el perfil cognitivo de niños con síndrome de Asperger, sin antecedentes de retraso precoz cognitivo o del lenguaje. Los resultados de la investigación no han establecido un perfil bien diferenciado y sistemático para cada grupo. Ehlers y otros (1997) describieron que sólo una minoría de niños de cada grupo tenía un perfil cognitivo característico. Un grupo de investigadores de la Universidad de Yale (Estados Unidos) ha sugerido que los perfiles neuropsicológicos de los niños con síndrome de Asperger y de los que presentan autismo de alto funcionamiento son diferentes (Klin y otros, 1995). No obstante, en otra investigación, que ha trabajado en el diagnóstico diferencial mediante tests neuropsicológicos, no se ha identificado un perfil diferenciado que discrimine ambos grupos (Manjiviona y Prior, 1999; Miller y Ozonoff, 2000; Ozonoff, South y Miller, 2000).

Por su parte, en un estudio de publicación reciente, que abordó los perfiles conductivos previos y actuales de niños con autismo de alto funcionamiento y síndrome de Asperger, y en el que se utilizó la lista de control del comportamiento del autismo (Autism Behaviour Cheklist), se llegó a la conclusión de que ambos grupos eran indistinguibles desde el punto de vista del perfil conductivo que los niños presentaban en el momento del estudio (Dissanayake, 2004).

Si la persona con síndrome de Asperger tiene un coeficiente intelectual dentro del rango medio se suele diagnosticar síndrome de Asperger. No obstante, con frecuencia, tanto niños como adultos con las características clínicas del síndrome tienen un perfil de aptitudes muy irregular en un test estandarizado de inteligencia. Algunas puntuaciones pueden encontrarse dentro de los límites normales o incluso en el límite superior, pero, dentro del mismo perfil, otras pueden encontrarse en los límites de un ligero retraso. Asperger incluyó a los niños con un cierto grado de alteración intelectual en su descripción del trastorno autístico de la personalidad, a pesar de que, según el DSM-IV, el retraso mental excluiría el diagnóstico de síndrome de Asperger. La puntuación global del coeficiente intelectual debe considerarse con precaución, ya puede ocurrir que personas que se encuentran en el límite del deterioro intelectual tengan algunas aptitudes cognitivas en los límites de la normalidad.

En una revisión reciente de los estudios publicados, que comparaba las aptitudes de niños con síndrome de Asperger con las de aquellos con autismo de alto funcionamiento, se llegó a la conclusión de que la probabilidad de que los estudios encontraran diferencias en las destrezas cognitivas, sociales, motoras o neuropsicológicas entre las personas que sufrían uno y otro trastorno era igual que la probabilidad de no encontrar diferencias (Howlin, 2000). En Europa y Australia los médicos están adoptando una visión del autismo y del síndrome de Asperger que es dimensional o de espectro más que una estrategia de categorías (Leekham y otros, 2000). En la actualidad, en la práctica clínica, pueden usarse ambos términos (síndrome de Asperger y autismo de alto funcionamiento) indistintamente. Hasta la fecha, no disponemos de razonamientos o datos convincentes de que ambos sean trastornos diferenciados y distintos. Creo que los académicos no deben tratar de forzar una dicotomía cuando los perfiles sociales y conductuales son tan similares y el tratamiento es idéntico.

Por desgracia, el dilema para el médico es si un diagnóstico concreto —autismo o síndrome de Asperger— permite al niño o al adulto tener acceso a los servicios y beneficios sociales que necesita. En algunos países, Estados o provincias, un niño tiene apoyo en clase o los padres reciben automáticamente prestaciones del Estado o de su seguro sanitario si se diagnostica que padece autismo, pero no si el diagnóstico es síndrome de Asperger. Puede ocurrir que algunos médicos redacten un informe con un diagnóstico de autismo de alto funcionamiento en vez de síndrome de Asperger, que sería más exacto, para que el niño tenga acceso a los recursos disponibles y los padres no tengan que recurrir a los tribunales.

Prevalencia del síndrome de Asperger

Las tasas de prevalencia del síndrome de Asperger varían en función de los criterios diagnósticos utilizados. Los más restrictivos son los del DSM-IV de la American Psychiatric Association, que son casi idénticos a los de la Clasificación Internacional de las Enfermedades, o CIE-10. Han sido bastante criticados en estudios de investigación, y los médicos no los consideran adecuados para la práctica clínica. En los estudios que han usando los criterios DSM-IV o del CIE-10, la prevalencia de este síndrome es diferente, y se han documentado tasas desde 0,3 hasta 8,4 por cada 10.000 niños (Baird y otros, 2000; Chakrabarti y Fombonne, 2001; Sponheim y Skjeldal, 1998; Taylor y otros, 1999). Análogamente, con esos criterios, la tasa de prevalencia esperada para el síndrome de Asperger variaría entre 1/33.000 y 1/1.200 niños.

Para muchos médicos, en particular en Europa y en Australia, los mejores criterios diagnósticos son los de Gillberg y Gillberg (1989), que representan con más precisión las descripciones originales de Asperger y el perfil de aptitudes de los niños para los que se solicita una evaluación diagnóstica del síndrome de Asperger. Según esos criterios, la tasa de prevalencia está entre 36 y 48 por cada 10.000 niños, o entre 1/210 y 1/280 niños (Ehlers y Gillberg, 1993; Kadesjo, Gillberg y Hagberg, 1999).

Es conveniente explicar la diferencia entre los términos «prevalencia» e «incidencia». Las cifras de prevalencia indican cuántos individuos presentan la enfermedad o el proceso en un momento concreto, mientras que la incidencia es el número de nuevos casos que aparecen en un período, por ejemplo un año. Mi opinión es que con los criterios de Gillberg sólo estamos detectando y diagnosticando el 50 % de niños con síndrome de Asperger. Es posible que las personas para las que no se busca evaluación diagnóstica camuflen sus dificultades y eviten la detección, o que el médico no piense en el síndrome de Asperger y se concentre en otro diagnóstico.

En España, las cifras de prevalencia disponibles para el autismo indican que afecta a 1 de cada 250 niños y a 1 de cada 750 niñas. Para el síndrome de Asperger, la cifra correspondiente es 1 de cada 1.000 niños. En España, otro problema es que, puesto que la psiquiatría infantil y juvenil no están reconocidas como especialidad, no se forman especialistas y este síndrome pasa todavía más desapercibido.

Evaluación diagnóstica de las niñas

La mayor parte de los niños para los que se pide evaluación diagnóstica de síndrome de Asperger son varones. Desde 1992, he evaluado regularmente a niños y adultos con síndrome de Asperger en Brisbane, Australia. Los autores de un análisis reciente de más de 1.000 evaluaciones diagnósticas realizadas durante 12 años establecieron que la proporción entre varones y mujeres es de 4 a 1. En mi experiencia clínica, he observado que puede ser más difícil reconocer el síndrome y establecer el diagnóstico en las niñas, debido a sus mejores mecanismos de afrontamiento y camuflaje, que también pueden usar algunos niños. Uno de esos mecanismos es aprender cómo actuar en un cierto contexto social, como describe Liane Holliday Willey en su autobiografía, *Pretending to be normal* (Willey, 1999). El médico observa a una persona que parece capaz de entablar una conversación y que utiliza la expresión facial y los gestos apropiados durante la interacción. No obstante, si se investiga y se observa con más detalle en la escuela se puede determinar que adopta un papel y un *guión* social, y basa su personalidad en las características de alguien que, en la misma situación, mostraría unas habilidades sociales razonables, de manera que usa sus aptitudes intelectuales, más que la intuición, para determinar lo que debe decir o hacer. Un ejemplo de estrategia de camuflaje es ocultar la confusión cuando juega con otros niños declinando educadamente la invitación a participar hasta estar seguro de lo que tiene que hacer, de modo que no cometa un error evidente. La estrategia es esperar, observar cuidadosamente y sólo participar cuando tenga la seguridad de lo que debe hacer por imitación de lo que los niños han hecho antes. Si las normas o la naturaleza del juego cambian de repente, el niño está perdido.

Las niñas con síndrome de Asperger pueden desarrollar la capacidad de *desaparecer* en un grupo numeroso y permanecer en la periferia de la interacción social. Cuando recordaba su infancia, una mujer afectada por síndrome de Asperger decía que se sentía «como si fuera una simple espectadora». Otras estrategias para evitar la participación activa en los actos de la clase son comportarse bien y con buena educación, para que maestros y compañeros la dejen en paz, o adoptar tácticas para evitar pasivamente la cooperación y la inclusión social, tanto en la escuela como en el hogar, como se describe en un proceso denominado evitación patológica de las obligaciones (Newsom, 1983).

En comparación con otras niñas, es menos probable que una niña con síndrome de Asperger sea voluble o tenga malas intenciones con sus amistades y tiene más probabilidades que un niño de entablar una amistad íntima con alguien que le demuestre un apego maternal, ya que es ingenua, desde el punto de vista social, pero *poco peligrosa*. Esas características dificultan que se identifique uno de los principales criterios diagnósticos del síndrome, que es la incapacidad para establecer relaciones con otros niños. En el caso de las niñas, no es una incapacidad, sino una diferencia cualitativa de esa aptitud. Los problemas de comprensión social de la niña sólo serán evidentes si su amigo o amiga cambia de escuela o de curso.

Su lenguaje y su perfil cognitivo pueden ser los mismos que los de los niños también afectados por el síndrome, pero los intereses especiales no son tan peculiares o excéntricos como los de un niño. Un adulto puede considerar que no es raro que una niña se interese por los caballos, pero el problema puede ser la intensidad y la preponderancia del interés en su vida cotidiana; por ejemplo, ¡puede haber trasladado su colchón a la cuadra para dormir cerca del caballo! Si su interés se centra en las muñecas, puede tener más de cincuenta Barbies diferentes, alineadas en orden alfabético, pero rara vez jugará con otras niñas.

Un adulto que converse con un niño afectado por el síndrome de Asperger, puede pensar que parece *un profesor en miniatura*, que utiliza un vocabulario rebuscado para su edad y que es capaz de exponer muchos hechos interesantes (o aburridos). Las niñas con síndrome de Asperger dan la impresión de ser *pequeñas filósofas*, con una capacidad para reflexionar profundamente acerca de situaciones sociales. Desde edad temprana, esas niñas han aplicado sus aptitudes cognitivas a analizar las interacciones sociales y tienen mayor probabilidad que los niños de abordar las incongruencias de las convenciones sociales y de exponer sus ideas sobre acontecimientos sociales. Los problemas de coordinación motora de las niñas no son tan visibles en el patio de recreo, y es menos probable que hayan manifestado problemas de comportamiento que propicien que se solicite para ellas una evaluación diagnóstica. Por lo tanto, cuando una niña ha desarrollado la aptitud para ocultar los signos del síndrome en el patio y en clase, e incluso durante la evaluación diagnóstica, es posible que padres, maestros y médicos no observen ninguna característica visible del síndrome.

En mi clínica visito a personas con síndrome de Asperger de todas las edades, y aunque el número de adultos es reducido en comparación con el de niños, he observado que la proporción de varones con respecto al número de mujeres es casi de 2 a 1. Muchas de las mujeres que solicitan una evaluación diagnóstica no habían tenido antes suficiente confianza en sí mismas o una razón para solicitarla. A medida que son más mayores, están más preparadas para solicitar ayuda, en especial si tienen problemas crónicos y no resueltos con las emociones, el empleo o las relaciones. Otra vía para llegar a mi consulta es que tengan un hijo al que se le ha diagnosticado síndrome de Asperger y se den cuenta de que poseen características similares a las de su hijo. Es necesario que investiguemos más lo que Ruth Baker, una mujer con síndrome de Asperger, describe como el «extremo invisible del espectro» (comunicación personal).

Evaluación diagnóstica de adultos

La evaluación diagnóstica de adultos le planteará diversos problemas al médico. Para un adulto, pueden haber transcurrido muchos años desde la niñez y la precisión de su memoria a largo plazo, y la de los familiares entrevistados durante la evaluación, puede afectar a los recuerdos de la infancia. Una ayuda para la memoria y la discusión puede ser mirar fotografías de cuando era niño. Las fotografías de familia suelen tomarse durante los acontecimeintos sociales, y eso brinda la oportunidad de observar si parece que el niño participaba en la interacción social. La conversación puede girar alrededor del acontecimiento que muestra la fotografía y de la aptitud y confianza que la persona mostraba en aquella situación. Los informes escolares pueden ser útiles, ya que indican problemas tanto de relaciones con los compañeros como de las aptitudes de aprendizaje y de comportamiento en la escuela.

Hoy día disponemos de cuestionarios para identificar las aptitudes y las características de la personalidad de adultos afectados por el síndrome de Asperger, y el análisis de las respuestas y las puntuaciones obtenidas puede ser muy útil para el médico. También he observado que es útil que un familiar, como la madre o el cónyuge, valide las respuestas. El paciente puede proporcionar una respuesta basada en la percepción personal de sus habilidades sociales, mientras que alguien que lo conozca puede tener una opinión diferente. Por ejemplo, a un hombre le preguntaron si, cuando era pequeño, tenía amigos y si otros niños iban a su casa. Respondió afirmativamente, lo que sugería cierto grado de popularidad y una aptitud para hacer amistades. Sin embargo, su madre dijo que iban a verlo otros niños, pero no para jugar con él, sino con sus juguetes. Su hijo prefería jugar solo con el Lego en su cuarto.

Es posible que el adulto, o el adolescente, confunda deliberadamente al médico por diversas razones, como conservar su autoestima o evitar un diagnóstico que puede considerarse una enfermedad mental. Por ejemplo, Ben describe lo siguiente:

Siempre me avergonzaba de mí mismo, de modo que nunca decía la verdad sobre algo que pudiera resultarme incómodo. Si alguien me preguntaba si tenía dificultades para entender a los demás, contestaba negativamente, aunque la respuesta verdadera fuera que sí. Si alguien me preguntaba si evitaba el contacto social, lo negaba porque no quería que mi interlocutor pensara que yo era raro. Si éste decía que yo no tenía empatía, me sentía insultado, porque todo el mundo sabe que las personas competentes y con éxito la tienen. También habría negado que me asustaran los ruidos fuertes, que me interesaban muy pocas cosas y que cualquier cambio de las rutinas me generaba ansiedad. Sólo habría respondido afirmativamente si me hubieran preguntado si tenía una memoria excepcional para acontecimientos y caras, y para leer libros en busca de información, o si era una especie de enciclopedia ambulante. La razón es que eran las características que me gustaban de mí mismo. Creía que hacían que pareciera inteligente. Si yo creía que algo era bueno, habría dicho que sí, y si creía que era malo, habría dicho que no (LaSalle, 2003, págs. 242-243).

Durante la evaluación diagnóstica, la persona con síndrome de Asperger puede proporcionar respuestas que parecen indicar empatía y aptitudes para el razonamiento social, pero, en un examen más cuidadoso, queda claro que esas respuestas, proporcionadas en una fracción de segundos, se deben a un razonamiento intelectual más que a la intuición. El procesamiento cognitivo requerido da la impresión de una respuesta atenta más que espontánea.

Algunos adultos con signos claros del síndrome de Asperger pueden pensar que sus aptitudes son normales porque tienen las características del padre o de la madre como modelo de las habilidades sociales. Si esa persona tiene un padre dominante con características del síndrome, puede haber influido en su percepción de la normalidad.

EVALUACIÓN DEL SÍNDROME DE ASPERGER EN EL ADULTO (AAA)

Hoy día, disponemos de un instrumento de evaluación y de criterios diagnósticos específicos para adultos (Baron-Cohen y otros, 2005). La Evaluación del Síndrome de Asperger en el adulto (AAA) utiliza dos instrumentos de detección, el Coeficiente de Espectro Autístico (ASQ) y el Coeficiente de Empatía (EQ) y nuevos criterios diagnósticos específicos para el adulto. Estos criterios incluyen los descritos en el DSM-IV y algunos otros. Simon Baron-Cohen y sus colaboradores del Cambridge Lifespan Asperger Syndrome Service (CLASS) del Reino Unido emprendieron la investigación original para la AAA. El médico pide al paciente que complete los dos cuestionarios, el del ASQ y el del EQ; después valida las respuestas durante la evaluación diagnóstica y emite su opinión sobre el diagnóstico partiendo de los nuevos criterios diagnósticos.

Criterios diagnósticos para adultos

En la AAA los criterios diagnósticos son idénticos que los descritos en el DSM-IV (véase la pág. 68), a los que se añaden otros diez basados en nuestros conocimientos sobre las características más propias del síndrome en adultos que en niños. En la sección A de los criterios del DSM-IV (alteración cualitativa de la interacción social), el criterio añadido es:

Dificultades en la comprensión de las situaciones sociales y los pensamientos y sentimientos de los demás.

En la sección B de los criterios del DSM-IV (patrones de comportamiento, intereses y actividades restringidos, repetitivos y estereotipados), el criterio añadido es:

Tendencia a pensar que los hechos, las situaciones y problemas son blancos o negros (p. ej., en política o moral), más que considerar múltiples perspectivas de modo más flexible.

En los criterios diagnósticos de la AAA hay dos apartados que corresponden a los criterios del DSM-IV para el autismo, pero no a los criterios del DSM-IV para el síndrome de Asperger. Esos dos apartados se incluyen en los criterios AAA partiendo del perfil de aptitudes de comunicación e imaginación identificado como característico de adultos con síndrome de Asperger en las investigaciones y en la experiencia clínica, es decir:

1. Tendencia a desviar la conversación hacia un tema de su interés.
2. Deterioro manifiesto de su capacidad para iniciar o mantener una conversación. No puede ver el objetivo de un contacto social superficial, de las sutilezas o de pasar el rato con los demás, a menos que haya un tema claro de debate o actividad.
3. Habla con pedantería o da demasiados pormenores.

4. Incapacidad de reconocer cuándo su interlocutor está interesado y cuándo aburrido. Aunque se le haya pedido que no hable demasiado rato de su tema obsesivo concreto, esa dificultad se pone de manifiesto cuando surgen otros temas.
5. Frecuente tendencia a expresar ideas sin considerar el impacto emocional que tendrán en su interlocutor (paso en falso o metedura de pata).

Los criterios diagnósticos de la AAA requieren tres o más síntomas de alteración cualitativa de la comunicación verbal o no verbal y, como mínimo, uno de los siguientes síntomas de alteración de la imaginación:

Alteraciones de la imaginación:
1. Falta de juegos imaginarios espontáneos y variados propios de su nivel de desarrollo.
2. Incapacidad para narrar, redactar o crear una ficción improvisada, no plagiada.
3. Falta de interés en la ficción (escrita o teatro) propio de su grado de desarrollo, o bien interés en la ficción limitado a que ésta pueda basarse en hechos (p. ej., ciencia ficción, historia o los aspectos técnicos de una película).

La respuesta del adulto a las preguntas específicas formuladas en el ASQ y el EQ proporciona ejemplos de los síntomas en los cinco apartados de la AAA. Los estudios futuros examinarán la sensibilidad y la especificidad de la AAA, pero, como mínimo, disponemos de un instrumento de evaluación y de criterios diagnósticos que el médico puede utilizar en la evaluación diagnóstica de adultos.

Finalización de la evaluación diagnóstica

Al término de la evaluación diagnóstica, el médico realiza un resumen y revisa las características de los antecedentes del desarrollo, el perfil de aptitudes y comportamientos que se ajustan al diagnóstico de síndrome de Asperger y concluye si es posible o no establecer el diagnóstico. Yo suelo explicarle a la persona con síndrome de Asperger y a su familia la idea de un complejo rompecabezas diagnóstico de cien piezas. Algunas (las características del síndrome) son esenciales, las de los ángulos y las de los lados. Cuando encajan más de ochenta piezas, el rompecabezas se resuelve y se confirma el diagnóstico. No obstante, ninguna de las características es exclusiva del síndrome de Asperger y quizás en una persona, niño o adulto, pueden identificarse diez o veinte características. La persona evaluada puede tener más piezas que las que se observan en la población en general, pero, en ocasiones, no son suficientes, o no son las piezas clave, las de los ángulos, para completar el rompecabezas, es decir, diagnosticar un síndrome de Asperger.

La idea del rompecabezas diagnóstico puede contribuir a explicar el término que se usa como diagnóstico de «trastorno generalizado del desarrollo no especificado PDDNOS» (en inglés; TGD-NE, en español). Este término se aplica a una persona con muchas piezas del rompecabezas diagnóstico, algunas de los cuales son atípicas o están por debajo del umbral. Sin embargo, son suficientes piezas del síndrome de Asperger para justificar que se identifica que la persona *está en el límite* y necesita acceso a los recursos disponibles.

Para confirmar el diagnóstico de síndrome de Asperger (se completa el rompecabezas), en el resumen final de la evaluación diagnóstica hay que identificar las características positivas del síndrome, como que la persona es experta en un campo concreto, el grado de expresión de cada una de las características principales, el grado global de expresión, y qué características del perfil de aptitudes y comportamientos no se deben al síndrome. El médico también deberá señalar los signos de cualquier problema secundario o concomitante, como depresión, ansiedad o trastorno de la conducta, y si hay algún otro trastorno predominante que afecte a la calidad de vida de la persona con síndrome de Asperger, y que conviene tratar con prioridad.

En general, grabo en una cinta el resumen de la evaluación diagnóstica para la persona y su familia, de modo que puedan oír varias veces la explicaciones para asimilar toda la información y las implicaciones. Además, pueden oírla otros miembros de la familia y los maestros, como ayuda para entender la razón del diagnóstico. También he observado que oír la cinta reduce la probabilidad de ser malinterpretado o de que se tergiversen mis palabras cuando se proporciona información a los demás sobre el diagnóstico y el grado de expresión del síndrome. El siguiente paso es abordar las causas conocidas del síndrome, recomendar programas específicos, servicios sociales, grupos de apoyo, publicaciones pertinentes, el pronóstico probable y el control del progreso. No obstante, esto se emprende en una segunda visita una vez que se ha comprendido y admitido el significado del diagnóstico.

Confianza en el diagnóstico

Mi opinión clínica, y la de otros médicos, es que se puede establecer el diagnóstico con cierta seguridad en niños mayores de cinco años, pero no con la confianza suficiente en edades preescolares, debido a la amplitud natural del rango de variación de las aptitudes que presentan los niños muy pequeños y a la propensión de algunos de ellos a desarrollar más tarde las habilidades sociales, lingüísticas y cognitivas; un perfil que parezca ser de síndrome de Asperger puede *disolverse* con el paso de los años. No obstante, un niño pequeño que puede ser un falso positivo se beneficiará de los programas destinados a niños con síndrome de Asperger, ya que mejorarán sus destrezas en el razonamiento social y la conversación. Con el tiempo, el cuadro clínico se hace más claro. De todos modos, nuestro grupo está estableciendo procedimientos de evaluación diagnóstica para niños muy pequeños (Perry, 2004). Como parte de sus métodos de evaluación de niños muy pequeños que podrían manifestar signos iniciales de síndrome de Asperger, los médicos pueden incluir en sus procedimientos de evaluación de niños pequeños que pudieran estar desarrollando los primeros signos del síndrome de Asperger algunas de las características de niños muy pequeños afectados que se abordan en los próximos capítulos como propias del síndrome.

Por supuesto, la honradez y la precisión de las respuestas de la persona con síndrome de Asperger también pueden afectar a la confianza en la evaluación diagnóstica de adultos. Puede *fingir*, en el sentido de negar sus dificultades con las habilidades sociales, y también usar su capacidad intelectual en las circunstancias artificiales de una consulta clínica para proporcionar la respuesta de un adulto normal y corriente, mientras en la realidad tiene dificultades evidentes en las interacciones sociales cotidianas. Hay una gran diferencia entre los conocimientos intelectuales y la práctica real en la vida diaria.

Algunos adultos sujetos a evaluación diagnóstica pueden manifestar signos del síndrome de Asperger, pero no la alteración clínicamente significativa del funcionamiento necesaria para establecer un diagnóstico a partir de los criterios DSM-IV. Los problemas con la comprensión social pueden reducirse a un grado subclínico si la pareja ayuda proporcionando el apoyo y la orientación necesarios en relación con los códigos de comportamiento, y le explica o le corrige los comentarios o las acciones que a otras personas pueden parecerles confusos o inapropiados.

Las circunstancias laborales pueden ser satisfactorias gracias a compañeros y colegas comprensivos. En dichas circunstancias, es necesario que el médico considere si para el paciente, que parece tener unas habilidades aceptables para afrontarlo, una buena posición profesional y una pareja, será beneficioso que se le diagnostique síndrome de Asperger (Szatmari, 2004). En el momento de la evaluación, es posible que el paciente no requiera tratamiento por parte de un psiquiatra o de los servicios sociales de la Administración (que es una de las causas principales de que se realice el diagnóstico), aunque pueden resultarle beneficiosos los consejos profesionales sobre su relación de pareja o sobre el trabajo. No obstante, si ese paciente se divorcia o se queda sin trabajo, los signos pueden hacerse más visibles y, por tanto, requerirá un diagnóstico. Lo que es importante no es la gravedad de la expresión, sino las circunstancias, expectativas, y los mecanismos de apoyo y para hacer frente al problema.

La decisión final de dónde trazar la línea, es decir, si en esta persona se diagnostica formalmente síndrome de Asperger, es subjetiva, y muchos médicos la toman partiendo de los resultados de la evaluación de las aptitudes específicas, la interacción social y las descripciones e informes de padres, maestros, etcétera. La alteración cualitativa de la interacción social o de la capacidad de relacionarse socialmente es esencial para el diagnóstico, pero no se dispone de un sistema de valoración de las otras características que ayude a decidir si, a fin de cuentas, un caso que está en el límite debe ser diagnosticado. La decisión final de si se debe confirmar el diagnóstico o no se basa en la experiencia clínica del médico, los criterios diagnósticos actuales y el efecto que un perfil poco común de aptitudes tiene sobre la calidad de vida de la persona. Jerry Newport, que padece síndrome de Asperger, me dijo que el diagnóstico se establece cuando «las características humanas se encuentran en un extremo inviable».

Puntos clave y estrategias

- En la actualidad se dispone de ocho cuestionarios de detección diagnóstica que pueden utilizarse en niños, y seis que pueden usarse en adultos.
- En niñas y mujeres, y niños y hombres adultos de capacidad intelectual considerable, puede ser más difícil establecer el diagnóstico debido a su capacidad para camuflar sus dificultades.
- En la evaluación diagnóstica no sólo deben examinarse los ámbitos de dificultad, sino también los de aptitud que pueden atribuirse a las características del síndrome.
- Los criterios diagnósticos descritos en el DSM-IV se asocian a problemas sustanciales:

— Se menciona que no debe identificarse un retraso general clínicamente significativo del lenguaje, pero en realidad los criterios de inclusión describen a un niño con retraso del lenguaje.
— Cualquier diferencia en las habilidades del lenguaje que sea evidente en la edad preescolar entre niños con autismo y coeficiente intelectual dentro de los límites normales y niños con síndrome de Asperger desaparecerá, en su mayor parte, a principios de la adolescencia.
— Se afirma que no debe observarse un retraso clínicamente significativo de las habilidades de autosuficiencia propias de la edad, pero la experiencia clínica y la investigación indican que, con frecuencia, los padres tienen que proporcionar a sus hijos recordatorios verbales y consejos relativos a las habilidades de autosuficiencia y de la vida diaria.
— No se describen las características poco comunes del lenguaje descritas originalmente por Hans Asperger, ni se hace referencia a los problemas de percepción sensitiva, pero se incluyen características que son poco frecuentes o pasajeras.
— Se dice que si se confirman los criterios para el autismo, este diagnóstico tiene prioridad sobre el de síndrome de Asperger. Muchos médicos han rechazado esta norma jerárquica.
— Los criterios diagnósticos del DSM se siguen revisando.

- Los criterios diagnósticos de Christopher Gillberg son más similares a las descripciones originales de Hans Asperger y son los preferentes para muchos médicos con experiencia.
- En la actualidad ningún argumento o dato convincente confirma claramente que el autismo de alto funcionamiento y el síndrome de Asperger sean dos entidades separadas y bien diferenciadas.
- Si se usan los criterios diagnósticos de Gillberg, la prevalencia del síndrome de Asperger es de 1 niño de cada 250.

- Hoy día, sólo detectamos y diagnosticamos alrededor del 50 % de los casos de niños con síndrome de Asperger.
- El diagnóstico puede establecerse con seguridad en niños mayores de cinco años, pero no con la fiabilidad suficiente en los de edad preescolar.
- La honradez y la precisión de las respuestas también pueden afectar a la confianza en la evaluación diagnóstica de adultos.
- Algunos adultos para los que se solicita evaluación diagnóstica pueden manifestar algunos signos, pero no la alteración de su actividad clínicamente significativa necesaria para establecer un diagnóstico.
- Lo que es importante no es la gravedad de la expresión del síndrome, sino las circunstancias, las expectativas y los mecanismos para afrontarlo y de apoyo.

3

Comprensión social y lazos de amistad

> La naturaleza de estos niños se pone de manifiesto con
> más claridad en su conducta hacia los demás. De hecho,
> su conducta en el grupo social es el signo más claro de su
> trastorno.
>
> *Hans Asperger ([1944] 1991)*

Al lector le interesará saber que he descubierto un medio de eliminar casi todas las características que definen el síndrome de Asperger en niños y adultos. Este simple procedimiento no requiere un tratamiento caro y prolongado, ni cirugía ni medicamentos, y las personas con síndrome de Asperger ya lo han descubierto secretamente. En realidad es muy simple. Si usted es el padre o la madre, lleve a su hijo a su dormitorio. Déjelo solo y cierre la puerta cuando salga. Los signos del síndrome de Asperger han desaparecido en su hijo.

Soledad

En situaciones de soledad, el niño no tiene *dificultades cualitativas de interacción social*. Para ello, son necesarias, al menos, dos personas, y si el niño está solo, no habrá ninguna prueba de que tiene dificultades de interacción social. No tiene a nadie con quien hablar, de modo que tampoco se pondrán de relieve las *peculiaridades del habla y del lenguaje*, y el niño puede disfrutar de ese rato dedicado tanto como quiera a un interés peculiar, sin nadie que esté juzgando si su actividad *es anormal por su intensidad o por su objetivo*.

91

En el capítulo 6 abordaremos cómo la soledad es también uno de los más eficaces reconstituyentes emocionales para una persona con síndrome de Asperger. Estar solo puede ser una forma de relajarse y tranquilizarse y también es un motivo de regocijo, en especial si la persona puede dedicarse a una afición o interés especial, uno de los mayores placeres para alguien con síndrome de Asperger.

La soledad puede facilitar el aprendizaje. En clase, la adquisición de conocimientos requiere unas habilidades sociales y lingüísticas considerables. Las dificultades experimentadas en esos campos por niños con síndrome de Asperger les impiden aprender conocimientos académicos. He observado que algunos niños adquieren habilidades académicas, como la lectura, la escritura y la aritmética básicas, antes de asistir a la escuela, con frecuencia mirando libros, viendo la televisión o con juegos educativos de ordenador. Se han enseñado con éxito a sí mismos, en su soledad.

Cuando están solos, en particular en su habitación, su hipersensibilidad para algunas experiencias sensitivas disminuye, puesto que su entorno es relativamente tranquilo y silencioso, en especial en comparación con el patio de recreo o la clase. El niño también puede ser sensible a los cambios y se muestra ansioso si las cosas no están donde deberían. En su habitación, los muebles y los objetos tienen una disposición conocida, y su familia sabe que no puede tocar ni cambiar nada de sitio. ¡Su habitación es un refugio sacrosanto!

Cuando el niño está solo, relajado y disfrutando de su afición favorita, las características del síndrome de Asperger no originan *dificultades clínicamente significativas en áreas importantes de actividad o funcionamiento social, escolar, etcétera.* Estar solo presenta muchas ventajas; los problemas sólo surgen cuando alguien entra en su habitación, o cuando el niño tiene que abandonarla e interaccionar con otras personas.

Me he fijado en que estos niños pueden arreglárselas bastante bien en las interacciones con una sola persona, utilizando su capacidad intelectual para procesar las claves sociales y la comunicación no verbal, y el recuerdo de situaciones sociales similares para determinar qué ha de decir o hacer. La frase «dos son compañía, tres son multitud» es muy apropiada para alguien con síndrome de Asperger. En un grupo, es posible que su capacidad intelectual no sea suficiente para afrontar la interacción social de diversos participantes, y puede tardar más en procesar la información social, que en general se comunica más deprisa en grupo que individualmente. Si una conversación con una persona es un partido de tenis, una interacción de grupo lo es de fútbol.

El retraso en el procesamiento social significa que el niño no estará en sincronía con la conversación y será propenso a cometer un error social evidente o se quedará al margen y se abstendrá de hablar. En ocasiones he entablado una conversación con un paciente adulto y he observado que cuando otra o varias personas se suman a la conversación, el paciente se queda callado y no participa tan activamente o con tanta fluidez como en las situaciones de sólo dos personas.

Cuando le explico a un adolescente con síndrome de Asperger que el grado de estrés es proporcional al número de personas presentes, empiezo a usar una fórmula matemática y una representación geométrica del número de posibles conexiones entre individuos que pueden tener lugar a medida que más personas se suman a una conversación. Con dos personas sólo hay una conexión; con tres, tres; con cuatro, seis; con cinco, diez, etcétera. Ésta es una de las explicaciones de por qué a las personas con síndrome de Asperger no les gustan las reuniones muy numerosas.

Evaluación de las habilidades de interacción social

La característica esencial del síndrome de Asperger es un deterioro cualitativo de la interacción social, reconocido en todos los criterios diagnósticos. Los criterios también hacen referencia a la ausencia de reciprocidad social y emocional y a la imposibilidad de establecer relaciones con los compañeros apropiadas para su grado de desarrollo. Hasta la fecha, no disponemos de tests estandarizados que examinen la interacción social y el razonamiento social de niños corrientes, que podrían usarse para producir un *índice social* para niños con síndrome de Asperger. Hoy día la interpretación de las habilidades sociales y la comprensión social, como la reciprocidad y las relaciones con los compañeros, es un juicio clínico subjetivo. Por esa razón, el médico necesita tener una experiencia considerable en el desarrollo social de los niños corrientes para usarla como elemento de comparación en los casos de niños para los que se solicita una evaluación relativa al síndrome de Asperger.

Para valorar las habilidades de interacción y razonamiento social, el médico debe socializarse con el niño, adolescente o adulto. Con niños pequeños esto se consigue jugando con ellos con juegos y juguetes en la propia consulta. Es de gran importancia clínica el grado de reciprocidad, el reconocimiento del niño y su lectura o interpretación de las claves sociales expresadas por el médico y sus conocimientos sobre cómo responder a esas claves. El médico examinará si el niño muestra una conducta social apropiada al desarrollo, y su utilización del contacto ocular, los métodos de regulación de la interacción, y el grado de espontaneidad y flexibilidad cuando juega con él. Esta parte de la evaluación debe obtenerse en un juego tanto estructurado como no estructurado. Para adolescentes y adultos, la evaluación de las habilidades de interacción social se obtendrá mediante una conversación que aborde diversos temas relacionados con la amistad, las experiencias sociales y las aptitudes sociales. Algunos de los temas y preguntas de la conversación pueden extraerse de los instrumentos de detección del síndrome de Asperger con el objetivo de proporcionar más información sobre la madurez social, la experiencia y la habilidad social de la persona evaluada.

El examen de las relaciones y amistades con los compañeros puede emprenderse mediante la identificación de los amigos del paciente, la calidad, la estabilidad y la madurez de sus amistades y de lo que piensa sobre los atributos de la amistad. Entre las preguntas pueden estar las siguientes:

- ¿Quiénes son tus amigos?
- ¿Por qué fulanito es tu amigo?
- ¿Cuáles son las cosas que hace una persona para mostrarse simpática y agradable?
- ¿Cómo haces amigos?
- ¿Por qué tienes amigos?
- ¿Qué hace de ti un buen amigo?

Me he fijado en que el niño con síndrome de Asperger suele tener un concepto de la amistad que es inmaduro y, como mínimo, dos años por debajo del que tienen los compañeros de su edad (Attwood, 2003a; Botroff y otros, 1995). Es muy típico que el niño con síndrome de Asperger tenga menos amigos y juegue menos a menudo con otros niños y durante menos tiempo en comparación con los demás (Bauminger y Kasari, 2000; Bauminger y Shulman, 2003; Bauminner, Shulman y Agam, 2003). Esto también puede pasar en la adolescencia. En su autobiografía, Liane Holliday Willey explicaba que en la universidad «acostumbraba a definir la amistad en términos simplistas. Para mí, los amigos eran las personas con las que lo pasaba bien durante unos minutos o unas pocas horas» (Willey, 1999, pág. 43).

La amistad puede ser peculiar en el sentido de que el niño decide jugar con otros más pequeños o prefiere la compañía de los adultos. Un niño con síndrome de Asperger me citó como su amigo al niño con el que se encontraba con regularidad a la hora del almuerzo. Después, su madre me contó que su *amigo* era el encargado de mantenimiento del campo de juego, y en cada receso de la hora del almuerzo, el niño lo ayudaba en sus tareas. La hermana de mi esposa, una mujer adulta con síndrome de Asperger, me escribió: «Cuando era niña, adolescente o en los primeros años de mi vida adulta, rara vez me llevaba bien con mis compañeros, y prefería la compañía de las personas mayores. Probablemente porque su carácter es más apacible y, naturalmente, más tranquilo». Stephen Shore, que también tiene síndrome de Asperger, ha explicado que los adultos tienden a tener más paciencia para escuchar los intereses y aficiones especiales, al igual que para *construir* una conversación.

Un niño o un adulto con síndrome de Asperger puede confundir fácilmente la simpatía con la amistad y formarse un concepto de los amigos como si fueran máquinas de confianza. Un niño pequeño con síndrome de Asperger, James, decía del niño con el que solía jugar: «No puede jugar conmigo un día y al siguiente con otros amigos, porque no sería un verdadero amigo». El niño con síndrome de Asperger se forma un concepto de la amistad basado en la posesión y no tolera que nadie rompa sus normas personales sobre la amistad. Además, los adolescentes y adultos pueden tener problemas para entender que la simpatía no indica necesariamente un interés sentimental.

El médico también examina si el paciente está motivado para tener amigos, su capacidad para hacerlos y conservarlos, y el valor y la naturaleza de los amigos en su vida. Los adolescentes y adultos con síndrome de Asperger pueden expresar sentimientos de soledad, y en ocasiones tienen plena conciencia de su falta de amigos y se sienten desgraciados por ese motivo. Como Therese Jolliffe escribió en su relato personal sobre el autismo: «Al contrario de lo que la gente cree, un autista puede sentirse solo y es capaz de amar» (Jolliffe, Lansdown y Robinson, 1992, pág. 16).

Los padres y los maestros pueden describir a los niños pequeños con autismo como torpes y patosos desde un punto de vista social, de modo que, con frecuencia, los demás consideran que no es divertido jugar con ellos; además no respetan las normas habituales de la amistad, por ejemplo, compartir juguetes, la reciprocidad y la cooperación. Tal como me contaba Jerry Newport, un hombre con síndrome de Asperger, «para compartir, tienes que renunciar a controlar», o Holly, durante su examen diagnóstico, me confesó: «Mis amigos no me dejan hacer lo que yo quiero».

El niño con síndrome de Asperger suele jugar de un modo poco convencional o idiosincrásico con prioridades e intereses diferentes de los demás, que se aburren con los monólogos o *conferencias* sobre los intereses y aficiones especiales de aquél. En las reflexiones de Jean-Paul sobre su infancia, contaba que «era una calamidad jugando con otros niños y rara vez lo pasaba bien» (Donnelly y Bovee, 2003).

El juego imaginativo puede ser diferente del de otros niños desde un punto de vista cualitativo. En las mismas reflexiones sobre su infancia, Jean-Paul describe su peculiar juego imaginativo: «La imaginación es diferente para cada persona. Para mí, jugar consistía en hacer listas; por ejemplo, creaba árboles genealógicos imaginarios de personajes, planificaba juegos de pelota imaginarios cuyos jugadores extraía de los cromos de béisbol o me inventaba diferentes idiomas. La lista es interminable». Los niños con síndrome de Asperger pueden usar la imaginación para jugar, pero su actividad suele ser solitaria e idiosincrásica.

El niño permanece en un rincón del patio de recreo, en ocasiones aislado socialmente de forma voluntaria o activamente por los otros niños cuando les pide que lo dejen participar en su juego y éstos lo rechazan por considerarlo entrometido e irritante. Los maestros suelen describir a los niños con dicha conducta como majaderos, inmaduros, groseros y con poco espíritu de colaboración (Church y otros, 2000).

Cuando a un adolescente se le incluye en las actividades y conversaciones de sus compañeros, muchas veces sigue teniendo la sensación de quedar excluido o de que no es popular. Sirven para ilustrarlo los comentarios de dos adultos con síndrome de Asperger que describían sus años de adolescencia: «No me rechazaban pero nunca sentía que formara parte del todo», y «me soportaban y toleraban pero no les caía bien». Claro está, la falta de aceptación social auténtica por parte de los demás afecta de forma adversa al desarrollo de la autoestima de esos adolescentes.

La evaluación diagnóstica incluye un examen de las aptitudes del niño en diversas situaciones sociales, como jugar con amigos, padres, hermanos o compañeros, y en situaciones sociales nuevas. Los signos del síndrome de Asperger son más evidentes cuando el niño juega con sus compañeros que con los padres u otro adulto, como el médico que lo examina; éste es un aspecto importante que debe recordarse en una evaluación diagnóstica. El médico puede completar la evaluación de las habilidades de interacción social observando al niño en un juego no estructurado con sus compañeros, u obteniendo información sobre el juego social a partir de un maestro.

Además, se examinará el conocimiento del niño sobre los códigos de conducta social en diversas situaciones, en particular su reconocimiento del concepto de espacio social y su aptitud para modificar los saludos, el contacto físico y los temas de conversación de acuerdo con el contexto y las expectativas culturales. También debe obtenerse y evaluarse otra información valiosa con respecto a la respuesta del niño a la presión de sus compañeros, la duración y satisfacción de su juego solitario, el cumplimiento de las normas sociales, su grado de honestidad, el sentido del humor y la susceptibilidad y la reacción a las burlas y a la intimidación.

Para valorar su aptitud de razonamiento social, yo muestro al niño una serie de dibujos de niños dedicados a actividades solitarias o sociales junto con las emociones asociadas, por ejemplo, un niño que se ha caído de la bicicleta y está llorando, otro que trata de *robar* una galleta mientras otro niño hace guardia, y una niña que ha perdido a sus padres en un centro comercial. Pido al niño que describa lo que está sucediendo en los dibujos. Los afectados por el síndrome tienden a fijarse en los objetos y las acciones físicas y describirlos con una relativa (en comparación con otros niños) ausencia de referencia a los pensamientos, sentimientos e intenciones de los protagonistas de los dibujos. Cuando examino a adolescentes y a adultos, les pido que describan acontecimientos de su vida personal y anoto si en las descripciones predominan las acciones, en comparación con los pensamientos, sentimientos e intenciones, sean de sí mismos o de los demás.

El examen diagnóstico incluye una valoración de las habilidades de interacción y razonamiento sociales a partir de la observación, la interacción y la narración del paciente, que pueden usarse para confirmar o descartar el diagnóstico. Esta evaluación puede usarse como base para calibrar el progreso de los programas en cada una de las áreas de comprensión social que pueden mostrar un retraso o ser poco comunes (las características distintivas del síndrome de Asperger). En este capítulo describiremos las estrategias para mejorar las habilidades de comprensión social y para hacer amigos.

Motivación para tener amigos

Durante varias décadas he observado el desarrollo social de niños y adultos con síndrome de Asperger y he identificado cinco estadios en su motivación para tener amigos.

INTERÉS POR EL MUNDO FÍSICO

Los niños muy pequeños con síndrome de Asperger en sus años preescolares o de parvulario no están interesados en las actividades de los demás o en hacer amigos. Suelen estar más interesados en la comprensión del mundo físico que en la del social y pueden acercarse al patio de recreo para examinar el sistema de desagüe de la escuela, o en busca de insectos y lagartijas, o mirar al cielo para observar las diferentes formas de las nubes. El niño considera aburridas las actividades sociales de sus compañeros, y con normas sociales incomprensibles. Está satisfecho con su soledad, pero puede sentirse motivado para interaccionar con los adultos, que pueden responder a preguntas que escapan al conocimiento de sus compañeros, o puede buscar refugio frente al ruidoso y caótico patio de recreo en el tranquilo santuario de la biblioteca de la escuela para leer sobre temas como volcanes, meteorología y sistemas de transporte.

En los primeros años de la escuela primaria o elemental, el niño con síndrome de Asperger se da cuenta de que el resto de los niños lo pasa bien socializándose y desea que se le incluya en las actividades sociales para experimentar la alegría y la satisfacción evidentes de sus compañeros. No obstante, a pesar de su capacidad intelectual, su grado de madurez suele ser al menos dos años inferior al de sus compañeros, y puede tener dificultades claras con el grado de juego recíproco y cooperador esperado por los otros niños.

En este estadio, en su motivación para tener amigos el niño con síndrome de Asperger puede echar de menos la inclusión social y un amigo con quien jugar. Éste es el momento en que se da cuenta con claridad de que es diferente de los demás, lo que da lugar a estrategias de adaptación y compensación que se han descrito en el capítulo 1, es decir, depresión, evasión con la imaginación, negación y arrogancia o imitación.

El optimismo inicial relacionado con hacer amigos puede convertirse en obsesión, en particular si el niño es incapaz de distinguir entre los actos accidentales y los deliberados. Puede tener dificultades con la teoría de la mente, es decir, en conceptuar los pensamientos, los sentimientos, los conocimientos y las opiniones de los demás (véase el cap. 5). Con frecuencia, a partir del contexto y conociendo la personalidad de la otra persona, los niños son capaces de reconocer cuándo un comentario o una acción concretos ha tenido buena intención o ha sido malintencionado. Por ejemplo, un niño sabe cuándo alguien le toma el pelo de manera amistosa y cuándo es una burla hostil y desagradable. Sin embargo, el niño con síndrome de Asperger es incapaz de distinguirlo.

He observado que, con frecuencia, su capacidad para formarse una opinión del carácter de los demás es muy limitada. Los niños corrientes suelen saber cuáles son los compañeros que no son buenos modelos de conducta y es mejor evitarlos. Las opiniones de un niño con síndrome de Asperger son algo ingenuas, y por ello son propensos a sentirse atraídos por niños que no demuestran las mejores habilidades para hacer amigos y a imitarlos.

LAS PRIMERAS AMISTADES

Al final de la enseñanza primaria, el niño con síndrome de Asperger puede tener amistades auténticas pero tiende a ser demasiado dominante o a tener una visión demasiado rígida de la amistad. Puede *abusar de la hospitalidad y acogida* de los demás. No obstante, algunos niños, que son amables, comprensivos y *maternales* por naturaleza, los encuentran atractivos, pueden mostrarse tolerantes con su conducta y llegan a ser amigos suyos durante años.

En ocasiones, no hacen amistad con un niño compasivo y bondadoso, sino con un niño que, al igual que ellos, está aislado socialmente y comparte sus mismos intereses, pero no necesariamente el diagnóstico. Esta amistad suele ser funcional y práctica, con intercambio de objetos y la comprensión de los intereses mutuos, y puede ampliarse a un pequeño grupo de niños con la misma mentalidad y un grado similar de aptitudes sociales y de popularidad.

LA BÚSQUEDA DE PAREJA

A finales de la adolescencia, los jóvenes con síndrome de Asperger pueden buscar algo más que una amistad platónica con personas de la misma mentalidad, y expresan su nostalgia de querer encontrar una amiga o un amigo y, finalmente, una pareja. La pareja que buscan es una persona que los entienda y que les ofrezca apoyo emocional y los ayude en el mundo social, alguien que sea al mismo tiempo figura materna y consejero. Los compañeros del adolescente suelen ser mucho más maduros y saben identificar mejor una posible pareja y establecer y practicar formas de relacionarse. El adolescente con síndrome de Asperger puede preguntarse sin demasiado entusiasmo:

«¿Cómo conseguiré pareja?». Sus tentativas de establecer una relación que vaya más allá de lo platónico pueden conducirlo al rechazo, a quedar en ridículo y a una mala interpretación de las intenciones de la otra persona. Y el adolescente se sentirá todavía más confuso, inmaduro y aislado en el ámbito social.

CONVERTIRSE EN LA PAREJA DE ALGUIEN

En último término, quizás cuando ya ha madurado emocional y socialmente, el adulto con síndrome de Asperger puede encontrar a alguien con quien compartir su vida. No obstante, es aconsejable que ambos soliciten los consejos de un profesional que los ayude a identificar las adaptaciones necesarias para hacer que una relación poco convencional funcione y sea satisfactoria para ambos. Hoy día, disponemos de numerosos artículos publicados sobre consejos para las parejas en las que un miembro está afectado por el síndrome de Asperger.

Importancia de la amistad

Sin duda, tener amigos entraña muchas ventajas. Las pruebas de las investigaciones sugieren que los niños sin amigos corren el riesgo de sufrir dificultades y retraso en el desarrollo social y emocional, baja autoestima, y ansiedad y depresión cuando llegan a la vida adulta (Hay, Payne y Chadwick, 2004). Tener amigos es una forma de prevención de los trastornos emocionales.

Otra ventaja puede ser la mejora de las habilidades para la resolución de problemas (Rubin, 2002). Si un grupo de niños trabaja en colaboración en una tarea, todos se benefician de las diferentes ideas y perspectivas, y de la mayor capacidad física. Puede que otro niño se encuentre, literalmente, en la posición de darse cuenta de un detalle de importancia, o que tenga experiencia previa sobre lo que deben hacer, o bien puede que se le ocurra una solución original. Un grupo de amigos proporciona mayor fuerza física e intelectual.

Chee es un hombre joven con síndrome de Asperger, que escribió lo siguiente:

> El peor problema en mi vida es la socialización. Soy incapaz de hacer amigos, pero los necesito con todas mis fuerzas. Cuando uno tiene amigos se siente más respaldado y puede pedirles un montón de cosas. Los amigos siempre te ayudan porque para eso son tus amigos. También se aprende mucho de todo lo que saben y de su experiencia... Puesto que no tengo amigos, no puedo recurrir a nadie en busca de ayuda. Cada vez que tengo un problema, he de afrontarlo solo. No sé cómo relacionarme con los demás, y eso significa que tampoco sé cómo sacar partido de las personas. En mi opinión, es el mayor problema de tener síndrome de Asperger (Molloy y Vasil, 2004, pág. 77).

El hecho de estar aislado y no tener amigos también hace que el niño sea más vulnerable a las burlas y a la intimidación. Las *aves de rapiña* de la escuela ven su objetivo en el niño que está solo, es vulnerable y tiene menos probabilidades de ser protegido por otros niños. Tener más amigos puede significar tener menos enemigos.

La aceptación de los compañeros y los lazos de amistad pueden beneficiar al niño porque puede obtener una segunda opinión acerca de los motivos y las intenciones de los demás, lo que evitará que tenga la sensación de estar obsesionado por saber las razones de la conducta de los demás. Los amigos pueden proporcionarle un control emocional eficaz y un mecanismo de reparación, en especial para emociones como la ansiedad, la cólera y la depresión. Los amigos pueden orientarlo acerca de cuál es la conducta social más apropiada, ayudarlo a desarrollar tanto una imagen como su confianza en sí mismo, y muchas veces actuarán como verdaderos consejeros y psicólogos personales. Deborah es una mujer adulta que, en un correo electrónico, me decía, que, en su opinión, «la mejor cura para la baja autoestima es la amistad». Esto es verdad sobre todo durante la adolescencia.

Todas las cualidades de un buen amigo son las de un buen miembro de equipo y, además, son características importantes para encontrar empleo más adelante. He conocido a adultos con síndrome de Asperger que tienen calificaciones académicas asombrosas, pero carecer de habilidades para trabajar en equipo ha sido uno de los obstáculos para conseguir un empleo, o conservarlo, o para lograr retribuciones adecuadas a dichas calificaciones y títulos académicos. La habilidad para tener amigos y entablar amistad puede determinar que una persona adquiera las aptitudes interpersonales necesarias para tener un empleo satisfactorio y bien remunerado.

El desarrollo de habilidades interpersonales con los amigos también es la base del éxito posterior en una relación de pareja. En las relaciones adultas son esenciales los conceptos de empatía, confianza, resolución de conflictos emocionales y saber compartir las responsabilidades.

Animar a hacer amigos

En un niño corriente, la adquisición de habilidades para hacer amigos se basa en una capacidad innata que se desarrolla durante toda la infancia y va asociada a los cambios progresivos de las aptitudes cognitivas y las experiencias sociales maduradas y modificadas. Por desgracia, los niños con síndrome de Asperger no pueden confiar en sus aptitudes intuitivas en contextos sociales tanto como sus compañeros y deben basarse más en sus aptitudes y experiencias cognitivas. Los niños y adultos con síndrome de Asperger tienen dificultades en situaciones sociales que no han ensayado o para las que no se han preparado. Por lo tanto, es esencial que esos niños practiquen la capacidad para hacer amigos y mantenerlos, y que sus experiencias de amistad sean constructivas y alentadoras (Attwood, 2000). El fracaso de una de esas experiencias se traducirá en la imposibilidad de captar el concepto exacto de *amigo* (Lee y Hobson, 1998). Si no tienes amigos, ¿cómo puedes saber qué es ser amigo?

Los padres pueden tratar de facilitar la interacción social y el juego en el hogar con los hermanos y un amigo invitado a jugar, pero tendrán dificultades para proporcionar la variedad de experiencias y el grado de supervisión e instrucción que necesita un niño con síndrome de Asperger. El entorno óptimo para establecer un juego recíproco con los compañeros es la escuela. Los servicios educativos han de conocer la importancia de las experiencias sociales y educativas de un niño con síndrome de Asperger. Las experiencias sociales deben hacer hincapié en las habilidades para hacer amigos, e incluyen la formación apropiada del personal y los recursos pertinentes. Las sugerencias descritas a continuación están destinadas a su implementación por parte de los padres y los maestros para cada uno de los estadios del desarrollo en el que un niño entabla amistad con otros compañeros y pueden aplicarse a niños con síndrome de Asperger.

ESTADIOS DEL DESARROLLO DEL CONCEPTO DE AMISTAD EN UN NIÑO CORRIENTE

Antes de los tres años de edad, un niño corriente interacciona y juega con los miembros de su familia, pero, en general, su modo de entender a los demás es de rivalidad por las posesiones y la atención que le prestan los adultos más que de amistad. Si otro niño va a su casa, es habitual que esconda su juguete favorito. Sin embargo, después del primer año de edad, el niño ya es capaz de compartir, ayudar y consolar. Son los componentes básicos de la amistad. Puede manifestar un juego paralelo y curiosidad por lo que le interesa a otros niños y, en consecuencia, imitarlos, pero, sobre todo, puede ser interesante y agradable para causar buena impresión a su padre o su madre. Sabemos que los niños de este grupo de edad tienen preferencias por niños concretos y deciden jugar con un niño en particular. Puesto que el síndrome de Asperger suele diagnosticarse después de los cinco años de edad, en general, cuando se establece el diagnóstico por primera vez, han progresado más allá del estadio de amistad asociada con niños muy pequeños.

Primer estadio de los lazos de amistad: de tres a seis años

Desde los tres hasta los seis años de edad los niños corrientes tienen un concepto funcional y egocéntrico de la amistad. Cuando se les pregunta por qué un niño determinado es su amigo, suelen responder en función de la proximidad (es su vecino o se sienta junto a él en clase) o de las posesiones (el otro niño tiene juguetes que admira o desea utilizar). Los juguetes y las actividades de juego son el centro de atención de la amistad y, gradualmente, el niño deja de participar en juegos paralelos para reconocer que algunos juegos y actividades no pueden tener lugar a menos que exista un elemento de compartir o turnarse. No obstante las habilidades de cooperación son limitadas, y las características que definen a un amigo sólo son unidireccionales y egocéntricas (me ayuda y le caigo bien). El conflicto suele asociarse con la posesión y el uso de juguetes y material escolar y la violación del espacio personal, pero en el último año de este primer estadio, el conflicto puede centrarse en las normas del juego y en quién gana. Desde la perspectiva del niño, con frecuencia el conflicto se dirime con un ultimátum y la utilización de la fuerza física. No se puede pedir a un adulto que haga de árbitro. El niño puede tener sugerencias para consolar o ayudar a un amigo afligido, pero considera que la reparación emocional es una función que desempeñan los padres y maestros más que él mismo.

Si a un niño de tres o cuatro años de edad se le pregunta qué ha hecho hoy, tiende a referir con qué ha jugado, mientras que uno mayor, de unos cuatro años, empieza a decir con quién ha jugado. Poco a poco, el juego social se convierte en algo más que una actividad que se crea y se completa. No obstante, los amigos son transitorios y el niño tiene su *programa* personal de lo que hará y cómo lo hará.

Cuando se entretienen con sus juguetes, los niños muy pequeños con síndrome de Asperger tienen en la cabeza un final claro; no obstante, es posible que no lo transmitan con claridad a un compañero de juegos, ni toleren o incorporen las sugerencias del otro niño, ya que eso produciría un resultado imprevisto. Por ejemplo, mientras juega con su material de construcción el niño con síndrome de Asperger puede tener en mente la imagen de la estructura completada y puede ponerse nervioso si otro niño coloca la pieza de construcción donde, según su imagen mental, no tendría que estar; mientras, el otro niño no entiende por qué se rechaza su cooperación.

En general, el niño pequeño con síndrome de Asperger busca actos y resultados previsibles y el control de las actividades lúdicas, mientras que un niño corriente busca la espontaneidad y la colaboración. En su autobiografía, Liane Holliday Willey ofrece esta descripción de su primera infancia:

> Lo que me divertía era colocar todos los cacharros y ordenar todo lo necesario para tomar el té, igual que en mis meriendas. Quizás este deseo de organizar cosas más que de jugar es la razón de que nunca haya sentido un gran interés por los otros niños. Éstos siempre deseaban usar los cacharros que yo había dispuesto con tanto esmero. Querían colocarlos de nuevo. No me dejaban controlar lo que estaba haciendo. No actuaban como yo creía que debían hacerlo. Los niños necesitan más libertad de la que yo les concedía (Willey, 1999, págs. 16-17).

Con frecuencia, otros niños consideran que el afectado por síndrome de Asperger, que en general prefiere jugar solo, no se alegra de verlos. Cuando cuenta con ellos para jugar, tiene un comportamiento dictatorial, no juega con normas convencionales y los considera sus subordinados. Los otros niños perciben esa conducta como autoritaria y piensan que el niño se comporta más como un maestro que como un amigo. Por lo tanto, el niño con síndrome de Asperger, al que los demás acaban evitando, sin darse cuenta, se hace impopular, y así pierde oportunidades para usar y establecer habilidades para hacer amigos.

Programas para el primer estadio

Un adulto que representa el papel de amigo

Para el niño pequeño con síndrome de Asperger, que es probable que no esté interesado en jugar con sus compañeros, pero que puede estar motivado para interaccionar con adultos, un adulto que *representa el papel* de un niño de su edad puede enseñarle los principios del juego social. Al igual que los actores en una obra de teatro aprenden cómo actuar y ensayan sus papeles, a un niño se le puede enseñar a participar en una representación recíproca. En esta situación, el *amigo* adulto necesitará adaptar sus aptitudes y su lenguaje para que se parezcan a los de los compañeros del niño. La finalidad es animar al juego recíproco entre iguales, sin que ninguno de los dos *amigos* sea dominante.

En clase el maestro tiene un papel asignado y relativamente fijo, que es el de adulto y no el de amigo. No obstante, un adulto que ayuda al niño para facilitar su integración en el parvulario o en la guardería puede desempeñar el papel de *amigo*. Ese adulto *amigo* puede actuar como tutor o director de estadio, en el sentido de proporcionarle al niño orientación y ánimo en las situaciones sociales. Para que las interacciones sean más comparables a las situaciones reales con los demás niños, se pueden pedir prestados —o comprarlos— juegos u otro material didáctico usados en la escuela y que sean populares entre los niños de su misma edad.

Es importante que los adultos, en especial los padres, observen el juego natural de los compañeros del niño, tomen notas y se fijen en los juegos, el material, las normas y el lenguaje. La estrategia es que los padres jueguen con el niño usando la forma de hablar de un niño, los balbuceos y sonidos típicos de esa edad y que sean iguales y recíprocos desde un punto de vista de las aptitudes, los intereses y la cooperación. El adulto puede mostrar al niño claves sociales concretas, e interrumpir el juego momentáneamente para que se vea u oiga una clave, explicándole lo que significa y cómo se espera que responda.

Cuando juega con el niño, el adulto puede expresar sus pensamientos en voz alta, o más bien un comentario sobre lo que está pensando. Eso le permite al niño oír lo que realmente está pensando la otra persona, más que tener que averiguarlo a partir del contexto, o tener que interpretar las expresiones faciales o el lenguaje corporal.

Es importante que el adulto represente ejemplos de modelos de conducta de cómo ser un buen amigo y también de situaciones que ilustren acciones hostiles y poco amigables, de dominio, burla y desacuerdos. El adulto puede representar respuestas apropiadas e inapropiadas, que ofrezcan al niño una variedad de reacciones y lo ayuden a determinar qué respuesta es adecuada y por qué.

Aprender a jugar por turno y pedir ayuda

En el primer estadio de la amistad, un buen amigo es alguien que espera su turno y que ayuda. Es importante que cuando el adulto actúa como amigo, utilice como modelo la conducta de jugar por turnos y anime al niño a imitarlo. Por ejemplo, cuando están haciendo un rompecabezas, ambos deben esperar su turno para colocar la pieza escogida del juego. Si están mirando un libro, primero el adulto señala uno de los dibujos y hace un comentario o formula una pregunta y, en la página siguiente, es el niño quien señala un dibujo y plantea la pregunta. Si al niño le gusta que lo mezan en el columpio, la actividad siguiente puede ser que él meza al adulto. Los dos *amigos* se turnan en cada actividad y en el papel del líder.

Para animarlo a ayudar a alguien, será necesario que el adulto cometa deliberadamente un error o que manifieste que no está seguro de lo que debe hacer para resolver un problema. Acto seguido, debe pedirle ayuda al niño al tiempo que comenta que pedir ayuda es lo más inteligente y agradable que se puede hacer cuando uno tiene un problema. Es necesario que el adulto se asegure de que su aptitud en una tarea es comparable a la del niño con síndrome de Asperger. Estos niños se consideran *adultos en pequeño* y pueden sentirse decepcionados o ponerse nerviosos si su grado de aptitud es claramente inferior al de su compañero de juegos. El adulto también modela el concepto de que es normal cometer errores.

Ensayo general con otro niño

Un adulto puede modificar fácilmente el ritmo del juego, el grado de preparación y los comentarios. Después de practicar lo suficiente en esa situación, se puede avanzar y pasar a un *ensayo general* con otro niño. Puede ser su hermano mayor, o quizás un niño maduro de su clase, que actúe como amigo y proporcione nuevas directrices antes llegar a usar abiertamente las habilidades aprendidas con un grupo de compañeros.

Grabación en vídeo del juego de los niños

Los niños con síndrome de Asperger suelen pasarlo bien viendo una y otra vez la misma película. Es habitual en todos los niños, pero el que tiene síndrome de Asperger disfruta viendo la *misma* película o programa muchas veces. No es necesariamente una conducta de autoestimulación, como sugieren algunos autores conductistas sobre el autismo, sino que, en mi opinión, es un modo constructivo de aprender sin la confusión o el esfuerzo de tener que socializarse o hablar. Los padres se desesperan pensando que ver el mismo programa tantas veces es una pérdida de tiempo; no obstante, el problema no es lo que hace el niño, sino, lo que está viendo.

Recomiendo grabar en vídeo las experiencias sociales de esos niños —por ejemplo, el niño y sus compañeros jugando en la arena, el tiempo dedicado en clase a hablar de los objetos que los niños llevan de su casa, o su juego con los primos en casa—. Por consiguiente, el niño puede ver muchas veces esa grabación, una especie de *documental social* que lo ayudará a entender mejor las claves sociales, las respuestas, la secuencia de actividades, las acciones de sus compañeros y su papel como amigo. El adulto puede congelar las imágenes o pararlas para concentrar la atención del niño en una clave social concreta, identificar las conductas amistosas y amables, y señalar las conductas adecuadas del niño.

Juegos imaginarios

En el primer estadio de la amistad los niños corrientes suelen usar juguetes imaginarios o recurren a la fantasía partiendo de personajes y cuentos populares extraídos de libros, programas de televisión y películas. El juego del niño con síndrome de Asperger también puede basarse en personajes y acontecimientos de la ficción, pero puede ser diferente desde un punto de vista cualitativo, en el sentido de que suele ser una actividad solitaria más que compartida. Puede ser una representación exacta sin apenas variación o creatividad y puede contar con otros niños, pero sólo si siguen sus instrucciones y no cambian el guión. La interacción no es creativa, cooperativa o recíproca, como sucedería entre niños corrientes. No obstante, el niño con síndrome de Asperger puede tener una memoria y unos conocimientos notables de los personajes populares y de las películas, y ver una y otra vez las escenas durante horas. Es preciso animarlo para que sea más flexible en sus juegos imaginarios, en especial cuando juega con otros niños. El principio es que aprenda que algo no es malo o está mal si es diferente.

Las actividades que fomentan la flexibilidad en las ideas y la capacidad para participar en los juegos imaginarios pueden incluir juegos en los que el objetivo sea inventarse el mayor número de usos posibles para un objeto concreto; es decir, pensar más allá del uso funcional, más evidente, de ese objeto. Por ejemplo, ¿cuántos usos se te ocurren para un ladrillo, un clip para papeles o un trozo de raíl de tren? El segmento de raíl puede convertirse en las alas de un avión, una espada o una escalera. Eso alentará su capacidad para romper su *falta de espontaneidad* en la resolución de problemas, y se sentirá más a gusto cuando participe en juegos imaginativos con otros niños.

El adulto puede actuar como amigo en los juegos de fantasía, con frases como… «imaginemos que…», lo que alienta la versatilidad de pensamiento y la creatividad del niño. Los niños con síndrome de Asperger pueden estar demasiado apegados a las normas y han de aprender que, cuando juegan con los amigos, es posible cambiarlas y ser in-

111

genioso, que seguirán pasándolo bien con la experiencia y eso no les generará ansiedad. Para el niño puede ser beneficioso la Social Story™ (véase la pág. 113) que le cuenta que, tanto en las relaciones de amistad como cuando resuelve problemas prácticos o intelectuales, intentar otro camino puede dar lugar a un descubrimiento importante. Tratar de encontrar una forma más rápida de navegar hasta la India, dio lugar al descubrimiento europeo de América.

Cuando el niño se sienta cómodo con una forma de pensar flexible, el adulto y los otros niños pueden animarlo a participar en el juego social imaginativo recíproco. He observado que cuando el niño descubre el valor intelectual y social de ser imaginativo, su nivel de creatividad puede ser asombroso.

Animarlo cuando es cordial y simpático

Cuando abordo las experiencias sociales de la infancia con adultos jóvenes con síndrome de Asperger, oigo muchas descripciones de casos de confusión social y, con frecuencia, cómo la respuesta de los adultos ha sido criticar los errores sociales pero rara vez elogiar los actos o conductas que eran adecuados. Muchas veces el niño supone que, al término de una interacción, la ausencia de críticas, de sarcasmo o de una risa burlona significa que esa interacción ha sido satisfactoria, pero no tiene ni idea de qué es lo que resulta socialmente apropiado de todo lo que ha hecho. Tal como expresaba un adulto sobre su infancia, «los únicos comentarios que me hacían eran negativos y críticos porque había cometido un error, pero nadie me decía nada cuando no metía la pata» (comunicación personal).

Si un niño está terminando un problema de matemáticas, el visto bueno o una cruz del maestro indican, respectivamente, que lo ha resuelto bien o lo ha hecho mal. Si hace un rompecabezas o juega con piezas de construcción, el niño sabe que ha conseguido acabarlos cuando todas las piezas encajan o la construcción tiene una estructura lógica y es robusta. Sin embargo, el problema en las situaciones sociales es que el éxito no es tan evidente y es posible que al niño le falte una reacción positiva. Recomiendo firmemente que, cuando un adulto, un compañero o un amigo interaccione con un niño con síndrome de Asperger, haga esfuerzos deliberados para indicar y comentar que lo que éste hizo fue apropiado.

Por ejemplo, si se observa que el niño está jugando al fútbol con otros niños durante el recreo, al final del partido se le indicarán las acciones que fueron cordiales y amistosas, y el porqué. Una respuesta positiva puede ser: «Me he dado cuenta de que perdisteis la pelota entre los matorrales y tú te apresuraste a ir a buscarla; ¡estupendo! Ayudar a encontrar la pelota es una acción amistosa y amable»; o bien: «Fue un detalle simpático que te acercaras a Jessica para felicitarla cuando marcó un gol».

El niño puede tener un cuaderno o un diario donde anote sus aptitudes positivas para hacer amigos. El diario puede adoptar la forma de «libro de actos memorables», o puede anotarse puntos cada vez que su interacción social para hacer amigos sea satisfactoria. En el diario puede anotar lo que hizo o dijo y por qué fue un ejemplo de cordialidad y camaradería. Esos actos memorables de camaradería tendrán reconocimiento público y una recompensa apropiada.

Historias sociales (Social Stories™)

Otra estrategia para aprender las claves sociales pertinentes e interpretar los pensamientos, los sentimientos y el guión de comportamiento es escribir historias o guiones sociales, creados originalmente por Carol Gray en 1991, no mediante la aplicación académica de un modelo teórico de cognición social, sino a partir de su trabajo directo con niños autistas y con síndrome de Asperger (Gray, 1998). La preparación de historias sociales también permite que otras personas (adultos y compañeros) entiendan la perspectiva de estos pacientes y la razón de que su conducta social pueda parecer confusa, ansiosa, agresiva o desobediente. Recientemente, Carol Gray (2004b) ha revisado los criterios y directrices, resumidos a continuación, para escribir la historia social.

Una historia o guión social describe una situación, una habilidad o un concepto en términos de claves sociales relevantes, perspecti-

113

vas y respuestas habituales con un estilo y un formato definidos específicamente. El objetivo es compartir la información social y emocional precisa de un modo fiable e informativo que un niño con síndrome de Asperger entienda con facilidad. La primera y, como mínimo, el 50 % de las historias sociales posteriores han de describir, afirmar y consolidar las aptitudes y la comprensión que el niño tiene y lo que hace bien, con lo que se evita el problema de que esas historias se asocien exclusivamente con el fracaso y la ignorancia. También pueden escribirse como un medio de registrar los logros en el uso de nuevos conocimientos y estrategias. Es importante que se consideren un medio para anotar el conocimiento y el éxito sociales.

Uno de los aspectos esenciales de escribir una historia social es determinar en colaboración cómo percibe el niño una situación concreta, sin suponer que un adulto conoce todos los hechos, los pensamientos, las emociones y las intenciones del niño. La estructura de la historia comprende una introducción, que identifica el tema con claridad, un cuerpo, que describe los detalles, y una conclusión, que resume y refuerza la información y cualquier sugerencia.

Para niños pequeños, la historia se escribe en primera persona, utilizando el pronombre personal «yo» o el nombre del niño, si es así como éste se refiere a sí mismo, y ha de proporcionarle información que pueda personalizar e interiorizar (Gray, 2002a). Para adolescentes y adultos, la historia social puede escribirse en tercera persona, «él» o «ella», con un estilo similar al de un artículo de una revista apropiada para su edad. En estos casos, el término será «artículo social». Por ejemplo, una de las expectativas de la habilidad para hacer amigos y trabajar en equipo para conseguir empleo cuando sea adulto es la aptitud para elogiar y recibir cumplidos. Carol Gray escribió un artículo de dieciséis páginas con ilustraciones mediante tiras cómicas que explicaba a los adultos con síndrome de Asperger por qué en las relaciones de amistad, de pareja y con los colegas o clientes en el trabajo y se espera recibir alabanzas y cumplidos (Gray, 1999).

Si la persona tiene un interés o afición en particular, se incorpora en el texto. Por ejemplo, si le fascina todo lo relacionado con el hundimiento del *Titanic*, se usan escenas de la película o se buscan referencias en libros de historia o documentos para ilustrar la información clave de la historia social y hacer hincapié en ella (Gagnon, 2001).

Estas historias utilizan un lenguaje positivo y una estrategia constructiva. Se sugiere al paciente lo que tiene que hacer más que lo que no tiene que hacer. El texto incluye *frases descriptivas* que proporcionan información sobre los hechos o son afirmaciones, y *frases de perspectiva*, que se escriben para explicar la percepción de una persona del mundo físico y mental. Las frases de perspectiva, que son una de las razones del éxito de las historias sociales, describen los pensamientos, las emociones, las creencias, las opiniones, la motivación y el conocimiento. Se incluyen intencionadamente para mejorar las aptitudes relacionadas con la teoría de la mente. Carol Gray recomienda la inclusión de *frases de cooperación* para identificar quién puede ayudar, y *frases directivas*, que sugieren una respuesta, o la elección de respuestas, en una situación concreta. Las *frases afirmativas* definen un valor, una opinión o una norma compartidos en general, la razón por la que se han establecido códigos específicos de conducta y por qué se espera conformidad. Las *frases de control* se escriben para que el niño identifique las estrategias personales que lo ayudarán a recordar cómo debe actuar. Carol Gray ha creado una fórmula de historia social de modo que el texto representa más una descripción que una indicación. Estas historias necesitan un título, que debe reflejar sus características esenciales.

En la actualidad en numerosos estudios de investigación se ha examinado el trabajo original de Carol Gray sobre las historias sociales, y diversos autores han llegado a la conclusión de que es muy eficaz para mejorar la comprensión social y la conducta social de los niños con síndrome (Hagiwara y Myles, 1999; Ivey, Heflin y Alberto, 2004; Lorimer, 2002; Norris y Dattilo, 1999; Rogers y Myles, 2001; Rowe, 1999; Santosi, Powell Smith y Kincaid, 2004; Scattone y otros, 2002; Smith, 2001; Swaggart y otros, 1995; Thiemann y Goldstein, 2001).

Las historias sociales son un medio muy eficaz de aprendizaje de las claves sociales pertinentes en todos los estadios de la reeducación de estos niños para que hagan amigos y los mantengan, pero, sobre todo, en el primer estadio. Los niños pequeños necesitan directrices para entender lo que piensa y siente el otro, y su papel o las acciones que se espera de ellos en una situación concreta. Por ejemplo, a continuación se refleja un fragmento de una historia social no publicada sobre los gestos y ademanes para tranquilizar u ofrecer confianza al interlocutor:

A veces los niños me abrazan. Lo hacen para mostrarme su amistad. Ayer, en clase, cometí tres errores en el examen de ortografía. Cuando mi amiga Amy vio la hoja del examen y los tres errores, pensó que estaría apenada y acertó. Me rodeó el hombro con su brazo y dijo: «No pasa nada, Juanita»; Amy es mi amiga. Me abrazó para que me sintiera mejor. Un abrazo también hace que Amy se sienta bien. Cuando me abraza, lo hace porque sabe que estoy triste y desea que me sienta mejor; le daré las gracias por su gesto.

En esta situación, es necesario explicarle la razón de la conducta de Amy (abrazar a su amiga) al niño con síndrome de Asperger. Estos niños tienen problemas para entender lo que piensan, sienten y desean los demás, lo que hace que su conducta les parezca falta de lógica y confusa. Un gesto tranquilizador puede reparar los sentimientos, no los errores ortográficos. Sólo cuando la niña entienda que la acción fue un gesto tranquilizador, cuyo objetivo era reparar el sentimiento de aflicción, la conducta de Amy le parecerá lógica y no un motivo de confusión y rechazo.

Tras redactar la historia social, otras personas del mundo cotidiano del niño han de saber cómo ayudarlo a implementar los nuevos conocimientos y estrategias. El niño puede guardarla en una carpeta como un libro de consulta, en casa o en la escuela, y puede hacer fotocopias de algunas de las historias para guardarlas en la cartera o la bolsa de deportes, y releerlas para refrescar su memoria justo antes del momento en que sea pertinente o cuando éste llegue.

116

En el primer estadio otros temas de las historias sociales comprenden las habilidades para «entrar y salir» (p. ej., cómo incorporarse a una actividad y dejarla), cuándo y cómo proporcionar ayuda, y la importancia de compartir y aceptar las actividades relacionadas con el juego propuestas por otro niño. Para niños con síndrome de Asperger la habilidad de incorporarse a un grupo de niños es especialmente difícil. Para un niño corriente, el consejo general es que observe, escuche, se acerque más y, por último, se una al grupo (Rubin, 2002). En el proceso de incorporación, cada paso puede requerir una historia social. Por ejemplo, el niño con síndrome de Asperger necesitará ayuda para reconocer y entender las señales que le indican que se incorpore al grupo, como una mirada o un gesto de bienvenida, la pausa natural en la conversación o la transición entre actividades; en definitiva, las señales de luz verde.

Actividades relacionadas con las señales sociales

Para explicar las consecuencias de no darse cuenta de las señales sociales o desconocerlas, utilizo la metáfora de un conductor. En la sociedad hemos inventado señales y normas de tráfico para impedir los accidentes. Se pide a un padre o a un maestro que se imagine a un conductor que no entienda las señales de tráfico y arranque cuando el semáforo está en rojo, supere el límite de velocidad o conduzca demasiado cerca de otro vehículo, situaciones que pueden provocar un accidente.

El niño con síndrome de Asperger tiene dificultades para reconocer y saber cómo responder a las señales y claves sociales para prevenir accidentes sociales. Cuando el maestro carraspea, como si se estuviera aclarando la garganta, un niño corriente sabe muy bien que es una señal de advertencia similar a una de tráfico que informa al conductor de que más adelante hay un semáforo. Es necesario que el niño mire el rostro del maestro como si mirara un semáforo; si sonríe, una expresión de luz verde, significa que puede continuar con lo que está haciendo; si el maestro frunce el entrecejo pero mira a otro niño, el significado es luz ámbar, lo que significa ¡cuidado!, es posible que tenga que parar; si lo mira con expresión enojada, una cara en luz roja, es una clara señal para dejar de hacer lo que está haciendo o pagará las consecuencias. Pero el niño con síndrome de Asperger puede interpretar el carraspeo simplemente como una indicación de que el maestro tiene la garganta reseca y necesita una pastilla o beber algo.

Estos niños no entienden las señales de «mantenga la distancia de seguridad» e invaden el espacio personal de la gente, la señal «calle sin salida», que indica que ese camino no lo llevará a ninguna parte, o la señal «obras», que significa «no molestar». Cuando no responde como es de esperar a estas señales sociales, el niño no es irresponsable o provocador deliberadamente, sino que muestra su falta de comprensión y, en consecuencia, es propenso a sufrir accidentes sociales que hieren los sentimientos.

La actividad con señales sociales usa las historias sociales para explicar la razón de una *norma de tráfico* concreta y proporciona ejemplos claros y prácticos de las señales y de cómo responder. La idea de las expresiones faciales como semáforos se puede trabajar con un dibujo de grandes proporciones de un semáforo y algunos de expresiones faciales. El niño escoge entre los dibujos y decide qué semáforo se asocia con cada expresión facial. ¿Es una cara en luz verde, ámbar o roja? La actividad debe ir acompañada de una explicación sobre los comentarios o preguntas adecuados que el niño puede usar cuando vea una expresión facial en ámbar o rojo, como «lo siento», «¿está enfadado conmigo?», o «¿qué tengo que hacer?, y también, cuando está confuso acerca del significado de la señal social, las preguntas y comentarios que impedirán accidentes sociales añadidos, por ejemplo «¿he hecho algo malo?» o «estoy confuso».

Segundo estadio de la amistad. De seis a nueve años

En este estadio en lo que respecta a la creación de lazos de amistad, un niño corriente empieza a reconocer que necesita un amigo para determinados juegos y que a este amigos han de gustarle los mismos juegos. Los niños aceptan e incorporan las influencias, las

118

preferencias y los objetivos de sus amigos en su juego. Un niño corriente está más al tanto de lo que piensan o sienten sus compañeros y cómo sus acciones y comentarios pueden herirlos, física y emocionalmente. El niño está preparado para reprimir algunas acciones y pensamientos, para «pensarlo, pero no decirlo» o decir «una mentira piadosa» para no herir los sentimientos de alguien. En este estadio se da mayor reciprocidad y es previsible que se establezca la ayuda mutua.

La amistad puede nacer porque ambos niños tengan intereses similares. Se reconocen aspectos del carácter de un amigo más que sus posesiones (es divertido estar con él, nos reímos mucho juntos). El concepto de reciprocidad (viene a mi fiesta y yo voy a la suya), el de compartir de verdad los recursos y ser imparcial en los juegos es cada vez más importante. Cuando se aborda un conflicto la opinión del niño es que el culpable debe retractarse y que la resolución satisfactoria es devolver la misma ofensa, «ojo por ojo». El concepto de responsabilidad y justicia se basa en quién inició el conflicto, no en lo que ocurrió después o en cómo terminó. En torno a los ocho años de edad el niño puede pensar que un buen amigo no es sólo el seleccionado para el juego social, sino alguien que lo ayuda desde un punto de vista práctico (sabe cómo arreglar el ordenador) y en momentos de tensión emocional (me anima cuando me siento triste). Sin embargo, en este estadio no todos los niños tienen «su mejor amigo».

Programas para el segundo estadio

Actividades de modelos de conducta

En el segundo estadio de la instauración de lazos de amistad, los niños expresan mayor cooperación y camaradería cuando juegan con sus compañeros y una forma más constructiva de afrontar los conflictos y las disputas. Es importante que el niño aprenda la teoría y practique los diversos aspectos del juego en cooperación usando las historias sociales y actividades de modelos de comportamiento. Lo ayudarán a practicar aspectos del juego como elogiar y recibir elogios, aceptar sugerencias, esforzarse en equipo en pos de un objetivo, tener conciencia del espacio personal, la proximidad y el contacto, afrontar las críticas y expresar desaprobación, y reconocer los signos de aburrimiento, azoramiento y frustración, y cuándo y cómo interrumpir. Los modelos de comportamiento y el modelado de diversos aspectos de la interacción social, como elogiar, pueden grabarse en vídeo para proporcionarle al niño una respuesta práctica y constructiva (Apple, Billingsley y Schwartz, 2005).

En situaciones de conflicto y desacuerdo, el niño necesitará que se le anime a solicitar ayuda a un adulto para que actúe como árbitro, más que como la persona que determina quién es el culpable y reprenderlo. Las historias sociales y las actividades relacionadas con modelos de comportamiento pueden prestar atención a aspectos como los beneficios de la negociación y el compromiso, ser justo y la importancia de pedir disculpas. Los aspectos relacionados con el control suelen representar un problema para estos niños. Si el niño tiene tendencia a ser autocrítico y dominante, o a utilizar las amenazas y agresiones para conseguir su objetivo, habrá que explicarle otras estrategias y animarlo a seguirlas: «Es mucho más probable que obtengas lo que deseas si eres amable con alguien».

Un ayudante del maestro en clase y en el patio

En la escuela, para facilitar la inclusión social satisfactoria en clase y en el patio de recreo, es probable que el niño necesite personal de apoyo. Un ayudante del maestro observará la conducta social del niño, en particular las conductas que indican capacidades propias de su edad para hacer amigos, y le ofrecerá orientación y una respuesta positiva inmediata. Sus funciones son:

- Ayudar al niño a identificar las claves sociales y las respuestas pertinentes.
- Proporcionarle educación individual usando actividades o juegos específicos, modelos de comportamiento y ensayos, y escribiendo historias sociales con el niño.

- Animar a otros niños para que cuenten en sus juegos con el niño afectado.
- Ofrecer directrices para abordar posibles conflictos entre el niño y sus compañeros.
- Proporcionar una retroalimentación positiva al niño.

El número de horas al día que esta persona dedique al niño dependerá de sus aptitudes, el contexto social y las habilidades del grupo de compañeros.

Jugar con muñecas o personajes y lectura de cuentos

He observado que, en el segundo estadio, en comparación con los niños, las niñas con síndrome de Asperger tienen mecanismos diferentes de afrontamiento. Es más probable que sean observadoras interesadas en el juego social de otras niñas, y luego en casa imiten su juego usando muñecas y amigos imaginarios o adopten la personalidad de una niña socialmente hábil. Estas actividades brindan una oportunidad inestimable para analizar y ensayar las capacidades para hacer amigos.

Estas niñas pueden manifestar un especial interés en la lectura de cuentos y narraciones de ficción. Eso las ayuda a comprender lo que piensan y sienten los demás, al igual que las relaciones sociales. En el caso de un niño se puede animarlo a jugar con personajes usando héroes de acción masculinos, pero para representar sus experiencias cotidianas más que las escenas de películas conocidas, y a leer narraciones, quizá basadas en sus intereses particulares; por ejemplo, un libro como *The Railway Children* [El niño del ferrocarril] si su afición son los trenes.

Compartir intereses

En este estadio de la formación de lazos de amistad, una de las respuestas habituales de los niños corrientes a la pregunta «¿qué constituye un buen amigo?» es: «Nos gustan las mismas cosas». La base de la amistad es compartir. Recuerdo a un niño con síndrome de

Asperger que tenía notables conocimientos y afición por los insectos, en particular las hormigas. Sus compañeros toleraban su entusiasmo y sus monólogos sobre ellas, pero no lo consideraban un amigo en potencia, ya que su entusiasmo se limitaba a ese tema. El niño se encontraba en período de aprendizaje de las habilidades para hacer amigos, por ejemplo, cómo mantener una conversación, esperar a que las otras personas terminen de hablar, y cómo elogiar a los demás y recibir elogios y demostrar empatía. Cuando usaba esas habilidades sociales con sus compañeros, lo hacía como un esfuerzo intelectual y gracias a las directrices recibidas, por lo que los otros niños percibían su conducta como algo artificial y afectada. Tenía muy pocos amigos de verdad.

Por casualidad, otro niño con síndrome de Asperger vivía cerca de su casa, y también manifestaba afición por las hormigas. Los padres respectivos planearon una reunión de los dos jóvenes entomólogos; cuando se conocieron, su comunicación social fue considerable. Los dos niños se convirtieron en compañeros habituales en sus safaris de hormigas, en los que compartían sus conocimientos y toda clase de recursos sobre insectos, hicieron un trabajo en equipo sobre las hormigas y se mantuvieron en contacto con regularidad con largas y genuinas conversaciones sobre sus últimos descubrimientos. Cuando observaba sus diálogos, era clarísimo que existía un equilibrio natural en la conversación, en la que ambos eran capaces de esperar pacientemente y de escuchar con atención, manifestar empatía y dirigirse cumplidos en un grado no observado cuando se relacionaban con otros niños.

En función de las aficiones e intereses peculiares de cada niño, es necesario que padres y maestros consideren como posibles amigos a aquellos niños con mayor afinidad de personalidad e intereses. Los grupos de apoyo y las asociaciones de padres de niños con síndrome de Asperger pueden proporcionar nombres y direcciones de familias, junto con los intereses particulares de los niños, con el objetivo de organizar una amistad posiblemente satisfactoria. No obstante, me he fijado en que, cuando el interés compartido se desvanece, también suele terminar la amistad.

Esos intereses también pueden usarse para facilitar la relación de amistad con los otros niños. La hermana de mi esposa tiene síndrome de Asperger y unas brillantes aptitudes artísticas. En la escuela, escribió:

> Puesto que anhelaba tener amigas, cuando otra niña elogió un dibujo que había hecho, empecé a regalar dibujos a todas las niñas de la clase, hasta que una me acusó de fanfarrona, un rapapolvo que jamás he olvidado. Sólo trataba de ganarme amigas (comunicación personal).

Si el niño tiene un don especial, como el de dibujar bien, el maestro puede propiciar que trabaje en equipo con otro cuyas habilidades sean complementarias. Por ejemplo, el artista puede convertirse en el ilustrador de un niño cuyo talento sea escribir cuentos. Eso les mostrará el valor de la colaboración y el trabajo en equipo.

Sentido del humor

Otra respuesta a la pregunta «¿qué constituye un buen amigo?» puede ser: «Alguien con sentido del humor». Los niños con síndrome de Asperger tienden a interpretar literalmente lo que alguien dice y no entienden cuándo está bromeando. Sin embargo, algunos tienen un maravilloso sentido del humor, aunque a veces idiosincrásico (Darlington, 2001). El niño muy pequeño puede reírse del modo en que se pronuncia una palabra y repetirla para sí mismo como una chanza privada, pero no comparte ni explica la razón de que le haga gracia. El desarrollo del sentido del humor puede progresar hasta la creación de juegos de palabras y asociaciones de palabras ingeniosos (Werth, Perkins y Boucher, 2001). El paso siguiente en el desarrollo del sentido del humor pueden ser las payasadas como las de las películas cómicas, como la serie televisiva *Mr. Bean* y, más tarde, a una edad más temprana de lo previsible, un interés por el humor surrealista del estilo de las comedias como el programa de la televisión inglesa titulado *El circo ambulante de Monty Python*.

Entre los compañeros, las bromas de los niños de seis a nueve años de edad pueden empezar con las risas asociadas a las palabras y acciones groseras. Otros niños entenderían la naturaleza de la broma, el contexto apropiado de ésta y la apreciarían, pero el niño con síndrome de Asperger puede repetir una broma grosera para ser popular en circunstancias en que otros niños se darían cuenta de que no tiene gracia o es impropia. La broma que en el patio de recreo origina una risa hilarante entre los niños no necesariamente es la que le contaríamos a nuestra abuela durante el almuerzo del domingo. El niño necesita una historia social que le explique por qué algunas bromas son divertidas para unas personas pero no para otras.

Hans Asperger describió que los niños con síndrome de Asperger carecen de sentido del humor, pero esto no coincide con mi experiencia de trabajar con varios miles de niños afectados por este síndrome. Muchos tienen una perspectiva exclusiva o alternativa de la vida que, en general, es la base de comentarios acerca de que son muy perceptivos y claramente graciosos o cómicos. Estoy de acuerdo con Claire Sainsbury cuando escribe: «No es que carezcamos de sentido del humor sino, más bien, de las habilidades sociales para reconocer cuándo las otras personas están bromeando, para indicar que nosotros mismos estamos bromeando o para apreciar las bromas que se basan en la comprensión de las normas sociales» (Sainsbury, 2000, pág. 80).

Algunos adolescentes pueden tener una imaginación considerable para inventarse chistes originales, aunque, con frecuencia, el tema de éstos guarda relación con un interés o afición particular, y no se los inventan para compartirlos con los demás (Lyons y Fitzgerald, 2004; Werth y otros, 2001). Conozco muchos adolescentes con síndrome de Asperger que se inventan multitud de bromas y juegos de palabras jocosos, aunque a veces no estoy seguro de lo que parece ser motivo de risa. Sin embargo, la risa de esos niños como respuesta a una broma idiosincrásica es muy contagiosa.

Círculos concéntricos

Es muy probable que el niño con síndrome de Asperger necesite orientación para comprender las jerarquías sociales y las normas sociales que rigen el humor, los temas de conversación y el contacto, así como qué es el espacio corporal personal, los diferentes modos de saludo y los gestos y las demostraciones de afecto. Para ello, uso una actividad en la que se dibujan una serie de círculos concéntricos en una hoja de papel de grandes dimensiones. En el círculo interno se escribe el nombre del niño y el de los miembros de la familia íntima. En el círculo siguiente se escriben los nombres de las personas bien conocidas por el niño pero que no son familiares próximos, como sus maestros, tíos y tías, vecinos y amigos. El círculo siguiente, más cerca del perímetro, incluirá los nombres de los amigos y conocidos de la familia, familiares lejanos y otros niños conocidos pero que no son sus amigos. El siguiente círculo corresponde a personas conocidas pero que el niño sólo ve en ocasiones, como el médico o el cartero. Y, por último, el círculo más externo es para las personas desconocidas o que sólo ve muy de vez en cuando, como los familiares lejanos.

Una vez que nos hemos puesto de acuerdo sobre los círculos y sus ocupantes, el tema de conversación es cualquiera de los aspectos de la conducta social, como, por ejemplo, los diferentes tipos de saludo. El adulto que dirige la actividad puede colaborar con el niño para encontrar dibujos o fotografías de diferentes tipos de saludos en revistas y periódicos y recortarlos. El debate se centra en decidir en qué círculo debe colocarse cada saludo. Por ejemplo, un apretón de manos es un saludo apropiado para el médico pero no es el esperado para dar la bienvenida a la abuela. El niño puede admirar a sus maestros, pero darles un abrazo y besarlos todas las mañanas no sería un saludo apropiado de un niño de siete años. Se le puede sugerir un saludo alternativo, afectuoso pero verbal. La actividad con los círculos concéntricos se puede convertir en un juego más divertido para los niños más mayores si se cuenta con saludos de personas de diferentes culturas. En el norte de Europa, el saludo de dos amigas sólo es una sonrisa, pero en Francia se espera de ti que beses en ambas mejillas a la persona que saludas. En la cultura maorí, de Nueva Zelanda, una forma tradicional de saludo de bienvenida es sacarle la lengua a un invitado respetado. Sin embargo, el padre tendrá que explicar al niño que, si la familia no vive en aquel país, en general ese saludo no es aceptable.

Esta actividad también puede usarse con programas de reeducación para hacer amigos con la finalidad de ilustrar muchas de las normas y los diferentes aspectos de la amistad y la camaradería. Por ejemplo, es una forma muy clara de explicar cómo alguien puede «cruzar la frontera» y, de ser un simple conocido, convertirse en un amigo íntimo. La ventaja de esta actividad es que permite al niño visualizar muchas de las normas y convenciones sociales complejas, y conocer lo que debe decir y hacer cuando está relacionándose con una persona incluida en uno de los círculos dibujados.

Lo que no debe decir

Los niños con síndrome de Asperger suelen ser demasiado francos y hablan sin tapujos. Son fieles a la verdad y no a los sentimientos de la gente. Necesitan aprender que no siempre es posible decir la verdad (o lo que piensan). Aunque la franqueza es una virtud, en este estadio sus compañeros empiezan a decir mentiras piadosas para no herir los sentimientos de los amigos, o expresan su solidaridad y su lealtad con sus amigos negándose a contarle a un adulto su mala conducta. Este comportamiento puede parecerle inmoral e ilógico a un niño con síndrome de Asperger, que está dispuesto a informar al maestro sobre «quién lo hizo» o a decirle que un amigo suyo ha cometido una estúpida equivocación. Y, sin duda, ésta no es una forma de hacer amigos o de mantenerlos. El niño puede beneficiarse de las historias sociales, que le serán útiles para entender por qué a veces conviene no decir toda la verdad o cuándo es preferible no hablar.

Un antropólogo en la clase

Una de las descripciones que se ha dado de las personas con síndrome de Asperger es la de alguien que procede de una cultura distinta y tienen una forma diferente de percibir el mundo y reflexionar acerca de él. Algunos adultos con síndrome de Asperger han sugerido que el término «síndrome de Asperger» debería reemplazarse por el de síndrome *de otro planeta*. Claire Sainsbury, una graduada universitaria con síndrome de Asperger, ha escrito un libro titulado *Martian in the Playground: Understanding the Schoolchild with Asperger's Syndrome* [Una marciana en el patio de recreo] (2000), que ayuda a padres y maestros a comprenderlo. La idea de que los pacientes son personas con una cultura diferente o *de otro planeta* ayuda a cambiar las actitudes de los adultos y de los compañeros del niño, pero también puede utilizarse para reforzar una estrategia de intervención.

El niño con síndrome de Asperger trata de entender las costumbres sociales como lo haría un antropólogo que ha descubierto una nueva tribu: desea estudiar a sus habitantes y sus costumbres. El antropólogo necesitará que alguien de dicha cultura le explique las tradiciones, las costumbres y el idioma que usan. Un maestro o un ayudante del maestro asignado al niño puede adoptar el papel de guía *turístico* para explicar esa *nueva cultura*. El proceso es el del descubrimiento y la explicación de la razón de sus costumbres particulares. Un visitante de esa nueva cultura necesitará un libro de consulta; la redacción de historias sociales será una colaboración entre el guía (maestro) y el antropólogo (niño). Para los adolescentes y los adultos con síndrome de Asperger será de utilidad redactar o leer una *guía de viaje* para comprender a las personas corrientes y convivir con ellas, o para utilizar el término creado por los adultos con síndrome de Asperger, los neurotípicos.

El representante de la cultura o el guía personal puede sentarse junto al antropólogo en una esquina de la clase o en el patio de recreo; ambos se dedicarán a observar, comentar y tomar notas de las interacciones sociales de los niños, al mismo tiempo que el guía le ofrece comentarios aclarativos. Otra actividad es el juego del descubrimiento de «los actos amistosos», en el que el guía y el niño se turnan para identificar una manifestación de camaradería o amistad. El guía le explica la razón de que una conducta concreta se considere amistosa u hostil. El juego de observar a las personas con un guía le proporciona información sobre los lazos de amistad sin que el niño con síndrome de Asperger sienta que es el centro de atención, o la persona que, inevitablemente, comete errores.

Experiencias sociales después de la escuela

En la escuela, un niño con síndrome de Asperger se esfuerza el doble que sus compañeros, ya que tiene que aprender las asignaturas del curso académico y las *asignaturas sociales*. A diferencia de otros niños, utiliza sus aptitudes cognitivas más que la intuición para socializarse y hacer amigos. En un comentario de Stephen, «para llegar a ser el amigo de alguien tengo que emplear toda mi energía mental». Al final de la jornada escolar, el niño ha vivido un número suficiente de experiencias sociales y necesita desesperadamente relajarse en soledad. Para estos niños, sus amistades terminan en la puerta de la escuela. Por lo tanto, una vez en casa, el niño se resiste con todas sus fuerzas a las sugerencias de sus padres de relacionarse con los amigos de la escuela o de jugar con niños del vecindario. Ha tenido la suficiente socialización en la escuela y los padres han de aceptar que el niño no tiene la energía o la motivación suficiente para seguir socializándose. Si planean para él contactos sociales, es importante que sean breves, estructurados, supervisados, satisfactorios y voluntarios.

Grupos para fomentar las habilidades sociales

En los estudios de investigación publicados, diversos autores han descrito la eficacia de los grupos que fomentan las habilidades sociales de niños, adolescentes y adultos jóvenes con síndrome de Asperger (Andron y Weber, 1998; Barnhill y otros, 2002; Barry y otros, 2003; Bauminger, 2002; Broderick y otros, 2002; Howlin y Yates, 1999; Marriage, Gordon y Brand, 1995; Mesibov, 1984; Ozonoff y

Miller, 1995; Soloman, Goodlin-Jones y Anders, 2004; Williams, 1989). Los miembros del grupo reciben información sobre por qué ciertas habilidades son importantes, y para aplicarlas se inspiran en ejemplos, utilizan modelos de conducta, ven vídeos y reciben una respuesta constructiva del líder del grupo y de los otros participantes. En esos programas se ha prestado atención a las habilidades de conversación, la lectura, la interpretación del lenguaje corporal, la comprensión de la perspectiva de los demás y las habilidades para hacer amigos. Andron y Weber (1998), que han coordinado grupos para fomentar las habilidades sociales utilizando a miembros de la familia, en particular hermanos, han modificado algunos aspectos de esa estrategia y han prestado atención al desarrollo de la inteligencia emocional. Su programa destaca el establecimiento de un afecto o de emociones apropiados en las diferentes situaciones sociales. Hoy por hoy es muy difícil determinar si esos grupos son un medio eficaz para mejorar las habilidades de integración social de los niños con síndrome de Asperger. Los criterios de valoración han sido sobre todo cualitativos, y no sabemos si esa técnica puede modificar capacidades concretas en los ámbitos naturales y reales. Sin embargo, la experiencia ha demostrado que padres, maestros y participantes consideran que los grupos son valiosos y útiles. Sobre todo, los participantes aprecian la oportunidad de conocer a personas similares que comparten la misma confusión y las mismas experiencias. Ésta puede ser la base de una amistad y de grupos de autoayuda futuros.

Programas para los compañeros

En la clase de un niño con síndrome de Asperger los otros niños necesitan explicaciones y directrices para entender el síndrome y fomentar las aptitudes para hacer amigos de su compañero de clase. Saben que no juega ni se comunica con los demás como ellos. Sin las directrices y el apoyo del maestro, la reacción frente a ese niño puede ser de rechazo y de dejarlo en ridículo, más que de aceptación e incorporación en sus juegos y actividades. Al igual que hay programas para ayudar a los niños con síndrome de Asperger a integrarse en la escuela y en la sociedad, sus compañeros necesitan sus propios programas. Han de saber como responder a las conductas que parecen hostiles y cómo reforzar sus aptitudes para ayudarlos a hacer amigos. Una interacción satisfactoria requiere un compromiso constructivo por ambas partes, y el maestro deberá ser un buen modelo de conducta de lo que hay que hacer, y tendrá que recomendarles que se adapten al niño con síndrome de Asperger, lo acepten y le ofrezcan su apoyo. El grupo de compañeros necesitará su propio equivalente de las historias sociales para mejorar su comprensión, y hay que animarlos a ayudar al niño cuando el maestro no esté presente o disponible.

Tercer estadio de los lazos de amistad: de los nueve a los trece años

En el tercer estadio del desarrollo de las relaciones de amistad y camaradería hay una clara diferencia de sexo en la elección de los amigos y colegas, que no se definen simplemente como una persona que proporciona ayuda, sino como alguien elegido con cuidado por las particularidades concretas de su personalidad. Un amigo es alguien que se preocupa de verdad por nosotros y cuyas actitudes, forma de pensar y valores son complementarios. En las relaciones de amistad, el niño necesita cada vez más un compañero y que su amistad sea más selectiva y duradera. Hay un intenso deseo de gustar a sus compañeros y de compartir experiencias e ideas, más que los juguetes.

A esa edad, en la que son más habituales las confidencias personales, los niños reconocen la importancia de ser una persona digna de confianza y tienden a solicitar consejo no sólo sobre problemas prácticos, sino también acerca de cuestiones interpersonales. Los amigos se ofrecen apoyo mutuo en el sentido de consolarse unos a otros. Si el niño está afligido, los amigos íntimos lo reconfortarán o, si está enojado, lo tranquilizarán y tratarán de disipar su indignación para impedir que se meta en líos.

Los amigos y el grupo de compañeros son cada vez más importantes para reforzar o destruir la autoestima y determinar cuál es la conducta social apropiada. La aceptación y los valores del grupo son preponderantes en comparación con la opinión de los padres. El poder y la autoridad de los compañeros como grupo llegan a ser mayores que los de los adultos.

En caso de conflictos, los amigos utilizan más mecanismos de desagravio. Las discusiones son menos acaloradas, con un menor grado de confrontación y con una participación más superficial, y la admisión de errores y su reconocimiento ya no es simplemente una cuestión de un vencedor y un perdedor. En realidad, la resolución satisfactoria de un conflicto interpersonal entre amigos fortalece la relación. Se perdona al amigo, y el problema planteado se pone en perspectiva. Estas habilidades interpersonales que se utilizan en las relaciones de amistad son la base de las habilidades interpersonales en las relaciones adultas.

Programas para el tercer estadio

Amistad con niños del mismo sexo

En el tercer estadio del desarrollo de los lazos de amistad, suele producirse una clara preferencia de sexo en la elección de amigos y compañeros. Sin embargo, un niño con el síndrome de Asperger considera poco interesantes las actividades y aficiones de los niños, que pueden practicar deportes en equipo o deportes de temporada. También es probable que sea menos capaz que otros chicos de entender los juegos en equipo y que sea torpe en el manejo de una pelota, la destreza y coordinación. Will Hadcroft lo expresaba en su autobiografía con estas palabras:

> Los otros niños me asustaban y mi miedo era evidente. Cuando jugaba al béisbol las entradas eran una pesadilla y soltaba la pelota sin apenas esforzarme, lo que suscitaba un gran enojo de los otros miembros del equipo (Hadcroft, 2005, pág. 62).

El niño con síndrome de Asperger sabe que, en general, será el último elegido para formar parte del equipo de la escuela e incluso se le rechaza o se le aísla enérgicamente de sus amigos potenciales.

Cuando este niño permanece solo en el patio de recreo, es probable que se le acerque uno de estos dos tipos de niños: los niños «rapaces» que se dan perfecta cuenta de que está aislado socialmente, es vulnerable y será una víctima propicia para sus burlas y para atormentarlo (véase el cap. 4); o el segundo tipo, las niñas que sienten lástima del niño debido a su aparente soledad y le proponen que se incorpore a sus actividades y juegos. Aunque a esta edad en general los niños suelen rechazar a las niñas, utilizando observaciones despectivas y sexistas, el niño con síndrome de Asperger se incorporará al juego de las niñas, que lo acogerán activamente. Si el niño no está seguro de cómo debe comportarse cuando se socializa y se comunica con ese grupo de niñas, es probable que éstas, en lugar de criticarlo y tomarle el pelo, le ofrezcan su apoyo: «Como es chico, no lo entiende; le echaremos una mano». En consecuencia, el niño establece lazos de amistad genuina con niñas.

En este estadio, tener amigos del sexo contrario produce dos consecuencias para estos niños: un aislamiento todavía mayor de los otros niños, que consideran que está *confraternizando con el enemigo*, y su inmersión en la cultura femenina mediante la imitación, lo que dará lugar a la creación de un lenguaje corporal, una características vocales y unos intereses femeninos. El niño puede pasarlo bien con esas amistades femeninas y salir beneficiado de ellas, pero los otros niños le tomarán el pelo y lo hostigarán por ser más parecido a una niña, y puede que lo llamen *gay* como insulto. Puede ocurrir que ese niño considere que las únicas personas que lo aceptan y lo comprenden son las de sexo femenino: su madre, quizá sus hermanas y sus amigas, lo que a veces contribuye a los problemas de identidad de sexo de esos niños.

He observado que en este estadio del desarrollo de los lazos de amistad algunas niñas con síndrome de Asperger rechazan la camaradería y la amistad de otras niñas; se muestran críticas con sus com-

132

pañeras porque lo pasan bien con juegos en los que el afecto, las emociones y los sentimientos desempeñan un papel preponderante, y porque hablan de lo que les gusta y lo que no por razones que les parecen ilógicas o falsas. Para ellas, las rápidas inclusiones y exclusiones de niñas en el grupo y las camarillas de amigas que cambian en un abrir y cerrar de ojos son motivo de confusión, al igual que la presión ejercida por sus compañeras que, con frecuencia, se centra en la ropa y los accesorios que consideran más *guays*. La niña con síndrome de Asperger tendrá dificultades considerables para entender esos nuevos aspectos de la amistad y tenderá a priorizar la lógica, la verdad y la comodidad sobre la presión de sus compañeras. Es probable que a la hora de vestirse elija la ropa más por su comodidad que por ir a la última moda y, en general, será ropa masculina porque es más cómoda y práctica; también es posible que lleve el pelo muy largo para crear una cortina o pared detrás de la cual poder *ocultarse*, o lo lleve muy corto por conveniencia, sin ningún deseo de parecer *femenina*.

Aunque las actividades de otras niñas pueden parecerle confusas y faltas de lógica, las de los niños pueden resultarle interesantes porque se basan más en actividades físicas que en las emociones. Puede mostrar su interés por un grupo de niños que, finalmente, la *adoptan* o incorporan a su grupo. Se la empieza a conocer como *marimacho*, pero sus amigos masculinos son más tolerantes con alguien que *se ha pasado a su bando*; y, una vez más, si la niña no está segura de lo que debe hacer en una situación social, probablemente experimentará el apoyo del grupo y no se sentirá ridícula: «Es un niña y no lo puede entender, pero da igual, no nos preocupa».

El niño con síndrome de Asperger necesita un equilibrio entre amigos del mismo sexo y del sexo contrario, y es posible que necesite cierta *ingeniería* social para asegurarse de que es aceptado por grupos de uno y otro sexo. El maestro ha de prestar atención a la inclusión y exclusión de los grupos, y animar activamente a los niños del mismo sexo para que acepten e integren al niño con síndrome de Asperger.

Un tutor o un colega

Durante el tercer estadio del desarrollo de lazos de amistad se siente un intenso deseo de camaradería más que de juego funcional, y el niño con síndrome de Asperger se siente solo y afligido si sus tentativas de hacer amigos fracasan (Bauminger y Kasari, 2000; Carrington y Graham, 2001). Necesitará algún programa y reeducación en las habilidades de socialización y de hacer amigos, pero en este punto también puede adquirirlas debatiendo con sus compañeros y algún adulto que le ofrezca apoyo. Algunos niños que establecen una comunicación natural con estos pacientes pueden animarse a ser sus *colegas* o actuar como tutores en clase, en el patio de recreo y en las situaciones sociales. Es posible que su opinión se considere más valiosa que la de los padres o maestros, en particular si el colega posee habilidades sociales y es popular. En la escuela un tutor o un hermano puede proporcionarle consejos y directrices desde la perspectiva de los compañeros acerca de lo que se lleva y de los temas de conversación más de moda, de modo que sea menos probable que el niño haga el ridículo o meta la pata por no estar a la última.

Para sus compañeros, el niño con síndrome de Asperger no tiene muchas posibilidades de hacer amigos, ya que no lleva ropa y accesorios a la última ni le interesan los programas más populares de televisión. A su vez, el niño considera que sus compañeros tienen una cultura limitada para alguien como él. Peta, una niña con síndrome de Asperger y unos conocimientos enciclopédicos sobre meteorología, considera que las niñas de su edad son aburridas ya que sólo quieren hablar de revistas y de maquillaje. A ella le gusta hablar de su afición preferida, el tiempo, que sus compañeras consideran un tema aburrido.

Un grupo alternativo de amigos

Durante este estadio de creación de lazos de amistad, el niño con síndrome de Asperger no se identifica fácilmente con los nuevos grupos sociales. Los grupos que valoran las aptitudes deportivas lo apartan y rechazan porque es demasiado torpe, los grupos académicos, porque su estilo de aprendizaje es diferente, y otros grupos porque consideran que sus habilidades sociales son limitadas. Por desgracia, es posible que lo acepte el grupo de tipos de la peor reputación que siempre tienen la puerta abierta, aunque la admisión y la aceptación impliquen participar en una conducta antisocial e inapropiada, que no es precisamente el modelo más idóneo para nadie y mucho menos para estos niños. Para que el niño entre en un grupo más aceptable socialmente, puede que el profesor necesite un subterfugio, como animar a un miembro popular de dicho grupo para que actúe como su tutor o *colega*.

Del mismo modo, un maestro puede arreglar su incorporación a otro grupo partiendo de las características de la personalidad de los niños con síndrome de Asperger. Este grupo comprende a coleccionistas, científicos o expertos en informática. En todas las escuelas existen niños con aptitudes e intereses similares pero que no presentan otras características necesarias para diagnosticarles síndrome de Asperger. El nuevo grupo puede reunirse a la hora del recreo tras el almuerzo para comparar objetos y artículos de interés mutuo (por ejemplo, cómics japoneses) e intercambiarlos, emprender un proyecto propuesto por el profesor de ciencias o aprender programación de ordenadores a partir del profesor de tecnología de la información de la escuela. Esa relación de amistad no entraña ningún riesgo de crítica y se basa en intereses compartidos.

Un grupo de apoyo fundado por los padres puede publicar un boletín informativo periódico para niños y adolescentes con síndrome de Asperger. Éstos contribuyen escribiendo artículos y noticias con información sobre sus peculiares aficiones, que, de este modo, comparten con los lectores y el equipo editorial y los nuevos miembros del grupo, al tiempo que ofrecen ejemplos de su trabajo, críticas de películas y libros interesantes, como aquellos que tratan sobre el síndrome de Asperger, y también cómics, editoriales, correspondencia y artículos de opinión. Un adolescente relataba que su paso por un grupo de apoyo para fomentar las habilidades de comprensión social le proporcionó las aptitudes suficientes para convertirse en el tutor de otros adolescentes con síndrome de Asperger y ofrecerles consejos sobre la creación de lazos de amistad mediante artículos de opinión publicados en el boletín de la escuela.

El desarrollo de habilidades de trabajo en equipo

En los primeros años de la adolescencia, estos niños pueden ser cada vez más conscientes de que son diferentes y rechazar todo comentario sobre sus posibles dificultades para hacer amigos o sobre la conveniencia de incorporarse a programas de reeducación social. No desean que sus diferencias en la conducta social se pongan de relieve o se consideren un retraso social. Una opción que contribuirá a que el preadolescente, o adolescente, acepte los programas para mejorar sus habilidades sociales, de comunicación y para hacer amigos es cambiar el nombre de tales programas por el de «formación de las habilidades para trabajar en equipo». Las características de un buen amigo son las mismas que las de un miembro de un buen equipo. Los programas de reeducación de esas habilidades son aceptables desde un punto de vista social entre sus compañeros. A esa edad, se valora muchísimo el éxito deportivo, en particular los deportes de equipo, pero el equipo con más triunfos no es necesariamente el que cuenta con los mejores jugadores, sino aquel cuyos miembros están más compenetrados y unidos. Por otra parte, estos programas también son importantes para conseguir, más adelante, un empleo satisfactorio. Con frecuencia, las empresas exigen que el candidato a un empleo tenga aptitudes para trabajar en equipo, y el adolescente con síndrome de Asperger aceptará las directrices de aprendizaje del trabajo en equipo como necesarias para llegar a emprender la carrera o salida profesional que haya elegido. En consecuencia, es más probable que coopere y esté motivado.

Clases de teatro

Otra opción para ayudar al adolescente que no desea que se le identifique públicamente como una persona ingenua y con pocos amigos es adaptar unas clases de teatro. En la década de 1940, la enfermera jefe de Hans Asperger, Viktorine Zak, que trabajaba en el

136

hospital pediátrico de Viena, estableció los primeros programas para niños con síndrome de Asperger. Utilizaba actividades teatrales para enseñar a los niños habilidades sociales (Asperger [1944]1991). Cuando conocí a la hija de Hans Asperger, Maria, me describió los programas desarrollados por la enfermera Zak en el hospital pediátrico. Por desgracia, murió durante un bombardeo de los aliados en Viena y quedó sepultada bajo los cascotes con el niño al que estaba apretando contra su pecho y tratando de salvar.

En su libro *Pretending to Be Normal*, Liane Holliday Willey describe cómo mejoró sus habilidades sociales mediante la observación, la imitación y la representación de papeles (Willey, 1999). Es una estrategia apropiada y eficaz, en especial en el tercer estadio del desarrollo de lazos de amistad. El adolescente con síndrome de Asperger puede aprender y practicar los diversos aspectos de la interacción con sus compañeros, como temas adecuados de conversación, el arte de ser un buen interlocutor, la expresión de afecto, y cuándo y hasta qué punto debe revelar información personal. Las actividades teatrales pueden enseñarle el lenguaje corporal, las expresiones faciales y el tono de voz apropiados, y brindan la oportunidad para que el adolescente actúe y ensaye las respuestas a una situación concreta, como recibir una reprimenda.

Programas de televisión

Los programas populares de televisión pueden usarse para explicar y enseñar aspectos de la conducta social. En particular, la serie *Mr. Bean* identifica las consecuencias de no ser por completo consciente de lo que piensan y sienten los demás y de infringir las normas sociales. El personaje de Mr. Bean y sus experiencias son especialmente entretenidos e informativos para niños con síndrome de Asperger. Los aspectos ilógicos de los seres humanos y de las convenciones sociales pueden examinarse en programas como *Third Rock from the Sun* y series de ciencia-ficción como *Star Trek*, que proporciona personajes (por ejemplo Mr. Spock y Data), cuya percepción, experiencias y sabiduría son esclarecedoras.

Recursos

Existen en el mercado diferentes recursos y libros que describen y examinan los aspectos de la amistad en este (y en otros) grupo de edad para niños corrientes, y que son informativos y entretenidos. Por ejemplo, Judge Judy Sheindlin (2001) ha escrito *You Can't Judge a Book by it's Cover: Cool Rules for School* [No se puede juzgar un libro por su cubierta: normas a la última para la escuela], que describe contextos asociados con la amistad que requieren que el niño emita opiniones sociales. Por ejemplo, junto a un dibujo de un niño que ha abierto su fiambrera para almorzar y mira a su compañero con expresión desconcertada, se describe la situación y se proporcionan diversas opciones a elegir:

El bocadillo de salami que tu madre te preparó para almorzar ha desaparecido de la fiambrera. Sospechas que uno de tus amigos lo ha cogido porque huele a salami. ¿Qué harías?

A. Le preguntás si ha visto por casualidad tu bocadillo.
B. Abres su fiambrera para buscarlo.
C. Le robas su comida.
D. Le dices que tu bocadillo huele a salami pero que en realidad es de pata de perro.

(Sheindlin, 2001, pág. 51)

En el libro de Caralyn Buehner (1998), *Did it, I'm Sorry* [Lo siento, lo hice yo] se utiliza un estilo similar para explicar que las situaciones sociales suelen tener más de una respuesta correcta. A diferencia de lo que ocurre en el mundo científico (en particular, las matemáticas), es raro que un problema social sólo tenga una solución correcta. Con frecuencia, los niños con síndrome de Asperger buscan la certeza y una solución correcta y simple a un problema. Sin embargo, la respuesta en el mundo social puede basarse en un examen de los méritos y consecuencias de una solución concreta para todos los participantes. Eso requiere un razonamiento muy complejo y la capacidad de pensar en términos del equilibrio entre probabilidad y equidad en vez de en términos de certeza. Mi experiencia clínica sugiere que estos niños sólo cuentan con un número limitado de opciones o soluciones a los problemas sociales. Algunas sugerencias son inmaduras, provocativas o impulsivas, pero con ánimo y una reflexión cuidadosa el niño propondrá o aprenderá soluciones alternativas adecuadas y más eficaces.

También recomiendo firmemente los consejos para adolescentes con síndrome de Asperger. Luke Jackson, un joven afectado por este síndrome, una persona sobresaliente y llena de talento, ha escrito un manual de autoayuda para adolescentes (L. Jackson, 2002). Ofrece un análisis de las interacciones entre compañeros, que se describe a continuación, y proporciona consejos perspicaces.

Estoy seguro de que todos, como adolescentes, habréis recibido normas sobre cómo comportaros. ¿Os suena alguna de éstas?

- «No invadas el espacio de los demás»: que significa no te acerques demasiado.
- No te quedes mirando fijamente a alguien sea cual sea la razón (por sano que esté).
- No hagas comentarios sobre el cuerpo, la bondad o la maldad de la gente.
- No hagas bromas groseras, sexistas o racistas o insinuaciones sexuales.
- No abraces ni toques a nadie a menos que forme parte de tu familia o se trate de tu compañero o compañera.

Si no has oído a hablar de estas normas, ¡ha llegado el momento de aplicarlas! Sin embargo… Observa y escucha a un grupo de adolescentes… Por ejemplo, se apiñan en grupo muy juntos o avasallan a otra persona de forma amenazadora. Tal vez otros hacen comentarios groseros sobre el tamaño de cierta parte del cuerpo de una persona… ¿Qué pueden estar murmurando? Hacen bromas groseras e insinuaciones sexuales a cada oportunidad que se les presenta y, con frecuencia, se tocan unos a otros, rodean a los demás con sus brazos, incluso a personas que no son de su familia ni su pareja.

Si éstas son las normas, parece que, cuando los chicos y las chicas se encuentran en pandillas de adolescentes efectuando sus rituales, tales normas se arrojan por la ventana. Vivimos en un mundo extraño. Después de todo yo diría que es mejor seguirlas y pasar por alto el hecho de que otros parezcan quebrantarlas (L. Jackson, 2002, págs. 104-105).

Los preadolescentes y adolescentes con síndrome de Asperger necesitan consejos sobre la pubertad y cómo afectará a sus cuerpos y su modo de pensar, pero también necesitarán información y consejos sobre la naturaleza cambiante de la amistad y la sexualidad. Hoy en día disponemos de programas y de los libros de Isabelle Hénault, que explican la pubertad y la sexualidad y están destinados específicamente a niños con síndrome de Asperger (Hénault, 2005).

Cuarto estadio de la creación de lazos de amistad: de los trece años a la vida adulta

En el estadio previo, es posible que un niño tenga un pequeño grupo de amigos íntimos, mientras que en éste el número de amigos y la intensidad y la profundidad de la amistad aumentan. Es posible que tenga diferentes amigos para las distintas necesidades, como el bienestar, el estado de ánimo o para recibir consejos prácticos. Un amigo se define como alguien que «me acepta como soy» o «piensa lo mismo que yo». Un amigo proporciona sensación de identidad personal y es compatible con la propia personalidad. En este estadio es importante aceptarse a sí mismo antes de ser capaz de relacionarse con los demás como un adulto; de lo contrario, la amistad puede manipularse como medio para resolver los problemas personales. Las definiciones de amistad son menos concretas y más abstractas, con lo que puede describirse como una interdependencia autónoma. Las amistades son menos posesivas y exclusivas, y los conflictos se resuelven mediante la reflexión personal, el compromiso y la negociación. Durante la adolescencia, la amistad suele basarse en intereses compartidos, como los logros académicos, la participación conjunta en deportes y actividades recreativas, y la pasión por causas como la erradicación de la pobreza en el mundo. Un adolescente dedica cada vez más tiempo a los amigos que a los padres y considera que debe mayor fidelidad a los amigos que a la familia.

Los adultos jóvenes con síndrome de Asperger pueden tener una percepción considerable de las dificultades que afrontan en las diversas situaciones sociales. Scott padece síndrome de Asperger y en una redacción libre en la universidad escribió:

> Para mí, las habilidades sociales son como una lengua extranjera. La mayor parte de las interacciones con mis compañeros son difíciles y poco intuitivas. A diferencia de mis amigos que, en apariencia sin esfuerzo alguno, se basan en su instinto, yo tengo que adivinar si una conducta es apropiada o no. Estas dificultades para afrontar los retos sociales de la vida diaria son el principal inconveniente de mi alteración neurológica, una forma de autismo de alto funcionamiento llamada síndrome de Asperger, que me hace difícil llevar una vida normal. Aunque a veces me desanimo, no creo que este síndrome sea algo de lo que avergonzarse; simplemente, es otra forma de ver el mundo. La mayor parte de las personas que conozco no saben nada de él y, por lo tanto, malinterpretan mi comportamiento. Por ejemplo, con frecuencia, mis esfuerzos para hacer amigos alejan a la gente (comunicación personal).

Programas para el cuarto estadio

Una de las características de un buen amigo en el estadio cuarto es alguien que «me acepta como soy». Algunos adultos con síndrome de Asperger me han comentado que nadie parece aceptarlos como son: «Siempre desearían que yo fuera distinto, una copia de ellos». En último término, pueden encontrar un amigo que los acepte verdaderamente como son, que no trate de cambiarlos a cada momento y que admire de verdad algunas de sus características.

No obstante, la aceptación puede proceder de otra fuente de amistad: los animales.

Los animales como amigos

Los animales nos aceptan incondicionalmente. Un perro siempre está contento de vernos, a pesar de las decepciones y el agotamiento cotidianos. Un caballo parece entendernos y desea ser nuestro compañero. Un gato salta a nuestro regazo y ronronea en nuestra compañía. He dicho que los gatos son perros autistas, de modo que entre los gatos y los pacientes autistas o con síndrome de Asperger puede establecerse una afinidad natural. Ronald, un adulto maduro afectado por este síndrome, me escribió en un correo electrónico que «sólo empiezo a sentirme vivo y natural por completo cuando estoy solo o con mis gatos». Por lo tanto, los perros y gatos, y los animales en general, pueden ser sustitutos eficaces y satisfactorios de los amigos, y unos cuantos animales *sustituyen* a la familia. Los animales se identifican con las personas *no depredadoras* (como los afectados por el síndrome de Asperger), se relajan junto a ellas y, a su vez, pueden ser fuente de bienestar y relajación. Por otra parte, un interés especial y una comprensión natural de los animales puede ser la base de una carrera o una salida profesional satisfactoria (Grandin, 1995). Durante mi vida profesional, he conocido niños y adultos con síndrome de Asperger que son capaces de percibir mejor la perspectiva de los animales que la de los seres humanos y sentir compasión por ellos.

Hacer amigos en Internet

Internet se ha convertido en el equivalente moderno de las discotecas, como oportunidad para conocer a otras personas. La gran ventaja de esta forma de comunicación es que, con frecuencia, los pacientes expresan mayor elocuencia a la hora de expresar sus pensamientos y sentimientos mediante el teclado del ordenador que en una conversación cara a cara. En las reuniones sociales se espera que una persona escuche y procese lo que otra está diciéndole, muchas veces con otras conversaciones de fondo, y que conteste de inmediato, y al mismo tiempo analice las claves sociales no verbales, como los gestos, la expresión facial y el tono de voz. Cuando utilizan el ordenador, los pacientes pueden concentrarse en el intercambio social sin sentirse abrumados por tantas experiencias sensitivas y señales sociales.

Como en cualquier otra situación social, el paciente puede ser susceptible de que los demás se aprovechan de su ingenuidad social y del deseo de tener amigos. Es necesario recomendarles precaución para que no proporcionen información personal hasta que hayan informado a una persona de confianza de que han establecido amistad por Internet. Sin embargo, partiendo de las experiencias y los intereses compartidos y del apoyo mutuo en Internet, pueden hacer amigos genuinos y duraderos. Internet les brinda la oportunidad de conocer a personas que piensan igual que ellos y que los aceptan por sus conocimientos más que por los aspectos sociales o por la apariencia física. Los amigos en Internet pueden compartir experiencias, ideas y conocimientos utilizando chats y foros, páginas web y tablones de anuncios dedicados a personas con síndrome de Asperger.

Grupos de apoyo

Una interesante estrategia muy reciente es la formación de grupos de apoyo para adultos con síndrome de Asperger, que se reúnen con regularidad para hablar de temas que van desde cuestiones laborales hasta relaciones personales u organizar acontecimientos sociales para los participantes, como excursiones al museo del ferrocarril o al cine para ver la última película de ciencia-ficción. Entre personas que piensan de modo afín pueden crearse lazos de amistad porque comparten experiencias y circunstancias parecidas. Los grupos de apoyo se inician de modos muy variados. Por ejemplo, los padres de adolescentes o adultos jóvenes con síndrome de Asperger pueden formar un grupo; o pueden formarlo pacientes que se conocieron en sesiones de terapia o de tratamiento en grupo y que desean mantener el contacto. Los adultos más mayores afectados por el síndrome de Asperger que desean ayudar a otras personas que comparten el diagnostico y sus mismas dificultades también forman grupos de apoyo.

Los estudiantes universitarios de último año pueden iniciar un grupo para ayudar a estudiantes con síndrome de Asperger que empiezan la universidad; o puede ser que alguien que pertenecía a un grupo de apoyo y que se muda a otra ciudad decida iniciar uno de esos grupos en la nueva localidad.

En Los Ángeles, Jerry Newport fundó un grupo de apoyo para adultos con síndrome Asperger llamado AGUA, y conoció a Mary en una de las reuniones del grupo de apoyo. Poco a poco, su relación platónica se volvió más real y, finalmente, Jerry y Mary se casaron. Su idilio y su relación se describe en la película *Mozart y la ballena*.

Información sobre las relaciones

Los adolescentes con síndrome Asperger pueden tener muchas ganas de entender y experimentar el mundo social y las relaciones, tal como hacen sus compañeros, incluidas las experiencias sexuales, pero puede que experimenten alguna preocupación acerca de la fuente de información sobre esas relaciones. Si el adolescente tiene pocos amigos con los que hablar de temas personales, como sus sentimientos amorosos o su atracción sexual por una chica, la fuente de información pueden ser los programas de televisión (en particular las comedias de situación) o la pornografía. Con frecuencia, los programas dramáticos y las comedias describen emociones y relaciones intensas y dramáticas. El adolescente puede recordarlo y aplicar las acciones y el guión en una situación en la que esas acciones no son adecuadas. Por ejemplo, Tim veía una comedia popular en la que la expresión «deseo acostarme contigo» arrancó risas considerables de la audiencia. Tim no consideró el contexto, sólo la propuesta, y no podía entender la razón de que sus compañeros no se rieran cuando le dijo lo mismo a una chica de su clase. Leyendo o mirando pornografía, el adolescente con síndrome de Asperger puede suponer que las relaciones sexuales llegan enseguida en un encuentro y pensará menos en otras cosas, como que la otra persona consienta en mantenerlas.

La fuente de información sobre las relaciones pueden ser compañeros de la misma edad que se dan cuenta de que la persona con síndrome de Asperger es ingenua, cándida y vulnerable. Un compañero con mala intención puede darle información y hacerle sugerencias que harán que quede en ridículo o que propiciarán que los demás le supongan malas intenciones. Los afectados pueden caer en la trampa con facilidad y sufrir las consecuencias de sugerencias deliberadamente engañosas. Es importante que esos adolescentes tengan acceso a información precisa sobre las relaciones sexuales, en particular en los primeros estadios en los que una relación va más allá de una simple amistad; necesitan alguien de confianza que los oriente. He conocido a niñas con síndrome de Asperger que antes estaban aisladas desde el punto de vista social y que, tras los cambios físicos que se producen en la pubertad, se han sentido halagadas por la atención que les presta un chico. Debido a su ingenuidad, no caen en la cuenta de que el interés del chico es puramente sexual y no por disfrutar de su compañía y conversación. Cuando la adolescente no tiene amigas que le ofrezcan consejos sobre las relaciones de pareja y las relaciones sexuales, la promiscuidad y las experiencias sexuales pueden originar alguna preocupación. Las adolescentes con síndrome de Asperger no suelen ser prudentes ni capaces de identificar a depredadores sexuales, sino que, por el contrario, son más vulnerables a la explotación sexual, ya que están desesperadas por ser populares entre los compañeros.

Ansiedad social

Los adolescentes, en especial las niñas, pueden ser cada vez más conscientes de que son ingenuas y cándidas desde un punto de vista social y de que cometen errores sociales. Su preocupación por la falta de habilidad social y los errores evidentes que puedan cometer puede traducirse en el desarrollo de una fobia social y un mayor retraimiento social. Carrie me decía: «Vivo en un estado constante de ansiedad por mi conducta en los encuentros sociales cotidianos».

La ansiedad puede ser especialmente acusada al final del día y antes de acostarse, cuando el adolescente pasa revista a las experiencias sociales que ha vivido. Es consciente de lo que otras personas pensarán de él y eso le genera una ansiedad sustancial («es probable que acabe volviéndome loco») o un estado de depresión («siempre cometo errores y seguiré haciéndolo»).

Es esencial que los adolescentes y los adultos jóvenes con síndrome de Asperger reciban una retroalimentación positiva sobre sus habilidades sociales de los padres y compañeros, y orientación y preparación acerca de lo que tienen que hacer y decir en situaciones sociales. La intención es cambiar la percepción negativa por otra positiva u optimista, y prestar atención a los logros y no a los errores. En el apartado sobre tratamiento cognitivo-conductual del capítulo 6 y en el capítulo 14, sobre psicoterapia, se explican las estrategias para cambiar actitudes y la percepción de uno mismo.

Mantener las amistades

Cuando han conseguido hacer amigos, uno de los problemas de estos niños es saber cómo mantenerlos. En este estadio, los problemas que se plantean son los de saber con cuánta frecuencia pueden ponerse en contacto con ellos, los temas apropiados de conversación, qué regalos son adecuados, los comentarios y gestos de empatía más comunes y cómo ser generoso o tolerante ante los desacuerdos. Estos niños tienden a adoptar una actitud de blanco o negro, de modo que, cuando el amigo comete una falta, la amistad se da por terminada en lugar de tratar de reconciliarse. Una estrategia útil es alentarlos a pedir la opinión de otros amigos o de la familia antes de tomar una decisión precipitada.

Ofrecerles una razón de las características del síndrome

Si a un niño pequeño se le diagnosticó síndrome de Asperger, una intervención temprana destinada a mejorar sus aptitudes sociales en la escuela primaria o elemental y continuada hasta el final de los estudios de secundaria puede lograr resultados notables. A pesar de que, hasta la fecha, no tenemos datos de las investigaciones llamadas longitudinales que respalden el progreso experimentado en la comprensión social y las relaciones con los demás, la experiencia clínica atestigua que los programas de reeducación en la comprensión social para niños individuales son beneficiosos. Cuando un paciente conoce por primera vez el diagnóstico en los años de la adolescencia o al principio de la vida adulta, ha perdido la oportunidad que proporciona una intervención precoz y es menos probable que tenga acceso a los programas y recursos disponibles.

No tiene sentido que esos adultos se incorporen a dichos programas, que pueden tardar décadas en proporcionar resultados satisfactorios; es más provechoso que, simplemente, consigan explicar la razón de que una característica del síndrome produzca confusión a sus amigos, colegas y conocidos. Por ejemplo, es posible que durante la conversación no mire a su interlocutor, como sería de esperar, en especial al responder a una pregunta. Más que iniciar un programa de reeducación para saber cuándo debe mirar a los ojos de su interlocutor y cómo interpretar las expresiones faciales, creo que es recomendable explicarle la evitación del contacto ocular: por ejemplo, «perdone, necesito mirar a otra parte para concentrarme en la respuesta a su pregunta. No pretendo ser descortés, deshonesto o irrespetuoso». Cuando hable de una afición particular que es probable que se considere aburrida, antes de empezar su *monólogo*, la persona con síndrome de Asperger puede decir: «A veces hablo demasiado de mi afición. Si le aburro, le ruego que me interrumpa. No lo consideraré una grosería». La persona crea una historia social verbal para explicar a los demás lo que parece ser una conducta excéntrica o descortés.

Si ofrece una explicación breve y precisa, una persona corriente se sentirá menos confusa y más tolerante con las características del síndrome de Asperger. La persona que lo padece puede necesitar algunas directrices para reflexionar sobre la explicación. No obstante, he observado que, durante años, el padre o la pareja del paciente han proporcionado esas explicaciones a otras personas.

Mudarse a otras culturas

Suelo impartir coloquios y conferencias sobre el síndrome de Asperger en muchos países de todo el mundo. Cuando me encuentro en países con una cultura muy diferente de la mía, me sorprende el número de personas afectadas de países anglófonos que están entre el público. Cuando estuve en Japón por última vez, conocí a Richard, un hombre inglés muy agradable que vivía desde hacía años en Extremo Oriente. Me contó que en Japón, si cometía un error social, la gente atribuía su conducta a las diferencias culturales y no como un intento deliberado de ofender o confundir. Los japoneses son muy tolerantes con su torpeza social, en particular porque Richard muestra mucho interés en hablar japonés y admira manifiestamente esa cultura. En un correo electrónico Stephen Shore me comentaba que «a algunas personas (como él mismo) con síndrome de Asperger les gusta mucho visitar otros países y disfrutan con ello, e incluso vivir en ellos durante períodos prolongados. Sus diferencias y su *ceguera social* se atribuyen al hecho de encontrarse en un país que no es el suyo más que a una conducta premeditada, que sería una suposición errónea».

Las personas con síndrome de Asperger también pueden hacer amigos con personas que visitan su país. Los extranjeros comparten los mismos retos de integración en una nueva cultura que los *nativos* con síndrome de Asperger.

Lazos de amistad con colegas

Debido al retraso del desarrollo en la formación del concepto de amistad, es posible que, cuando alcanza el estadio cuarto del desarrollo de esos lazos, la persona con síndrome de Asperger haya acabado los estudios secundarios y busque amigos en el trabajo, la universidad o las actividades recreativas. Las tentativas de convertir en amistad una relación con un compañero del trabajo o de la universidad les plantean retos. Una persona que conozca bien su personalidad poco común y sus problemas con las habilidades para hacer amigos puede actuar como consejero y servirle de apoyo.

Ese consejero también puede determinar el grado de interés verdadero por la amistad que tiene su compañero. En ocasiones, las personas con síndrome de Asperger suponen que un acto simpático, una sonrisa o un gesto amable tiene mayores implicaciones que las pretendidas, y esto avivará su interés o contribuirá a que se encapriche con ese compañero que parece amable y simpático.

Duración de la socialización

Todos nosotros tenemos una capacidad limitada respecto a la duración de los contactos sociales. Siempre utilizo la metáfora de llenar el *cubo social*. Algunas personas corrientes tienen un cubo social de grandes dimensiones que tarda cierto tiempo en llenarse, mientras que las personas con síndrome de Asperger lo tienen muy pequeño, así que se llena con relativa rapidez. Los acontecimientos sociales convencionales duran demasiado para ellos, sobre todo si consiguen su éxito social mediante el esfuerzo intelectual más que con la intuición natural. La socialización resulta agotadora.

Se sienten más cómodos si la interacción social es breve y tiene un propósito, y cuando se alcanza, pueden terminar la interacción o la participación. Es importante que sus interlocutores no se ofendan si terminan bruscamente una conversación o una reunión social, porque no pretendían molestarlos. Simplemente, tienen que irse porque están agotados y no porque sean desconsiderados.

Otra característica que puede afectar a la duración del contacto social son sus dificultades para encontrar a alguien con quien hablar y entretenerse. Tal como Darren expresaba, «no es que sea antisocial, es que me cuesta encontrar personas que me gusten».

Pronóstico del desarrollo de la comprensión social

Hans Asperger consideraba que:

> Los niños sanos adquieren las costumbres sociales necesarias sin siquiera ser conscientes de ello, las aprenden de forma instintiva. Esas relaciones instintivas están perturbadas en los niños autistas. La adaptación social tiene que proceder mediante el intelecto.

> (Asperger [1944], 1991, pág. 58)

149

Existen dos formas de adquirir una habilidad: la intuición o la educación. Los niños y los adultos con síndrome de Asperger necesitan formación para adquirir habilidades sociales específicas. Recomiendo que el proceso de aprendizaje incluya una explicación de la razón de una norma social concreta. Estos niños no cambiarán su conducta a menos que la razón sea lógica. El estilo didáctico es el de efectuar un descubrimiento social del mundo social. Estas personas son casi como antropólogos que emprenden una investigación sobre una cultura recién descubierta; y el *maestro* o representante de la cultura necesitará descubrir y apreciar la perspectiva, el diferente modo de pensar y la cultura de los pacientes. Es importante que no haga juicios de valor sobre la superioridad de una cultura sobre otra.

Las personas con síndrome de Asperger pueden percibir a las personas corrientes como fanáticas sociales que presuponen que todo el mundo debe y puede hacerlo sin esfuerzo y que, sin duda, una persona que no prioriza la socialización ni sobresale en ella debe ser deficiente, y puede ser ridiculizada y corregida. Es necesario un compromiso entre ambas culturas. Los de la *cultura corriente* se comunican mediante *telegramas sociales* y suponen que la otra persona los interpretará correctamente.

Estas suposiciones no deben hacerse cuando se interacciona socialmente con una persona con síndrome de Asperger. Además, la gente corriente se queja de que el afectado por el síndrome no explica bien por qué hace algo que parece infringir las normas y códigos sociales. Sin embargo, la gente corriente tampoco explica bien las excepciones a esos códigos y las razones de su conducta social.

Al considerar el pronóstico de las habilidades de interacción social, Hans Asperger (1938) escribió:

> Estos niños pueden tomar notas de las *normas de protocolo* que se les proporcionan de manera realista, que, acto seguido, cumplen como harían una suma. Cuanto más objetiva sea esa ley —quizás, en forma de horario, que contemple todas las posibles variaciones de las actividades diarias— y más se ciñan ambas partes del modo, mejor. Por lo tanto, la persona logrará la mejor in-

tegración posible en la comunidad, cada vez con más éxito a medida que madure intelectualmente, mediante la formación intelectual consciente, a lo largo de años de esfuerzo plagados de dificultades y conflictos, y no por una costumbre que se desarrolla por sí misma de manera inconsciente e instintiva (Asperger, 1938, pág. 10).

Poco a poco, la persona con síndrome de Asperger se crea una especie de biblioteca mental de sus experiencias sociales y de las normas sociales. El proceso es similar a aprender una lengua extranjera, con todas las dificultades que entrañan las excepciones a las normas de pronunciación, ortografía y gramática. Algunos adultos con síndrome de Asperger consideran que las conversaciones sociales parecen usar una lengua por completo diferente, para la que no tienen traducción y que nadie les ha explicado.

Utilizo la metáfora de un rompecabezas social de cinco mil piezas. Las personas corrientes tienen la caja con el dibujo completo, es decir, una capacidad innata para saber cómo relacionarse o comunicarse con sus semejantes. El rompecabezas social se termina en la infancia con relativa facilidad. En general, se basan en el dibujo de la caja, la intuición, para resolver un problema social. Los niños con síndrome de Asperger no disponen del dibujo y tratan de identificar las conexiones y el modelo a partir de la experiencia y, es de esperar, de los consejos y la reeducación. Al final, algunas piezas encajan en pequeños grupos de *islas desconectadas* y, después de tres o cuatro décadas, se reconoce un modelo y el rompecabezas se va terminando de manera acelerada. Algunas personas con síndrome de Asperger son capaces, al final, de socializarse razonablemente bien con gente que no tiene ni idea de la energía mental, el apoyo, la comprensión y la reeducación que han necesitado para lograrlo. Quizás el párrafo final de este capítulo debe firmarlo Liane Holliday Willey, que en su autobiografía *Sólo pretendo ser normal* escribió:

Con el paso de los años, recuerdo muy bien a gente interesada en mi amistad. Recuerdo, como si fuera ayer, a un chico que conocí. Me acuerdo de su cara y de su expresión cuando hablábamos.

Hoy, si me mirara como lo hizo, creo que me daría cuenta de su amabilidad y gentileza. Cuando tuve la oportunidad no le di pie para ser amigos. ¡Pasé por alto su ofrecimiento de amistad! Si ocurriera hoy, no perdería la oportunidad porque sabría interpretar la expresión de su cara (Willey, 1999, págs. 61-62).

Puntos clave y estrategias

Primer estadio
- Un adulto desempeña el papel de amigo del niño.
- Se enseña al niño a esperar su turno y a pedir ayuda.
- Se organiza un ensayo general con otro niño.
- Se anima al niño a ver un vídeo de niños jugando.
- El adulto participa con el niño en juegos imaginarios.
- Se anima al niño a ser amable y cordial.
- Se redactan historias sociales para ayudarlo en situaciones sociales concretas.
- Se utilizan actividades sobre «señales sociales» para enseñarle las claves sociales para evitar meteduras de pata.

Segundo estadio
- Se usan actividades de modelos de conducta para que practique los aspectos del juego cooperativo.
- En clase y en el patio un ayudante del maestro puede ofrecer consejos, directrices y respuestas, tanto al niño como a sus amigos.
- Se alienta a niños y niñas a jugar con personajes o muñecas y a leer narraciones.
- Se buscan otros niños que compartan sus intereses y de ideas afines.
- Se ayuda al niño a desarrollar su sentido del humor.
- Se utiliza la actividad de círculos concéntricos para ayudarlo a entender las normas sociales de los saludos, los temas de conversación, el contacto físico y el espacio personal, y los gestos y ademanes de afecto.
- Se enseña al niño lo que no debe decir.

152

- Se le hace de guía como «antropólogo» para explicarle las costumbres sociales.
- Las experiencias después de la escuela han de ser breves, estructuradas, supervisadas, satisfactorias y voluntarias.
- Se inscribe al niño en grupos de reeducación en habilidades sociales.
- Se recomienda que sus compañeros participen en programas de cómo jugar con ellos y ser sus amigos.

Tercer estadio
- Se anima al niño a hacer amigos de uno y otro sexo.
- Se anima a un compañero para que le haga de tutor o sea su «colega».
- Se le ayuda a encontrar un grupo alternativo de amigos con intereses y valores similares.
- Se le incorpora en programas de formación de habilidades para trabajar en equipo como medio de estimular las aptitudes para hacer amigos.
- Se le anima a asistir a clases de teatro.
- Se usan programas de televisión, en particular comedias y de ciencia-ficción, para ilustrar diversos aspectos de la conducta social.
- Se usan libros y otros recursos para enseñarle habilidades en la creación de lazos de amistad.

Cuarto estadio
- Se le anima a considerar a los animales como amigos en potencia.
- Se le alienta a usar Internet como fuente de posibles amistades.
- Se le sugiere el valor de los grupos de apoyo para adultos con síndrome de Asperger.
- Se le proporciona información sobre las relaciones.
- Se examinan diferentes estrategias para disminuir su ansiedad cuando se encuentra en situaciones sociales.
- Se le orienta acerca de cómo mantener una amistad.

- Se le enseña cómo explicar a los demás las características del síndrome.
- Se investigan las ventajas de ir a vivir a otro país.
- Se le ofrecen directrices sobre la amistad con los compañeros de trabajo.
- Se le anima a limitar la duración de la socialización si es necesario.

4

Burlas, intimidación y acoso

> Los compañeros suelen atormentar y rechazar a los ni-
> ños autistas simplemente porque son diferentes y sobresa-
> len del montón. Así, en el patio o camino de la escuela,
> podemos ver a un niño autista en el centro de una horda
> de pequeños verdugos que se burlan de él. El propio niño
> puede arremeter contra ellos, preso de una ira ciega, o llo-
> rar sin poder hacer nada. En cualquiera de ambos casos,
> está indefenso.
>
> *Hans Asperger ([1944] 1991)*

Los programas y actividades descritos en el capítulo 3 se diseñaron para aumentar la comprensión social y la integración de niños y
adolescentes con síndrome de Asperger. Los padres y maestros esperan que la integración sea divertida y satisfactoria, pero, a pesar de
que algunos niños serán acogedores, *maternales* y amables con el
niño que padece este síndrome, muchos se comportarán como aves
de presa y considerarán que es un blanco fácil para sus burlas y
acoso.

Tipos de burlas

En mi experiencia clínica he visto que los términos usados con
más frecuencia como forma de burla o maltrato verbal cuando el
blanco es un niño con síndrome de Asperger son «tonto» (o «retrasa-
do»), «psicópata» y «marica». Esos apelativos, cuya intención es
que sean despectivos, se observan en las interacciones de niños corrientes pero tienen más significado para los niños con síndrome de

Asperger. Éstos valoran su capacidad intelectual como uno de sus puntos fuertes, lo que puede ser una forma de compensación constructiva de su baja autoestima social si no tienen éxito en las interacciones y la comunicación con los demás. Para el niño el hecho de que lo llamen «tonto» es un insulto personal significativo, que probablemente que le generará un sufrimiento considerable. El insulto «psicópata» también puede percibirse con un significado personal, sobre todo si el niño visita a psicólogos o psiquiatras y toma medicamentos. Puede empezar a preguntarse si está en su sano juicio o preocuparse por una futura perturbación mental. Por desgracia, hoy día, en las escuelas el término *gay* se considera un poderoso insulto. Un niño con síndrome de Asperger puede tomarse esos comentarios al pie de la letra y suponer que el apelativo es literal y que, en realidad, él es homosexual. Por lo tanto, unos cuantos comentarios destinados a confundir, tomar el pelo o enojar pueden tener implicaciones a largo plazo para un niño con síndrome de Asperger.

A veces, las tomaduras de pelo y los empujones y golpes forman parte del juego, aunque la intención sea amistosa. Los niños, en particular los varones, pueden jugar *a pelearse* y bromean con la intención de compartir un buen rato. Un niño corriente de tan sólo tres años de edad es capaz de distinguir entre una pelea real y una imaginaria que sólo es un juego, si no es malintencionado (Rubin, 2002). Cuando ambas partes se ríen y lo pasan bien, la experiencia no es de acoso, pero el niño con síndrome de Asperger tendrá dificultades para determinar la intención, ¿era o no un acto de camaradería? Muy pronto, los otros niños serán reacios a compartir sus juegos con uno que enseguida supone que son malintencionados.

¿Qué es el acoso?

Si uno pide a los amigos, colegas y niños que definan el acoso, las respuestas son muy variadas. Lo que una persona considera acoso, para otra puede ser diversión o pasatiempo. Es importante que la escuela se ponga de acuerdo en la definición para garantizar una regularidad en las normas y estrategias. Claramente, el acoso comporta el desequilibrio de fuerzas, la intención de hacer daño (físico o emocional) y el sufrimiento de quien es blanco de dicho acoso. Gray (2004a) ha revisado los estudios publicados sobre acoso en la infancia, y ha utilizado sus amplios conocimientos de niños con síndrome de Asperger para definirlo como las «acciones negativas reiteradas con intención hostil dirigidas a una persona, con desequilibrio de fuerzas (en los ámbitos físico, verbal, social o emocional) dentro de la interacción» (pág. 8).

En la escuela hay algunos lugares y circunstancias en los que el acoso es más habitual, como en los pasillos, durante el transporte escolar, cuando se practica deporte y en situaciones en las que es menos probable que los adultos detecten el incidente. El acoso también puede acontecer cerca del domicilio del niño, y ser perpetrado por los hijos de los vecinos, amigos de la familia o hermanos más mayores. Suele ocurrir delante de otros niños que hacen de espectadores o de transeúntes y puede adoptar una amplia variedad de formas. Las más frecuentes son la confrontación y la intimidación verbales o físicas, las agresiones y la destrucción de objetos personales (p. ej., las gafas o la cartera), y gestos o comentarios despectivos. Si un adulto cometiera esas acciones, tendría que responder ante un tribunal y sería condenado por agresión, recibiría una reprimenda de su jefe por acoso y lo más probable es que perdiera su empleo.

Existen otros tipos de acoso, quizá más sutiles pero de efectos devastadores. Un niño puede robarle la gorra a otro y atormentarlo cuando el otro trata de recuperarla; o dedicarse a cotillear y propagar rumores sobre él, hacer comentarios humillantes o usar gestos obscenos. Otra forma de acoso a la que con frecuencia se somete a los niños con síndrome de Asperger es el rechazo o la exclusión social por parte de sus compañeros, como no incluirlo en el grupo a la hora de comer, no responder a sus preguntas, escogerlo a propósito en último lugar para un juego o un equipo o no invitarlo a una fiesta u otro acontecimiento social. Mientras que padres y maestros lo

157

animan a interaccionar con sus compañeros, algunos de ellos no acogen con agrado su incorporación a la conversación o a cualquier actividad. La mejora de sus habilidades sociales apenas tiene valor práctico si sus compañeros lo rechazan deliberadamente y con mala intención.

También hay tipos de acoso cuyo responsable es un adulto, como un familiar o un amigo de la familia que se divierte burlándose de él o gastándole bromas pesadas. No obstante, también hay casos de acoso educativo por parte de un maestro. La definición de un acto de esta índole se confirma cuando un maestro utiliza su posición de autoridad para ridiculizarlo y humillarlo, responderle con sarcasmo, ser muy crítico, castigarlo con más dureza que a los demás, usar gestos de desprestigio o que reflejan su rechazo (por ejemplo, una mirada que indica al resto de la clase: «Creo que es tonto»). Estas acciones pueden crear un modelo de conducta y aprueban actos similares que los compañeros de clase puedan cometer contra el niño que es el blanco del acoso del adulto.

Algunas formas de acoso son relativamente infrecuentes entre niños corrientes pero, en mi experiencia clínica, parecen ser más frecuentes cuando el blanco de estas acciones es un niño con síndrome de Asperger. Puesto que éste suele ser ingenuo, desde un punto de vista social, y confiado y se siente orgulloso de, por fin, pertenecer a un grupo, puede ser manipulado por otro niño. Por ejemplo, otro niño propone hacer algo socialmente inapropiado o extravagante, y persuade al niño con síndrome de Asperger cuya comprensión social es limitada y no es avispado (y, en consecuencia, no reconoce el significado, el contexto, las claves y las consecuencias sociales), de que siga adelante. Otro niño o adulto, que no sabe lo que ocurrió antes, supone que el niño con síndrome de Asperger era consciente del significado y las implicaciones de lo que dijo o hizo. La consiguiente reprimenda o castigo se convierten en un motivo de diversión para los que hicieron la propuesta o le dieron información falsa.

En la autobiografía de Hill Hadcroft, éste contaba:

Con frecuencia resultaba traumático ser tan tímido y timorato. Los que me acosaban se centraban en esos rasgos de mi carácter y se aprovechaban de ellos. Resultaba muy fácil tomarme el pelo porque me creía todo lo que me decían. A menudo, cuando otros niños me formulaban inocentemente preguntas no era capaz de distinguir si eran sinceros o me estaban manipulando (Hadcroft, 2005, pág. 38).

Otro acto de acoso es atormentar al niño con síndrome de Asperger (con la seguridad de que el maestro no detecta la provocación) y divertirse con los resultados de su reacción. El niño puede tener una respuesta impulsiva a esas provocaciones sin pensar en las consecuencias que tendrá para sí mismo. Otro niño pequeño en la misma situación demoraría su respuesta para «no ser pillado en falta» o sabría cómo responder sin meterse en líos. Cuando responde con ira a la provocación, quizá dándole un golpe o un empujón, el provocador encubierto aparece como la víctima inocente y recibe una compensación del adulto que ha presenciado la escena.

Debido a la confusión general que suele producir, los niños usan el acoso encubierto, por ejemplo, para evitar una actividad aburrida o pesada en clase o un examen. Una vez, cuando estudiaba las circunstancias de diversos incidentes perturbadores en clase relacionados con un niño con síndrome de Asperger, sus compañeros me contaron que alentaban sus arrebatos de ira porque, acto seguido, el maestro tendría que acompañarlo al despacho del director para castigarlo, y de ese modo evitaban un examen programado para ese día.

La ingenuidad social de estos niños también propicia una forma poco común de acoso, descrita por Gray (2004a) como «acoso de revés». De entrada, los otros niños parecen amistosos y se muestran amables con él, pero, sin lugar a dudas, sus acciones posteriores son por completo hostiles. Proporciona un ejemplo Luke Jackson, un adolescente con síndrome de Asperger que ha escrito un manual de autoayuda para otros adolescentes como él (L. Jackson, 2002). Describe cómo otro niño se le acercó con ademanes cordiales y una conversación en apariencia amistosa mientras su cómplice se ponía en cuclillas justo detrás de Luke. El amigo lo empujó de modo que el niño cayó de espaldas sobre el otro chico, que no impidió su caída, por lo que el infeliz se golpeó la cabeza contra el suelo, lo que le provocó una contusión.

En su autobiografía, Nita Jackson proporciona otro ejemplo de acoso de revés:

> A mí, una niña baja, gruesa y tímida, las otras niñas se me acercaban a la hora del recreo, diciéndome lo culpables que se sentían por haberme hostigado de aquel modo y me pedían que aceptara una bolsa de patatas o una lata de refresco, en apariencia sin abrir, en señal de disculpa. Permanecían de pie a mi alrededor mientras yo metía los dedos en la bolsa (que, de repente, me daba cuenta, ya estaba abierta, pero sin pensar nada más ni sospechar nada malo), me metía en la boca un buen puñado y masticaba... hasta notar un hormigueo en la boca. El hormigueo aumentaba por momentos y mi boca ardía como si tuviera fuego. Mis compañeras habían espolvoreado las patatas fritas con curry picante.
>
> Aunque lo peor fue la lata de refresco. Mis verdugos habían metido hormigas, lombrices, gusanos e incluso avispas. Por fortuna, nunca me picaron, pero me tragué unas cuantas hormigas y algunos gusanos (N. Jackson, 2002, pág. 26).

Frecuencia del acoso sufrido por niños con síndrome de Asperger

En un estudio reciente sobre la prevalencia y la frecuencia del acoso, efectuado con una muestra de más de cuatrocientos niños, cuyas edades estaban entre los cuatro y los diecisiete años, los autores describieron un porcentaje de acoso como mínimo cuatro veces superior al sufrido por el resto de los niños (Little, 2002). Más del 90 % de las madres de niños con síndrome de Asperger que rellenaron la encuesta refirieron que su hijo había sido el blanco de alguna forma

160

de acoso el año anterior. El tipo de acoso era diferente del observado en la población general, y se ponía de manifiesto un grado mayor de lo esperado de rechazo y evitación. Además, en los años de la adolescencia, uno de cada diez adolescentes con síndrome de Asperger era víctima de acciones de intimidación por parte de sus compañeros. En el sondeo también se describía que una de las formas de acoso que sufren en mayor grado que sus compañeros es la agresión física dirigida a los genitales (pero sin intención sexual), infligidas a chicos. Por desgracia, este estudio efectuado por Little podría ser una estimación conservadora de las experiencias de acoso, ya que las víctimas eran reacias a referir los actos de acoso a sus padres (Hay y otros, 2004).

¿Por qué los niños con síndrome de Asperger tienen mayor probabilidad de ser el blanco de los acosos?

En una investigación sobre el acoso efectuada con niños sanos, sus autores sugieren que el blanco del acoso puede ser un niño pasivo o, por el contrario, «proactivo» (Voors, 2000). Las víctimas pasivas suelen ser niños más débiles físicamente, ansiosos en el ámbito social, con baja autoestima y falta de confianza en sí mismos. Son tímidos, solitarios y, aunque muestran muchas aptitudes académicas, no suelen tener éxito en el deporte ni tampoco cuentan con una red amplia de amigos. También tienden a ser pasivos a la hora de responder al ser considerados el objetivo de las burlas, mayor probabilidad de renunciar a sus posesiones y objetos personales cuando están en peligro y menor probabilidad de tomar represalias ciegos de cólera o de recibir apoyo de sus compañeros. Ésta sería una descripción de la personalidad y las aptitudes «pasivas» de algunos niños con síndrome de Asperger.

Los niños activos que son blanco del acoso también tienen dificultades para hacer amigos. Sus compañeros y adultos consideran que sus habilidades sociales y su madurez social son entrometidas, irritantes y provocativas. No saben cómo interpretar una situación

161

social o desempeñar un papel constructivo en esta interacción. Por ejemplo, el niño no sabe cómo incorporarse a un grupo o jugar con otros niños, y se basa en una conducta inapropiada, como por ejemplo, forcejear, tratar de ser el centro de atención o dominar a los demás, y no sabe responder a las indicaciones de que deje de comportarse así. La respuesta de los otros niños será «se lo tiene bien merecido» o «es la única forma de pararle los pies». El perfil de un niño corriente que es víctima proactiva también se aplica a algunos niños pequeños con síndrome de Asperger, que desean participar pero no saben cómo hacerlo.

Otra razón de que los niños con síndrome de Asperger tengan mayor probabilidad de ser el blanco del acoso es que, en el patio de recreo, en general, buscan de manera activa una tranquila soledad. Afrontan bastante bien las exigencias sociales de la clase, pero cuando ésta termina se sienten agotados tanto mental como emocionalmente. Para recuperar su energía mental y emocional necesitan la soledad, a diferencia de otros niños pequeños, cuya reparación emocional en el patio de recreo es participar de manera activa y ruidosa en los juegos y mostrarse sociables. Por desgracia, una de las características esenciales de quienes son blanco del acoso es permanecer solos. Cuando, durante el recreo, el niño recupera su energía aislándose de sus compañeros, se pone en una situación que lo hace un blanco potencial de las burlas y el acoso de los demás.

Mi experiencia clínica me dice que esos niños tienen dificultades con algunos aspectos de la caracterización, es decir, no son capaces de identificar las descripciones de la personalidad de sus compañeros (véase el cap. 14, págs. 516-517). En consecuencia, los niños con síndrome de Asperger tienen problemas para distinguir a un buen colega de un mal compañero. Otros niños saben instintivamente a qué niños deben evitar y cuándo pueden fiarse de un compañero. Sin este radar, o sistema de identificación, esos niños son casi incapaces de evitar a aquellos que lo pasan bien burlándose de ellos y acosándolos.

Una de las razones por las que algunos adolescentes con síndrome de Asperger se convierten en el blanco de las burlas es que no adoptan los signos convencionales de la masculinidad o la feminidad, como la ropa que llevan, el corte de pelo, la gestualidad o los intereses que se consideran propios de su sexo. Como Claire Sainsbury describe, «en buena parte somos inmunes a los estereotipos de sexo y no nos autolimitamos por lo que se considera adecuado para las chicas o los chicos, pero eso todavía puede ser una causa más de acoso y aislamiento» (Sainsbury, 2000, pág. 82).

Signos de ser víctima de acoso

Estos niños tienen menor probabilidad que sus compañeros de referir que son víctimas de acoso o de las burlas de los demás porque tienen deterioradas las aptitudes descritas en la «teoría de la mente»; es decir, en comparación con los otros niños, tienen dificultades para determinar lo que piensan los demás y cuáles son sus intenciones (Attwood, 2004d; Baron-Cohen, 1995). Los niños con síndrome de Asperger no saben por intuición cuáles son los actos de otros niños que son ejemplos de acoso. En ocasiones, creen que esa forma de conducta es un juego normal y algo que tienen que aceptar como enésimo ejemplo de la conducta *confusa* de sus compañeros.

Los demás niños sabrán muy bien las ventajas de hablar con alguien de sus problemas prácticos, sociales y emocionales. Los niños con síndrome de Asperger suelen resolver sus problemas académicos y sociales por sí solos; no creen que pedir consejo y ayuda a otra persona sea una solución al problema de ser víctima de acoso. Los adultos acaban enterándose de que los compañeros lo acosan y se burlan de él a partir de las pruebas que les proporcionan otros niños que cuentan o confiesan lo que ha ocurrido. Stephen Shore me relataba: «Nunca se me hubiera ocurrido contar a mis padres mis dificultades con el acoso de los demás en la escuela. Se enteraron por medio de un monitor del comedor».

A veces también se observan pruebas físicas, como la pérdida de objetos o que alguna cosa del niño aparezca rota o la ropa echa jiro-

163

nes, así como otras pruebas visibles de lesiones físicas, como abrasiones, cortes y cardenales. Los adultos también detectarán pruebas psicológicas, como una mayor ansiedad, que, a su vez, puede afectar al sistema gastrointestinal, de modo que el niño padecerá dolor de estómago, estreñimiento o diarrea. Otras pruebas pueden ser la perturbación del sueño debido al estrés al que está sometido y la resistencia a ir a la escuela, con la evitación de algunas áreas.

He observado que el acoso frecuente a niños con síndrome de Asperger, a veces a niños tan pequeños como de seis años de edad, hace que los remitan a un especialista para que los traten por depresión. A veces, cuando han fracasado los ruegos repetidos del niño para que cese el acoso, y tampoco le ha servido de nada no hacerle caso o, en última instancia, contarlo a un adulto, el grado de depresión de estos niños es de tal magnitud que consideran que no tienen más salida que el suicidio. Creen que es la única forma de detener el dolor y el sufrimiento emocional que el acoso está provocando en su vida diaria.

Otro desenlace extremo es el del niño que responde con violencia en un intento de disuadir a los acosadores. Dicha violencia puede manifestarse como una respuesta física inesperadamente feroz o la utilización de *armas* que pueden originar una lesión mortal. Es posible que el niño con síndrome de Asperger sea expulsado temporalmente de la escuela por haber tomado represalias violentas o que quizá lo acusen de algún delito; pero un examen más detenido de las circunstancias que dieron lugar a la agresión indica que la frecuencia y la naturaleza cada vez más intensas del acoso se han vuelto intolerables para el niño. Se sintió impulsado a reaccionar con tanta violencia porque el resto de las estrategias convencionales y recomendadas no sirvió de nada.

He identificado otros signos de que la víctima de acoso está pensando en vengarse. Puede ser un cambio producido en sus intereses particulares, es decir, en lugar de temas relativamente *inofensivos*, como los vehículos o los insectos, empieza a aficionarse por toda clase de armas, las artes marciales y las películas violentas, en particular las películas que abordan el castigo o las represalias. Los dibujos del niño también pueden expresar violencia, venganza y castigo.

164

En su autobiografía, Nita Jackson describe los efectos del acoso sobre su imaginación y su autoestima:

A pesar de ser una perdedora nata en todos los sentidos, mantenía la firme creencia de que algo urdiría para vengarme. Maquinaba complejos complots con todo lujo de detalles. Hacía dibujos y escribía cuentos. En mi mundo de fantasía siempre salía victoriosa, era valiente, fuerte y popular. Mi intención era conseguirlo cuando me convirtiera en adolescente.

Pero el valor jamás llegó, y nunca puse en práctica mis planes de venganza. Cumplí con tristeza los trece años, que se esfumaron sintiéndome todavía más solitaria y una debilucha patética, reprimida con facilidad por los que me acosaban y supeditada a sus exigencias: muda y postrada como una esclava indigna a los pies de su amo. No me sentía una persona, sino algo parecido a un objeto corpulento al que los demás podían maltratar. Tenía menos personalidad que un gusano en tratamiento con Valium®, nunca era capaz de pronunciar palabra, excepto para decir «lo siento». En realidad, no me sentía digna de gustar a nadie (N. Jackson, 2002, pág. 24).

Cuando juegan con sus hermanos pequeños, en ocasiones, los niños con síndrome de Asperger imitan los actos de sus acosadores. Sin embargo, no son en absoluto conscientes de que esa conducta es inaceptable y, simplemente, imitan el comportamiento experimentado al interaccionar con sus compañeros, o repiten los actos de acoso tratando de entender por qué alguien puede elegir comportarse así.

Efectos del acoso en un niño con síndrome de Asperger

La investigación ha confirmado que los niños corrientes que son víctimas de acoso corren mayor riesgo de tener una baja autoestima, mayor grado de ansiedad y depresión, resultados académicos peores y un mayor aislamiento social (Hodges, Malone y Perry, 1997; Ladd y

Ladd, 1998; Olweus, 1992; Slee, 1995). En la población sana las consecuencia psicológicas del acoso pueden durar más de diez años (Olweus, 1992). El niño con síndrome de Asperger es más propenso a sufrir esas consecuencias porque su autoestima ya es de por sí baja, está más predispuesto a la ansiedad (véase el cap. 6) y tiene dificultades para entender la razón de que las personas, y en concreto los niños, se comporten de esa forma. Se pregunta por qué es el blanco de sus burlas y que más podría poner en práctica para dejar de serlo. La experiencia clínica sugiere que es probable que las consecuencias psicológicas de ser víctima de acoso y de burlas frecuentes persistan muchos años y contribuyan de manera importante a padecer depresión clínica, trastornos de ansiedad y problemas relacionados con el control de la cólera.

He hablado de los incidentes de acoso durante la infancia con adultos con síndrome de Asperger y me he dado cuenta de que tienen dificultades considerables para entender la razón de que fueran el blanco de los demás con tanta frecuencia, y para comprender la motivación de los niños que los atormentaban. Una de las principales vías para tratar de entender la razón del acoso es repetirse mentalmente los acontecimientos. La persona los revive pero no resuelve las injusticias del pasado y esos pensamientos pueden convertirse en una experiencia cotidiana, aun cuando los incidentes hayan ocurrido décadas atrás. A medida que se repite mentalmente el acontecimiento, experimenta de nuevo las emociones. Los adultos con síndrome de Asperger necesitarán psicoterapia para superar los profundos y arraigados traumas causados por ser el blanco de las burlas y víctimas de un acoso persistente, que muchas veces se inició en la primera infancia. No pueden perdonarlo ni olvidarlo con facilidad, ni pasar página hasta que entienden las razones.

Estrategias para reducir la frecuencia del acoso y sus efectos

Por desgracia, los actos de acoso son frecuentes en todas las escuelas y esta conducta no es exclusiva de la infancia. También ocurre en el lugar de trabajo. Durante cientos de años se han aceptado diversas estrategias como reglas estándar para reducir la frecuencia y los efectos del acoso y sólo recientemente se han efectuado estudios para determinar la eficacia de dichas estrategias (Smith, Pepler y Rigby, 2004). Las estrategias descritas a continuación se basan en los estudios recientes de evaluación que han reducido sustancialmente la frecuencia del acoso.

UNA ESTRATEGIA EN EQUIPO

Para reducir la frecuencia del acoso es esencial el trabajo en equipo. En ese equipo deben estar la víctima del acoso, el personal administrativo de la escuela, los maestros y padres, un psicólogo infantil, otros niños y los acosadores (Gray, 2004a; Heinrichs, 2003; Olweus, 1993). Es importante que la escuela desarrolle e implemente un código de conducta que defina el acoso y los medios para detenerlo. La definición ha de ser amplia y no debe limitarse a los actos de intimidación y a las agresiones. Será necesario educar al personal y alcanzar un consenso sobre cuáles son las acciones de acoso y cuáles son las consecuencias apropiadas.

FORMACIÓN DEL PERSONAL

El primer paso de un programa para reducir el acoso escolar y para un niño concreto es un seminario de formación del personal. Será necesario un adiestramiento para que el personal de la escuela sepa cómo supervisar las situaciones en las que es más probable el acoso, cómo responder a esos actos y cómo adoptar las consecuencias y la resolución adecuadas.

El concepto de justicia es muy importante. Antes de considerar el grado de responsabilidad, será necesario efectuar una valoración objetiva y sosegada de todos los hechos: actuar como un detective imparcial. La intensidad de las lesiones físicas o del daño emocional no ha de considerarse el *único* parámetro para determinar la responsabilidad y las consecuencias. El niño con síndrome de Asperger puede haber sido víctima de muchas acciones de acoso durante un período considerable y sólo al final responder con una agresión física que sea dramática pero que, a veces, es el único medio que conoce para acabar con tales conductas.

Si en el ámbito educativo se prevén consecuencias para las agresiones físicas, deben aplicarse también al niño con síndrome de Asperger. No obstante, mi opinión es que los que martirizan a ese niño son responsables de que reaccione con agresividad y han de recibir el mismo castigo. Esto sería coherente con el concepto de justicia equitativa —la noción de responsabilidad moral respecto a los actos de los demás— y el sistema de justicia penal de los adultos. Si un niño con síndrome de Asperger cree que no se ha hecho justicia, puede tomársela por su mano, y buscar el castigo mediante la estrategia de resolución de conflictos de «ojo por ojo y diente por diente», en un intento de infligir el mismo malestar o idénticas lesiones físicas. Es más probable que estos niños escojan un castigo relacionado con daños físicos que con agresiones verbales, burlas e insultos.

La actividad de la balanza de la justicia

He desarrollado la actividad de la balanza de la justicia para ayudar a los niños que tienden a repartir de forma inmadura, egocéntrica o incorrecta la responsabilidad en situaciones de conflicto, como las burlas y el acoso, entre el niño y los demás. Los niños corrientes con un grado de desarrollo por debajo de los nueve años tienden a atribuir la responsabilidad de una acción en función de quién la inició, lo que parece justificar casi cualquier represalia, y no juzgan con precisión la severidad de su propia respuesta ni las consecuencias para sí mismos y para los otros niños al responder de ese modo. En este estadio del desarrollo cognitivo, la resolución de conflictos puede ser la de «ojo por ojo», lo que lleva a infligir el mismo dolor, cuando no más intenso. Cuando un adulto administra *justicia* la respuesta del niño será que la resolución no le parece justa, según su propia percepción de la responsabilidad y de cómo debe ser la resolución de conflictos y el castigo.

La actividad de la balanza de la justicia es una estrategia educativa interactiva que utiliza el razonamiento visual para ayudar al niño a entender el grado de importancia —el valor o peso— otorgado a los actos concretos y por qué *mirándolo bien*, el *peso* de las pruebas se utiliza para determinar su grado de responsabilidad y las consecuencias. En inglés, y en otros idiomas, cuando se atribuye la responsabilidad de un conflicto a un niño (o a varios), resulta práctico utilizar la observación de seis de uno y baso esta actividad en dicha observación.

El primer paso es determinar quién participó en un incidente concreto. Cada participante apunta su nombre en una hoja, y todas las hojas con sus correspondientes nombres se dejan enfrente del niño. Si en la secuencia de acontecimientos sólo hubo dos participantes, se puede prescindir de apuntar los nombres y utilizar una balanza. El adulto debe tener, como mínimo, veinte cubos de plástico o de madera en una caja. El número de cubos determina el grado de importancia que atribuimos a un acto o incidente concreto. Por ejemplo, se considera que una infracción relativamente menor de los códigos de conducta vale uno o dos cubos, mientras que las acciones cuyas transgresiones del código son más importantes porque pueden dar lugar a una lesión grave valen muchos más cubos.

Se pide al niño que describa la secuencia de acontecimientos desde su perspectiva. A medida que avanza su relato, cuando un participante en la secuencia de acontecimientos toma la decisión de hacer o decir algo que infringe las normas de conducta, se le pide que determine el valor de las palabras o acciones (o su ausencia) en número de cubos. Puede que el niño necesite alguna explicación de por qué tiene que ajustar el número de cubos que atribuye al acto, por ejemplo, información acerca del efecto del acto sobre los sentimientos del otro, el grado de lesiones o heridas potenciales y el coste de reparar los objetos rotos o estropeados (como las gafas). Cuando ya se ha determinado el número de cubos que se otorgan, dicha cifra se escribe junto al nombre de la persona responsable del acto. Este procedimiento continúa durante el recuerdo de los acontecimientos. Cada participante va adquiriendo un cierto número de cubos y, al término de la descripción de los acontecimientos, el niño suma el número de cubos de cada participante.

El procedimiento está destinado a ayudar al niño a comprender la importancia relativa de lo que él u otros han hecho que justifica las consecuencias para todos los participantes. Quizás uno de los medios más eficaces de describirlo es proporcionar un resumen de cómo se utilizaría esta actividad de la balanza de la justicia al dar el parte al niño con síndrome de Asperger que siente que su expulsión temporal de la escuela es una injusticia manifiesta.

En el incidente participaron tres chicos: Eric, un niño de once años con el síndrome de Asperger, pero cuya capacidad de resolución de conflictos y empatía estaba, como mínimo, dos años por debajo de su edad cronológica, otro niño, Steven, y el maestro que sustituía temporalmente al maestro habitual.

Steven empezó el conflicto insultando a Eric (con una expresión obscena en Australia). Le pregunté a Eric cuántos cubos valía el comentario según su punto de vista y contestó que dos le parecía una cifra justa; me pareció adecuado, y tomamos la decisión unánime de asignárselos a Steven. En segundo lugar, le pregunté a Eric qué había hecho él a continuación, y me contestó que simplemente hizo caso omiso. Consideré que era la resolución más razonable del conflicto y, en consecuencia, a Eric no le asignamos ningún cubo. Le pregunté si el maestro (que había oído el comentario sobre Eric) le echó una bronca a Steven, y Eric contestó que no, por lo que estuvimos de acuerdo en que la falta de intervención del maestro, su negligencia, se merecía un cubo. Más adelante, Steven volvió a la carga insultando a Eric, y decidimos que esa acción merecía cuatro cubos. Le pregunté a Eric cuál fue la conducta del maestro y me respondió que éste no oyó el comentario de Steven, de modo que no otorgamos cubos al maestro. También quise saber si Eric le contó al maestro lo que le había dicho Steven; su respuesta fue negativa, por lo que sugerí que Eric se merecía un cubo por no haberle contado al maestro lo que había sucedido. Por último, le pregunté a Eric qué hizo cuando Steven le volvió a insultar, y me respondió que le gritó repitiendo el mismo insulto, de modo que, junto a su nombre, colocamos cuatro cubos.

A continuación, le pregunté qué había sucedido después. Eric me dijo que Steven se acercó a su mesa y llenó de garabatos la hoja en la que Eric estaba tomando los apuntes de la clase. Estuvimos de acuerdo en que ese acto merecía dos cubos. En ese momento, en la hoja de Steven ya había ocho cubos, cinco en la de Eric, y uno en la del maestro. Le pregunté a Eric si cuando Steven le emborronó los apuntes se lo contó al maestro, que no había visto la acción; la respuesta fue negativa, por lo que le atribuimos otro cubo. Me dijo que, a continuación, como venganza y para que dejara de atormentarlo, Steven le pegó un puñetazo en la cara.

—¿Le hiciste sangre?

—Sí.

—¿Dónde le diste el puñetazo?

—En la nariz.

Después de esas preguntas, le expliqué las lesiones que puede provocar golpear a otra persona en la cara, lo doloroso que puede ser y las normas escolares sobre la violencia. Decidimos que su respuesta valía doce cubos. Con el relato del niño, comprendí que, aunque Steven empezó el acoso y cometió más actos provocadores que Eric, éste, al darle un puñetazo en la cara, había acabado por merecer dieciocho cubos, Steven ocho y el maestro uno. Utilizamos esta actividad para explicar a Eric la razón de que lo expulsaran temporalmente de la escuela a diferencia de Steven, al que no expulsaron.

Carol Gray (2004a) recomienda dibujar un mapa del mundo del niño e identificar los lugares donde éste es vulnerable o, por el contrario, está a salvo de los actos de acoso. Algunas áreas necesitarán mayor supervisión que otras y pueden crearse refugios con menos riesgos. Uno de los problemas que plantea un programa de prevención que se base en gran parte en la vigilancia por parte del personal escolar es que los actos de acoso suelen ser encubiertos y, en clase, el maestro sólo observa alrededor del 15 % de esas acciones, y sólo un 5 % tiene lugar en el patio de recreo (Pepler y Craig, 1999). No obstante, otros niños suelen ser testigos de esos actos y deben ser participantes clave de estos programas.

Presión positiva de los compañeros

En las escuelas el código de conducta respecto al acoso debe incluir la respuesta de los compañeros. En clase debe abordarse el tema con regularidad para revisar el código, los incidentes concretos y las estrategias que hay que adoptar. Los propios niños necesitan un programa personal de formación sobre el acoso. Este programa comprende información sobre las consecuencias a largo plazo tanto para la víctima como para el niño que comete el acoso. Los niños conocidos por acosar a otros deben recordar las consecuencias a corto plazo y los castigos convenidos en el código de conducta, así como las consecuencias a largo plazo relacionadas con su capacidad para hacer amigos y obtener un empleo satisfactorio. También es preciso alertarlos del riesgo que corren de padecer trastornos emocionales y la mayor probabilidad de convertirse en delincuentes. Es necesario animar a la mayoría *silenciosa* de niños que no participan en el acoso —como atacantes o como víctimas— para que rescaten tanto al niño que es la víctima como a su verdugo.

Los que lo presencian, que, en general, creen que pasan un mal

172

rato al ser testigos del acoso, necesitan nuevas estrategias y ánimos para responder de manera constructiva a esos actos. Es posible que sus respuestas sean: sensación de alivio por no ser las víctimas, quedar paralizados por miedo a convertirse en víctimas si intervienen, tener un vago sentido de la responsabilidad por encontrarse en el grupo mayoritario, dudar de lo que tienen que hacer, que les aconsejen que no se entrometan, o adherirse a un código de silencio por la presión de los compañeros de no contarle a ningún adulto lo que está ocurriendo. Por desgracia, algunos de los que presencian el acoso opinan que es un espectáculo entretenido o que la víctima se lo tenía bien merecido, lo que todavía enardece más al niño acosador. Es necesario que aprendan que esos actos son inadmisibles, que deben interrumpirse y que, si continúan, deben informar a un adulto. También han de tratar de separar al acosador de la víctima. Algunos niños de la mayoría silenciosa, que en la escuela gozan de una categoría social elevada, tienen un fuerte sentido de la justicia social y una seguridad innata en sí mismos. Se animará a estos niños uno por uno a que detengan los actos de acoso, y su elevada posición social también puede animar a otros niños a expresar desaprobación. La presión de los compañeros reduce los actos de acoso.

Sugiero que en el código de los niños sobre acoso escolar se incluyan elogios para los niños que lo presencien e intervengan para atajarlo, mientras que los que lo presencian sin hacer nada deben sufrir las consecuencias lógicas de su falta de acción que, de modo indirecto, ha permitido que el acoso continúe. El grupo tiene que asumir una responsabilidad por omisión más que por acosador efectivo: en otras palabras, su conducta pasiva, no hacer nada, ha de tener consecuencias.

UN GUARDIÁN

El maestro puede promover un sistema de guardián, escogido entre el grupo de niños con mayor conciencia social. Su papel es controlar las circunstancias del niño con síndrome de Asperger, informar confidencialmente de cualquier incidente, alentar a la víctima a que lo cuente, y expresar en voz alta que la situación no es en absoluto divertida y que las burlas y el acoso deben cesar.

Otra atribución del guardián es ayudar a reparar el daño emocional y de la autoestima infligido al niño o adolescente con síndrome de Asperger. Un adulto puede mostrarse compasivo y tranquilizar al niño, pero el valor reparador de un comentario de apoyo de un compañero popular y que goza de prestigio entre los otros niños es un antídoto muy eficaz.

En ocasiones el niño con síndrome de Asperger no se da cuenta de que las acciones de otros niños son actos de acoso o burlas. El monitor o guardián debe ser un niño socialmente consciente, que pueda distinguir con facilidad los actos amistosos de los que no lo son, y responder en consecuencia. El guardián también debe rescatar al niño en las situaciones que los adultos consideren más difíciles de controlar.

En su autobiografía, Liane Holliday Willey describe un ejemplo de las ventajas de su guardián, un niño llamado Craig.

No entiendo cómo mis compañeros me aguantaban y soportaban mis peculiaridades. Para ser sincera, es posible que no lo hubieran hecho de no ser por mi buen amigo Craig. Era un niño muy brillante y divertido, además de buena persona. Con él a mi lado, por unos momentos, ascendía mi categoría social entre los niños de nuestro grupo y en la escuela. Había sido mi amigo desde siempre y, con el paso de los años, se había convertido en mi guardián. De manera sutil o abierta me mostraba su apoyo: me guardaba un sitio a su lado a la hora de comer, entraba en clase conmigo o pasaba a recogerme para ir a una fiesta. Craig acudía a mi lado incluso antes de que yo supiera que necesitaba ponerme a salvo (Willey, 1999, pág. 40).

En cada escuela hay un niño que puede ser como Craig, un compañero que, en ocasiones, en el patio de recreo desempeña el papel de hermano del niño con síndrome de Asperger. Si los amigos auténticos o los hermanos proporcionan este apoyo, es necesario reconocerlo, elogiarlos y animarlos a ejercer su papel de guardianes. Durante una conferencia en la universidad, Bill Gates dijo: «Sean amables con los gansos,* ¡es muy posible que terminen trabajando para alguno!».

El niño que es víctima de acoso ha de utilizar diversas estrategias, como tratar de evitar situaciones de posible vulnerabilidad. Un niño con síndrome de Asperger tratará de encontrar un *santuario* socialmente aislado, pero ésa es una de las situaciones en las que será más vulnerable. Luke Jackson, un adolescente con síndrome de Asperger, ofrece los consejos siguientes:

> Un día, la situación llegó a ser insoportable. Había tratado de esconderme en el vestuario lejos de la vista de mis verdugos: si hubiera escrito este libro en aquel momento, me habría dado cuenta de que esconderse es la peor solución que se puede encontrar. Los dos chavales (de dudosa reputación) dieron con mi refugio y empezaron a jugar conmigo al igual que un gato lo hace con un ratón (L. Jackson, 2002, pág. 137).

> A la hora del recreo no te quedes quieto y solo en un rincón. Es preferible que vayas a un lugar seguro, como la biblioteca. Sé que suena extraño, pero cuando creas que estás a salvo en un escondite seguro, te encontrarán y seguirán atormentándote y tomándote el pelo. Los niños con síndrome de Asperger no saben arreglárselas solos como mucha gente cree. Lo mejor que pueden hacer es permanecer junto a un amigo, si lo tienen, o, como mínimo, en un lugar donde haya mucha gente (L. Jackson, 2002, pág. 151).

---

* En inglés, en lenguaje coloquial, *nerd* (ganso) significa una persona muy brillante en carreras profesionales como la informática, pero que se considera inepta desde un punto de vista social. (*N. de la t.*).

Para esos niños el mejor lugar donde ocultarse es, precisamente, entre un grupo de compañeros o, al menos, permanecer cerca de ellos. Es importante que el niño sea bien recibido por el grupo cuando sus acosadores se acerquen a su blanco potencial. Esta acogida ha de formar parte del código sobre acoso de todos los niños de la clase. Otras opciones son planificar actividades en una clase supervisada durante las horas de recreo o dar la oportunidad para que otros niños afines a él se reúnan como grupo en el patio de recreo.

En realidad, las recomendaciones convencionales sobre lo que estos niños deben hacer cuando son víctimas de acoso pueden agravar la situación. El consejo de hacer caso omiso a las palabras y las acciones del acosador *no sirve de nada*. Pasar por alto los actos de acoso como forma de prevenir esa conducta es una entelequia. El acosador intensificará sus acciones hasta que el niño responda. En relación con el acoso que experimentó de niña, Donna Wiliams me escribió contándome cómo su pasividad para reaccionar o su demora en la respuesta al dolor propiciaba que los otros niños pensaran: «Da igual, porque ni siquiera es capaz de sufrir».

Es necesario que el niño responda de alguna forma, pero ¿cuál debe ser su conducta o qué debe decir a sus acosadores? El consejo general es que trate de mantener la calma, conservar la autoestima y responder de manera firme, enérgica y constructiva. Para un niño con síndrome de Asperger, resulta difícil mantener la calma y conservar la autoestima, pero puede usar estrategias de reflexión para mantener el control de sí mismo. Un niño que es víctima de acoso ha de recordar que no es culpa suya, que no se merece esos comentarios y acciones y que los que deben cambiar su conducta son los acosadores.

Gray (2004a) recomienda una reacción en forma de respuesta verbal simple, que sea verdad y que se use sistemáticamente. Ejemplos de dicha respuesta son: «No me merezco que me trates así, deja de molestarme»; «lo que haces no tiene ninguna gracia, déjalo ya». Es aconsejable que evite decir una mentira (como «no me importa»). En cualquier caso, esto es difícil para niños con síndrome de Asperger, cuya resistencia a mentir es bien conocida. Otra reacción desaconsejada es contestar con sentido del humor. En esa situación un niño con síndrome de Asperger tendrá dificultades considerables para imaginar una respuesta irónica o sarcástica. Si no está seguro de la intención de las acciones de su compañero, una respuesta sería formular la pregunta siguiente: «¿Estás tomándome el pelo como amigo o lo haces para fastidiarme?». Debe expresar con claridad sus sentimientos: «Lo que estás haciendo/diciendo me hace sentir confundido/enojado/mal». Es importante que el niño exprese que le contará a un adulto lo que le ha ocurrido. A continuación puede tratar de escabullirse, dirigiéndose hacia un adulto o a un grupo de niños donde se sienta seguro. Si el acoso acontece en clase, el maestro ha de permitirle que se siente en otro sitio de la clase, quizá sin tener que pedirle permiso.

Cuando empiece a ir al instituto, donde las burlas y el acoso por parte de los estudiantes alcanzan su apogeo, el niño con síndrome de Asperger necesitará directrices especiales. En su autobiografía Nita Jackson proporciona estos sensatos consejos:

> Tener síndrome de Asperger no hace que yo sea menos humana, o menos emotiva, sino simplemente más vulnerable. Por lo tanto, he llegado a la conclusión de que los adolescentes como yo deben anticipar los problemas a los que se enfrentarán en la vida corriente. Los padres han de hablar con sus hijos, y los hijos han de escuchar a sus padres. Lamentablemente, yo no actué de ese modo y sufrí las consecuencias (N. Jackson, 2002, pág. 83).

Estrategias para el profesional especialista

Un psicólogo, un consejero escolar o un maestro que ofrezca apoyo al aprendizaje implementará diversas estrategias. El primer paso es examinar con él la razón de que otros niños participen en actos de acoso. Las ideas y motivaciones de otros niños no son evidentes para un niño con síndrome de Asperger, debido a sus dificultades inherentes con las aptitudes descritas en la teoría de la mente. Estará confuso por lo que respecta a la descortesía de los otros niños, la razón de que él se haya convertido en su blanco y lo que se supone que ha de pensar y hacer. Recomiendo dos estrategias creadas por Carol Gray (1998), que son las conversaciones con la ayuda de cómics, que pueden utilizarse para descubrir y explicar los pensamientos y sentimientos de cada participante en el incidente, y las historias sociales, para determinar la conducta a seguir si se repiten circunstancias similares.

Conversaciones mediante cómics

Las conversaciones mediante cómics consisten en dibujos del acontecimiento o la secuencia de acontecimientos en forma de viñetas, con personajes que representan a todos los individuos implicados, y bocadillos con lo que dijo y pensó cada uno de los participantes. El niño y el maestro utilizan rotuladores de colores, cada uno de los cuales representa una emoción. A medida que llena los bocadillos con lo que expresan o piensan los implicados, el color elegido por el niño indica su percepción de la emoción transmitida o deseada. Esta actividad también ayuda al niño a identificar y a rectificar cualquier mala interpretación, y a determinar cómo las respuestas alternativas afectarían a los pensamientos y sentimientos de los otros implicados. Cuando ha identificado nuevas respuestas, el niño puede ensayarlas en actividades de modelos de conducta, y su tutor o maestro lo animará a expresar cuándo una estrategia particular le ha resultado eficaz. El niño con síndrome de Asperger puede pasarlo bien creando un «libro de orgullos» de sus nuevas respuestas satisfactorias, en especial si el control eficaz del acontecimiento logra el elogio y la recompensa correspondientes.

RECURSOS

Es recomendable que el niño lea narraciones adecuadas para su edad en las que el personaje central experimente situaciones de aco-

178

so y responda de un modo cuya finalidad es servirle de modelo. Se aconseja seleccionar cuidadosamente el material de lectura sobre el acoso, ya que algunas estrategias de los textos no coincidirán con las normas convencionales para la prevención del acoso o no serán adecuadas para un niño con síndrome de Asperger.

En las escuelas hay muchos programas sobre prevención del acoso para niños corrientes, y algunas de las actividades pueden usarse con niños con síndrome de Asperger (Rigby, 1996). Además, también hay programas escolares sobre el acoso preparados por especialistas en síndrome de Asperger (Attwood, 2004c; Gray, 2004a; Heinrichs, 2003). Los padres pueden solicitar a la escuela que implemente estos nuevos programas.

¿QUÉ PUEDEN HACER LOS PADRES?

Los padres desempeñan un papel fundamental en la estrategia de colaboración en equipo con la finalidad de reducir el acoso. Han de conocer las normas y programas pertinentes que están en marcha en la escuela de su hijo, y participar activamente para alentar respuestas concretas del niño. También deben animar a éste a tener confianza en sí mismo y a contar sus experiencias como víctima de acoso, y a hablar con un amigo, un maestro, los propios padres o un consejero.

Pueden considerar la inscripción de su hijo en un curso de artes marciales para que pueden protegerse mejor a fin de disuadir a los acosadores. No obstante, recomiendo que se busque un tipo de curso que preste atención a cómo mantener la calma y evitar las acciones concretas de acoso, más que uno que haga hincapié en la defensa mediante agresiones a otros niños. Los padres han de saber que la investigación efectuada con niños corrientes indica que el simple cambio de escuela reduce muy poco la probabilidad de que su hijo sea el blanco del acoso (Olweus, 1993). Sin embargo, algunos padres optan por cambiar a su hijo de escuela porque les han recomendado una en concreto, que dispone de un programa prestigioso para reducir la incidencia y los efectos de las burlas y el acoso.

Con frecuencia, me sorprende el estoicismo y el optimismo de algunos niños con síndrome de Asperger cuando son víctimas de acoso permanente. Quizá deba reservar las últimas palabras de este capítulo para una niña con síndrome de Asperger. Kate expresaba a su madre lo siguiente: «Mamá, no sé cuándo la gente me está haciendo rabiar o simplemente bromea, pero llegará un día en que algún niño deseará ser mi amigo y siempre recibiré con los brazos abiertos esa amistad».

Puntos clave y estrategias

- Los niños y adultos con síndrome de Asperger suelen ser el blanco de burlas y acoso.
- Los efectos sobre la autoestima y el estado mental de esos niños son muy perjudiciales.
- Las estrategias para reducir la frecuencia del acoso y sus efectos son las siguientes:

  — Utilizar un «método en equipo» que involucre a la víctima, el personal administrativo de la escuela, los maestros, los padres, un psicólogo, los otros niños y el acosador.
  — Formar al personal para que sepa cómo reaccionar y reducir los actos de burlas y acoso.
  — Asegurar que la justicia sea equitativa partiendo de la motivación, la comprensión y los hechos.
  — Utilizar la actividad de la balanza de justicia para determinar el grado de responsabilidad y las consecuencias de los actos, y explicarlo al niño.
  — Crear un mapa del mundo del niño para identificar los lugares donde está a salvo.
  — Utilizar la presión positiva de los compañeros para impedir los actos de burla y acoso.

- Seleccionar a un niño avispado que desempeñe las funciones de guardián y que goce de buena reputación social entre sus compañeros para proteger al niño y reparar su autoestima.
- Enseñar a la víctima cómo ponerse a salvo y esconderse entre un grupo de niños.
- Hacer que el niño reconozca que hacer caso omiso del acoso rara vez reduce la probabilidad de ser el blanco de las intimidaciones.
- El niño debe aprender a reaccionar con seguridad en sí mismo y sinceridad.
- Solicitar ayuda de personal experto, como un psicólogo clínico que utilice actividades como las conversaciones con cómics para descubrir los pensamientos, los sentimientos y la interpretación de las intenciones del niño con síndrome de Asperger y de los otros participantes. Al niño hay que explicarle por qué lo han elegido como víctima y la conducta que debe seguir en situaciones similares.
- Utilizar libros y programas para proporcionarle información y estrategias que reduzcan el acoso y las burlas.
- Animar a los padres a inscribir al niño en un curso de defensa personal para protegerse del acoso físico.
- El cambio de escuela apenas produce efectos sobre la reducción de la probabilidad de que un niño sea víctima del acoso y las burlas.

5

Teoría de la mente

> Su voz es extraña, al igual que su forma de hablar y su manera de moverse. Por consiguiente, no resulta nada sorprendente que estos niños tampoco entiendan las expresiones de los demás y, por lo tanto, no puedan reaccionar a ellas de la forma adecuada.
>
> *Hans Asperger ([1944] 1991)*

El término psicológico «Teoría de la mente» significa la capacidad para reconocer y entender lo que piensan, lo que creen u opinan y lo que desean los demás, o cuáles son sus intenciones, con la finalidad de comprender su conducta y predecir lo que harán a continuación. También se describe como «leer la mente»; por consiguiente, es como si los niños con síndrome de Asperger tuvieran «ceguera mental» (Baron-Cohen, 1995) o, dicho de modo más coloquial, una dificultad para «ponerse en la piel [o en el lugar] de los demás». Un término sinónimo es «empatía» (Gillberg, 2002). El niño o el adulto con síndrome de Asperger no reconoce o no entiende las claves que indican los pensamientos y sentimientos de las otras personas en el grado esperado para un individuo de su edad.

La evaluación diagnóstica debe incluir un examen de la madurez del niño o el adulto en relación con las habilidades de la teoría de la mente. Hay diversos tests que se usan con niños, adolescentes y adultos (Attwood, 2004d). También hay relatos con preguntas de comprensión de diferentes niveles en función de la edades, que sirven para valorar la capacidad para determinar lo que piensa o siente un personaje de dichas historias. Francesca Happé ha creado *Historias extrañas* para niños de cuatro a doce años (Happé, 1994) y Nils Kaland y sus colaboradores son los autores de *Stories from everyday life* para adolescentes (Kaland y otros, 2002). Simon Baron-Cohen y Sally Wheelwright han desarrollado diversas tareas para adultos para examinar las aptitudes de la teoría de la mente (Baron-Cohen, 2003), en las que el médico va anotando si el niño o el adulto proporciona una respuesta que demuestra dichas aptitudes, pero también el tiempo invertido para contestar, en comparación con su grupo de compañeros, y la posibilidad de que dé con la respuesta correcta mediante un análisis intelectual, que puede consistir en una simple memorización, más que proporcionar una respuesta inmediata, espontánea e intuitiva.

En particular después de los cinco años de edad, los niños corrientes son notablemente sagaces para percibir las claves sociales que indican los sentimientos y pensamientos de los demás y comprenderlas. Es como si su mente diera prioridad a las claves sociales sobre cualquier otra información de su entorno, y tienen una teoría mental acerca de lo que significan las claves sociales y cómo responder a ellas. Esta habilidad predomina en la percepción de las personas corrientes hasta el punto de que llegamos a ser antropomórficos y proyectamos la conducta social humana en los animales e incluso en los objetos.

En un fascinante estudio clínico efectuado por Ami Klin (2000) se utilizó la Tarea de Atribuciones Sociales (Social Attribution Task) (TAS), creada originalmente por Heider y Simmel (1944). Estos investigadores filmaron una película de dibujos animados con una selección de *personajes* que son formas geométricas y se mueven en sincronía unos con otros, o como consecuencia de la acción de las otras formas. La película sólo dura cincuenta segundos pero contiene seis segmentos secuenciales presentados uno por uno. Después de cada segmento, se pregunta al observador «¿qué ocurrió en ese punto?» para que proporcione un relato a la película muda. El observador también ha de contestar a preguntas como «¿qué clase de persona representa el triángulo grande o el círculo pequeño?». Cuando la pusieron en práctica, los autores de la Social Attribution Task comprobaron que los estudiantes universitarios utilizaban términos antropomórficos para describir las acciones (perseguir, apresar y jugar) y los sentimientos (asustado, eufórico, descontento o frustrado) de los personajes.

Cuando se aplico la tarea a adolescentes con síndrome de Asperger se observaron diferencias significativas entre ellos y sus compañeros. Sus relatos fueron más breves y con argumentos sociales menos complejos. Muchos de sus comentarios no guardaban relación con las imágenes del vídeo y sólo identificaron una cuarta parte de los elementos sociales detectados por sus compañeros. Utilizaron menos términos de la teoría de la mente y un menor grado de sofisticación social. También produjeron menos características de la personalidad, y las utilizadas siempre fueron más simples. Los relatos de los individuos corrientes, que atribuyeron con facilidad significado social a una escena ambigua, tenían descripciones de valor o de euforia, personalidades complejas y características sociales que proporcionaban una historia social coherente. En comparación, los narradores de la película con síndrome de Asperger utilizaron términos diferentes para explicar el movimiento de las formas. Las características que atribuían tendían a centrarse en aspectos físicos; así, describían los movimientos como giros u oscilaciones debidos a un campo magnético. Las personas con síndrome de Asperger perciben el mundo físico más que el social.

En un estudio posterior en el que se utilizaron formas geométricas animadas, como era de esperar, sus autores observaron que los adultos con síndrome de Asperger proporcionaron menos descripciones de las acciones desde un punto de vista de los estados mentales, pero los investigadores pudieron identificar qué áreas del cerebro participaban (Castelli y otros, 2002). En adultos corrientes, la caracterización de los estados mentales está mediada por la corteza prefrontal, el surco temporal superior y los polos temporales, pero los participantes con síndrome de Asperger demostraron tener menor activación de esas regiones del cerebro. Ésta parece ser la explicación neurológica de la alteración en la adquisición de las aptitudes de la teoría de la mente.

Se ha sugerido que ese deterioro también afecta a la conciencia de sí mismo y a la introspección (Frith y Happé, 1999). En una ocasión, estaba hablando con Corey, un adolescente con síndrome de Asperger, sobre la capacidad de «leer la mente». Me dijo: «No tengo aptitudes para saber lo que está pensando otra persona. ¡Ni siquiera estoy seguro de mis pensamientos!». Por lo tanto, estos niños pueden tener dificultades permanentes para reflexionar sobre las ideas, las emociones y los sentimientos de otras personas o de sí mismos.

Es importante reconocer que estos pacientes tienen unas aptitudes inmaduras o un déficit en la adquisición de capacidades de la teoría de la mente, y su empatía es inmadura, aunque no carecen de ella. Para la persona con síndrome de Asperger el hecho de que otra persona dé por sentado que carece por completo de empatía es un insulto muy grave porque significa que no reconoce los sentimientos de los demás o no les presta atención. Estas personas se preocupan por los demás pero no son capaces de reconocer las señales más sutiles de los estados emocionales o de leer los estados mentales más complejos.

Efectos de la alteración en la adquisición de las capacidades de la teoría de la mente sobre la vida cotidiana

Aunque es fácil comprender que el paciente tenga dificultades para saber lo que piensa o siente otra persona, es mucho más difícil imaginar lo que les ocurre o cómo debe de ser su vida cotidiana, puesto que la gente corriente *lee la mente* con relativa facilidad y con ayuda de la intuición. Podemos *leer* la expresión de una cara, y traducir el significado del lenguaje corporal y la prosodia del habla. También reconocemos las claves contextuales que indican los pensamientos prevalecientes o esperados de los demás. A continuación, se describen algunas de las áreas de la vida cotidiana de niños y adultos con el síndrome que se ven afectadas por el déficit o el retraso en la adquisición de habilidades de la teoría de la mente.

186

¿Cómo sabemos qué está pensando otra persona o cuáles son sus sentimientos? Uno de los mecanismos que usamos es nuestra capacidad para leer e interpretar la expresión facial, en particular la región situada alrededor de los ojos. Desde hace tiempo, sabemos que los niños y adultos con un trastorno de espectro autístico, incluido el síndrome de Asperger, parece que mantienen menos contacto ocular del esperado, tienden a mirar a la cara con menos frecuencia y, por esa razón, pasan por alto los cambios de expresión.

Chris era un adolescente con síndrome de Asperger que tenía un especial interés por la astronomía. Antes de acudir a la visita diagnóstica en mi consulta, sus padres le rogaron que no hablara conmigo de su afición favorita, ya que su entusiasmo y tendencia a aburrir a la gente le harían parecer excéntrico. Sin embargo, yo conocía su afición por la astronomía y empecé a hablar con él de las fotografías recientes de la superficie de Marte que habían aparecido en los informativos de televisión. Aunque se moría de ganas de continuar con la conversación sobre astronomía, Chris sabía que sus padres, que estaban allí observándolo por el rabillo del ojo, no aprobarían que siguiera con ese tema de conversación. El niño se mostró confuso y retraído y mantuvo los ojos cerrados, pero continuó hablando de su afición. Más adelante, le indiqué que me resultaba muy difícil proseguir la conversación con alguien que mantenía los ojos cerrados. El niño me contestó: «¿Por qué quiere que le mire si sé muy bien dónde está?».

En una conversación, mirar a la gente no sólo sirve para localizarla y comprobar si se ha movido, sino que nos ayuda a interpretar la expresión facial y a determinar lo que puede estar pensando o cuáles son sus sentimientos. Cuando los niños y los adultos con síndrome de Asperger miran a la cara de su interlocutor, ¿adónde dirigen exactamente su mirada? La mayor parte de la gente corriente mira a los ojos de su interlocutor para saber lo que está pensando o cuáles son sus sentimientos. Se considera que los ojos son «el espejo del alma». Para medir la fijación visual puede utilizarse una técnica de seguimiento de la mirada; estudios recientes indican que los adultos con síndrome de Asperger tienden a mirar menos a los ojos y más a la boca, al cuerpo y a los objetos que las personas corrientes (Klin y otros, 2002a, 2002b). Esos ingeniosos estudios determinaron adónde miraba una persona cuando contemplaba una interacción filmada entre actores. En una escena, cuando los individuos corrientes se fijaban en la mirada de sorpresa y terror de los ojos, abiertos como platos, del actor, los individuos con síndrome de Asperger o con autismo de alto funcionamiento prestaban atención a la boca. La investigación demostró que los individuos de control fijaban su mirada en la región ocular con el doble de frecuencia que el grupo de individuos con síndrome de Asperger o autismo de alto funcionamiento. Si se fija en la boca de su interlocutor, el individuo contribuirá al proceso de comunicación lingüística pero pasará por alto la información transmitida por la región ocular de la cara.

En otra investigación se ha demostrado que, cuando la persona con síndrome de Asperger mira a alguien a los ojos, es menos capaz de interpretar el significado de su expresión que los individuos corrientes (Baron-Cohen y Jolliffe, 1997; Baron-Cohen y otros, 2001a). Una cita de un paciente confirma las dificultades para interpretar los mensajes transmitidos por la región ocular de la cara: «La gente proporciona a los demás mensajes con la mirada, pero yo nunca sé cómo interpretarlos» (Wing, 1992, pág. 131). Para utilizar la información transmitida por la mirada con el objetivo de saber qué está pensando o lo que siente la otra persona, la persona con síndrome de Asperger tienen dos problemas. En primer lugar, no mira a los ojos como fuente predominante de información relacionada con la comunicación social/emocional y, en segundo término, su interpretación de la expresión de los ojos que está mirando no es muy eficiente.

Una de las consecuencias del deterioro de las habilidades de la teoría de la mente o del retraso de esas habilidades es la tendencia del paciente a interpretar literalmente lo que le dicen. Me he dado cuenta muchas veces de la respuesta literal de los niños con síndrome de Asperger a ruegos como «termina de vestirte en un abrir y cerrar de ojos»; también he visto la reacción emocional a comentarios como «arder de amor» y la confusión respecto a las metáforas, presentes en cualquier idioma, como «ya es hora de que te pongas las pilas». Otro ejemplo de interpretación literal que recuerdo perfectamente es el de un niño con síndrome de Asperger que estaba haciendo sus deberes, una redacción sobre la vejez; su madre no entendía por qué tardaba tanto; por fin, le preguntó a su hijo qué problema tenía para terminar la redacción; éste le respondió que el maestro les había pedido que, al final de la redacción, reflexionaran sobre el peso de los años y no sabía qué hacer para pesarlos.

Desde hace tiempo, sabemos que tanto los niños como los adultos con síndrome de Asperger tienen dificultades para reconocer las claves sociales pertinentes y para interpretar por medio de la expresión facial lo que piensa y siente otra persona, pero hoy contamos con nuevas pruebas de que también tienen dificultades para entender el tono de voz de una persona o la prosodia (Kleinman, Marciano y Ault, 2001; Rutherford, Baron-Cohen y Wheelwright, 2002), que, en general, permite al interlocutor ir mucho más allá de una interpretación literal. Somos capaces de entender la incongruencia existente entre la expresión facial, el tono de voz y el contexto y nos damos perfecta cuenta de cuándo alguien se está burlando de nosotros o es irónico. Las personas con síndrome de Asperger se muestran confusos con la ironía y están predispuestos a ser el blanco de las burlas de los demás, puesto que son muy cándidos y suponen que la gente dice exactamente lo que parece decir.

El niño con síndrome de Asperger no se da cuenta de las claves sutiles que indican que los demás empiezan a sentirse molestos por su conducta o por su conversación egocéntrica o dominante, o bien no las interpreta del modo adecuado. Parece que infrinja las normas sociales y no responde a las señales de advertencia o a los signos de alarma. Si el adulto, u otro niño, no tiene la menor idea de que esa conducta poco común se debe a la alteración o al retraso en la adquisición de las habilidades de la teoría de la mente, su interpretación será hacer un juicio moral: el niño con síndrome de Asperger le falta deliberadamente al respeto y es descortés. Sin embargo, el niño no necesariamente es malintencionado y no suele ser consciente de que está molestando a su interlocutor, por lo que se preguntará una y otra vez la razón de que la otra persona se muestre tan enojada o desconcertada.

Las personas con síndrome de Asperger manifiestan un entusiasmo notorio por sus aficiones particulares. No obstante, no son capaces de reconocer que los demás no comparten su grado de frenesí por su interés o afición favoritos. Puesto que, cuando mantienen una conversación, esos niños no miran a la otra persona, no perciben ni reconocen los sutiles signos de aburrimiento ni son capaces de juzgar si el tema es pertinente en el contexto en el que se hallan o si está entre las prioridades de la otra persona.

Cuando una madre pregunta a su hijo «¿Qué has hecho hoy en la escuela?», un niño corriente sabrá que su madre pregunta por si ha ocurrido algo que considere interesante o que se salga de lo habitual. Un niño con retraso en la adquisición de las aptitudes de la teoría de la mente no sabrá cómo responder a esta pregunta; y, a su vez, se preguntará: ¿Quiere que se lo cuente todo detalladamente desde el momento en que entré en clase hasta que me marché de la escuela? ¿Qué es importante para ella? ¿Hasta qué punto sabe lo que hace su hijo todos los días en la escuela?». El niño con síndrome de Asperger tendrá dificultades para identificar los acontecimientos clave o poco habituales desde la perspectiva de su madre, por lo que o bien no contestará a la pregunta por encontrarla demasiado difícil, o le describirá con todo lujo de detalles lo que ha hecho. Por consiguiente, su monólogo será muy aburrido.

En un correo electrónico, Stephen Shore me mandó el comentario siguiente: «Cuando una persona me invita a su casa y me pregunta qué deseo comer o beber, no sé qué responder. Mi respuesta suele ser preguntar qué tiene. Una vez que me ofrece unas cuantas opciones, me resulta más fácil elegir. De lo contrario, en mi opinión, la pregunta es demasiado general y poco concreta».

Del mismo modo, esas personas consideran aburridos los temas o actividades que suelen interesar a la gente. Por ejemplo, en la escuela, los niños pequeños se sientan y permanecen quietos mientras juegan a veo-veo o a las adivinanzas y muestran verdadero interés por las experiencias del niño que permanece de pie delante del grupo. El niño con síndrome de Asperger no es capaz de mostrar empatía con el que está hablando o de interesarse por sus experiencias. Se aburrirá y suscitará las críticas de los demás por no prestar la debida atención. Por lo tanto, la tendencia a hablar largo y tendido sin reconocer el aburrimiento de la otra persona, así como la falta de atención por los intereses de los demás, se debe al retraso en la adquisición de las aptitudes de la teoría de la mente más que a una falta de respeto o a su mala conducta.

Sinceridad y engaño

He observado que, en general, los niños pequeños con síndrome de Asperger son muy sinceros. Si su padre o madre les pregunta si han hecho algo malo o si son los responsables de cierta fechoría, es muy probable que lo admitan de inmediato. Otros niños reconocerán que en algunas ocasiones el adulto no tiene los conocimientos suficientes (es decir, no presenció el acontecimiento), por lo que no dudan en mentir para evitar las consecuencias.

Otra característica asociada al síndrome de Asperger es que el paciente no sabe cuándo sería previsible que dijera una «mentira piadosa», y hace un comentario que, aunque cierto, es probable que ofenda a su interlocutor. Por ejemplo, un niño observa que la cajera del supermercado es obesa y comenta en su tono de voz habitual que la mujer está muy gorda y necesita ponerse a dieta. La opinión del niño es que esa mujer debería estarle agradecida por su observación y sus consejos; la probabilidad de que su madre se avergüence o de que la mujer se ofenda con ese comentario tan grosero no forma parte del proceso de pensamiento del niño. En general, partiendo de su comprensión de lo que creen y sienten los demás, los otros niños son capaces de refrenar una respuesta de ese tipo; sin embargo, las personas con síndrome de Asperger parecen estar más en deuda con la sinceridad y la verdad que con las emociones, las opiniones y los sentimientos de los demás.

Es fácil encontrar en la escuela otros ejemplos similares. Mientras el profesor está distraído, el niño comete un acto de desobediencia. Cuando el maestro se da cuenta de que los alumnos han hecho una fechoría pero no sabe quién ha sido, pedirá al conjunto de la clase que el responsable confiese. Con frecuencia, los otros niños saben quién ha sido pero no se chivan, ya que se deben a los códigos sociales; como dirían los australianos, «nunca se traiciona a los compañeros». Sin embargo, el niño con síndrome de Asperger se debe a la verdad y no al grupo social. El maestro ha formulado una pregunta y él proporciona una respuesta, pero después se siente confundido con el enfado mostrado por los otros niños, en particular si no fueron los responsables de la travesura. Por lo que respecta al niño, ha proporcionado una respuesta correcta y lógica a la pregunta del maestro.

En el desarrollo neurológico del niño con síndrome de Asperger, la capacidad para entender el valor del engaño y reconocer cuándo es previsible madura más tarde, en ocasiones, a principios de la adolescencia. Ese momento es causa de confusión para padres y maestros porque el niño, previamente sincero, se da cuenta de que es posible engañar a la gente y evitar las consecuencias anticipadas. No obstante, el tipo de engaño suele ser inmaduro y fácilmente detectable por un adulto.

Cuando las mentiras se convierten en un problema para la familia y los amigos de la persona con síndrome de Asperger, es preciso tratar de encontrar explicaciones. En primer lugar, debido al retraso en la adquisición de las habilidades de la teoría de la mente, el paciente no se da cuenta de que es probable que la otra persona se ofenda más por la mentira que por cualquier fechoría evidente. En segundo lugar, se da cuenta de que mentir es un medio de evitar consecuencias negativas, o una solución rápida a su problema social. Lo que esos niños no reconocen es que mentir también es una forma de mantener su autoestima si tienen una imagen arrogante de sí mismos, por lo que es impensable que cometan errores.

El adulto con síndrome de Asperger tiene fama de ser sincero, de tener un firme sentido de la justicia social y de cumplir con las normas. Cree firmemente en los principios morales y éticos. Estas admirables cualidades en la vida le causan problemas considerables cuando en el trabajo su jefe no comparte los mismos ideales. Sospecho que muchos trabajadores que denuncian prácticas ilegales o la corrupción dentro de su empresa o en su lugar de trabajo tienen síndrome de Asperger. En realidad he conocido a varias personas que aplicaron su código de conducta en el trabajo y denunciaron prácticas ilegales y de corrupción; y después los sorprendió que la cultura de la organización y sus propios colegas no los apoyara. Por consiguiente, se sentirán decepcionados y pueden caer en una depresión.

SENSACIÓN DE PARANOIA

Para la persona con síndrome de Asperger, una de las consecuencias del retraso en la adquisición de las aptitudes de la teoría de la mente es la dificultad para distinguir entre las acciones deliberadas y las accidentales de otra persona. Proporcionaré un ejemplo: estaba observando a un niño con síndrome de Asperger, sentado en el suelo

193

del aula junto con el resto de niños de su clase, escuchando un cuento que leía el maestro. Otro niño situado junto al primero empezó a tomarle el pelo haciéndole «orejas de burro» con los dedos detrás de su espalda aprovechando que el maestro no le veía. El niño estaba cada vez más enfadado y, al final, le propinó un golpe al bromista para que dejara de molestarlo. En este momento el maestro, sin conocer los acontecimientos previos pero habiendo visto el golpe, reprendió al niño con síndrome de Asperger por su agresividad. Otro niño le habría dicho que el bromista lo provocó, pues entendería que, si el maestro hubiera conocido las circunstancias, las consecuencias habrían sido menos severas y más equitativas. Sin embargo, nuestro niño siguió callado. El maestro continuó con su cuento y, al cabo de un momento, otro niño regresó a la clase después de ir al baño y, sin querer, tocó al nuestro, que no percibió que la acción había sido accidental, de modo que le dio un codazo, igual que antes le había pegado al otro. Por fortuna, en este caso, el maestro comprendió las dificultades del niño para distinguir un acto accidental de otro deliberado y pudo calmar los ánimos con una explicación.

Tengo que añadir que la aparente paranoia de estos pacientes también se debe a experiencias sociales muy reales, ya que afrontan más burlas y tomaduras de pelo deliberadas y provocativas que sus compañeros. Si un niños ha sido hostil con otro con síndrome de Asperger, cualquier interacción posterior será confusa; el que tiene síndrome de Asperger supondrá que la interacción es intencionadamente hostil, mientras que un niño corriente interpretará mejor la intención del otro por el contexto y las claves sociales.

RESOLUCIÓN DE PROBLEMAS

Los niños corrientes comprenden cuando son muy pequeños que hay otras personas que pueden tener la solución a un problema práctico y que se interesan por él y son capaces de ayudarlo. Para los niños con síndrome de Asperger aparentemente esta comprensión de los pensamientos y las aptitudes de los demás no es automática. Cuando tienen un problema, buscar el consejo de otra persona que, probablemente, sabrá qué hacer no es la primera idea que se les ocurre, ni siquiera la segunda. El niño está sentado junto a otra persona que podría ayudarlo, pero parece ser estrecho de miras y estar decidido a resolver el problema por sí solo.

AFRONTAR LOS CONFLICTOS

A medida que el niño crece, se vuelve más maduro y experto en el arte de la persuasión, del acuerdo y del afrontamiento de conflictos. Es cada vez más capaz de entender la perspectiva de los demás y sabe cómo influir en sus ideas y emociones utilizando estrategias constructivas. Afrontar los conflictos con éxito requiere habilidades considerables de la teoría de la mente y, por lo tanto, es predecible que esos niños tengan dificultades en la resolución de conflictos. Las observaciones y experiencias de las situaciones de conflicto sugieren que son relativamente inmaduros, les falta diversidad en los instrumentos de negociación y tienden a ser conflictivos. Pueden recurrir a estrategias *primitivas* de afrontamiento de los conflictos, tales como el chantaje emocional o mantenerse inflexibles en su propio punto de vista. No entienden que es más probable obtener lo que desean siendo amables con los demás. Por otra parte, cuando ha terminado una discusión o un altercado, la persona con síndrome de Asperger siente menos remordimientos, o no se da cuenta de los mecanismos de reparación de los sentimientos de los demás, como pedir disculpas.

Con frecuencia, un adulto ha de guiar al niño con síndrome de Asperger en la resolución de conflictos en todos los estadios de la infancia, pero, durante la adolescencia, es previsible que el niño sea capaz de llegar a una solución de compromiso, identificar y reconocer el punto de vista de la otra persona, negociar, perdonar y olvidar los conflictos y peleas. Para ellos estas competencias son difíciles de alcanzar y, en ocasiones, se considera que manifiestan signos similares a los del trastorno de oposición y desafio. En este estadio, las características relevantes en la resolución de conflictos por parte de las personas con síndrome de Asperger son:

- Dificultad para pensar en el punto de vista y las prioridades de la otra persona.
- Habilidades limitadas de la persuasión.
- Tendencia a polemizar y a mostrarse rígido e inflexible.
- Resistencia a cambiar de opinión y decisión, y a admitir que ha cometido un error.
- Aversión a que lo interrumpan.
- Compulsión por llevar algo a término «de cabo a rabo».
- Tendencia a castigar más que a elogiar.
- Inclinación a evitar sus obligaciones.
- La falta de estrategias alternativas de conocimiento.

Así, los niños con síndrome de Asperger parecen oponerse a las decisiones de los demás, plantan cara a sus prioridades y les niegan la razón. Suelen tener fama de «mantenerse en sus trece» hasta que, por último, la otra persona capitula, y perciben las señales de que es más sensato que no continúen discutiendo. Otros niños reconocen fácilmente el punto de vista de su amigo, al igual que sus prioridades y su razonamiento y, como mínimo, por el bien de su amistad, se adaptan a lo que se les pide y se muestran flexibles con la decisión que ha tomado su amigo. Esperan reciprocidad en este aspecto de la amistad. Los niños con síndrome de Asperger y sus amigos necesitan consejos sobre cuándo y cómo rogar, cómo escuchar y entender el punto de vista y las prioridades de la otra persona, negociar algunas áreas de acuerdo, y tratar de obtener la opinión de una tercera persona y aceptarla. Después de todo, han de aprender a no dejarse llevar por las emociones, en particular la cólera, ya que empeora la situación. Para ilustrar qué estrategias resultan inadecuadas y cuáles son adecuadas en la resolución de conflictos es útil emplear juegos de modelos de conducta.

Uta Frith y Francesca Happé (1999) han sugerido que, en el desarrollo cognitivo, debido a las diferencias en la adquisición y la naturaleza de las aptitudes de la teoría de la mente, los niños con síndrome de Asperger establecen una forma diferente de conciencia de sí mismos. El niño adquiere las habilidades de la teoría de la mente utilizando la inteligencia y la experiencia más que la intuición, lo que, en último término, dará lugar a una forma alternativa de conciencia de sí mismo porque reflexiona sobre su propio estado mental y el estado mental de los demás. Frith y Happé (1999) han descrito esa conciencia de sí mismo, reflexiva y explícita, como parecida a la de los filósofos.

He leído las autobiografías de adultos con síndrome de Asperger y estoy de acuerdo en que es una cualidad casi filosófica. Cuando esta forma de pensar y de percibir el mundo diferente se combina con aptitudes intelectuales avanzadas obtenemos progresos en filosofía. Es interesante destacar que el filósofo Ludwig Wittgenstein presentaba muchas de las características de una persona dotada, desde un punto de vista intelectual, con síndrome de Asperger (Gillberg, 2002).

Comprender la vergüenza

En un estudio se examinó la comprensión de la vergüenza de niños con autismo de alto funcionamiento o síndrome de Asperger, y se observó que existía una relación entre las habilidades de la teoría de la mente y dicha comprensión; sin embargo, al analizar con más detenimiento las respuestas de los niños, se vieron algunas características interesantes (Hillier y Allinson, 2002). Los niños con síndrome de Asperger tendieron a valorar algunas situaciones como embarazosas, mientras que los niños corrientes no las consideraban como tales, y presentaron algunas dificultades para justificar la razón de que alguien pudiera sentirse azorado. En el plano intelectual, comprendían el concepto de vergüenza pero eran menos capaces de usarlo en situaciones nuevas. Desde un punto de vista práctico, he observado que algunos niños con síndrome de Asperger apenas manifiestan vergüenza o miedo a salir a escena cuando dan una charla o hacen una presentación o interpretan un papel delante del público. La observación de situaciones sociales que previsiblemente vendrían acompañadas de un lenguaje corporal marcado por signos de vergüenza sugiere que las personas con síndrome de Asperger efectúan menos gestos de azoramiento y vergüenza (como ocultar la cara con la mano o enrojecer) que el resto (Attwood, Frith y Hermelin, 1988).

Simon Baron-Cohen y colaboradores crearon una prueba de detección de *meteduras de pata* (*faux pas*) utilizando una serie de historias sociales y examinaron si el niño con síndrome de Asperger es capaz de reconocerlas (Baron-Cohen y otros, 1999a). Una metedura de pata se define como una «observación o acción indiscreta»; el estudio confirmó la experiencia de muchos padres de que, en comparación con los niños corrientes, aquellos con síndrome de Asperger tienen menos aptitudes para detectarlas y más probabilidades de cometerlas en su vida cotidiana.

Los niños de unos ocho años de edad pueden inhibir sus comentarios o críticas partiendo de su predicción de la reacción emocional de la otra persona; es decir, se guardan para sí lo que piensan para no molestar o enojar a su amigo o a otra persona. Los niños con síndrome de Asperger son muy sagaces para identificar las equivocaciones y están dispuestos a señalar las que cometen los demás. Eso se interpreta como hostilidad deliberada, pero la motivación de quien hace la crítica es el perfeccionismo y hacer ver su error a la otra persona. He observado a adolescentes con síndrome de Asperger que critican al maestro delante de toda la clase. El error de un maestro puede ser insignificante, como escribir mal una palabra, pero, para esos niños, el deseo de corregirlo tiene prioridad sobre los sentimientos del maestro.

El hecho de sentirse inseguro de lo que piensan o de los sentimientos de los demás es un factor que contribuye a sentir incertidumbre y ansiedad. Marc Fleisher, un matemático con mucho talento, tiene síndrome de Asperger; es una persona muy amable que no desea causar molestias a nadie. En su autobiografía escribió:

> Debido a mi falta de confianza, me asusta terriblemente molestar a los demás sin darme cuenta o diciendo o haciendo algo equivocado. Desearía leer su pensamiento para saber lo que quieren y hacer lo adecuado. Para mí la socialización es más difícil que una ecuación. Lo que funciona para una persona no sirve para otra. La gente no siempre dice lo que quiere decir o cumple lo que dice (Fleisher, 2003, pág. 110).

LA RAPIDEZ Y LA CALIDAD DEL RAZONAMIENTO SOCIAL

Al encontrarse en un entorno social una persona corriente es muy rápida y eficiente en el uso de las aptitudes de la teoría de la mente. La investigación ha demostrado que, aunque algunas personas con síndrome de Asperger muestran aptitudes bastante avanzadas de la teoría de la mente, necesitan más tiempo en el procesamiento cognitivo de las claves relevantes y las respuestas que se esperan de ellos, y también necesitan más aliento y más pistas. Sus respuestas a las preguntas que se basan en las aptitudes de la teoría de la mente son menos espontáneas e intuitivas y más literales, idiosincrásicas e irrelevantes (Bauminger y Kasari, 1999; Kaland y otros, 2002).

Un adolescente con síndrome de Asperger, muy interesado por los ordenadores y la informática, me decía que creía que, cuando las personas corrientes se encuentran en una situación social, su cerebro es parecido a un ordenador con sistema operativo Windows, mientras que el cerebro de las personas con el síndrome trata de usar el sistema operativo DOS (una metáfora que sólo tendrá sentido si el lector está familiarizado con la terminología informática).

Una de las consecuencias de utilizar el cálculo mental consciente más que la intuición es el efecto sobre el momento adecuado de las respuestas. En una conversación o interacción social, la persona con síndrome de Asperger procesa lentamente los aspectos que requieren habilidades de la teoría de la mente. El retraso temporal para el procesamiento intelectual necesario da lugar a la falta de sincronía que ambas partes intentan establecer. Ese retraso del tiempo de reacción hace que la otra persona perciba a la que tiene síndrome de Asperger como inusitadamente formal o pedante o, incluso, puede que piense que padece discapacidad intelectual. Con frecuencia, los otros niños atormentan al que tiene síndrome de Asperger llamándolo estúpido, lo que añade un insulto a la ofensa, y eso puede provocar que pierda autoestima o le dé un arrebato de cólera.

También he observado que en esos niños las aptitudes de la teoría de la mente están influidas por la complejidad de la situación, la rapidez de la interacción y su grado de estrés. En reuniones muy numerosas, la cantidad de información social es abrumadora para estos niños. Pueden tener aptitudes razonables relacionadas con la teoría de la mente, pero experimentarán dificultades para determinar qué señales son relevantes y cuáles son superfluas, sobre todo si se les presentan muchas al mismo tiempo.

El tiempo necesario para procesar la información social es similar al que necesita una persona que está aprendiendo un segundo idioma para procesar lo que le está diciendo alguien que habla dicho idioma con fluidez. Si el nativo habla con demasiada rapidez, la otra persona sólo entenderá unos pocos fragmentos. En mi experiencia clínica, he aprendido a adaptar mi interacción con esas personas para que se encuentren dentro de los límites de su capacidad de procesamiento del razonamiento social.

Cuando están relajados, los pacientes procesan con más facilidad los estados mentales, pero, cuando están sometidos al estrés, al igual que ocurre con cualquier habilidad, su rendimiento disminuye. Esto afectará al examen formal de sus aptitudes de la teoría de la mente y explica algunas de las diferencias entre los conocimientos formales en la situación artificial que representa someterse a un test y la vida real, que es más compleja, con claves sociales transitorias y mayor estrés.

Agotamiento

Sabemos que la adquisición de las habilidades de la teoría de la mente de las personas con síndrome de Asperger se produce más tarde, y que, con el tiempo, alcanzan habilidades avanzadas. Sin embargo, también es necesario reconocer el grado de esfuerzo mental que necesitan para procesar la información social. La utilización de mecanismos cognitivos para compensar su falta de aptitudes provoca agotamiento mental. Su éxito social limitado, su baja autoestima y el agotamiento contribuyen a la aparición de una depresión clínica. Uno de mis pacientes expresa con una frase muy gráfica su agotamiento debido a la socialización. Dice: «Soy un acérrimo solitario».

Estrategias para mejorar las aptitudes de la teoría de la mente

Historias sociales

En la actualidad disponemos de diversas estrategias para mejorar las aptitudes de la teoría de la mente, en particular las historias sociales (véase la pág. 113). Las frases de perspectiva de una historia social proporcionan información valiosa para favorecer esas aptitudes. Describen la comprensión, los pensamientos, las opiniones y los sentimientos de cada persona, que son relevantes en una situación. Uno de los elementos esenciales para preparar y redactar una historia social es la adquisición de información sobre la perspectiva de todos los participantes, en particular del niño con síndrome de Asperger. Un diccionario de historias sociales mejora los conocimientos y el vocabulario relativos a los estados mentales, con explicaciones ilustradas de términos como «saber», «suponer», «esperar» y «opinar».

También pueden crearse historias sociales para que se conviertan en ejercicios sobre habilidades específicas de la teoría de la mente; por ejemplo, el niño completa las frases siguientes:

Con frecuencia hablo de trenes. Con frecuencia pienso en...
Con frecuencia hablo de los horarios del autobús. Con frecuencia pienso en...
Matt suele hablar de dinosaurios. Seguro que Matt con frecuencia piensa en...
Matt estará contento si le pregunto por...

Las historias sociales son una estrategia que previsiblemente mejorará esas aptitudes pero, hasta la fecha, no se han publicado estudios que hayan examinado sus efectos beneficiosos sobre estas habilidades utilizando los tests de referencia empleados para evaluar las aptitudes de la teoría de la mente. No obstante, reconozco que los maestros, padres y médicos necesitan imperiosamente estrategias como las historias sociales y no pueden esperar a que los estudios de investigación determinen si mejoran la madurez de las aptitudes de la teoría de la mente.

Programas de adiestramiento de las aptitudes de la teoría de la mente

En diversos estudios se ha examinado si es posible mejorar las aptitudes de la teoría de la mente utilizando programas de adiestramiento destinados específicamente a optimizar la cognición social. Estos programas han utilizado el entrenamiento de las habilidades sociales en grupo (Ozonoff y Miller, 1995), mediante programas de ordenador (Swettenham y otros, 1996), y con un manual didáctico y un cuaderno de ejercicios (Hadwin y otros, 1996). La evaluación antes del tratamiento y después de él, en la que se han utilizado parámetros de referencia de las aptitudes de la teoría de la mente, ha confirmado que los programas mejoran la capacidad para superar las tareas de la teoría de la mente. Sin embargo, en esos estudios no se ha observado que el efecto se generalice a las tareas no incluidas en el programa de adiestramiento.

En dos estudios se ha utilizado un interesante método para enseñar las aptitudes de la teoría de la mente a niños en edad preescolar con síndrome de Asperger, mediante la estrategia de «una foto en la cabeza» (McGregor, Whiten y Blackburn, 1998 y Swettenham y otros, 1996). El procedimiento de adiestramiento consistía en introducir una fotografía en una ranura hecha en la cabeza de una muñeca para explicarle al niño que es posible que otra persona tenga una visión diferente de la suya.

CONVERSACIONES MEDIANTE CÓMICS

Creadas originalmente por Carol Gray, las conversaciones mediante cómics (véase la pág. 178) utilizan dibujos simples, como monigotes con bocadillos con los pensamientos o lo que dicen los personajes, y un texto de diferentes colores para ilustrar la secuencia de acciones, emociones y pensamientos en una situación social concreta (Gray, 1994). Gracias a la lectura, en general los niños están familiarizados con los bocadillos de los cómics. Sabemos que un niño de tres o cuatro años entiende que esos bocadillos representan lo que está pensando un personaje (Wellman, Hollander y Schult, 1996). En estudios recientes, cuyos autores han examinado si los bocadillos de «pensamientos» son útiles para que los niños con autismo adquieran aptitudes de la teoría de la mente, se ha demostrado cierto grado de eficacia (Kerr y Durkin, 2004; Rajendran y Mitchelle, 2000; Wellman y otros, 2002).

Una de esas tiras es una *conversación* entre un niño y un adulto, en la que se usan los dibujos para determinar lo que siente, piensa, dice o hace, o podría sentir, pensar, decir o hacer una persona. Se emplean diversos colores para identificar el *tono* emocional o la motivación y se utiliza un gráfico de colores para asociar un color determinado, o la intensidad de un color, a una emoción determinada. Por ejemplo, el niño decide usar el color rojo para indicar que ha percibido que el otro niño ha dicho unas palabras con tono enojado. Esto brinda la oportunidad de enseñarle la percepción del acontecimiento y corregir cualquier interpretación equivocada. Una de las ventajas de este método es que el niño y el adulto mantienen una conversación pero no se miran, sino que prestan atención a las viñetas del cómic que tienen delante.

La estrategia general es descubrir en equipo los pensamientos y sentimientos representados más que intentar determinar quién es el culpable. Las conversaciones mediante cómics proporcionan una explicación visual clara de lo que piensa y siente una persona. También se usan para explicar las interpretaciones equivocadas de las intenciones (por ambas partes), las metáforas, por ejemplo las que expresan sarcasmo, y para ilustrar los posibles resultados alternativos mediante un cambio de las acciones, de lo que dicen los personajes o de lo que piensan. Es interesante destacar que, para expresar nuestra nueva comprensión, digamos: «Sí, entiendo lo que quieres decir» más que «he oído lo que quieres decir».

En mi tratamiento clínico de los trastornos emocionales utilizo con regularidad las conversaciones mediante cómics (véase el cap. 6). Con frecuencia, los niños con síndrome de Asperger comunican sus sentimientos y pensamientos con más elocuencia si utilizan dibujos que verbalmente. Aunque tienen dificultades para identificar lo que alguien piensa o siente en ese momento, mi experiencia clínica indica que sus dificultades son incluso mayores para valorar el grado de expresión de una emoción concreta. Su percepción suele ser de blanco o negro, sin comprender los distintos tonos de gris. Además, añado un componente a las conversaciones mediante cómics: utilizo una escala numérica, que va de uno a diez, para medir el grado de expresión de una emoción (por ejemplo, hasta qué punto se siente triste una persona). Esta escala es muy útil para que aquellos niños cuyo vocabulario es limitado puedan describir de manera sutil y precisa la intensidad de las emociones.

La obra de Howlin, Baron-Cohen y Hadwin *Teaching children with autism to mind-read: A practical guide* (1999) proporciona información, procedimientos de evaluación y material didáctico, y describe los principios que son la base de la teoría y la práctica. La comprensión de los estados mentales se divide en tres componentes diferentes:

• Comprensión de los estados de información.
• Comprensión de la emoción.
• Comprensión de la simulación o el fingimiento.

El apartado sobre los estados de información proporciona diversas actividades que enseñan a adquirir una perspectiva visual, es decir, el principio de que verlo es entenderlo, y cómo predecir las acciones partiendo de los conocimientos sobre la otra persona. El apartado sobre aprendizaje de las emociones examina los diversos grados de comprensión emocional, es decir, el reconocimiento de la expresión facial a partir de fotografías y caricaturas para identificar tanto las emociones derivadas de situaciones como las emociones originadas por deseos y creencias.

El material didáctico requiere que el niño se encuentre en un estadio de desarrollo del lenguaje de, como mínimo, cinco años de edad y que entienda la idea de que las otras personas tienen deseos y pensamientos. En algunas actividades se le pide al niño que escoja entre diversas opciones que esxpresan cómo cree que se siente esa persona en función de la situación. Un ejemplo muestra un automó-

205

vil, que se ha calado en un paso a nivel con barrera cuando se aproxima el tren. El texto describe la escena: «Jamie está dentro del vehículo. La barrera acaba de bajar y el tren se acerca. ¿Cómo se siente Jamie a medida que el tren se aproxima?» El niño puede elegir entre «contento», «triste», «enojado» y «asustado». Aunque la respuesta parezca evidente, he observado que, si un niño pequeño con síndrome de Asperger es aficionado a los trenes, considerará la situación exclusivamente desde esa perspectiva, y escogerá la respuesta «contento» (porque está cerca de un tren). Si el niño elige esa opción, el terapeuta le hará ver que, aunque Jamie esté contento, es probable que su padre, que es el conductor, esté muy asustado. Este ejemplo lo ayudará a entender cómo dos personas pueden percibir la misma situación de manera muy diferente.

El material didáctico utiliza dibujos simples con claves claras y sin detalles que carezcan de interés o distraigan al niño. El material proporciona una estructura lógica y progresiva, con el tiempo suficiente para que el niño piense su respuesta. Con la práctica, proporcionada con una amplia variedad de ejemplos, el niño se muestra cada vez más desenvuelto y capaz de interpretar los estados mentales. Los autores de la guía han analizado cuantitativamente el programa y han indicado que la mejora de las aptitudes de la teoría de la mente se mantiene mucho tiempo después de haber cesado la intervención.

PROGRAMAS DE ORDENADOR

Un DVD de interés es una enciclopedia electrónica de las emociones, titulada *Mind reading: The interactive guide to emotions*. Simon Baron-Cohen y sus colaboradores de la Universidad de Cambridge identificaron 412 emociones humanas (con exclusión de los sinónimos). Examinaron la edad a la cual los niños entienden el significado de cada emoción y crearon una clasificación que situaba cada una de las emociones en uno de los 24 grupos establecidos. Una empresa multimedia desarrolló un programa de ordenador interactivo destinado a niños y adultos para aprender lo que una persona puede pensar o sentir.

En el DVD, los actores (entre ellos, Daniel Radcliffe, que es el actor que representa el papel de Harry Potter) representan las expresiones faciales, los gestos del lenguaje corporal y el timbre de voz asociados con una emoción concreta. El DVD también incluye grabaciones que ilustran aspectos de la prosodia, e historias que ilustran las circunstancias de cada emoción. Hay una biblioteca de emociones, un centro de aprendizaje y una zona de juegos.

Recomiendo el programa en DVD interactivo, sobre todo para niños y adultos con síndrome de Asperger. Estas personas tienen dificultades considerables de aprendizaje de las habilidades cognitivas en el teatro social en directo de la clase, donde tienen que dividir su atención entre las actividades y la comunicación social, emocional y lingüística del maestro y las de los otros niños. Con un ordenador, la reacción es instantánea; no han de esperar a una respuesta del maestro y pueden repetir muchas veces una escena para identificar y analizar las claves relevantes sin molestar ni aburrir a los demás. Tampoco recibirán críticas en público por sus errores y es más probable que se relajen si hacen la actividad solos. El programa está pensado para reducir al mínimo los detalles que carezcan de interés, y para destacar las claves importantes y permitir que el estudiante progrese a su propio ritmo. En realidad, resulta irónico que los pacientes aprendan mejor a saber lo que piensan y sienten los demás gracias a un programa de ordenador que observando situaciones de la vida real. Todos los días las personas suponemos por intuición lo que otra persona piensa o siente. En la mayor parte de las ocasiones acertamos, pero tampoco somos infalibles. No leemos la mente a la perfección. Las interacciones sociales serían mucho más sencillas si la gente corriente dijera *exactamente* lo que quiere decir sin dar nada por sentado y sin ambigüedades. Como Liane Holliday me escribió en un correo electrónico, «si todo el mundo hablara con franqueza, no necesitarías la teoría de la mente».

Puntos clave y estrategias

- Efectos de la falta de adquisición de las aptitudes de la teoría de la mente en la vida cotidiana:

  — Dificultades para leer los mensajes que transmite la mirada de los demás.
  — Tendencia a interpretar literalmente lo que dicen los otros.
  — Tendencia a que se le considere irrespetuoso, grosero o descortés.
  — Resulta notablemente sincero.
  — Da la impresión de ser obsesivo y paranoico.
  — Incapacidad para darse cuenta de que otra persona comprende su problema y desea ayudarlo.
  — Retraso en el desarrollo del arte de la persuasión, el acuerdo y la resolución de conflictos.
  — Forma diferente de introspección y conciencia de sí mismo.
  — Dificultades para saber cuándo un acontecimiento o una acción que protagoniza, o las palabras que expresa, provocan una situación embarazosa.
  — Ansiedad.
  — Necesita más tiempo para procesar la información social porque utiliza la inteligencia más que la intuición.
  — Agotamiento físico y emocional.

- Estrategias para mejorar las aptitudes de la teoría de la mente

  — Historias sociales.
  — Programas didácticos de la teoría de la mente.
  — Conversaciones mediante cómics.
  — Programas de ordenador.

6

Comprensión y expresión de las emociones

> No se puede entender al niño simplemente en términos del concepto «pobreza de emociones», utilizado en sentido cuantitativo. Más bien, lo que caracteriza a estos niños es una diferencia cualitativa, la falta de armonía entre la emoción y su carácter.
>
> *Hans Asperger ([1944] 1991)*

La amplia experiencia clínica y las autobiografías de muchos pacientes con síndrome de Asperger confirman que, aunque puedan tener una capacidad intelectual considerable, sobre todo en el área de conocimientos intelectuales, se muestran confusos e inmaduros con respecto a los sentimientos. La evaluación diagnóstica del síndrome de Asperger deberá incluir una valoración de su aptitud para entender y expresar las emociones, no sólo para confirmar el diagnóstico, sino también para detectar la posibilidad de un trastorno emocional asociado, en particular un trastorno de ansiedad o una depresión.

Entre los criterios diagnósticos del síndrome de Asperger, se reconoce una diferencia cualitativa, ya descrita por Hans Asperger, entre la comprensión y la expresión de las emociones. Los criterios del *Manual diagnóstico y estadístico de las enfermedades mentales*, el DSM-IV, para el síndrome de Asperger hacen referencia a «la ausencia de reciprocidad social o emocional» (pág. 84) y los criterios diagnósticos descritos en la *Clasificación internacional de las enfermedades* (CIE-10) hacen referencia a «la incapacidad para desarrollar relaciones con los semejantes que incluyan compartir intereses, actividades y emociones». La ausencia de reciprocidad socioemocional se expresa como una «desviación o alteración de la respuesta a las emociones de las otras personas; o la ausencia de modu-

209

lación de la conducta de acuerdo con el contexto social; o una pobre integración de las conductas sociales, emocionales y comunicativas». Los criterios de Christopher Gillberg hablan de «conducta inadecuada, tanto desde el punto de vista social como del emocional, y expresión facial limitada o inadecuada» (Gillberg y Gillberg, 1989, pág. 632). Los criterios diagnósticos de Peter Szatmari y colaboradores incluyen «dificultades para percibir los sentimientos y las emociones de los demás, su indiferencia por los sentimientos de los demás, expresión facial muy limitada, incapacidad para leer las emociones a partir de las expresiones faciales del niño, e incapacidad para transmitir mensajes con la mirada» (Szatmari y otros, 1989b, pág. 710). En otras palabras, todos estos criterios describen las dificultades clínicamente sustanciales de estos pacientes con la comprensión, expresión y regulación de las emociones.

En la descripción del síndrome de Asperger que se ofrece en el DSM-IV, el texto explicativo habla de la asociación entre el síndrome de Asperger y la aparición de un trastorno emocional, adicional o secundario, sobre todo depresión o ansiedad. Los estudios actuales indican que alrededor del 65 % de los adolescentes con síndrome de Asperger presenta un trastorno afectivo o emocional. Quizás es más frecuente el trastorno de ansiedad (Ghaziuddin y otros, 1998; Gillot, Furniss y Walter, 2001; Green y otros, 2000; Kim y otros, 2000; Konstantareas, 2005; Russell y Sofronoff, 2004; Tantam, 2000b; Tonge y otros, 1999). No obstante, la prevalencia de la depresión también es alta (Clarke y otros, 1999; Gillot y otros, 2001; Green y otros, 2000; Kim y otros, 2000; Konstantareas, 2005). La investigación ha indicado que existe mayor riesgo de aparición de un trastorno bipolar (DeLong y Dwyer, 1988; Frazier y otros, 2002) y, a partir de los estudios efectuados, se dispone de pruebas que demuestran la asociación con las enfermedades que cursan con delirios (Kurita, 1999), paranoia (Blackshaw y otros, 2001) y trastornos de la conducta (Green y otros, 2000; Tantam, 2000b). Para los adolescentes con síndrome de Asperger un trastorno emocional asociado suele ser la norma más que la excepción.

También se han investigado los antecedentes familiares de niños con autismo y con síndrome de Asperger, y los autores de los estudios han identificado una incidencia mayor que la esperada de trastornos emocionales en otros miembros de la familia (Bolton y otros, 1988; DeLong, 1994; Ghaziuddin y Greden, 1998; Lainhart y Folstein, 1994; Micali, Chakrabarti y Fombonne, 2004; Piven y Palmer, 1999). Los investigadores observaron el comentario sarcástico de que «la locura es hereditaria: le viene de su hijo» y examinaron los estados de ánimo antes del nacimiento del niño con síndrome de Asperger. No sabemos la razón de la asociación entre que el padre o la madre padezcan un trastorno emocional y que tengan un hijo con síndrome de Asperger. Es posible que, al final, las investigaciones expliquen dicha asociación.

Si un padre es portador de un trastorno emocional, el niño con síndrome de Asperger podría tener una predisposición genética a las emociones fuertes. Esto sería uno de los factores que explicarían el problema de la intensidad y el control de las emociones que es característico de esas personas. Sin embargo, hay otros factores. Si se consideran las dificultades inevitables de las personas con síndrome de Asperger para el razonamiento social, la empatía, la conversación y que tienen un estilo de aprendizaje diferente y una percepción sensitiva mucho mayor que la gente corriente, se entiende que sean propensos al estrés, la ansiedad, la frustración y el agotamiento emocional considerables. También son propensos a sufrir el rechazo de sus compañeros y a ser víctimas de burlas y acoso, lo que, a su vez, disminuye su autoestima y fomenta sus sentimientos depresivos. Durante la adolescencia, suelen ser cada vez más conscientes de su escaso éxito social y entienden mejor que son diferentes de otras personas, otro factor que influye en la aparición de una depresión reactiva. Por lo tanto, diversos factores, tanto genéticos como ambientales, explican la mayor incidencia de trastornos emocionales.

Los modelos teóricos del autismo desarrollados dentro de la psicología cognitiva, la investigación en neuropsicología y las técnicas de diagnóstico por la imagen neurológica también proporcionan explicaciones de por qué las personas con síndrome de Asperger son propensas a un trastorno emocional secundario. La extensa investigación sobre las aptitudes de la teoría de la mente (véase el cap. 5) confirma que estas personas tienen dificultades considerables para identificar y hacerse una idea de lo que piensan y sienten los demás y ellos mismos. El mundo interpersonal e interno de las emociones parece ser un territorio inexplorado para las personas con síndrome de Asperger. Esto afectará a su capacidad para controlar las emociones, las suyas y las de los otros.

La investigación sobre la función ejecutiva y el síndrome de Asperger indica características de desinhibición e impulsividad, con la ausencia relativa de discernimiento que afecta a su funcionamiento general (Eisenmajer y otros, 1996; Nyden y otros, 1999; Ozonoff y otros, 2000; Pennington y Ozonoff, 1996). La alteración de la función ejecutiva también afecta al control cognitivo de las emociones. La experiencia clínica indica que esas personas tienden a reaccionar a las claves emocionales sin pensar. Una reacción rápida e impulsiva en forma de represalia hará que se considere que el niño con síndrome de Asperger presenta un trastorno de la conducta o tiene un problema con el control de la cólera.

Los estudios que han utilizado técnicas de diagnóstico por la imagen neurológica también han identificado que las personas con autismo y síndrome de Asperger presentan anomalías estructurales y funcionales de la amígdala, una estructura del cerebro asociada con el reconocimiento y la regulación de las emociones (Adolphs, Sears y Piven, 2001; Baron-Cohen y otros, 1999b; Critchley y otros, 2000; Fine, Lumsden y Blair, 2001). Es bien conocida que esa estructura regula multitud de emociones, entre ellas la cólera, la ansiedad y la tristeza. Por lo tanto, también hay pruebas neuroanatómicas que sugieren que las personas con síndrome de Asperger tendrían problemas con la percepción y la regulación de las emociones.

Otros autores han observado en sus investigaciones que esas personas pueden manifestar signos de prosopagnosia, una palabra difícil de pronunciar que significa ceguera facial (Barton y otros, 2004;

212

Duchaine y otros, 2003; Kracke, 1994; Nieminen-von Wendt, 2004; Njiokiktjien y otros, 2001; Pietz, Ebinger y Rating, 2003). El paciente tiene dificultades para leer las expresiones faciales. En las personas corrientes hay áreas especiales del cerebro que procesan la información facial, pero no parece ser así en personas con síndrome de Asperger, que procesan las caras como si fueran objetos y sólo parecen prestar atención a los componentes individuales de la cara. Esto contribuye a la mala interpretación de la expresión emocional de una persona. Por ejemplo, si alguien frunce las cejas, pensaremos que es un signo facial indicativo de enojo. Sin embargo, en ocasiones también puede indicar una sensación de confusión o desconcierto. Un niño corriente lo tendrá en cuenta e integrará todos los signos faciales de su interlocutor, así como el contexto, para determinar qué emoción se le está transmitiendo.

En la actualidad tenemos un término psicológico, «alexitimia», para describir otras características asociadas con el síndrome de Asperger, como la incapacidad para identificar y describir los estados emocionales. La experiencia clínica y la investigación han confirmado que en el perfil de aptitudes de esas personas se identifica alexitimia (Berthoz y Hill, 2005; Hill, Berthoz y Frith, 2004; Nieminen-von Wendt, 2004; Rastam y otros, 1997; Tani y otros, 2004). Con frecuencia, tanto los niños como los adultos con síndrome de Asperger tienen un vocabulario limitado de palabras para describir sus estados de ánimo, sobre todo las emociones más sutiles o complejas.

Evaluación de la comprensión y la expresión de las emociones

El primer paso para evaluar la comunicación de las emociones es establecer la madurez del niño o del adulto en lo que respecta a la expresión de las emociones, la variedad de vocabulario para expresar y describir sus sentimientos y su capacidad para regular o controlar sus emociones y el estrés (Berthoz y Hill, 2005; Groden y otros, 2001;

Laurent y Rubin, 2004). He observado que la madurez emocional de estos niños suele ser, como mínimo, tres años inferior a la de sus compañeros de la misma edad, y en la actualidad disponemos de pruebas que confirman esa observación (Rieffe, Terwogt y Stockman, 2000). El niño expresa la cólera y el afecto como se esperaría de un niño mucho más pequeño. Además, tiene un vocabulario limitado para describir sus emociones y manifiesta una ausencia absoluta de sutileza y variedad en la expresión emocional. Cuando otros niños se mostrarían tristes, confusos, avergonzados, ansiosos o celosos, el niño con síndrome de Asperger sólo manifiesta una respuesta: enojado o lleno de cólera. El grado de expresión de las emociones negativas, como la cólera, la ansiedad y la tristeza, es extremo, y los padres lo describen como un interruptor que se ha puesto a todo volumen.

La capacidad para identificar las emociones en las expresiones de la cara se evalúa mostrando al niño, o al adulto, fotografías de caras y preguntándole qué emoción cree que está expresando, anotando cualquier error o confusión y el tiempo que ha invertido para proporcionar la respuesta. Ésta puede ser correcta, pero el paciente la obtiene mediante un análisis intelectual de las características en el que invierte mucho tiempo y recordando experiencias previas de una expresión facial similar. Un niño corriente encuentra esta actividad relativamente sencilla y la realiza sin apenas esfuerzo intelectual. Sin embargo, las personas con síndrome de Asperger suelen identificar los extremos de las emociones básicas, como la tristeza, la cólera o la dicha intensas, pero la comprensión de expresiones más sutiles, como la confusión, los celos o la incredulidad les resulta mucho más difícil.

Durante la evaluación diagnóstica suelo pedir a estas personas que manifiesten por medio de expresiones faciales la emoción que les indico. Un niño en edad preescolar sano pone fácilmente cara de alegría, tristeza, enojo o miedo cuando se le pide que lo haga. En comparación, algunos niños, e incluso adultos, con síndrome de Asperger tienen dificultades considerables con esta tarea. Pueden llegar a poner la cara de la emoción solicitada mediante la manipulación física de su cara, y proporcionan sólo un elemento, como la forma de la boca asociada a un rictus de tristeza, o hacen una mueca que no se parece a la expresión social de ninguna emoción humana; también es habitual que justifiquen que les resulte difícil expresar la emoción ya que en ese momento no la experimentan.

La capacidad para entender, expresar y regular las emociones se valora mediante preguntas concretas a los padres, por ejemplo:

- ¿Manifiesta el niño tics emocionales poco comunes, como agitar las manos cuando está excitado o balancear su cuerpo cuando trata de concentrarse o relajarse?
- ¿Entiende el niño la necesidad de expresar gratitud, la de disculparse o la de expresar remordimientos en determinadas situaciones?
- ¿Tiene el niño dificultades para interpretar los signos de que otra persona se aburre, está molesta o se siente violenta?
- ¿Carece el niño de sutileza o de madurez en la expresión de la cólera, el afecto, la ansiedad y la tristeza?
- ¿Presenta el niño cambios rápidos de humor?
- ¿Cómo expresa el niño el afecto y cómo responde a él?

Las conversaciones con los padres brindan la oportunidad de examinar si su hijo suprime los sentimientos de frustración y confusión en la escuela pero los manifiesta en el hogar. Desde mi punto de vista, algunos de estos niños son parecidos al Dr. Jekyll y Mr. Hide, es decir, son un ángel en la escuela y un demonio en casa. En los estudios publicados, los autores llaman a esa característica «enmascaramiento» (Carrington y Graham, 2001). Por desgracia, los padres serán objeto de críticas por no ser capaces de manejar en casa al niño con síndrome de Asperger. Un maestro contaba que un niño manifestaba una conducta ejemplar en clase, de modo que la conducta debía de ser consecuencia de cómo los padres abordaban las emociones de su hijo. Es importante que la dirección de la escuela sepa que, a veces, esos niños suprimen a propósito sus emociones en la escuela y esperan a llegar a casa para descargar su angustia y su ansiedad sobre sus hermanos más pequeños y sus padres. Estos niños se sienten más confusos, frustrados y estresados en la escuela de lo que su lenguaje corporal transmite y, al final, esas emociones reprimidas se expresan y se liberan cuando están en casa. La causa del problema no es que los padres manejen mal las emociones de su hijo, sino que éste no comunica su situación de estrés extremo en la escuela.

La evaluación diagnóstica también debe incluir un examen de cualquier ejemplo de reacciones emocionales inadecuadas o poco convencionales, tal como soltar una risita tonta (Berthier, 1995) o demorar la respuesta emocional. El niño está preocupado por algún motivo, no comunica sus sentimientos a sus padres y, quizás horas o días más tarde, libera las emociones acumuladas en una explosión *volcánica*. Esos niños se reservan sus pensamientos y, una y otra vez, reviven el acontecimiento en su mente para tratar de entender lo que ha ocurrido. Cada nueva representación de la acción mental provoca la liberación de las emociones asociadas y, al final, no puede afrontarlas. La frustración, el miedo o la confusión han alcanzado una intensidad tal que se expresan mediante una nueva conducta agitada. Cuando los padres descubren el motivo por el que el niño ha estado tantas horas o días cavilando, con frecuencia le preguntan la razón de que no lo haya explicado antes de modo que habrían podido ayudarlo. Sin embargo, estos niños son incapaces de expresar claramente sus sentimientos para poner sobre aviso a sus padres y no parecen saber de qué modo podrían ayudarlo a entender o a resolver el problema.

Algunos niños y adolescentes se sienten responsables del malestar o la angustia de otra persona y piden disculpas cuando, en realidad, no tienen nada que ver con sus emociones. Wendy Lawson lo explicaba con estas palabras:

> Hasta hace poco tiempo, siempre pensaba que si alguien de mi círculo cercano estaba enojado, sin ninguna duda, era culpa mía. Hoy empiezo a darme cuenta de que las personas pueden sentirse infelices o incluso enojadas por razones muy variadas. En reali-

dad, estos sentimientos no tienen nada que ver conmigo (Lawson, 2001, págs. 118-119).

En ocasiones los padres del niño habrán sido excesivamente protectores o su hijo manifiesta un apego excesivo o, por el contrario, mantiene las distancias con sus padres; también suele presentar reacciones emocionales intensas a los cambios de las rutinas o a las expectativas, o cuando experimenta frustración o algo no sale como había previsto. El niño cambia rápidamente de un estado emocional a otro. Suelo preguntar a los padres si, durante un breve período de tiempo, las emociones de su hijo son como la bola de una máquina del millón, que salta de una emoción a otra y va encendiendo sentimientos todavía más intensos. Cuando Wendy Lawson trataba de describir sus emociones expresaba lo siguiente:

> Para mí la vida tiende a ser un estado de felicidad o desdicha, enojo o falta de enojo. Creo que me faltan todas las emociones intermedias. En fracciones de segundo paso de un estado de ánimo sereno y relajado a otro de pánico (Lawson, 2001, pág.119).

También he observado que muchos padres destacan que su hijo parece más feliz cuando está solo (McGee, Feldman y Chernin, 1991), o cuando está dedicado a su afición favorita (Attwood, 2003b). El paciente no asocia la felicidad con las relaciones interpersonales o no sabe qué hacer cuando otra persona se muestra dichosa. En ocasiones, la felicidad se expresa de manera inmadura o poco corriente, tal como, literalmente, dar saltos de alegría o aplaudir con excitación.

La observación que el médico hace del niño con síndrome de Asperger revelará aspectos cualitativamente diferentes de los de los niños corrientes. Hans Asperger observó que la cara de los primeros carece de expresiones emocionales sutiles, es inexpresiva y rígida, y es más parecida a la de una máscara, a veces con una expresión poco natural o muy seria (Hippler y Klicpera, 2004). Un adulto con síndrome de Asperger me dijo: «Sólo tengo una expresión facial», y otro expresaba: «La gente me dice que sonría, aun cuando me sienta angustiado».

Durante la evaluación diagnóstica de estos niños, les cuento relatos y les formulo preguntas concretas para determinar su grado de madurez respecto a las aptitudes de la teoría de la mente (véase el cap. 5). Los cuentos contienen descripciones de los sentimientos de otras personas, por ejemplo, emociones como la excitación y la decepción. Observo con atención la expresión de su cara y su lenguaje corporal cuando oyen el cuento, para comprobar si la cara refleja la emoción que estoy describiendo. He observado que los niños corrientes muestran expresiones faciales indicativas de que simpatizan con el personaje central, pero los que tienen síndrome de Asperger suelen dar la impresión de prestar atención pero no manifiestan emociones. También he observado que los adultos con síndrome de Asperger no sienten empatía con los personajes de una película y ponen *cara de póquer*, mientras que el resto del público en el cine expresa claramente emociones de apoyo, comprensión y, en definitiva, empatía hacia determinados personajes.

Cuando hablamos de las emociones, los adultos con síndrome de Asperger intelectualizan sus sentimientos, desdeñan las emociones de los demás y describen grandes dificultades para entender emociones concretas, como el amor. Con frecuencia, manifiestan una inmadurez emocional clara; por ejemplo, un profesor de matemáticas puede tener la madurez emocional de un adolescente. A pesar de ser conocidos por irritarse con problemas relativamente insignificantes, he observado que algunos adultos tienen fama de no perder la cabeza en situaciones en las que la mayor parte de los adultos manifestarían pánico o se quedarían paralizados. Esta capacidad puede ser muy útil, por ejemplo, para los que son médicos, personal de urgencias o soldados en activo.

Estas personas tienen un concepto inusual o inmaduro de las emociones en cuanto a comprender que otra persona pueda expresar dos emociones al mismo tiempo: por ejemplo, sentirse encantado del ascenso propuesto en el lugar de trabajo pero terriblemente ansioso en relación con las nuevas responsabilidades. Sean Barron lo explicaba del modo siguiente:

> Tenía veinte años y todavía no había aprendido las normas elementales de las interacciones sociales que abren la puerta a una mayor comprensión de los demás: en general, las personas pueden y expresan más de una emoción a la vez. Desde mi punto de vista era inconcebible, por ejemplo, que una persona pudiera sentirse dichosa en general, aunque encolerizada por un incidente determinado; me asombraba que dos emociones contradictorias pudieran expresarse al mismo tiempo en una misma persona (Grandin y Barron, 2005, pág. 255).

La evaluación incluye un examen de la capacidad para identificar y expresar las emociones pero también la capacidad de repararlas. Para los niños, utilizo una historia social que me ayuda a evaluar su capacidad para entender cómo reparar los sentimientos de los demás. Le pido al niño que se imagine que llega de la escuela, va a la cocina y encuentra junto al fregadero a su madre de espaldas. Él le dice «hola» y, acto seguido, ella se gira. Cuando lo hace, el niño se da cuenta de que está llorando y parece sumida en una profunda tristeza. Enseguida tranquilizo al niño diciéndole que la tristeza no se debe a ningún motivo relacionado con él. A continuación, le pregunto: «Si tu madre llorara y pareciera muy triste, ¿qué harías tú?».

La respuesta inicial tanto de un niño corriente como de aquellos con síndrome de Asperger es preguntarle qué le ocurre. Anoto la respuesta y a continuación, le digo: «¿Pero qué podrías decirle o hacer para que se sintiera mejor?». Un niño corriente menciona de inmediato hablarle con ternura o hacer gestos de cariño para consolarla. Por el contrario, el niño con síndrome de Asperger tiende a preferir las acciones prácticas que «harán que se sienta mejor», como ofrecerle un pañuelo para secarse las lágrimas, prepararle una taza de té, ayudarla en las tareas domésticas, hablar con ella de su afición favorita (que es lo que a él le consuela cuando se siente así) o dejarla sola para que se le pase la tristeza rápidamente.

En ocasiones el niño con síndrome de Asperger propone darle un abrazo pero, cuando le pregunto por qué sería una acción eficaz, contesta que no lo sabe y que simplemente es lo que se supone que tiene que hacer. Estos niños prestan atención a los demás y desean con todas sus fuerzas que se sientan mejor, pero consiguen reparar las emociones por medio de acciones prácticas, la soledad o la imitación de la respuesta que observan en los demás. La ausencia clara o la calidad de sus palabras y gestos de afecto es clínicamente significativa, no sólo desde el punto de vista del diagnóstico, sino también para identificar los mecanismos de reparación emocional que son eficaces para el niño. El médico examina la calidad y la cantidad de propuestas de reparación emocional como parte de la valoración diagnóstica, pero la información resulta valiosa para determinar qué estrategias de reparación emocional es probable que sean eficaces si el niño necesita tratamiento para un trastorno emocional.

Del mismo modo que tiene problemas con la comprensión, la expresión, la regulación y la reparación de las emociones, el niño puede tener problemas respecto a la confianza en sí mismo para responder de la forma adecuada (como se espera de él). Acababa de diagnosticar el síndrome en un niño pequeño durante una evaluación diagnóstica efectuada en el domicilio de la familia. El niño se encontraba en casa de los vecinos, de modo que pudimos abordar el diagnóstico, las estrategias terapéuticas y el pronóstico probable. Cuando confirmé el diagnóstico, la madre del niño, que había sospechado durante años que su hijo tenía síndrome de Asperger, prorrumpió en lágrimas. Sus lágrimas eran de alivio y no de desesperación. Intuitivamente supe que necesitaba desahogarse. Puesto que estaba sentada junto a su esposo, anticipé que éste la consolaría. Sin embargo, él no mostró emociones ni hizo ningún intento de consolarla. Un poco más tarde, después de hablar de los antecedentes familiares y de las relaciones, mientras su esposo se ausentaba por un momento de la habitación, la mujer me preguntó si detectaba signos del síndrome en él. En realidad, había identificado signos evidentes del trastorno en las descripciones de su infancia y en su perfil actual de aptitudes. Cuando regresó, le pregunté si podía decirme qué estaba pensando cuando su mujer se echó a llorar un poco antes. El hombre me contestó: «Sabía que estaba preocupada pero no quería ponerme en evidencia comportándome de forma equivocada».

En resumen, las personas con síndrome de Asperger tienen dificultades para entender las claves que indican emociones y sentimientos. Como expresaba uno de estos niños al ver a su madre llorando, «¿por qué te llueven los ojos, mamá?». Es difícil saber cómo responder a esas claves. Un niño miraba a su hermana en el preciso momento en que se cayó del columpio. Cuando la niña, bañada en lágrimas, se acercó a su hermano y a su madre, el niño le preguntó a su madre: «¿Qué cara tengo que poner?». Los que desarrollan una aptitud para interpretar las señales carecen de la suficiente confianza en sí mismos para responder por su temor a cometer un error y, por lo tanto, tienen un repertorio limitado de mecanismos de reparación emocional.

ESCALAS DE VALORACIÓN DE LAS EMOCIONES

Los médicos utilizan diversas escalas de autoevaluación para valorar el grado de depresión, ansiedad o cólera que están destinadas a niños y adultos corrientes, pero que también son adecuadas para aplicar a personas con síndrome de Asperger. Éstas son más capaces de cuantificar una respuesta emocional con precisión utilizando una representación numérica de la clasificación de la experiencia y expresión de las emociones más que un vocabulario preciso y sutil. Utilizo el concepto de termómetro, gráfico de barras o escala de *volumen* de las emociones. Se utilizan estos parámetros análogos para establecer una evaluación basal, al igual que para incorporarlos al componente educativo de las emociones en el tratamiento de los trastornos emocionales.

La evaluación de la comprensión y expresión de las emociones comprende la elaboración de una lista de indicadores conductuales de los cambios del estado de ánimo. Entre los indicadores pueden estar los cambios de características asociadas al síndrome: por ejemplo, aumento del tiempo que la persona pasa en soledad o invierte en sus intereses y aficiones particulares; rigidez o incoherencia en los procesos del pensamiento debido a la ansiedad o depresión; o una conducta destinada a imponer un control en su vida cotidiana y en la de los demás. Esta lista se añade a los indicadores convencionales, como los ataques de pánico, los comentarios que indican una baja autoestima y los episodios de cólera.

La persona y su familia también completan un diario del estado de ánimo para determinar si los cambios se producen de manera cíclica o dependen de desencadenantes concretos. Por ejemplo, si el niño tiene un trastorno de ansiedad, los padres considerarán su grado de ansiedad durante el día y lo valorarán en una escala de cero a veinte. Una puntuación próxima a cero es indicativa de un día relativamente relajado, mientras que una puntuación próxima a veinte indica que el niño se ha mostrado sumamente ansioso durante el día. Con el tiempo, se perfilará un patrón, que puede relacionarse con el ciclo menstrual o lunar, con una época concreta del año o un ciclo o patrón de ondas claro, que guarde o no relación con factores ambientales. Las investigaciones médicas determinan si la persona tiene fluctuaciones poco comunes de las concentraciones hormonales o un ciclo de oscilaciones del estado de ánimo que indiquen un trastorno bipolar.

Trastornos de ansiedad

Todos hemos sentido ansiedad alguna vez, pero las personas con síndrome de Asperger parecen propensas a sentirse ansiosas y angustiadas la mayor parte del día y a manifestar ansiedad ante acontecimientos concretos. El fallecido Marc Segar tenía síndrome de

Asperger, y en su ensayo *The battles of the autistic thinker* (no fechado) escribió que la mayor parte de los autistas tienden a inquietarse y a mostrarse continuamente preocupados. He hablado con pacientes que han necesitado tratamiento para la ansiedad crónica, y muchos dicen que no recuerdan ningún momento de su vida en el que no se hayan sentido ansiosos, incluso durante su infancia. Yo dudo si es una característica constitutiva de estas personas o la consecuencia de un estrés excesivo al tratar de socializarse y afrontar los hechos impredecibles y las experiencias sensitivas cotidianas.

El acontecimiento concreto que desencadena los sentimientos de ansiedad puede ser un cambio anticipado, como un maestro que sustituye al habitual, cambios inesperados en su rutina, críticas o elogios que se le hacen en público o una experiencia sensitiva. La percepción sensitiva hipersensible de estas personas, en especial para los ruidos, hace que se pregunten, ansiosas, cuándo tendrá lugar la siguiente experiencia dolorosa. Mi cuñada tiene síndrome de Asperger y para ella el ruido de un perro ladrando es terriblemente doloroso. En ocasiones, eso ha contribuido a que manifestara agorafobia, ya que siente miedo a salir de su casa para ir de compras por la posibilidad de oír el ladrido de algún perro. La sensibilidad sensitiva crea un sentimiento de ansiedad y, por desgracia, la ansiedad incrementa la percepción sensitiva, y la combinación de la sensibilidad sensitiva y la ansiedad produce un efecto profundo sobre la calidad de vida de la persona.

Este grado de ansiedad afecta al razonamiento y propicia el desarrollo de estrategias para reducir la ansiedad. Cuando estamos relajados, nuestro cuerpo es flexible, pero cuando estamos ansiosos, está tenso y con los músculos rígidos. Idéntica sensación ocurre con el pensamiento y la resolución de problemas. Cuando una persona con síndrome de Asperger está ansiosa, su pensamiento tiende a ser más rígido. Uno de los signos de ansiedad que presentan es el pensamiento del tipo «visión en túnel» o en forma de obsesión, es decir, no tienen más que una idea en la cabeza. Marc Segal decía que «con frecuencia, el inconveniente de preocuparse es que te distrae del hecho en el que necesitas concentrarte para resolver el problema» (sin fecha).

Una forma de evitar las situaciones que provocan ansiedad es desarrollar un tipo de personalidad que, lamentablemente, se percibe como controladora o antagónica-inconformista. El niño utiliza las pataletas, el chantaje emocional, una actitud rígida de desafío y la falta de adhesión a las normas para asegurarse de evitar las circunstancias que aumentan su ansiedad. Otra forma de evitar las situaciones asociadas con la ansiedad es replegarse sobre sí mismo en la soledad o dedicarse a su interés o afición particular. El mayor grado de ansiedad suele asociarse con las situaciones sociales, mientras que el hecho de estar sola le garantiza a la persona que no cometerá ningún error social ni sufrirá las humillaciones o las burlas de los demás. Su afición puede ser tan fascinante y gozosa para ella que ningún pensamiento ansioso se colará en su mente. El médico también ha de tener en cuenta que, al igual que en otros casos, un medio de reducir la ansiedad es la automedicación o las drogas, como el alcohol o el *cannabis*.

Cuando el grado de ansiedad es extremo y prolongado se pierde el sentido de la realidad, de modo que la persona desarrolla delirios en consonancia con su estado de ánimo. La obsesión puede convertirse en un delirio, en particular cuando se abandona la resistencia a los pensamientos obsesivos o intrusos y desaparece el discernimiento. El pensamiento parece desorganizado y psicótico, y es necesario remitir al paciente a un psiquiatra especializado en el tratamiento de los trastornos emocionales en personas con síndrome de Asperger.

Al experimentar ansiedad crónica, la persona se vuelve muy sensible a cualquier situación que aumente su ansiedad. Tiende a pulsar el botón del pánico con demasiada rapidez. Eso también afecta a la calidad de vida de las personas que proporcionan apoyo a una persona que, además de síndrome de Asperger, tiene ansiedad crónica. La vida familiar se ve afectada, ya que hay que evitar las situaciones que pueden provocan potecialmente ansiedad, y tanto la persona como sus familiares sienten que «andan por un campo de minas de ansiedad».

A algunas personas con síndrome de Asperger les preocupan los acontecimientos y las experiencias poco probables. Marc Fleisher ha escrito un libro sobre estrategias de supervivencia para personas con síndrome de Asperger. Describe su propia ansiedad del modo siguiente:

> Una observación crítica es el hecho de que alrededor del 99 % de las cosas que me preocupaban nunca sucedieron. Las personas autistas malgastan una cantidad increíble de energía tensando todas las partes de su cuerpo en un estado de ansiedad cuando se preocupan por algo que, probablemente, nunca tendrán que afrontar (Fleisher, 2006, pág. 32).

Los trastornos de ansiedad más frecuentes en niños y adultos con síndrome de Asperger son el trastorno obsesivo-compulsivo, el trastorno de estrés postraumático, el rechazo a ir a la escuela, el mutismo selectivo y el trastorno de ansiedad social (Ghaziuddin, 2005b).

Trastorno obsesivo-compulsivo

Alrededor del 25 % de los adultos con síndrome de Asperger también presentan signos clínicos claros de trastorno obsesivo-compulsivo (TOC) (Russell y otros, 2005). Las personas que padecen un TOC tienen pensamientos que lo invaden todo y a los que no desean prestar atención: los pensamientos se describen como egodistónicos, es decir, angustiantes y desagradables. En una persona corriente esos pensamientos se relacionan con la limpieza, la agresividad, la religión y el sexo. La experiencia clínica y los estudios de investigación indican que es mucho más probable que los temas de los pensamientos obsesivos de las personas con síndrome de Asperger se relacionen con la limpieza, el acoso, las burlas, los errores que cometen y las críticas de los demás que las otras categorías de estos pensamientos molestos (McDougle y otros, 1995). En la población en general y en las personas con síndrome de Asperger, el periodo en

225

el que son más vulnerables a desarrollar un TOC son los diez o doce años de edad y al principio de la edad adulta (Ghaziuddin, 2005b). El tratamiento de los TOC es una combinación de psicoterapia, como la terapia cognitivo-conductual (TCC) (véase la pág. 247) y los fármacos.

En ocasiones los padres describen la afición pecualiar que pueda tener el niño como una obsesión que sugiere un diagnóstico de TOC; sin embargo, se observa una clara diferencia cualitativa entre una afición y una obsesión clínica. El paciente con síndrome de Asperger disfruta a todas luces de su afición: no es egodistónica y, por lo tanto, no necesariamente indica un TOC (Attwood, 2003b; Baron-Cohen, 1990).

Las compulsiones son una secuencia de acciones y rituales que suelen producirse de manera repetitiva, para reducir el grado de ansiedad. Entre ellos hay acciones como lavarse las manos para prevenir la contaminación por microorganismos, o comprobar muchas veces que todos los aparatos eléctricos del hogar están apagados. En la conducta típica de los niños con síndrome de Asperger suelen observarse acciones repetitivas o compulsivas. Por ejemplo, se aseguran una y otra vez de que sus objetos están bien alineados o guardan una simetría exacta, cuentan y vuelven a contar diferentes objetos personales o juguetes o tienen un ritual que realizan todas las noches antes de acostarse. Aunque son características conocidas del síndrome de Asperger, se establece un diagnóstico adicional cuando la intensidad o el grado de expresión va más allá de lo predecible para una persona con síndrome de Asperger, y alcanza significado clínico. Sin embargo, lo que es significativo desde un punto de vista clínico es la decisión subjetiva que toma el psicólogo o el psiquiatra.

TRASTORNO DE ESTRÉS POSTRAUMÁTICO

El trastorno de estrés postraumático suele ser la consecuencia de uno o varios acontecimientos traumáticos. Entre los signos clínicos de este trastorno están las tentativas de evitar el incidente o su recuerdo, ansiedad, depresión, cólera e incluso alucinaciones, todo ello asociado con un suceso o con acontecimientos desencadenantes. En la población en general, este trastorno se asocia con experiencias de guerra, abuso sexual y maltrato físico o emocional. Un acoso intenso y repetido también puede desencadenar los signos clínicos de este trastorno en niños con síndrome de Asperger (véase el cap. 4) y los que sufren ansiedad, con frecuencia refieren el temor a una lesión física como consecuencia del acoso (Russell y Sofronoff, 2004).

La persona tendrá recuerdos intrusos del acontecimiento traumático que resulta muy difícil bloquear. Un adolescente con síndrome de Asperger me contaba que los pensamientos intrusos (sobre el hecho de ser el blanco de un acoso malintencionado) parecían casi discutir con él. Decía que «su voz interna no lo dejaba tranquilizarse con facilidad. Seguía repitiendo lo que había ocurrido y lo mala que era con él esa persona». Obviamente el acontecimiento original fue traumático, pero los pensamientos intrusos y la recreación mental hacían que él experimentara y reviviera una y otra vez la misma sensación de temor y angustia.

El tratamiento de este trastorno consiste en fármacos y psicoterapia. Además, yo utilizo conversaciones mediante cómics (p. ej., caricaturas con bocadillos en los que se expresan pensamientos, sentimientos y comentarios) para examinar las experiencias traumáticas del niño o del adulto y ofrecerle explicaciones de la posible razón de que haya ocurrido el acontecimiento, su percepción de éste y los pensamientos y motivos de los diversos participantes, incluido él mismo. Acto seguido, se utiliza el componente de reestructuración cognitiva de la terapia cognitivo-conductual para modificar los pensamientos y las reacciones, y obtener su resolución o conclusión (véase la pág. 258).

RECHAZO A IR A LA ESCUELA

Un niño corriente puede no querer ir a la escuela por muchas razones, como sentir ansiedad, querer evitar que le pregunten la lección, o desear estar con sus amigos fuera de la escuela. Para los niños con síndrome de Asperger, este rechazo suele deberse a la ansiedad. En el caso de un niño pequeño es posible que sea la llamada ansiedad de la separación y el deseo de no dejar la compañía de su madre. El niño necesita la presencia del padre o de la madre para que le proporcione seguridad y guía. La clase es un entorno sobrecogedor que le genera un grado considerable de ansiedad. Esto se traduce en signos fisiológicos asociados con la ansiedad, como náuseas, dolor de cabeza y diarrea.

Más adelante, el contraste entre la vida y las circunstancias en casa y en la escuela se traduce en un rechazo a ir a la escuela. La falta de éxito académico y social, el miedo a ser el blanco de las burlas y la sensación de estar abrumado por las experiencias, tanto en clase como en el patio de recreo, propician una reacción fóbica a la escuela. En primer lugar, los programas de tratamiento deben determinar qué aspectos del colegio originan ansiedad y, en segundo lugar, deben alentar los logros académicos del niño y su integración social satisfactoria.

Mutismo selectivo

El mutismo selectivo afecta más a las niñas que a los niños, y la causa de que no se hable suele ser la ansiedad. Cuando una persona está ansiosa, las reacciones posibles son luchar, huír o quedar paralizado. Así pues, la ansiedad hace que una persona esté agitada, nerviosa e inquieta (lucha), que trate de escapar o de evitar la situación (huída) o que se paralice, es decir, que sea incapaz de participar o de hablar. El niño con síndrome de Asperger que presenta mutismo selectivo en sus primeros años de vida puede hablar con fluidez y desenvoltura cuando está relajado, por ejemplo en su casa, pero cuando está en la escuela, su ansiedad es tan intensa que es incapaz de hablar (no se muestra dispuesto a hacerlo). Los programas de tratamiento deben prestar atención a qué circunstancias y situaciones generan ansiedad y a desarrollar estrategias que aumenten la relajación y la confianza en sí mismo.

Trastorno de ansiedad social

Es previsible que la fobia social, o el trastorno de ansiedad social, sea bastante frecuente en personas con síndrome de Asperger, en particular en la adolescencia o en los primeros años de la vida adulta, cuando se dan cuenta con más precisión de su confusión en las situaciones sociales, de que cometen errores sociales y de que posiblemente hacen el ridículo. Una persona corriente que desarrolla una fobia social está preocupada por lo que los demás pensarán de ella y temerá sentirse azorada. He observado que los jóvenes con síndrome de Asperger que desarrollan signos de fobia social evitan más las autocríticas que las críticas de los demás y tienen un miedo patológico a cometer errores sociales. El tratamiento consiste en la administración de fármacos y terapia cognitivo-conductual, pero el niño con síndrome de Asperger y una fobia social también necesita consejos para mejorar sus habilidades sociales y aliento para ser menos crítico consigo mismo y aprender a afrontar los errores sociales.

Depresión

Nuestros modelos psicológicos y biológicos de los trastornos emocionales sugieren un *continuum* entre la ansiedad crónica y la depresión. Cuando está ansiosa, la persona se pregunta: «¿Y si ocurre esto?». Sin embargo, en la depresión, la persona afectada cree que es inevitable que ocurra lo peor. Es interesante resaltar que los trastornos de ansiedad y los depresivos responden positivamente a los mismos fármacos y a la terapia cognitivo-conductual.

Entre los signos de la depresión se dan, por ejemplo, el agotamiento físico y mental, la sensación de tristeza o de que nada merece la pena y la pérdida de interés por experiencias que previamente resultaban agradables al paciente. Además, también manifiesta retraimiento social, cambios de los patrones del hambre, con aumento o pérdida de peso, y del sueño, tanto sueño excesivo como insomnio. La persona habla de sentimientos de baja autoestima y culpa, no puede concentrarse y tiene ideas recurrentes sobre la muerte y el suicidio.

Las personas con síndrome de Asperger parecen vulnerables a los sentimientos depresivos, ya que una dc cada tres sufre depresión clínica (Ghaziuddin y otros, 1998; Kim y otros, 2000; Tantam, 1998a; Wing, 1981). Las razones son numerosas, entre ellas las consecuencias a largo plazo de la baja autoestima, de la sensación de no ser aceptado o de que los demás no lo comprenden, el agotamiento mental que conlleva estar siempre intentando tener éxito social, los sentimientos de soledad, ser el blanco de las burlas, del acoso o de la intimidación de los demás, quedar en ridículo, y su estilo cognitivo, que es fundamentalmente pesimista, es decir, que presta atención a lo que está mal y a los errores. En mis visitas he oído a adolescentes con síndrome de Asperger que manifiestan los signos de una depresión clínica y con frecuencia dicen: «Siento que no formo parte de mi mundo social». La depresión dará lugar a que se retraigan de todo contacto social y a la idea de que, sin éxito social, la vida no tiene sentido.

Las personas con síndrome de Asperger suelen ser perfeccionistas, tienden a ser extraordinariamente sagaces para descubrir los errores y tienen un claro temor al fracaso. Asimismo manifiestan una falta relativa de optimismo, con tendencia a dar por sentado el fracaso y a no ser capaces de controlar los acontecimientos (Barnhill y Smith Myles, 2001). A medida que el adolescente logra mayor madurez intelectual, esto se asocia con un mayor conciencia de ser diferente y con la percepción de tener fallos irreparables y estúpidos desde un punto de vista social.

Algunas de las características del síndrome prolongan la duración de la depresión y aumentan su intensidad. La persona con síndrome de Asperger no revela sus sentimientos, prefiere encerrarse en su soledad, evita la conversación (en particular, cuando trata de sentimientos y experiencias) y trata de resolver la depresión con pensamientos subjetivos. Una persona corriente sabe arreglárselas mejor y tiene más confianza cuando revela sus sentimientos porque sabe que la otra persona le ofrecerá otra opinión más objetiva y actuará como reparadora de sus emociones. Los familiares y amigos de una persona corriente la ayudarán temporalmente a atajar los sentimientos depresivos y hasta cierto punto a aliviar el estado de ánimo con palabras y gestos tranquilizadores y afectuosos. La ayudarán a distraerse proponiéndole experiencias agradables y placenteras o utilizando el sentido del humor. En ocasiones, estas estrategias de rescate emocional son menos eficaces para personas con síndrome de Asperger, que tratan de resolver los problemas emocionales y prácticos por sí mismas y para las que el afecto y la compasión no son tan eficaces como restauradores de las emociones.

Los signos de depresión son idénticos a los observados para niños y adultos corrientes, aunque los médicos especialistas en el síndrome de Asperger han observado otra característica que es indicativa de depresión. En el síndrome de Asperger el interés o la afición particular de esa persona suele asociarse con la obtención de momentos de placer y la adquisición de conocimientos sobre el mundo físico más que social (véase el cap. 7). Sin embargo, cuando se deprime, el interés puede volverse morboso y la persona se preocupa por diversos aspectos de la muerte.

En ocasiones la razón de dirigir su interés hacia lo macabro es mística, pero es un intento del niño de comunicar su confusión, tristeza e incertidumbre sobre lo que debe hacer. En su libro sobre autismo y síndrome de Asperger, Pat Howlin describe a Joshua, cuyo padre era un reportero gráfico que trabajaba como corresponsal de guerra. El hombre desapareció durante unos días y la familia estaba muy preocupada. Joshua empezó a preguntar a su madre qué armas usaban en cada bando y cuántas personas habían muerto. Durante esos días de ansiedad para la familia, Joshua no expresó su inquietud ni trató de buscar consuelo en los miembros de su familia. Al regre-

231

sar su padre, quiso saber cuántos cadáveres había fotografiado. Cuando le preguntaron por su aparente falta de inquietud o compasión contestó que sabía que su madre y su hermana estaban muy preocupadas pero que se sentía incapaz de consolarlas porque no sabía lo que le había ocurrido a su padre y, por esa razón, no les podía mentir; así pues, no sabía qué decir. En realidad, este interés morboso y las preguntas que formuló el niño eran un «ruego de ayuda» en su intento de comunicar y entender sus propios pensamientos (Howlin, 2004). Los padres y médicos han de investigar más allá del interés más visible y reconocer un trastorno emocional (ansiedad o depresión) que se expresa de forma no convencional, pero de un modo previsible, para una persona que tiene dificultades para entender y expresar las emociones.

La experiencia clínica confirma que algunos adolescentes y adultos con el síndrome que presentan depresión clínica consideran el suicidio como un medio de acabar con su dolor y desesperación emocionales. Suelen planear con mucha meticulosidad una forma de suicidio durante días o semanas. Sin embargo, los niños y algunos adolescentes con síndrome de Asperger experimentan lo que he descrito como «ataque suicida», una decisión tomada de improviso para acabar dramáticamente con su vida. Liliana, una mujer adulta con síndrome de Asperger, se formó una idea de su grave depresión, a la que se refería como «su migraña del alma». En la gente corriente somos capaces de reconocer la aparición de un ataque de pánico, que puede presentarse rápidamente y sin anticipación; la persona tiene una sensación de ansiedad súbita y abrumadora. En un episodio de depresión, el paciente con síndrome de Asperger tiene una sensación súbita y abrumadora de tristeza y depresión, por lo que hará un intento de suicidio impulsivo y dramático. De golpe, el niño se lanza delante de un vehículo que circula a toda velocidad o se dirige a un puente y salta desde él para terminar con su vida. Los que han vivido con él los momentos previos no han identificado ninguna idea depresiva visible, sino una ligera irritación, quizá por haber sido objeto de las burlas de los demás o por haber cometido un error, lo que actúa como desencadenante de una reacción emocional intensa, una crisis depresiva. Si se refrenan sus impulsos y se evita que consume el suicidio, recuperará su estado emocional característico, lo que indica que no padece una depresión clínica grave.

Cuando una persona está deprimida corre mayor riesgo de auto lesionarse. En su autobiografía, Nita Jackson explicaba que:

> Otro hecho acerca de la depresión es que cualquier elemento puede precipitar una crisis: una melodía, la secuencia de un acorde, un cuadro, un objeto fuera de lugar, una mota de polvo en el marco de un cuadro… y, por lo tanto, lo único en lo que pienso es cómo ahuyentar el dolor de mi cabeza, y el único medio es infligirme una lesión física. El maltrato de uno mismo puede adoptar muchas formas. No siempre hacen falta cuchillas de afeitar o un cuchillo bien afilado (N. Jackson, 2002, pág. 63).

> No siempre es verdad que las personas con síndrome de Asperger son ególatras y no prestan atención a los demás. Muchos de mis amigos me confiesan que mantienen en secreto su automutilación porque no desean que su familia se preocupe (N. Jackson, 2002, pág. 63).

En individuos con síndrome de Asperger el tratamiento de la depresión clínica convencional es una combinación de fármacos, terapia cognitivo-conductual y programas para impulsar su éxito social, su autoestima y una perspectiva de la vida más optimista. Todo ello se aborda más adelante, en otro apartado de este capítulo.

Cólera

No sabemos hasta qué punto son frecuentes los problemas de control de la cólera en niños y adultos con síndrome de Asperger, pero sabemos que, cuando se plantean problemas con la expresión de este sentimiento, tanto la persona como los miembros de su familia tienen muchas ganas de reducir la frecuencia, intensidad y consecuencias de estos episodios de cólera. Su rapidez e intensidad, con frecuencia como respuesta a un acontecimiento relativamente insignificante, son extremas. Utilizando la metáfora del control del volumen para la intensidad emocional de su expresión, con una clasificación del uno al diez, un niño corriente aumenta gradualmente la expresión de la cólera pasando por todos los niveles del volumen. Sin embargo, el niño o el adulto con síndrome de Asperger sólo tiene dos posiciones: entre el uno y el dos, y entre el nueve y el diez. Los acontecimientos que precipitan una reacción del tres al ocho en un niño corriente desencadenan un grado de expresión de nueve o diez en una persona con síndrome de Asperger. Por lo tanto, parece que la regulación de los sentimientos o el mecanismo de control de la expresión de la cólera son deficientes.

Cuando se siente encolerizado, el niño con síndrome de Asperger no es capaz de relajarse y pensar en estrategias alternativas para resolver la situación, considerando su capacidad intelectual y edad. En general, presenta una respuesta física instantánea sin pensar. Cuando la cólera es intensa, se manifiesta *ciego de rabia* e incapaz de detectar las señales que indican que debería poner fin a ese estado y tranquilizarse.

Los sentimientos de cólera también son la respuesta a situaciones en las que serían de esperar otras emociones. Me he dado cuenta de que la tristeza puede expresarse como cólera. En una ocasión, al iniciar una terapia cognitivo-conductual sobre el control de las emociones con un grupo de adolescentes con síndrome de Asperger, pregunté a los miembros del grupo cómo expresaban sus sentimientos de tristeza. Algunas de las respuestas fueron las características de niños corrientes, por ejemplo «trato de permanecer solo», «voy a dar un paseo» y «a veces, lloro». Sin embargo, algunos miembros del grupo dijeron: «Pongo a prueba un cristal hasta que lo hago añicos», «trato de distraerme con juegos violentos de ordenador» y «le doy puñetazos a la almohada». La observación de estas conductas en un adolescente corriente indicaría un sentimiento de cólera y no de tristeza. Las palabras de Luke al respecto expresan una combinación confusa de cólera y de depresión: «Cuando monto en cólera digo que desearía matarme».

Uno de los adolescentes con el síndrome, que formaba parte del grupo, me dijo que, cuando se sentía triste, se enfadaba con la persona que trataba de animarlo. Las palabras y los gestos de afecto no tenían un efecto emocional reparador para él y se traducían en una respuesta colérica y agresiva. Una adolescente del grupo dijo: «Creo que llorar no sirve de nada, por lo tanto, monto en cólera y tengo una pataleta». Para ella las lágrimas tampoco representaban una liberación emocional. Sin embargo, una acción física y destructiva no repara los sentimientos de tristeza. Por desgracia, otros interpretarían esa conducta como indicativa de cólera y agresividad. Cuando una persona tiene un sentimiento o pensamiento negativo como por ejemplo tristeza, ansiedad, confusión o vergüenza, cuenta con un extenso vocabulario de la expresión emocional que los demás entienden de manera sutil, precisa y fácil. Los niños con síndrome de Asperger tienen un vocabulario limitado de expresión emocional, que carece de sutileza y precisión, por lo que los demás lo malinterpretan fácilmente.

Existen otras razones por las que, para estas personas, el control de la cólera puede convertirse en un problema. Para niños muy pequeños e incluso adultos, la agresividad sirve para cumplir su objetivo: la soledad. Un niño en edad preescolar se siente encolerizado porque ha sido interrumpido por otros o ha tenido que jugar con ellos, y pronto aprende que el lenguaje grosero y los gestos agresivos los mantienen a distancia. Esta conducta puede continuar durante toda la vida. Doug, un adulto con síndrome de Asperger, preocupado por su mal carácter, decía: «La cólera es un arma que mantiene a los demás a distancia», y Grant afirmaba: «Si tengo un aspecto imponente, los demás me dejan solo».

En una situación de conflicto, un niño pequeño corriente se encolerizará y utilizará actos de agresividad para conseguir posesiones, dominar o controlar a los demás. Sin embargo, poco a poco, reemplaza los actos de agresividad y las amenazas por la negociación, los acuerdos, la cooperación y la comprensión de que, en general, uno consigue lo que desea siendo amable y simpático. Estas estrategias no son evidentes para el niño con síndrome de Asperger, que tiende a utilizar maniobras de confrontación inmaduras, pero en ocasiones eficaces, y chantajes emocionales. He observado que algunos niños con síndrome de Asperger desarrollan un trastorno de la conducta consistente en usar las amenazas y los actos de violencia para controlar sus circunstancias y experiencias. Por ejemplo, amenazan con hacer daño a su madre si ésta insiste para que vayan a la escuela; o utilizan la violencia para que les compre cualquier artículo relacionado con su afición favorita. Es interesante destacar que esa conducta agresiva de confrontación o *de llevar la contraria* no suele imitar el comportamiento de un miembro de la familia. De hecho, con frecuencia, los padres que están sometidos a amenazas y actos de violencia son personas muy dóciles que carecen de seguridad en sí mismas en situaciones de conflicto.

Los sentimientos de cólera ante lo que alguien hace dan lugar a actos de agresividad como medio eficaz para que deje de hacerlo. Por ejemplo, si el niño con síndrome agresivo es víctima de burlas o acoso, tiene una variedad relativamente limitada de opciones para acabar con la experiencia. La primera opción es rogar a los otros niños que dejen de molestarlo, pero si esto no da resultado, ni tampoco hacer caso omiso o decírselo a un adulto, la única opción que le queda al niño con síndrome agresivo es actuar con un estallido de agresividad para acabar con las burlas y el acoso insoportables. Utilizo la expresión «con tres golpes estás fuera de combate». El niño con síndrome agresivo ruega varias veces a su verdugo que deje de tomarle el pelo y de atormentarlo. Si sus palabras no surten efecto, la única alternativa que conoce para detenerlo es utilizar la violencia. Aunque el niño es consciente de las consecuencias de esa conducta inaceptable, ya no puede resistir que lo atormenten y se burlen de él, y sin duda, no sabe qué más hacer.

En el capítulo 1, hicimos referencia a las cuatro respuestas psicológicas que un niño tiene cuando reconoce que es diferente de los demás y que tiene un perfil de habilidades y conducta indicativos del síndrome de Asperger. Una de las reacciones es volverse engreído, poner en sí mismo y en los demás unas expectativas muy altas y tender a sentirse muy enojado cuando está confuso, desconcertado o frustrado. Cree que las otras personas son tontas o que tratan de confundirlo o molestarlo a propósito. Rápidamente sus sentimientos de cólera se convierten en ideas de revancha, destrucción, castigo y venganza física.

En un apartado previo de este capítulo hacíamos referencia a la elevada incidencia de la depresión en niños y adultos con síndrome de Asperger. En la depresión típica, el paciente se queja de falta de energía, baja autoestima y sentimientos de culpa. Interioriza los sentimientos. Sin embargo, en ocasiones, más que interiorizarse, la depresión se exterioriza (culpando a los demás), y se asocia con períodos de intensa energía emocional. Los médicos utilizarán el término «depresión agitada externa». Cuando recibo a un niño, o a un adulto, con síndrome de Asperger remitido por problemas en el control de la cólera, parte del proceso de valoración es determinar si, en realidad, los signos de cólera son los de la depresión clínica y deben tratarse como tal.

Es posible que existan razones neurológicas que expliquen el problema del control de las emociones en general y del control de la cólera en particular. Sabemos que una parte del cerebro, llamada amígdala, es anómala tanto desde un punto de vista estructural como funcional en niños y adultos con síndrome de Asperger. La amígdala desempeña muchas funciones, entras las que están la percepción y la regulación de las emociones, en particular el miedo y la cólera. Una metáfora nos ayudará a comprender la función de esta estructura, que sería similar a un vehículo conducido por una autopista. Los lóbulos frontales del cerebro representan al conductor, que toma decisiones ejecutivas sobre qué hacer, adónde ir, etc. La amígdala desempeñaría la función del salpicadero del automóvil, cuyos indicadores informan al conductor sobre la temperatura del agua, los niveles de aceite y de gasolina, y la velocidad a la que conduce. En el caso de las personas con síndrome de Asperger, el *salpicadero* no funciona bien. La información sobre el *calor* emocional cada vez mayor y el funcionamiento del motor (el grado de emoción y de estrés) no están disponibles para el conductor como alertas de una avería inminente.

Esto explicaría que el niño o el adulto no parezcan ser conscientes de que el estrés emocional es cada vez mayor, ya que sus pensamientos y su conducta no son indicativos de la alteración de su estado de ánimo. Por último, la intensidad de sus sentimientos y de su estrés es abrumadora, pero ya es demasiado tarde para el control emocional cognitivo o juicioso. En la conducta observable no hay signos de alarma incipientes de fusión emocional que otra persona pueda usar para restaurar el estado de ánimo, ni señales de advertencia en los pensamientos conscientes de la persona con síndrome de Asperger que le permitan usar el control de sí mismo.

Aunque la disfunción de la amígdala es una explicación verosímil de las dificultades en la comunicación y regulación de las emociones, se trata de una conjetura, y es importante mencionar que el funcionamiento incorrecto de esa estructura cerebral no debe utilizarse como excusa para sortear las responsabilidades o evitar las consecuencias correspondientes. No me gusta que un niño diga que, por culpa de su amígdala disfuncional, no pudo evitar un episodio de cólera y romper lo que tenía delante o hacer daño a la persona que tenía más cerca.

Hay otras causas de los problemas con el control de la cólera, como las dificultades para expresar los sentimientos con palabras (alexitimia), y el empleo de actos físicos para expresar el estado de ánimo y dar rienda suelta a la energía emocional. En ocasiones, la cólera se dirige a propósito hacia una persona como restauración del estado de ánimo. En su escuela una niña con síndrome de Asperger era famosa por su conducta educada, cortés y cumplidora, pero en su casa era conocida por lo contrario. La niña reprimía el estrés en clase y en el patio de recreo, pero, al regresar a casa, maltrataba verbal y físicamente a su hermana pequeña. Cuando le pregunté por qué motivo se comportaba de ese modo con su hermana al regresar de la escuela, me miró como si pensara que la razón era evidente y contestó: «Porque esto me hace sentir mejor». El término psicológico de esa conducta es «refuerzo negativo». Pegar y maltratar a su hermana ponía fin a su propia angustia y ansiedad, y representaba un poderoso refuerzo de su conducta agresiva.

A veces, los actos de agresividad son golpes o ataques preventivos, «por si acaso...». El niño con síndrome de Asperger tiene una experiencia previa que le proporciona razones para creer que un niño concreto lo tratará mal a propósito. Sin que haya provocación por parte del otro, el niño con síndrome de Asperger anticipa el conflicto y lo golpea primero. «Estaba a punto de hacerme daño, de modo que le pegué primero.» Lamentablemente, los sentimientos de cólera y la agresividad posterior lo aíslan todavía más de las interacciones constructivas con sus compañeros. Puesto que los otros no lo consideran su amigo, declinan cualquier responsabilidad de ayudarlo a tranquilizarse cuando está enfadado.

CONTROL DE LA IRA

Más adelante en este capítulo se describen los programas de tratamiento cognitivo-conductual para el control de la cólera (véase la pág. 247), pero en este momento es importante que el lector conozca la conducta que hay que seguir y lo que no debe hacer cuando una persona con síndrome de Asperger se siente muy irritada y pierde rápidamente el control de sí misma, es decir, pierde los estribos y entra en un estado de ira.

Todos nosotros montamos en cólera alguna vez y, por otra parte, conocemos a niños y adultos con síndrome de Asperger que raramente se enojan. Sin embargo, cuando la sensación de cólera es muy intensa y da lugar a un arrebato de ira, se aplica un término diagnóstico a estos pacientes, el de trastorno explosivo intermitente

239

(TEI), incluido en el DSM-IV, y definido con las palabras siguientes:

> El paciente experimenta episodios diferentes de imposibilidad de resistirse a los impulsos, que se traducen en una agresión grave o la destrucción de la propiedad, con una intensidad de la agresión desproporcionada con respecto a cualquier factor estresante psicosocial precipitante y no explicado por otros trastornos, como el trastorno de personalidad, el trastorno psicótico, el trastorno de la conducta o el trastorno de hiperactividad y déficit de atención, o por el consumo de alcohol o drogas (American Psychiatric Association, 2000, pág. 667).

Por lo tanto, si la persona con síndrome de Asperger tiene problemas con el control de la cólera que son intermitentes y extremos, es posible que se correspondan con una categoría diagnóstica relevante, lo que debería hacer que esa persona acceda a un tratamiento adecuado.

Cuando se trata con una persona con síndrome de Asperger que, de pronto, monta en cólera, es importante saber que algunas acciones emprendidas por los que presencian su arrebato aumentan su sensación de ira, entre ellas, elevar la voz, enfrentarse, expresarse con una actitud exaltada y utilizar una sujeción física. Elevar el tono de voz y enfrentarse (haciendo hincapié en los castigos) caldea todavía más el ambiente y aumentará su agitación, por lo que se mostrará aún menos flexible en su forma de pensar; eso inhibe su capacidad para considerar qué opciones son adecuadas para reducir su sensación de cólera. El sarcasmo aumentará su confusión, y es contraproducente que la persona que está con el paciente se muestre exaltada, enojada o incluso afectuosa, ya que sólo conseguirá añadir más leña al fuego.

Cuando hablaba con un niño sobre las estrategias útiles para no montar en cólera, le pregunté si un abrazo o un gesto afectuoso de su madre lo ayudaba a sentirse mejor. El niño me contestó con una negación rotunda: «No, todavía me vuelvo más loco». Para mí, ésa fue una información muy útil. El contacto físico y, en particular, los intentos de sujeción física aumentan su sensación de cólera y su fuerza. En ocasiones, formularle una simple pregunta como «¿cuál es el problema?», lo acalora todavía más, porque cuando el niño experimenta una intensa angustia emocional, su capacidad para expresar la causa de su cólera disminuye significativamente, lo que genera una frustración aún mayor. Recomiendo que, en los casos en que el niño o adulto con síndrome de Asperger monte en cólera, la persona que aborda la situación hable con voz tranquila y segura de sí misma, quizá sin preguntarle por la causa de su excitación y prestando atención a algún motivo de distracción o un medio más constructivo de liberar la energía emocional. Un ejemplo es proponerle algo relacionado con su afición favorita que sea absorbente mentalmente y muy entretenido, de modo que sus sentimientos de cólera queden excluidos de sus pensamientos; otras posibilidades son que permanezca solo para tranquilizarse poco a poco o que practique un actividad física intensa, como la marcha rápida o una carrera para quemar la energía destructiva.

Amor

Sabemos que las personas con síndrome de Asperger tienen un retraso en la adquisición de las aptitudes de la teoría de la mente que explica sus dificultades para formarse una idea de lo que piensan y sienten los demás y conceptuar sus propios pensamientos y sentimientos. Cuando se remite a una de ellas a un experto en trastornos emocionales, casi siempre será a consecuencia de la preocupación que suscitan sus sentimientos de ansiedad, tristeza y cólera. No obstante, a partir de mi extensa experiencia clínica con niños y adultos con síndrome persona con síndrome de Asperger, sugiero que manifiestan una cuarta emoción que les preocupa, tanto en cuanto a su comprensión como a su expresión: el amor.

Los niños corrientes se sienten dichosos por el amor que les pro-

fesan sus padres y buscan su afecto; son capaces de interpretar las señales cuando una persona espera de ellos un gesto cariñoso, y reconocen cuándo han de manifestar afecto para comunicar los sentimientos recíprocos de cariño o para reparar los sentimientos de
alguien. Los niños menores de dos años de edad saben que las palabras y los gestos cariñosos son el elemento restaurador emocional
más eficaz para sí mismos y para cualquier persona que está triste. En
cambio, la persona con síndrome de Asperger no entiende la razón de
que las personas corrientes se muestren tan obsesionadas con la expresión del amor y el afecto recíprocos. El niño vive un abrazo como
un apretón incómodo, y si es muy pequeño, pronto aprende a no llorar, ya que esto suele dar lugar a un abrazo u otro gesto de ternura.

En su autobiografía Donna Williams explicaba con elocuencia lo
siguiente:

> Anne gritaba a pleno pulmón en un terrible ataque de histeria
> cuando un miembro del personal se sentó en su cama y acercó la
> muñeca al cuerpo de la niña, lo que pareció aumentar su estado
> de desesperación. Pensé, ¡oh, estos símbolos de normalidad!, las
> muñecas. Son temibles recordatorios de que las personas tratan de
> consolarnos y, si no pueden, como mínimo procuran que obtenga-
> mos consuelo de sus iconos (Williams, 1998, pág. 171).

La persona con síndrome de Asperger se siente dichosa con una
expresión de ternura muy breve y de escasa intensidad, pero se
muestra confusa o abrumada cuando recibe una expresión de cariño
más intensa o los demás la esperan de él. No obstante, para algunos
niños y adultos con síndrome de Asperger se describe lo contrario:
parecen necesitar expresiones frecuentes de cariño (en ocasiones,
para tranquilizarse) y, en general, expresan un afecto que los demás
consideran dominante. El niño no tiene un vocabulario variado de
expresión afectiva que incluya gestos sutiles y propios de su edad.
Para algunas de esas personas, la expresión es excesiva. Un adulto
me decía: «Sentimos y mostramos afecto pero no con la frecuencia
suficiente y con una intensidad equivocada».

242

En su autobiografía, Edgar Schneider explica su confusión respecto al amor y al afecto:

> En un momento dado, mi madre, exasperada, me dijo: «¿Sabes cuál es el problema? No sabes cómo querer a la gente. Necesitas aprender a querer». Me quedé desconcertado por completo. No tenía ni la más remota idea de lo que quería decir. Y sigo sin saberlo (Schneider, 1999, pág. 43).

En un estudio psicoanalítico del síndrome de Asperger sus autores dicen que estas personas no se enamoran con facilidad (Mayes, Cohen y Klin, 1993). He trabajado como consejero matrimonial para parejas en las que a uno de sus miembros se le ha diagnosticado síndrome de Asperger. Tras conocer la noticia les pregunto a ambos miembros de la pareja cuál sería para ellos la descripción del amor.

A continuación se reseñan los pensamientos de hombres y mujeres que no comparten el diagnóstico de síndrome de Asperger de su pareja:

> El amor es tolerancia, no querer erigirse en juez y ofrecer apoyo.
> El amor es un complejo de creencias tecleadas en nuestros lenguajes y experiencias de la infancia; lo inspiramos cuando conocemos a alguien que tiene una cualidad que quizás admiramos o no tenemos (admiración y respeto) o cuando [alguien que admiramos] refleja nuestro yo ideal, lo que desearíamos ser o la imagen que desearíamos tener de nosotros mismos.
> El amor es pasión, aceptación, afecto, sensación de tranquilidad y dicha compartida.
> El amor es lo que siento por mí mismo cuando estoy con otra persona.

Las descripciones siguientes son del miembro de la pareja que tiene síndrome de Asperger:

El amor es ayudar a la otra persona y compartir múltiples actividades con ella.

El amor es tratar de conectar con los sentimientos y emociones de la otra persona.

El amor es compañerismo, depender de alguien que te ayuda para caminar en la buena dirección.

El amor es... no tengo ni la más ligera idea de lo que implica.

El amor es tolerancia, lealtad, permitir que el otro tenga su propio espacio.

El amor es... no sé cuál es la respuesta correcta.

El amor es seguir sintiéndome yo y experimentar mi yo.

En su libro *Aspergers in love*, Maxine Aston explica lo siguiente:

En las relaciones los hombres con síndrome de Asperger son muy sinceros, fieles y trabajadores, y la mayor parte permanece junto a la pareja elegida durante toda su vida. Dan y ofrecen amor de la forma que pueden. Si su pareja entiende el síndrome de Asperger, se dará cuenta de que esta entrega suele adoptar una forma práctica. Es poco probable que un hombre con síndrome de Asperger ofrezca apoyo emocional y sentimientos de empatía. Algunas mujeres no serán capaces de vivir con ese vacío y el sentimiento de soledad que les provoca. (Aston, 2003, pág. 197).

La persona con síndrome de Asperger tiene fama de ser compasiva con el sufrimiento físico y se emociona con fotografías de las consecuencias de la hambruna o de una catástrofe natural. Sin embargo, en ocasiones tengo que explicar a mis pacientes que la sangre que mana de una herida indica dolor físico, las lágrimas que ruedan cara abajo indican dolor emocional y que es adecuado que emprenda a mis pacientes alguna acción práctica para aliviar el dolor emocional de otra persona.

Los padres del niño con síndrome de Asperger, sobre todo las madres, se lamentan de su escasa utilización de gestos de afecto. Cuando su madre le expresa ternura con un abrazo afectuoso, el cuerpo del niño se vuelve rígido, y cuando está angustiado no siempre se tranquiliza con demostraciones de cariño. Una madre puede preguntarse qué puede hacer para consolar a su hijo cuando rechaza sus expresiones de amor y afecto o éstas no sirven como reparación emocional eficaz.

El niño con síndrome de Asperger considera confusas las expresiones de afecto de sus padres o las malinterpreta. Por ejemplo, la madre de un niño de ocho años de edad se acostaba a su lado en la cama hasta que se dormía. Era una expresión de afecto hacia su hijo y al mismo tiempo —pensaba— le producía el efecto tranquilizador de que, al conciliar el sueño, había un ser querido junto a él. Cuando le pregunté al niño por qué razón su madre se echaba a su lado a la hora de acostarse, me contestó: «Está cansada y dice que mi cama es mucho más cómoda que la suya».

Los maestros pronto se dan cuenta de que el niño con síndrome de Asperger aborrece con todas sus fuerzas que se le elogie en público, incluidos los gestos o las palabras de afecto. El paciente tiene una tolerancia limitada a la conducta afectuosa y exaltada de los demás. Chris contaba lo siguiente: «Detesto a las personas sentimentales y exaltadas, ya que creo que es una muestra salvaje de emoción vacía sobre cuestiones sin importancia, y ha de evitarse porque desmerece la expresión verdadera de los sentimientos» (Slater-Walker y Slater-Walker, 2002, pág. 88).

Aunque es posible que la persona con síndrome de Asperger sea dichosa y exprese un bajo grado de afecto, el problema se plantea cuando, durante la adolescencia o a principios de la edad adulta, se enamora. La expresión de su amor y los actos de afecto son demasiado intensos. Malinterpreta un acto amable de la otra persona y le da un significado mayor o diferente del que ésta pretendía. Debido a su déficit de las habilidades de la teoría de la mente, el paciente supone que la otra persona siente un grado recíproco de amor y la sigue tercamente a todas partes tratando de hablar con ella. Esto puede acarrear acusaciones de acoso.

Aunque disponemos de terapias y fármacos para aliviar la ansiedad, la depresión y la cólera, los médicos rara vez tratan a una persona corriente por un *mal de amor*. No obstante, los especialistas en el síndrome de Asperger saben que los niños y adultos que lo tienen necesitan educación sobre la comprensión del afecto y el amor y sus expresiones, desde cómo gustar a una persona y hacerle cumplidos, hasta enamorarse y darse cuenta de las expectativas que la pareja puede tener de sentimentalismo, romanticismo y pasión dentro de la relación. Utilizando una serie de historias sociales o artículos sociales (véase la pág. 113), el programa de educación sobre el afecto, el amor y las relaciones ha de incluir una explicación de la razón de que a las personas corrientes les gusten las demostraciones de afecto y cómo las ayudan; cómo mostrar que nos gusta alguien y saber cuándo le gustamos; y cómo llegar a una solución de compromiso entre el grado de afecto que desea una persona con síndrome de Asperger y el que esperan sus familiares y amigos.

Para una pareja y un padre con síndrome de Asperger, el tratamiento incluye la educación sobre cuándo y cómo expresar amor y afecto, y con qué frecuencia. En ocasiones empleo las estrategias de la terapia cognitivo-conductual, como la educación afectiva, para ayudar a la persona con síndrome de Asperger a entender el concepto de amor y los sentimientos relacionados con él; también uso la reestructuración cognitiva para cambiar su pensamiento y conducta y la desensibilización para reducir la ansiedad, confusión y frustración que suelen asociarse a los sentimientos de amor. El objetivo es aumentar gradualmente su tolerancia, su capacidad de pasarlo bien, y sus habilidades y confianza para expresar esta variedad de sentimientos, desde la sensación de que nos gusta alguien hasta la de que nos hemos enamorado.

Temple Grandin explicaba lo siguiente:

Mi escáner cerebral muestra que algunos circuitos emocionales entre la corteza frontal y la amígdala no están conectados. Son los circuitos que afectan a los sentimientos y están vinculados a mi capacidad de amar. Experimento las emociones del amor, pero no del mismo modo que la mayoría de las personas neurotípicas. ¿Significa esto que mi amor es menos valioso que el que sienten los demás? (Grandin y Barron, 2005, pág 40).

Terapia cognitivo-conductual

Cuando a una persona con síndrome de Asperger se le diagnostica un trastorno emocional, el psicólogo clínico o el psiquiatra han de saber cómo modificar el tratamiento de ese trastorno para acomodarse al perfil cognitivo poco común de estas personas. El tratamiento psicológico primario es la terapia cognitivo-conductual, desarrollada y perfeccionada durante varias décadas. La investigación ha mostrado que es un tratamiento eficaz para cambiar el modo de pensar y aprender a responder a emociones como la ansiedad, la tristeza y la cólera (Graham, 1998; Grave y Blissett, 2004; Kendall, 2000). Esa terapia presta atención a la madurez, la complejidad, la sutileza y el vocabulario de las emociones, y al pensamiento ilógico y las suposiciones incorrectas. Por lo tanto, tiene una aplicación directa tanto en niños como en adultos con síndrome de Asperger, que tienen alterada o retrasada la adquisición de las habilidades de la teoría de la mente y dificultades para entender, expresar y controlar las emociones. El modelo teórico de las emociones utilizado en la terapia cognitivo-conductual es coherente con los modelos científicos actuales de las emociones humanas, es decir, ser cada vez más consciente del propio estado emocional, saber cómo responder a la emoción y ser más sensible a los sentimientos de los demás (Ekman, 2003). En la actualidad tenemos estudios publicados de casos y disponemos de pruebas científicas objetivas de que esa terapia reduce y mejora significativamente los trastornos emocionales de las personas con síndrome de Asperger (Bauminger, 2002; Fitzpatrick, 2004; Hare, 1997; Reaven y Hepburn, 2003; Sofronoff, Attwood y Hinton, 2005).

La terapia cognitivo-conductual tiene diversos componentes o estadios, de los que el primero es la evaluación de la naturaleza y el grado de trastorno emocional mediante escalas de autoevaluación y una entrevista clínica. El componente siguiente es la educación afectiva para incrementar el conocimiento de las emociones. Un debate y diversas actividades investigan la conexión entre los pensamientos, las emociones y la conducta, e identifican la forma en que la persona conceptúa las emociones y percibe diversas situaciones. Cuanto más entiende las emociones, más capaz es de expresarlas y controlarlas de forma apropiada. El tercer estadio es la terapia cognitivo-conductual para reestructurar los conceptos distorsionados y sus pensamientos disfuncionales, además de abordar constructivamente las emociones. El último estadio es un plan de actividades para que practique las nuevas habilidades cognitivas de control de las emociones en situaciones de la vida real.

He diseñado dos programas de terapia cognitivo-conductual, titulados *Investigación de los sentimientos*, para niños y adolescentes con síndrome de Asperger, uno para controlar la cólera y el otro para controlar la ansiedad (Attwood, 2004a, 2004b). Por lo general un psicólogo clínico implementa el programa de terapia cognitivo-conductual, pero estos programas están pensados para que los implemente un psicólogo (educativo o clínico), psiquiatra, maestro, logopeda, terapeuta ocupacional o los propios padres

En un apartado previo de este capítulo hemos explicado las estrategias de evaluación que pueden usarse con personas con síndrome de Asperger para valorar el grado del trastorno emocional e identificar situaciones concretas asociadas con el control de las emociones. El tratamiento real empieza con una oportunidad de aprendizaje de las emociones, descrita por los psicólogos como educación afectiva.

EDUCACIÓN AFECTIVA

En el componente de educación afectiva de la terapia cognitivo-conductual, el individuo aprende las ventajas y desventajas de las emociones, así como a identificar los diferentes grados de expresión en palabras y en acciones, en él mismo y en los demás. En el caso de los niños, se emprende como un experimento. Un principio básico es investigar una emoción cada vez, empezando con una positiva antes de continuar con una emoción que suscite preocupación clínica. Con frecuencia, el psicólogo escoge la primera emoción, que suele ser la felicidad o el placer. A continuación se describen las actividades y estrategias del componente de educación afectiva de la terapia cognitivo-conductual.

Creación de un álbum de recortes de las emociones

Una de las primeras tareas es crear un álbum de recortes que ilustre la emoción. Este álbum contendrá dibujos o representaciones que para la persona con síndrome de Asperger tengan una asociación personal con la emoción: por ejemplo, si la emoción es la felicidad o el placer, y la persona es aficionada a los insectos y las arañas, en el álbum habrá una fotografía de una araña rara. Es importante recordar que este álbum de recortes ilustra los placeres en la vida de esa persona, que no siempre son los más habituales para un niño o adulto corriente. He observado que, en general, los adultos con síndrome de Asperger ponen en su libro de placeres dibujos o fotografías que suelen ser de paisajes o de animales, sin personas.

Los niños pequeños pueden recortar y pegar en el álbum dibujos y fotografías de personas de aspecto dichoso, y dibujos de acciones y acontecimientos agradables que encuentren en revistas. También seleccionarán dibujos y fotografías que ilustren cómo se resuelven lo que parecen ser problemas insuperables; por ejemplo, una fotografía puede mostrar al niño en los primeros estadios del aprendizaje de una habilidad, como montar en bicicleta. En el álbum escribirá una nota sobre su falta de habilidad en este estadio y sobre las emociones relacionadas, como ansiedad o frustración. Junto a esta fotografía, pegará otra que ilustre su éxito final y su dicha. El álbum también contendrá dibujos y descripciones de la comida, los juguetes y las personas favoritas.

El programa educativo también examina las sensaciones asociadas con el sentimiento, como olores, sabores y consistencias. Se anotarán en el álbum de recortes, que también se usará como diario para incluir los elogios que haya recibido, documentos de sus logros, como las calificaciones académicas, y los objetos de interés asociados con ocasiones de dicha. El niño actualizará con regularidad su álbum de recortes, que se utilizará en un estadio posterior de la terapia cognitivo-conductual para contribuir a modificar un estado de ánimo concreto, y alentar su confianza en sí mismo y su autoestima.

El álbum de recortes de la felicidad o placeres del niño también se usará para ilustrar las diferentes percepciones de una situación. Por ejemplo, si la terapia se dirige en grupo, se compararán y contrastarán los álbumes de todos los participantes. Con esta actividad, quedará claro que el tema favorito de una persona no es necesariamente el de otra; por ejemplo, hablar de trenes es una experiencia agradable para un participante, pero otro puede percibirla como muy aburrida. Por lo tanto, parte de la educación consiste en explicar que, aunque un tema concreto de interés cree un sentimiento de bienestar en una persona, hablar de ese tema no es una estrategia satisfactoria para animar a otra persona.

Percepción de los estados emocionales

Otro aspecto importante de la educación afectiva en la terapia cognitivo-conductual es que permite que el paciente descubra las claves predominantes que indican un grado particular de emoción en función de sus sensaciones corporales, su conducta y sus pensamientos. Estas sensaciones actúan como un signo de advertencia incipiente de un incremento inminente de la emoción. En parte, la educación afectiva está destinada a mejorar la función de la amígdala en la transmisión a los lóbulos frontales del cerebro de la información acerca del mayor nivel de estrés y de la respuesta emocional. Pueden utilizarse diversas técnicas para identificar las claves internas en forma de instrumento de autorregulación, como un electromiograma

(EMG) auditivo y un aparato para medir la respuesta galvánica de la piel. La intención es animar al paciente a ser más consciente de su propio estado emocional y a dominar una emoción antes de perder el control cognitivo.

La educación afectiva incluye información sobre cómo leer los estados emocionales de los demás. En su autobiografía, Nita Jackson explicaba lo siguiente:

> Descubrí que no podía entender las expresiones faciales de los demás, lo que decían o su forma de decirlo. Recordando mis primeros años de escolaridad, me doy cuenta de que usaba la risa cuando alguien lloraba porque creía que aquella persona estaba riéndose. No entiendo cómo pude cometer ese error; todo lo que sé es que me ocurrió muchas veces (N. Jackson, 2002, pág. 20).

Las expresiones faciales extremas de una persona que llora y ríe son muy similares. Ambas emociones pueden ir acompañadas de la aparición de lágrimas. La confusión de una persona con síndrome de Asperger es comprensible, pero los demás pueden malinterpretarlo. Esa persona se mostrará angustiada cuando alguien se ríe como respuesta a algo que ha dicho o hecho. No entiende la razón de que considere divertido su comentario o acción ni sabe si la persona pretende reírse con él o reírse de él. Entre las actividades de educación afectiva están la enseñanza de estrategias para mejorar las aptitudes relacionadas con la teoría de la mente (véase el cap. 5), incluidas las habilidades para leer las expresiones faciales y determinar las intenciones de los demás, sobre todo cuándo un acto es amistoso, fortuito u hostil.

La educación afectiva trata sobre la expresión facial, el tono de voz y el lenguaje corporal, que indican los sentimientos de los demás. La cara se describe como un centro de información de las emociones. Los errores típicos son no identificar qué claves son relevantes y cuáles son supérfluas, y malinterpretar dichas claves. El terapeuta utiliza diversos juegos y recursos para *transmitir el mensa-*

je y explicar los múltiples significados: por ejemplo, las cejas fruncidas pueden significar cólera, desconcierto o ser un signo de envejecimiento de la piel; una voz grave no significa automáticamente que una persona esté enojada. Los participantes usan dibujos para comparar las expresiones faciales de las diferentes emociones y examinar la combinación de los elementos faciales usados en esas expresiones.

Para aprender a identificar los estados de ánimo a partir de las claves verbales, los participantes escuchan grabaciones de la voz de una persona, y toman notas de los cambios operados en la prosodia y el énfasis. Otra actividad es repetir la misma frase utilizando un tono diferente de voz para indicar el estado de ánimo de la persona: por ejemplo, la frase «ven aquí» puede expresarse en un susurro, a voz en grito, acompañarse de un suspiro o pronunciarse con rapidez, e implica muchos significados diferentes (Pyles, 2002). Se proporciona educación en la comunicación gestual utilizando una versión modificada de *Charades*. Se ruega al paciente que imite una acción y que, al mismo tiempo, represente un estado de ánimo concreto. Los otros participantes han de adivinar tanto la acción como la emoción representadas. Por ejemplo, la acción podría ser jugar al tenis al mismo tiempo que tiene un sentimiento de confusión, o lavar los platos mientras está relajado.

Las actividades de educación afectiva también están destinadas a aumentar el vocabulario de la expresión emocional. De lo que a menudo se carece es de la expresión sutil de los sentimientos; por ejemplo, los estados intermedios entre encontrarse algo irritado y tener un arrebato de cólera, o sentirse apenado y desear poner fin a su vida por medio del suicidio. Los padres se muestran preocupados porque cuando el niño está excitado o agitado por lo que, en principio, es un acontecimiento menor, suele manifestar una reacción excesiva extrema. Por ejemplo se da cuenta de que el bote de su mermelada favorita está vacío, no encuentra otro en la despensa y las tiendas están cerradas. Su respuesta es excesivamente dramática: prorrumpe en llanto, echa la culpa a su madre y le dice que no la quiere. Para un padre, es una situación ridícula y una reacción exagerada, pero constituye un ejemplo del vocabulario limitado en la respuesta emocional.

Visité a un adolescente con síndrome de Asperger cuya madre estaba preocupada porque en diversas ocasiones durante la semana su hijo había dicho que quería matarse. De inmediato, efectué un examen del niño en busca de signos clínicos de depresión. No identifiqué la presencia de ninguno. Acto seguido, le expliqué al niño el concepto de termómetro de las emociones para medir su intensidad, y escribí en una hoja de papel las palabras que utilizaba y que habían suscitado tanta preocupación: «voy a matarme». El termómetro tenía una escala que variaba del cero al diez y le pedí que valorara la puntuación del termómetro que correspondiera a su estado de ánimo cuando pronunció esas palabras. El niño lo valoró a un nivel de dos. Ambos descubrimos que su vocabulario era muy limitado para expresar los sentimientos de decepción y tristeza. El niño había recordado las palabras de una película en la que el actor que hablaba de suicidio se mostraba apesadumbrado y supuso que era una forma de comunicar cualquier grado de tristeza.

Aumentar su vocabulario de expresión emocional ayuda a las personas con síndrome de Asperger que no saben cuál sería la respuesta emocional apropiada. En su autobiografía Stephen Shore contaba:

> En ocasiones me encuentro interesado en estudiar los sentimientos y las emociones. Esto sucede sobre todo cuando veo a alguien que experimenta una emoción fuerte o me doy cuenta de que no parezco manifestar la emoción *adecuada* a una situación concreta. Creo que la música sirve como amplificador de los sentimientos. Si tengo un estado de ánimo determinado oigo la música que exprese este sentimiento o la tarareo en mi cabeza… A veces creo que siento una emoción concreta pero no parece estar *allí* para percibirla… Después de que mi primera novia se marchara para ir a estudiar a Suecia durante un año, me puse la novena sinfonía de Gustav Mahler. En particular, el último movimiento me ayudó a afrontar la tristeza y la pérdida relacionada con su partida.

Este sentimiento se sumaba a la comprensión de que era probable que nuestra relación como pareja hubiera terminado (Shore, 2001, pág. 107).

Medir la intensidad de la emoción

Una vez que los elementos clave indican que se ha identificado una emoción concreta, es importante usar un instrumento de valoración para determinar el grado de intensidad. El terapeuta puede usar un *termómetro*, indicador o *control de volumen* y una variedad de actividades para definir el grado de emoción. Por ejemplo, seleccionará una serie de fotografías de caras que expresen grados variables de dicha o felicidad y colocará cada uno en el punto apropiado del instrumento. Por otra parte, puede generar diversos términos que definan diferentes grados de felicidad y colocarlos en el nivel correspodiente del indicador.

Los dibujos y las fotografías de otras emociones, como la tristeza, la cólera o el afecto, son más difíciles de encontrar que los que muestran felicidad. He utilizado revistas de periodicidad semanal para obtener dibujos y fotografías de situaciones de tristeza, como el sufrimiento humano debido a una catástrofe natural, y publicaciones deportivas para obtener fotografías que expresan cólera. Las fotografías de personas que expresan afecto y cariño son fáciles de encontrar en las revistas del corazón.

Durante la terapia para el control de las emociones es importante asegurarse de que la persona con síndrome de Asperger tiene la misma definición o interpretación de las palabras y gestos que el terapeuta, y clarificar cualquier confusión semántica. La experiencia clínica ha indicado que algunos niños y adolescentes tienden a usar afirmaciones extremas cuando están alterados. La educación afectiva aumenta su vocabulario de expresión emocional para garantizar su precisión en la expresión verbal, y así evitar las expresiones extremas y ofensivas o hirientes.

Stephen Shore es profesor de música. Me contaba que un niño

con síndrome de Asperger que es alumno suyo tenía problemas para clasificar los grados de expresión emocional y Stephen le enseñó a hacerlo dirigiendo la orquesta para llevar el concepto de gradación al terreno físico. Stephen y su alumno se turnaron para dirigir la orquesta con la variedad dinámica, lo que permitió que el alumno transfiriera ese concepto a las emociones y otras áreas de la vida en las que se requiere un método más complejo que una mera estrategia de *encendido y apagado*.

Una vez que se ha establecido el concepto de instrumento de medida, también se usará para determinar el grado de experiencia emocional en situaciones concretas. Por ejemplo, cuando se examina la dimensión de una emoción dada, se formulan preguntas como «¿Hasta qué punto te sentirías feliz/triste/enojado si…?», lo que requiere tanto una valoración numérica con el *instrumento* como las palabras, la expresión facial, el tono de voz y el lenguaje corporal asociados que representan ese grado de expresión.

Esta actividad es muy útil para determinar la respuesta emocional de la persona a situaciones específicas que desencadenan ansiedad, tristeza y cólera, y se usa para examinar cómo las palabras y acciones de los demás afectan a sus sentimientos. He observado que las personas con síndrome de Asperger tienen dificultades considerables para ver cómo sus propias palabras y acciones afectan a los sentimientos de los demás, como consecuencia de su déficit en la adquisición de las aptitudes de la teoría de la mente y de la falta de madurez de la empatía. Se pueden formular preguntas como «¿Hasta qué punto se sentiría feliz tu madre/padre si le dijeras que lo quieres?» o «¿Hasta qué punto se sentiría triste si le dijeras…?». Éste será un importante descubrimiento para ambas partes.

Fotografías de las emociones, material de lectura y programas de ordenador

El programa de educación afectiva puede incluir la creación de un álbum de fotografías con fotografías del niño y de miembros de la familia que expresan emociones concretas, o grabaciones en vídeo del niño expresando sus sentimientos en situaciones de la vida real; esto es especialmente valioso para mostrarle su conducta cuando está enojado. Otra actividad, titulada «Adivina el mensaje», incluye la presentación de determinadas claves, menos evidentes, por ejemplo la tos como signo de advertencia o las cejas arqueadas indicativas de duda o desconcierto.

Una parte inestimable del programa son los libros dedicados a emociones concretas. Los libros publicados sobre emociones han de ser adecuados a la competencia lectora del niño. Por ejemplo, un niño pequeño puede leer los libros de *Mr. Men*, de Roger Hargreaves, porque aparecen personajes como el *Sr. Feliz* y el *Sr. Malhumorado*. Ya hay libros adecuados por edades sobre trastornos emocionales, y las historias de ficción pueden ser leídas para descubrir cómo al final el personaje central entiende sus emociones y es capaz de controlarlas.

Un componente inestimable de los programas de educación afectiva para personas con síndrome de Asperger son los programas de ordenador que explican cómo identificar los pensamientos y sentimientos de una persona (Carrington y Forder, 1999; Silver y Oakes, 2001). Quizás el más utilizado es *Mind reading: The interactive guide to emotions*, de Simon Baron-Cohen y colaboradores (véase el cap. 5). También disponemos de un nuevo equipo de recursos de educación afectiva diseñado por nuestro grupo en Dinamarca para niños y adultos con síndrome de Asperger, el CAT-kit. Hay más información en <www.cat-kit.com>.

Incorporación del interés particular en los programas de educación afectiva

Es importante incorporar el interés particular de la persona en el programa para mejorar su motivación, atención y conceptuación. Por ejemplo, he trabajado con adolescentes cuyo tema de interés era el tiempo, y les he sugerido que expresen sus emociones en un informe meteorológico. Un estudio de campo para las emociones de un niño cuyo mayor interés son los aeroplanos sería una visita a un aeropuerto para observar las emociones de los pasajeros al despedirse, saludar a los amigos y familiares y esperar en la cola para someterse al control de seguridad. Una afición por los parques temáticos se usará constructivamente para examinar las emociones que varían desde los sentimientos trepidantes de estar subido en la montaña rusa, hasta los de miedo cuando se está montado en el tren de la bruja.

Formas alternativas de expresar las emociones

El profesional que dirige el programa de educación afectiva también examinará las diferentes formas de expresión de los sentimientos. He observado que, aunque la persona con síndrome de Asperger tenga dificultades considerables para hablar de sus emociones, será más elocuente y perspicaz cuando las exprese en un correo electrónico, escribiendo un diario o componiendo un poema; o quizás eligiendo o tocando música, o dibujando sobre un tema que represente sus emociones, o recordando la escena de una película.

Progresos en el programa

Cuando se ha entendido una emoción gozosa o positiva, como la felicidad o el afecto, y sus grados de expresión, el componente siguiente de la educación afectiva es usar las mismas actividades y procedimientos con una emoción negativa, como la ansiedad, la tristeza o la cólera. Cuando se examinan las emociones negativas, se usan actividades para explicar el concepto de lucha, huída o parálisis como respuesta al peligro o a la amenaza percibida. El niño examina cómo las emociones negativas de ansiedad y cólera afectan a su cuerpo y a sus pensamientos. La adrenalina provoca el aumento de la frecuencia cardíaca, el exceso de transpiración y una gran tensión muscular, y afecta a la percepción, a su capacidad de resolución de problemas y a su fuerza física. Durante miles de años, estos cambios representaron una ventaja en las situaciones que provocan ansiedad o que amenazan la vida. Sin embargo, en la sociedad moderna experimentamos la misma intensidad de la reacción fisiológica y psicológica a lo que *imaginamos* o *percibimos por error* como una amenaza. También es importante explicar que, cuando experimentamos un sentimiento, somos mucho menos lógicos y racionales, lo que afecta a nuestras habilidades en la resolución de problemas y en la toma de decisiones. Conservar la calma y mantener la cabeza fría ayudará al niño en situaciones tanto interpersonales como prácticas.

De mi experiencia clínica diré que algunos niños y adultos con síndrome de Asperger son sumamente sensibles por lo que respecta al examen y a la expresión de una emoción que consideran muy difícil de controlar, o que les ha provocado una confusión considerable o consecuencias negativas. Por ejemplo, es posible que se haya remitido al niño a un terapeuta por problemas con el control de la cólera y, cuando se inicia el examen de esa emoción, se muestra reacio a hablar de grados incluso insignificantes de expresión de la cólera. En estas circunstancias, suelo empezar por otra emoción negativa que utilizo para mostrarle lo que el tratamiento puede conseguir y proporcionarle confianza en su capacidad de controlar otras emociones antes de prestar atención a la que es importante desde el punto de vista clínico.

REESTRUCTURACIÓN COGNITIVA

El componente de reestructuración de la terapia cognitivo-conductual permite que la persona corrija el pensamiento que genera emociones como la ansiedad y la cólera o sentimientos de baja autoestima. El terapeuta la ayuda a modificar su pensamiento, sus emociones y su conducta utilizando el razonamiento y la lógica. La terapia cognitivo-conductual también la anima a tener más confianza y optimismo utilizando sus cualidades reconocidas, es decir, la lógica y la inteligencia.

El primer estadio consiste en establecer las pruebas de un pensamiento u opinión particulares. La gente con síndrome de Asperger puede hacer presunciones falsas sobre sus circunstancias y las intenciones de los demás debido al retraso en la adquisición de las aptitudes de la teoría de la mente. También tiende a interpretar de manera literal y fuera de contexto un comentario hecho de paso, o puede llevarlo al extremo. Por ejemplo, un niño experimenta en la escuela una intensa cólera hacia el niño con síndrome de Asperger y, en el calor de la discusión, le dice: «Mañana, cuando vengas a la escuela, te mataré». El niño con síndrome de Asperger puede interpretarlo literalmente y tener miedo de que, al día siguiente, cumpla su palabra. Otro ejemplo de mala interpretación de los sentimientos o intenciones, en esta ocasión de afecto, es el de una niña de cinco años de edad con síndrome de Asperger que regresa a casa de la escuela, claramente preocupada por algo, y empieza a hacer la maleta, insistiendo en que su madre y ella abandonen la ciudad esa misma noche. Al final, su madre descubre que la razón de su consternación y sus deseos de abandonar la ciudad es que un niño de su edad se le ha acercado y le ha dicho: «Voy a casarme contigo».

Un componente esencial y eficaz de la reestructuración cognitiva es poner en duda ciertas ideas por medio de los hechos y la lógica. Se proporciona información que establece las intenciones reales de los demás y muestra que la probabilidad estadística de un acontecimiento concreto es muy baja y dicho acontecimiento no es necesariamente mortal. Todos podemos hacernos una idea distorsionada de los hechos o de la conducta de los demás, pero las personas con síndrome de Asperger son mucho menos capaces de poner las cosas en perspectiva, de tratar de clarificar la situación o de considerar explicaciones o respuestas alternativas. En la terapia cognitivo-conductual se alienta al paciente a ser más flexible en su forma de pensar y buscar una aclaración mediante preguntas o comentarios como «estás bromeando ¿verdad?» o «me siento confuso por lo que acabas de decir». Estos comentarios también se pueden usar cuando se malinterpretan las intenciones de una persona, como «¿lo dices en serio?»

o «¿lo hiciste a propósito?» y para salvar la situación después de haber dado una respuesta inapropiada, con comentarios como «lo siento, te he ofendido» o «¡Oh! ¿Qué tendría que haber hecho?». Stephen Shore utiliza preguntas como «me doy cuenta de que tu cara tiene una expresión concreta pero no sé interpretarla. ¿He dicho algo que haya podido molestarte?».

Otro aspecto de la reestructuración cognitiva es aumentar la variedad de respuestas constructivas ante una situación concreta. Lamentablemente, los niños y los adultos con síndrome de Asperger suelen tener una variedad limitada de respuestas ante situaciones que desencadenan su ansiedad o su cólera. El terapeuta y el niño crean una lista de respuestas apropiadas e inapropiadas y las consecuencias de cada una. Pueden representar las diferentes opciones en forma de diagrama de flujos, lo que permite que el niño determine la respuesta más adecuada para todos los participantes a largo plazo.

Conversaciones mediante cómics

Para explicar las perspectivas alternativas o corregir los errores o suposiciones falsas, las conversaciones mediante cómics, creadas por Carol Gray (véase el cap. 5), ayudan al niño o al adulto a determinar los pensamientos, ideas, conocimientos e intenciones de los participantes en una situación concreta. La estrategia es dibujar un acontecimiento o una secuencia de acontecimientos en forma de viñetas con caricaturas o monigotes que representen a los participantes y bocadillos en los que figuran las palabras y pensamientos de cada uno de ellos. El niño y el terapeuta usan lápices de colores, un color para cada emoción. A medida que escribe en los bocadillos, el color que elige el niño indica su percepción de la emoción y de los pensamientos transmitidos o pretendidos. Esto puede aclarar la interpretación de los acontecimientos por parte del niño y el razonamiento de sus pensamientos y respuestas. Esta técnica lo ayuda a identificar y corregir cualquier idea falsa, y a determinar cómo las respuestas alternativas afectan a los pensamientos y sentimientos de los participantes.

Las conversaciones mediante cómics también permiten que el niño analice y entienda la diversidad de mensajes y significados que son parte natural de la conversación y la interacción social. He observado que con frecuencia el niño con síndrome de Asperger supone que los demás piensan exactamente lo que él piensa, o supone que las otras persona piensan exactamente lo que dicen, y nada más. Las conversaciones mediante cómics se usan para mostrarle que cada persona puede pensar muchas cosas, expresar diferentes sentimientos y emitir opiniones muy variadas sobre qué hay que hacer o pensar en una situación concreta. Esta técnica también se usa para determinar lo que es probable que piense o haga una persona como respuesta a diversas reacciones examinadas por el cliente y el terapeuta. Por lo tanto, el cliente escoge sus pensamientos, palabras o acciones con el objetivo de obtener el mejor resultado para todos los involucrados.

La caja de herramientas emocionales

Desde temprana edad, los niños saben muy bien que una caja de herramientas contiene diferentes instrumentos, que sirven para reparar un aparato o resolver un problema doméstico. Recientemente, he desarrollado el concepto de caja de herramientas emocionales, que ha mostrado ser una estrategia muy satisfactoria para la reestructuración cognitiva y en el tratamiento de la ansiedad en niños con síndrome de Asperger (Sofronoff y otros, 2005). La idea es identificar los diferentes tipos de *herramientas* para resolver los problemas asociados con las emociones negativas, en especial la ansiedad, la cólera y la tristeza. Las herramientas se dividen en las que de modo rápido y constructivo liberan la energía emocional o la reducen lentamente, y aquellas que mejoran el razonamiento. El terapeuta trabaja con el niño o el adulto con síndrome de Asperger y su familia, para identificar las herramientas que lo ayudan a reparar el sentimiento y las que hacen que las emociones o las consecuencias empeoren. Juntos utilizan lápiz y papel durante una sesión de lluvia de ideas en la que dibujan la caja de herramientas y dibujan o redactan notas sobre herramientas y actividades que favorecen la reparación constructiva de los sentimientos.

Instrumentos físicos

Las personas con síndrome de Asperger conceptúan el control de las emociones como un problema con el control de la energía, es decir, una cantidad excesiva de energía emocional y dificultades para controlarla y liberarla de manera constructiva. Los niños y adultos con síndrome de Asperger son menos capaces de liberar lentamente la energía emocional mediante la relajación y la reflexión, y suelen preferir reparar los sentimientos o liberarlos mediante una acción enérgica.

Les pido que confeccionen una lista de los tipos de herramientas que suele haber en la caja y que usen las diferentes categorías para representar las distintas estrategias de control de la energía. Por ejemplo, un martillo representa un instrumento o acciones que liberan físicamente la energía emocional mediante una actividad constructiva. Se dibuja un martillo en una hoja de papel, y el terapeuta y la persona confeccionan una lista de actividades liberadoras de energía seguras y adecuadas. Para niños pequeños puede ser saltar en una cama elástica o zambullirse en la piscina desde el trampolín. Para niños más mayores y adultos, correr, practicar un deporte o bailar servirán como «válvula de escape» de la energía emocional. Uno de estos niños hizo referencia a los partidos de tenis como herramienta física, porque «me ayudan a relajarme». Otras actividades pueden ser el ciclismo, la natación o tocar la batería. Algunas tareas domésticas también liberan eficazmente la energía: por ejemplo, preparar un zumo de naranja o picar carne en la cocina; en el caso de los adultos son actividades apropiadas las relacionadas con la jardinería y el bricolaje (pintar, cambiar la moqueta, etc.).

Algunos niños y adultos con síndrome de Asperger se habrán dado cuenta de que la destrucción es una herramienta física muy eficaz para «reparar rápidamente» una sensación desagradable de frustración. Algunas tareas domésticas producen una liberación satisfactoria y constructiva de energía potencialmente destructiva sin provocar desperfectos que podrían ser caros de subsanar. Por ejemplo, pueden aplastar latas o cajas para su reciclaje o hacer jirones ropa vieja para usarla como trapos. Esta *destrucción creativa* será el mecanismo de reparación preferente para adolescentes con síndrome de Asperger.

Herramientas de relajación

Las herramientas de relajación ayudan a las personas con síndrome de Asperger a tranquilizarse, reducen su frecuencia cardíaca y poco a poco liberan la energía emocional. Una pintura o un pincel pueden ilustrar esta categoría de herramientas de reparación emocional, entre las que están los dibujos, la pintura y, sobre todo, la audición de música relajante para ir desentrañando poco a poco los miedos y pensamientos. Con frecuencia, para estas personas la soledad es un medio muy eficaz de relajarse. Es posible que necesiten recluirse en un refugio tranquilo y aislado, quizá su dormitorio y, en la escuela, un área aislada de la clase o del patio de recreo en la que el niño con síndrome de Asperger esté a salvo de los niños que se burlan de él (véase el cap. 4). Los niños pequeños se relajarán balanceándose o efectuando acciones repetitivas, por ejemplo, manipular un objeto como una pelota antiestrés, el cubo de Rubik o el equivalente relajante de una sarta de cuentas. La repetición y las actividades predecibles ayudan a relajarse a adolescentes y adultos, que pueden oír la misma canción una y otra vez. Sin embargo, eso no suele ser relajante para nadie más.

Sean Barron explicaba lo siguiente:

No tengo ni idea de cuántos métodos existen para afrontar un miedo de tal magnitud que pende sobre mí como una nube de tor-

263

menta. Los tres remedios que he escogido y que han tenido sentido en todos los aspectos de mi vida han sido la repetición, la repetición y la repetición (Grandin y Barron, 2005, pág. 85).

Para los adultos, una tarea rutinaria, como la limpieza doméstica, organizar sus pertenencias u ordenar ropa, libros o CD es una acción repetitiva que satisface y relaja. Esas tareas rutinarias también se usan en situaciones problemáticas en la escuela. Por ejemplo, el maestro, que se da cuenta de que el niño manifiesta ansiedad, le asigna una responsabilidad de mucha categoría, lo que le permitirá evadirse de la situación estresante, como, por ejemplo, salir de clase para llevar un mensaje o documento importante al despacho del director; o lo distrae pidiéndole que haga algo que restablece el orden y la coherencia, como ordenar el armario del material escolar, colocando los libros por orden alfabético. Los adultos con síndrome de Asperger escogen sus propios instrumentos de relajación para usarlos en el trabajo y en casa.

En las terapias cognitivo-conductuales se entrenan técnicas de relajación que hacen hincapié en la respiración, la relajación muscular y la visualización mental de imágenes para inducir una sensación de serenidad y de control de las emociones. Esto es de particular utilidad para personas con síndrome de Asperger que suelen angustiarse o alterarse hasta grados extremos cuando algo no funciona o no sale como habían previsto o no pueden resolver el problema. A los niños les digo que, si mantienen la calma, también mantendrán su capacidad para pensar mientras que, si se alteran y excitan, no serán capaces de pensar. En el caso de los adultos, les hago ver que cuando están ansiosos por resolver un problema, su cociente intelectual disminuye treinta puntos y, si se enojan, disminuye sesenta. Si mantienen la calma y controlan sus sentimientos, les es más fácil encontrar una solución.

Cuando el niño se encuentra en un estado de agitación porque la solución no es evidente, pido a sus padres o al maestro que primero se centren en ayudarlo a relajarse. Sólo cuando se relaja es capaz de escucharlos o es lo bastante flexible para considerar las propuestas de los demás o encontrar otra solución.

Instrumentos sociales

Esta categoría de herramientas utiliza a otras personas o a los animales como un medio de controlar las emociones. La estrategia es encontrar a una persona apropiada y permanecer con ella, o con un animal que lo ayude a restablecer su estado de ánimo. La actividad social ha de ser agradable y no ha de asociarse con el estrés que, en ocasiones, entraña una interacción social, en particular cuando incluye a más de una persona.

El contacto social de apoyo ha de ser una persona que el niño admire o quiera de verdad, lo elogie (nunca lo critique) y se las arregle para decir las palabras apropiadas que reparan sus sentimientos. Esta persona puede ser un miembro de la familia, un amigo o un miembro del personal escolar que tenga tiempo suficiente para ser paciente con el niño, escucharlo (sin hacer juicios de valor), validar sus sentimientos y ser comprensivo. Para niños pequeños, la persona más capaz de restaurar sus emociones es un abuelo. A veces propongo que el abuelo tome notas de los comentarios tranquilizadores sobre el niño que ha oído en momentos de estrés o cuando el niño necesita relajarse, por ejemplo, a la hora de acostarse.

En ocasiones su mejor amigo será una mascota. A pesar del estado de ánimo negativo o de los acontecimientos estresantes de la jornada, los perros se ponen contentísimos cuando ven a su dueño, demuestran una adoración incondicional y claramente lo pasan muy bien en su compañía, como demuestran moviendo el rabo de aquí para allá. El tiempo que el niño permanece con su mascota es una actividad de restauración emocional muy eficaz. Las mascotas son los mejores interlocutores, ya que no hacen juicios de valor y son más capaces de perdonar que los seres humanos.

Para adolescentes, los chats en Internet son una actividad social satisfactoria, que también constituye un mecanismo adecuado de reparación emocional. El paciente mostrará mayor elocuencia y discernimiento si plasma sus pensamientos y sentimientos con el teclado del ordenador que hablando. Cuando mantiene una conversación por Internet no es necesario que tenga habilidades con el contacto ocular o que sea capaz de leer la expresión de una cara o entender los cambios del tono de voz o el lenguaje corporal. En el chat puede haber otras personas con síndrome de Asperger, que sentirán una empatía genuina y ofrecerán sugerencias constructivas para recomponer su estado de ánimo. Conozco a diversos adultos maduros con síndrome de Asperger que mediante Internet han proporcionado un apoyo razonable y consejos sobre el control de las emociones a los miembros más jóvenes de la «comunidad de Asperger».

Otra herramienta o actividad social que contribuye a reparar los sentimientos de desesperación y pesimismo es el acto de ayudar al prójimo y sentirse necesario, es decir, los actos altruistas. Me he dado cuenta de que, cuando ayudan a los demás, algunos niños, y en especial los adultos, se transforman y su estado de ánimo pesimista pasa a ser optimista y aumenta su autoestima. Esto incluye actividades como ayudar a una persona con dificultades en algo en lo que el niño tiene buenas aptitudes o experiencia, por ejemplo, un problema con el ordenador o una asignatura como las matemáticas. Los adultos se sentirán bien y obtendrán una recompensa emocional al trabajar como voluntarios, sobre todo con personas de edad avanzada, niños muy pequeños y animales. Sentir que somos necesarios y que se nos valora es un mecanismo de reparación emocional significativo para todos nosotros, y también para las personas con síndrome de Asperger.

Herramientas para pensar

El niño o el adulto puede nombrar otro tipo de herramienta, como un destornillador o una llave inglesa, que representa una categoría que se puede usar para modificar los pensamientos o la comprensión. Se alienta a la persona a utilizar su capacidad intelectual para controlar los sentimientos mediante diversas técnicas. Podemos controlar los sentimientos y la conducta hablando con nosotros mismos, en un diálogo interno, una estrategia valiosa de control de las emociones. Se anima a la persona a usar pensamientos, o el discurso interno, tales como «cuando estoy tenso puedo controlar mis sentimientos» o «puedo conservar la calma». Las palabras son tranquilizadoras y favorecen la autoestima.

Evan, un joven con síndrome de Asperger, desarrolló sus instrumentos de reflexión y creó sus «antídotos para los pensamientos venenosos». El procedimiento consiste en pensar en un comentario que neutralice los pensamientos negativos (venenosos), es decir, un antídoto. Por ejemplo, el pensamiento negativo «no puedo hacerlo» (pensamiento venenoso) se neutraliza con el antídoto «pediré ayuda, que es la forma inteligente de resolver el problema», o el pensamiento «soy un perdedor» se neutraliza mediante el antídoto «pero soy un ganador en el ajedrez». Se elabora una lista con los pensamientos negativos o venenosos, y el terapeuta junto con el cliente crean un antídoto personalizado para cada pensamiento. Evan llevaba siempre consigo la lista de antídotos de sus pensamientos venenosos, que se *administraba* o recordaba cuando los necesitaba. Los antídotos se basan en las habilidades de la persona y en los pensamientos que son lógicos y razonables.

Otro instrumento de reflexión es observar el acontecimiento con perspectiva, es decir, contrastarlo con la realidad. El método consiste en usar la lógica y los hechos con una serie de preguntas como «¿hay alguna otra tienda en la que pudiera comprar un juego de ordenador?» o «¿impedirán las burlas de otros niños acerca de mi interés por la astronomía que llegue a ser astrónomo?».

Temple Grandin contaba lo siguiente:

Cuando tenía veinte años, mi tía Anne me aplicó con éxito una terapia cognitiva. Cuando me sentía deprimida y pasaba gran parte del tiempo quejándome, me ofrecía razones objetivas por las que podía considerarme dichosa. Me decía: «Tienes un camión nuevo muy bonito mientras que el mío es viejo y está hecho una ruina». También me ofrecía otros ejemplos de hechos positivos o de aspectos buenos en mi vida. Cuando comparaba mentalmente las imágenes de ambos camiones, me animaba. En concreto, me ayudaba a entender que algunos de mis pensamientos carecían de lógica y no se basaban en hechos reales. Las emociones tienen este problema; confunden lo que pensamos (Grandin y Barron, 2005, pág. 110).

Nita Jackson cuenta cómo en ese momento es capaz de observar con perspectiva un problema que antes le generaba sentimientos de cólera intensa:

En la actualidad, si algo me encoleriza, no paso todo el día rumiándolo o dándole vueltas al problema, con la cara roja de ira y echando chispas. En lugar de eso, aplico las tácticas que me enseñó mi mejor amiga y tutora Jodie: distraer mi ira concentrándome en otra cosa durante un minuto, por ejemplo mis estudios, la música o una novela y, acto seguido, afronto de nuevo el problema y trato de resolverlo. Si tengo que ser sincera, después de esto, el problema no parecía ser ni la mitad de difícil de lo que parecía unos momentos antes porque había conseguido observarlo con perspectiva (N. Jackson, 2002, pág. 91).

Un instrumento de reflexión que pueden usar los niños con síndrome de Asperger para mejorar el estado de ánimo y su autoestima es obtener logros académicos, lo que, por lo general, para los otros niños no es un mecanismo de reparación de las emociones. Cuando el niño está alterado, el maestro le da instrucciones para que haga los deberes de una asignatura que esté entre sus favoritas y para la que el niño manifiesta una aptitud natural, como la resolución de problemas de matemáticas o la ortografía. Eso contrasta con los otros niños, que, probablemente, evitarán los deberes escolares cuando estén sometidos a estrés.

La relajación controlada también es un medio de reflexión útil. La estrategia es que el niño se guarde en el bolsillo un objeto que simbolice la relajación, o al que, por medio del condicionamiento clásico o asociación, responda relajándose. Por ejemplo, Carolina, una adolescente con síndrome de Asperger, era una ávida lectora de novelas y su libro preferido era *El jardín secreto*. En su bolsillo conservaba una llave que, metafóricamente, abría la puerta al jardín secreto, un lugar imaginario donde se sentía relajada y dichosa. Tocar o mirar la llave durante breves instantes la ayudaba a contemplar la escena descrita en el libro y, en consecuencia, a relajarse y a obtener un estado mental más positivo. Un adulto puede guardar en el bolsillo o en la cartera una fotografía que tenga un significado especial, como la de una pradera que le recuerde la soledad y la tranquilidad.

Herramientas relacionadas con sus aficiones especiales

Los niños y adultos con síndrome de Asperger experimentan un intenso placer cuando se dedican a su afición particular (véase el cap. 7). El grado de disfrute está muy por encima de otras experiencias potencialmente placenteras y actúa como restaurador emocional eficaz. En ocasiones la afición parece dominar el pensamiento pero ayuda, sobre todo, a excluir los pensamientos negativos, como la ansiedad y la cólera, y, de hecho, es una forma de bloquear el pensamiento. La afición es una fuente de disfrute y relajación intensas y actúa como *interruptor* para desconectar la agitación.

En la población general sabemos que las actividades rutinarias, los rituales y las repeticiones son relajantes, pero una de las características de las aficiones particulares de las personas con síndrome de Asperger es la naturaleza repetitiva, rutinaria y ritualista de las actividades asociadas. Por ejemplo, una adolescente tenía un gran interés por la cultura japonesa y llevaba a cabo una ceremonia del té muy elaborada y repleta de rituales siempre que se sentía ansiosa. Claramente la actividad le resultaba tranquilizadora. Luke Jackson (2002),

269

un adolescente con síndrome de Asperger, que tiene una habilidad pasmosa con los ordenadores, describe el catálogo de ejemplos de sus aficiones como un medio de *desfragmentación* personal. La actividad crea una sensación de bienestar y seguridad.

He observado que el grado de motivación y la duración del tiempo que invierten en su afición es proporcional a la intensidad del estrés, la ansiedad o la excitación. Cuanta más confusión, preocupación y agitación experimentan, más preponderante es el papel de la afición en su vida cotidiana. Si el niño, o el adulto, dispone de pocos medios de relajación y disfrute, es decir, pocos instrumentos de reparación emocional en su caja de herramientas, lo que había comenzado como una fuente de placer y relajación, en condiciones de estrés extremo, se convierte en un acto compulsivo que recuerda los de un trastorno obsesivo-compulsivo. Si la afición particular es la única fuente de relajación o de escape mental, dedicarse a ella llega a ser irresistible y se convierte en una compulsión. Si se le impide acceder de forma ininterrumpida a este medio de restauración emocional tan poderoso, la persona tendrá un estrés todavía mayor.

Para garantizar que el tiempo dedicado a la afición no es excesivo, se introduce un programa de dedicación controlada o cronometrada. Lamentablemente, desde el punto de vista del niño, el tiempo pasa demasiado deprisa cuando uno está pasándoselo bien. Es necesario negociar con él y llegar a acuerdos sobre la duración de esa actividad.

Cuando el niño está muy agitado, la variedad de los instrumentos de reparación emocional queda limitada y a menudo reducida a tres: la liberación física de energía, la soledad o dedicarse a su afición particular. Su afición no sólo es agradable, sino que también llega a ser fascinante y ningún pensamiento negativo perturba la obsesión. He observado que un *interruptor* eficaz es el acceso a la afición particular. Por ejemplo, si el adolescente siente un gran interés por los equipos de fútbol, los resultados de los partidos y la clasificación en la liga, sugerirle que escriba los resultados de los partidos disputados el sábado anterior producirá un efecto considerablemente tranquilizador; y eso no es una recompensa a una conducta inapropiada. En

270

las urgencias emocionales, consiste en hallar una forma rápida de prevenir que la agitación y la exaltación vayan a más en una situación en la que la caja de herramientas está vacía.

Tratamiento farmacológico

El tratamiento farmacológico se administra a niños y adultos con síndrome de Asperger para controlar las emociones; si la persona muestra signos claros de un trastorno emocional, se recomienda un medicamento para controlar aquéllas. La experiencia clínica ha confirmado el valor de los fármacos en el tratamiento de la ansiedad, la depresión y la cólera en niños y adultos con síndrome de Asperger, aunque con frecuencia ellos mismos, y sus padres, expresan otras preocupaciones. Algo que preocupa a los padres y a los médicos es que no disponemos de resultados de estudios longitudinales sobre los efectos a largo plazo de los fármacos psicotrópicos en niños pequeños con síndrome de Asperger. Sin embargo, se dispone de pruebas de que esta clase de medicamentos es beneficiosa en dosis bajas para algunos adultos (Alexander, Michael y Gangadharan, 2004).

Otro motivo de preocupación para padres, maestros y, en particular, el niño y el adulto con síndrome de Asperger es el efecto de los fármacos sobre su claridad mental. Muchos niños y adultos refieren que los medicamentos lentifican su pensamiento y les perturban las habilidades cognitivas. Esas personas suelen otorgar mucho valor a la claridad mental: un adulto describía su reacción a los fármacos del modo siguiente: «Me sentía como si me hubiera quedado encerrado en mi propia casa». Algunos adultos que han tomado medicamentos antipsicóticos para el control de la cólera me han explicado que los fármacos no modifican su experiencia interna pero reducen su energía para expresar el sentimiento.

Algunos trastornos emocionales son tan graves que la psicoterapia, como la terapia cognitivo-conductual, carece de la «fuerza» para ayudar a quien los padece a controlar los sentimientos intensos.

271

Cuando el medicamento ha suavizado la emoción o ha calmado el estado de ánimo, otras estrategias serán mas eficaces y, finalmente, reemplazarán a los medicamentos. Sin embargo, algunos personas con síndrome de Asperger refieren que su capacidad para controlar sus emociones y su calidad de vida ha mejorado hasta un grado notable con el uso crónico de ansiolíticos y antidepresivos en dosis relativamente bajas.

Aunque los medicamentos para el control de las emociones pueden ser una herramienta muy valiosa en la caja de herramientas emocionales, a mí me preocupa que por el hecho de ser barato y fácil de administrar el fármaco sea la única herramienta añadida a la caja. Lo más importante es establecer la razón de que aparezca cierto sentimiento y abordar su causa.

Otras herramientas en la caja

Otras herramientas potencialmente útiles de la caja de herramientas emocionales son las actividades agradables, como ir al teatro a ver una comedia. En ocasiones la risa es un medio eficaz de restaurar las emociones. Otro medio útil es la lectura de autobiografías de adolescentes y adultos con síndrome de Asperger como inspiración, aliento y fuente de consejos.

Entre la categoría de herramientas usadas por el terapeuta cognitivo-conductual hay una importante, que es la educación para cambiar los conocimientos y la actitud de la gente que interacciona con las personas con síndrome de Asperger o que las supervisa. Los instrumentos que cambian las actitudes previenen las situaciones que son causa de un sufrimiento emocional considerable. En una conferencia a la que asistí en los Estados Unidos, un adolescente con síndrome de Asperger llevaba impresa en su camiseta la frase siguiente: «Las personas como tú sois la razón de que la gente como yo tenga que tomar medicamentos».

Una herramienta para fomentar el control de sí mismo es sugerir que habrá un premio o una recompensa. La recompensa puede ser la posibilidad de dedicarse a su actividad o afición favorita o incluso de ganar dinero. He observado que algunos pacientes son *capitalistas* naturales. Por desgracia, el problema ulterior es la inflación y la gestión de la economía.

Otras herramientas que se describen como sensitivas son la evaluación de la capacidad de la persona para afrontar el mundo sensorial e identificar estrategias que eviten ciertas experiencias sensitivas (véase el cap. 11). Por ejemplo, se cambia la posición del pupitre del niño en clase o la mesa de trabajo del adulto para reducir el ruido ambiental, la intensidad de la luz y la proximidad a olores como los de los productos de limpieza. En el capítulo 9, que describe las habilidades cognitivas, se explican otras estrategias para reducir la confusión y la frustración cuando se enseñan asignaturas o se efectúan otras actividades académicas.

Cuando se sabe que una situación hace que el niño con síndrome de Asperger se angustie hasta grados extremos es razonable evitarla, si es posible. Por ejemplo, si se sabe, casi sin ninguna duda, que el pequeño se mostrará sumamente ansioso cuando por ausencia de su maestro lo sustituya otro, una historia social lo ayudará a prepararse para los cambios de la rutina, el ambiente de la clase y los cambios de conducta de los otros niños. Si no resulta una estrategia eficaz prepararlo para el acontecimiento, los padres pueden proponer que ese día el niño haga los deberes en casa.

En ocasiones el grado de estrés y de agotamiento emocional como consecuencia de sus esfuerzos para afrontar la escuela producen un efecto perjudicial sobre su salud mental. La información del aumento de la temperatura emocional en el niño mediante el termómetro y el diario del estado de ánimo indicarán que es inminente que se *derrita*; en ese caso, los padres, el terapeuta y el maestro determinarán si un breve descanso de la escuela puede beneficiar al niño. Si éste tuviera una enfermedad típica de la infancia, sería previsible que permaneciera un tiempo en casa hasta restablecerse; lo mismo ocurre para una enfermedad emocional. No obstante, los padres y los

273

maestros han estar atentos a que el niño necesite realmente ese descanso de la escuela y no esté tratando de manipular la situación.

Herramientas inadecuadas

Cuando se explica el concepto de caja de herramientas emocional, el terapeuta y la persona a la que trata hablan de las herramientas que no son adecuadas (por ejemplo, comentan que nadie utilizaría un martillo para reparar el ordenador) con el objetivo de explicar cómo algunas acciones, como la violencia, los pensamientos suicidas y las represalias o los planes de venganza, no son herramientas o mecanismos adecuados de reparación emocional. Otra estrategia de reparación emocional que puede no ser adecuada es la de retraerse en un mundo de fantasía. La utilización de libros y juegos imaginarios como vía de escape es un medio habitual entre los adolescentes corrientes, pero resulta preocupante que se convierta en el mecanismo dominante o exclusivo para afrontar un daño emocional. El límite entre fantasía y realidad puede hacerse borroso, lo que da pie a preocuparse por el desarrollo de signos de esquizofrenia. El terapeuta también ha de evaluar si el adolescente o el adulto con síndrome de Asperger consume drogas o alcohol para controlar su grado de estrés y su estado de ánimo y, en caso afirmativo, si la prescripción de fármacos sería más eficaz y entrañaría menos riesgos. Otros instrumentos inadecuados serían descargar su estrés sobre los demás con violencia, autolesionarse y destruir objetos valiosos o preciados.

También es necesario que el terapeuta valore las herramientas de reparación emocional usadas por los padres, los miembros de la familia y los maestros, y que elimine de la caja de herramientas las que no sean apropiadas y las contraproducentes. Los niños y adultos con síndrome de Asperger se sienten confusos por ciertas emociones, como el afecto, que puede ser causa de más agitación o confusión. Un adolescente describía cómo en ocasiones se sentía muy desdichado y señalaba que «monto en cólera cuando alguien trata de ani-

274

marme». La venganza mediante el sarcasmo aumentará la confusión y la agitación del individuo con síndrome de Asperger, y las amenazas agravan la situación. Una de las razones por las que la terapia cognitivo-conductual es tan eficaz en estas personas es que las estrategias se basan en la lógica y no en el castigo. Por mi extensa experiencia clínica opino que el castigo rara vez modifica las emociones y conductas. Es un medio usado por algunos padres y maestros, a pesar de que está claro que no funciona, por lo que debe eliminarse de la caja de herramientas emocionales.

Por último, el concepto de caja de herramientas es muy útil porque permite que la gente restaure sus propios sentimientos pero también los de los demás. Con frecuencia se benefician de un tutor en el aprendizaje de las herramientas que hay que usar para ayudar a los amigos y a la familia, y en el de las que utilizan los demás, de modo que pueden «pedirlas prestadas» para añadirlas a su caja personal de herramientas emocionales.

Puesta en práctica la caja de herramientas emocionales

Cuando el niño cuenta con una lista de herramientas de reparación emocional, el terapeuta hará una «caja de tarjetas índice» sacada de la de herramientas, de manera que cada tarjeta represente una categoría de herramientas. En cada una se dibuja el tipo de herramienta, por ejemplo, un martillo o un destornillador, y la lista de herramientas o estrategias que pertenecen a esa categoría. A medida que evoluciona el tratamiento, se descubrirán nuevas herramientas que se añadirán a la lista. El padre o la madre puede colgar un *termómetro de las emociones* en la puerta del refrigerador para que sea accesible fácilmente. De este modo, el niño indicará la intensidad de su sentimiento o del estrés que está experimentando, por ejemplo, cuando regresa a casa por la noche y decide cuáles son las herramientas preferentes para bajar su *fiebre emocional*. Los adultos pueden usar una alternativa a la caja de tarjetas, como un billetero para tarjetas de crédito, de modo que escribirán cada categoría de herramientas en una tarjeta diferente, que conservarán en el billetero para que sea de fácil acceso.

La aplicación práctica de la caja de herramientas emocionales se describe en una historia social. En esta historia social, no publicada, escrita por Carol Gray y yo mismo para un adolescente con síndrome de Asperger, se decía:

Uso de la caja de herramientas para conservar la calma y el control

A lo largo del día, los adolescentes pasan por momentos en los que se sienten tristes, ansiosos, confusos o frustrados, y por otros en los que se sienten seguros de sí mismos, relajados y se dan cuenta de que están controlando sus emociones. El arte y la ciencia del control de las emociones se aprende recurriendo a las emociones positivas y a las estrategias para perseverar en los momentos duros.

La actitud más inteligente que se puede mostrar es conservar la calma y el control de uno mismo.

A medida que una persona se hace más mayor, aprende a usar su inteligencia para controlar las emociones. De este modo, la gente que está con ella se siente cómoda. En una relación de amistad y en el trabajo en equipo, es importante mantener controladas las emociones negativas. Cada persona es responsable de cómo sus emociones afectan a los demás. El primer paso para mantener el control es saber cuándo las emociones están aumentando de intensidad. Cada persona tiene sus propias señales de esta intensificación o exaltación. Las mías son: (lista)

Cuando las emociones son más intensas, cada persona aprende a controlarlas usando su caja de herramientas de reparación personal. Mis herramientas incluyen: (lista)

Cuando otras personas conocen mi caja de herramientas y cómo me siento, pueden ayudarme a no perder el control.

Una vez que ha mejorado la comprensión intelectual de las emociones y se han identificado estrategias (o herramientas) para controlarlas, el paso siguiente de la terapia cognitivo-conductual es empezar a practicar las estrategias en una secuencia escalonada de tareas. En el primer estadio el terapeuta inspira los pensamientos y las acciones adecuadas en un modelo de conducta con el niño o adulto con síndrome de Asperger, expresando los pensamientos para controlar los procesos cognitivos. Se usa una forma de práctica escalonada, empezando con situaciones asociadas con un grado relativamente insignificante de angustia o agitación. A partir de la evaluación de las emociones dirigida al principio de la terapia, se confecciona una lista de situaciones o desencadenantes que precipitan los sentimientos concretos, anotando cada situación en una pequeña tarjeta. El niño o el adulto utiliza el termómetro o el instrumento de valoración elegido originalmente en las actividades de educación afectiva para determinar la jerarquía o el orden de clasificación de las situaciones. La que produce mayor sufrimiento se coloca en el nivel superior del termómetro. A medida que progresa la terapia, la persona ejercita la jerarquía para controlar las emociones más intensas.

Después de practicar durante la sesión de terapia, el niño o el adulto tiene que aplicar su nuevo conocimiento y habilidades en situaciones de la vida real. Los ejercicios de exposición satisfactoria son un aspecto esencial de la terapia cognitivo-conductual. El terapeuta necesitará comunicarse con los que proporcionan apoyo a la persona tratada en la vida cotidiana y coordinarse con ellos. Después de cada experiencia práctica se mantendrá un debate sobre el grado de éxito, en el que se utilizarán actividades como las conversaciones mediante cómics para hacer un resumen; se reforzarán los logros, por ejemplo entregándole un certificado de tales logros y un «libro de refuerzo» o mediante la redacción de una historia social en la que se anote su eficacia en el control de las emociones.

Durante la fase de práctica de la terapia cognitivo-conductual, uno de los aspectos es la generalización. La persona con síndrome de Asperger suele ser muy rígida en cuanto a reconocer cuándo son aplicables las nuevas estrategias a una situación que, sin duda, no se parece a las de las sesiones de práctica. El terapeuta se asegurará de que utiliza las estrategias en circunstancias muy variadas y no supondrá que una estrategia de control de las emociones que haya mostrado su eficacia se usará en cualquier circunstancia.

La duración de esta fase de práctica depende del grado de éxito y de la lista de situaciones. Poco a poco el terapeuta proporcionará menos guía directa y apoyo, lo que alentará la confianza del paciente para usar por sí solo las nuevas estrategias. El objetivo es proporcionarle un modelo o patrón de los problemas actuales y futuros aunque, probablemente, será necesario mantener contacto durante cierto tiempo para impedir las recaídas.

Resumen y reflexiones a modo de conclusión

La persona con síndrome de Asperger tiene un claro problema con la comprensión de las emociones propias y ajenas, y la expresión de las emociones con la intensidad adecuada a la situación. Hoy día disponemos de estrategias que ayudan a esas personas a entender las emociones, y terapias psicológicas eficaces para los trastornos emocionales secundarios. Lamentablemente, las personas corrientes tienen dificultades para manifestar empatía con estas experiencias y sólo se imaginan que debe ser como vivir en un mundo de emociones exaltadas que son confusas y abrumadoras. Liliana, una mujer adulta con síndrome de Asperger, explicaba una de las razones por las que los pacientes llevan una vida de reclusión emocional cuando me decía: «Carecemos de piel o protección emocional. Estamos expuestos y ésta es la razón por la que nos ocultamos».

Puntos clave y estrategias

- Entre los criterios diagnósticos del síndrome de Asperger se reconoce una diferencia cualitativa en la comprensión y expresión de las emociones, descrita originalmente por Hans Asperger.
- La madurez emocional de los niños con síndrome de Asperger suele ser como mínimo tres años inferior a la de los niños de su edad.
- Puede haber una limitación del vocabulario para describir las emociones y una ausencia de sutileza y de diversidad en la expresión emocional.
- Se ha descubierto una asociación entre el síndrome de Asperger y el desarrollo de un trastorno emocional añadido o secundario, como depresión, ansiedad y problemas con el control de la cólera, al igual que de la comunicación de amor y afecto.
- Alrededor del 25 % de los adultos con síndrome de Asperger también presentan síndromes clínicos claros de trastornos obsesivo-compulsivos.
- La gente con síndrome de Asperger parece vulnerable a los sentimientos depresivos, ya que una de cada tres personas afectadas presenta depresión clínica.
- No sabemos cuál es la frecuencia de los problemas de control de la cólera en niños y adultos con síndrome de Asperger, pero sabemos que cuando plantean problemas con la expresión de esa emoción tanto ellos como los miembros de la familia tienen muchas ganas de reducir su frecuencia, intensidad y consecuencias.
- Una persona con síndrome de Asperger se sentirá bien con una expresión de afecto que sea breve y de baja intensidad pero se mostrará confusa o abrumada cuando experimenta o se espera de él un expresión más intensa.
- El tratamiento psicológico primario de los trastornos emocionales es la terapia cognitivo-conductual (TCC). Hemos publicado estudios de casos y disponemos de pruebas científicas

objetivas de que ese tratamiento disminuye significativamente esos trastornos en personas con síndrome de Asperger.

- En el componente de educación afectiva de la TCC la persona aprende las ventajas y desventajas de las emociones y la identificación de los diferentes niveles de expresión en palabras y acciones, tanto en sí mismo como en los demás
- El componente de reestructuración cognitiva de la TCC capacita a la persona para corregir el pensamiento que crea emociones como la ansiedad y la cólera o sentimientos de baja autoestima.
- Para niños y adultos con síndrome de Asperger el control de las emociones puede conceptuarse como un problema de «control de la energía», es decir, una cantidad excesiva de energía emocional y dificultades para controlar y liberar constructivamente esta energía.
- La estrategia de la caja de herramientas emocionales consiste en identificar los diferentes tipos de herramientas para resolver los problemas asociados con las emociones negativas, en particular la ansiedad, la cólera y la tristeza.

7

Aficiones particulares

> Otro niño autista tenía intereses tecnológicos especia-
> lizados y conocía con todo lujo de detalles maquinaria
> muy compleja. Adquirió estos conocimientos mediante la
> formulación constante de preguntas, que era imposible
> eludir, y también hasta un grado notable mediante sus pro-
> pias observaciones.
>
> *Hans Asperger ([1944] 1991)*

Aunque la gente con síndrome de Asperger tiene dificultades con
los aspectos interpersonales de la vida, la mayoría tiene fama de ser
muy hábil en un área determinada de destrezas. Hans Asperger describió algunas de las características de los intereses o aficiones particulares:

> Conocemos a un niño autista que manifiesta un interés especial
> por las ciencias naturales. Sus observaciones demuestran que es
> una persona excepcionalmente detallista. Ordena sus informacio-
> nes de manera sistemática y formula sus propias teorías aunque en
> ocasiones sean demasiado complejas. Difícilmente las ha escu-
> chado o leído, y siempre hace referencia a sus propias experien-
> cias. También hay un niño que es *químico*. Utiliza todo el dinero
> que le da su familia para sus experimentos, que, con frecuencia,
> horrorizan a sus padres, e incluso ha llegado a robar para invertir
> en ellos. Algunos niños tienen intereses incluso más especializa-
> dos, por ejemplo, sólo en experimentos que crean ruido y olores.
> Otro niño autista estaba obsesionado por los venenos. Demostra-
> ba unos conocimientos inusitados en esta área y poseía una nume-
> rosa colección de venenos, algunos preparados por él. Este niño
> llegó a nuestra consulta porque había conseguido robar una im-
> portante cantidad de cianuro del aula de química de su escuela,

siempre cerrada con llave. Y otro niño se apasionaba por la aritmética y las matemáticas. Los cálculos complejos eran algo natural en él sin necesidad de que nadie se los enseñara (Asperger [1944] 1991, pág. 72).

Un componente esencial del interés es la acumulación y catalogación de objetos o de datos e información sobre un tema concreto. Para una persona, su interés particular representa algo más que un pasatiempo y puede llegar a dominar el tiempo libre y la conversación del paciente. Entre los criterios de Gillberg (Gillberg y Gillberg, 1989) para el síndrome de Asperger está la presencia de intereses de ámbito restringido que tienen como mínimo una de las características siguientes:

- Exclusión de otras actividades.
- Adhesión repetitiva.
- Más memorización que significado.

En el manual diagnóstico y estadístico de las enfermedades mentales, el DSM-IV, el criterio B de los criterios diagnósticos del síndrome de Asperger describe las características de los intereses especiales que se usan para confirmar el diagnóstico:

Patrones de conducta, intereses y actividades restringidos, repetitivos y estereotipados, manifestados por, al menos, uno de los siguientes rasgos:

1. Preocupación por uno o más patrones estereotipados y restrictivos de interés cuya intensidad u objetivo es anormal.
2. Adhesión en apariencia inflexible a rutinas o rituales no funcionales, específicos.
3. Manierismos motores estereotipados y repetitivos: por ejemplo, movimientos de aleteo o giro de manos o dedos, o movimientos complejos de todo el cuerpo.
4. Preocupación persistente por partes concretas de objetos (American Psychiatric Association [APA], 2000, pág. 84).

282

Una de las características que distinguen un pasatiempo de un interés peculiar clínicamente significativo es la anomalía en la intensidad o el objeto del interés. El médico hace un juicio subjetivo relativo a la intensidad, partiendo de la cantidad de tiempo que los niños y adultos corrientes dedicarían a la misma actividad, por ejemplo, jugar con trenes o caballos (o hablar de ellos), o coleccionar documentos antiguos o ver películas de ciencia-ficción. Cuando el interés es excéntrico —por ejemplo, en una niña, leer ávidamente catálogos de máquinas de cortar el césped, pronunciar monólogos prolongados sobre estas máquinas y tener una colección de varias máquinas antiguas en el garaje—, el interés se considera poco común y de significado clínico para una niña de ocho años de edad.

Los criterios del DSM hacen referencia al desarrollo de rutinas y rituales no funcionales. Por su parte, los criterios de Gillberg para el síndrome de Asperger (Gillberg y Gillberg, 1989) incluyen un criterio separado que hace referencia a las rutinas repetitivas que se imponen en casi todos los aspectos de la vida corriente.

Es difícil determinar si la imposición de rutinas y rituales es una característica esencial del síndrome de Asperger o una característica de las personas ansiosas. La imposición de rutinas y rituales es una característica asociada con los trastornos de ansiedad y las personas con síndrome de Asperger son propensas a presentar un grado elevados de ansiedad. Las rutinas también se desarrollan como mecanismo para afrontar el perfil inusual de aptitudes cognitivas asociadas con el síndrome de Asperger. Las rutinas se imponen para que su vida sea más previsible y para tener un orden, puesto que no toleran fácilmente las sorpresas, el desorden y la incertidumbre (véase el cáp. 9). Theresa Jolliffe describió lo siguiente:

La realidad de una persona autista es una masa confusa de acontecimientos, personas, lugares, sonidos y miradas que interaccionan. No parece que haya límites claros ni orden ni significado de nada. Paso gran parte de mi vida tratando de averiguar el patrón que hay detrás de cada cosa. Establecer rutinas, horarios, rutas y rituales ayuda a mantener el orden en una vida insoportablemente caótica. Tratar de que todo sea igual reduce parte del terrible miedo (Jolliffe y otros, 1992).

Las gesticulaciones motoras, estereotipadas y repetitivas, como el aleteo de las manos y los dedos, pueden ser la expresión inmadura de la excitación (al igual que los niños corrientes muy pequeños saltarían de alegría) o un tic motor que sería un signo de un diagnóstico asociado de síndrome de la Tourette (véase el cap. 10). Los movimientos complejos de todo el cuerpo también se asocian con un sentimiento determinado —por ejemplo, balancearse suavemente como medio de relajación— o un signo del síndrome de la Tourette. A partir de mi experiencia clínica, las gesticulaciones motoras como el aleteo de las manos cuando están excitados o agitados, y la preocupación persistente por ciertas partes de los objetos, son más características de niños muy pequeños con síndrome de Asperger y, mediada la infancia, con frecuencia estas características han desaparecido, aunque en ocasiones se observan en adultos (South, Ozonoff, y McMahon, 2005).

Los criterios diagnósticos de Peter Szatmari y colaboradores no hacen referencia a la presencia de un interés particular, y la experiencia clínica sugiere que una pequeña proporción de niños (en particular, los muy pequeños) y los adultos, que cumplen los otros criterios diagnósticos, no presentan un interés especial (Szatmari y otros, 1989b). En los estudios se ha revelado que el porcentaje de niños y adultos que tienen las otras características del síndrome de Asperger pero no manifiestan un interés especial varía entre el 5 y el 15 % (Bashe y Kirby, 2001; Hippler y Klicpera, 2004; Kerbeshian, Burd y Fisher, 1990; Tantam, 1991). Por lo tanto, la ausencia de un interés particular no debería excluir automáticamente la posibilidad de un diagnóstico de síndrome de Asperger.

Si un médico desea examinar con mayor detalle la conducta repetitiva o el interés particular de la persona que está tratando, dispone de dos exámenes que proporcionan más información. La Entrevista

Sobre la Conducta Repetitiva (Turner, 1997) se usa para examinar la naturaleza de los movimientos motores poco comunes, la utilización de objetos y la insistencia en rutinas rígidas. La Entrevista de Yale sobre Intereses Particulares (South, Klin y Ozonoff, 1999) se usa para examinar los aspectos cualitativos del interés especial.

Sabemos que la cantidad de tiempo y recursos dedicados al interés peculiar causan una perturbación considerable en la vida diaria del paciente y de su familia, y que esta característica también es muy estable a lo largo el tiempo (Piven y otros, 1996; South y otros, 2005). No obstante, su interés también le proporciona al niño una fuente inestimable de disfrute intelectual y se usa de manera constructiva para facilitar sus relaciones de amistad e incluso para conseguir un puesto de trabajo.

Desarrollo de los intereses peculiares

Los intereses poco usuales o peculiares pueden aparecer a los dos o tres años de edad (Bashe y Kirby, 2001). Comienzan con una preocupación por ciertas partes de los objetos: el giro de las ruedas de los coches de juguete o la manipulación de los enchufes. La fase siguiente puede ser una fijación por algo que no sea ni humano ni un juguete (Pyles, 2002) o la fascinación por un tipo determinado de objetos de los que se quieren adquirir tantos ejemplares como sea posible. En ocasiones las colecciones incluyen objetos de interés para otros niños, como piedras o chapas de botellas, pero algunas son excéntricas, como bujías o lápices de color amarillo. El niño busca con avidez la oportunidad de añadir nuevos objetos a su colección y dedica buena parte de su tiempo libre a la búsqueda de un nuevo ejemplar o trofeo.

El apego a los objetos es singularmente intenso, y el niño se siente muy afligido si pierde uno y experimenta un deleite visible cuando lo encuentra. El apego o *afecto* por los objetos parece ser más intenso que el que siente por los miembros de su familia. Los estudios publicados sobre las aptitudes de la teoría de la mente han establecido que los niños tienen considerables dificultades para entender y responder a lo que piensan y sienten los demás. El mundo social e interpersonal es confuso, de modo que el niño considera que los objetos y las máquinas y aparatos son más fáciles de entender. También son más de fiar que la gente, ya que no cambian de parecer ni se distraen ni se exaltan. Mi cuñada, que tiene síndrome de Asperger, escribió en su autobiografía no publicada:

> Es más fácil depositar el afecto en objetos que en las personas porque, aunque no pueden devolverlo, tampoco dan reprimendas. Es una forma muy segura de idolatrar en la que nadie sale herido.

El juego del niño pequeño puede ser algo excéntrico, en el sentido de que finge ser el objeto de interés más que una persona, un superhéroe o un animal, que sería lo habitual en el juego imaginario de un niño corriente. Por ejemplo, en la escuela se celebra el Carnaval y se espera que los niños vayan disfrazados. Muchos niños se han disfrazado de los personajes de sus libros, películas o programas de televisión favoritos. Sin embargo, Joshua, que tiene síndrome de Asperger, ha decidido ir a la escuela disfrazado del objeto que despierta su interés particular: la lavadora. Otra niña pequeña con síndrome de Asperger busca un área aislada del patio de recreo y, una vez allí, adopta una postura rara declarando que es un retrete obstruido. El interés particular de esta niña son los retretes.

En una carta, una abuela me describía la conducta poco corriente de su nieto con síndrome de Asperger:

> Jacob requiere tiempo a solas en su dormitorio, sobre todo cuando llega de la escuela. Cierra la puerta y se entretiene con juegos físicos violentos que incluyen correr arriba y abajo por su dormitorio, lanzarse sobre la cama, contra la puerta del armario, etcétera. Una vez, me permitió que observara sus juegos y, a regañadientes, me contó que era un jugador de fútbol, de ajedrez, de hockey, de béisbol, etcétera, en un orden determinado. Me ha-

cía demostraciones, y yo no tenía ni idea de lo que estaba ocurriendo hasta que me explicó que él era la pelota y, después, la pieza de ajedrez.

En la biografía sobre su hijo Ben, que tiene síndrome de Asperger, Barbara LaSalle describía un aspecto poco habitual de su juego fantasioso con sus compañeros:

> Me acuerdo del jardín de infancia y del baúl de los disfraces y una niña que le preguntaba: «¿Ben, tu serás el padre?». Claro que no; Ben no sería el padre, sino la radio. Para ser el padre hay que improvisar, ser un actor sin guión, mientras que para ser la radio tienes un guión: el guión del hombre del tiempo, el guión del periodista deportivo y el guión del encargado de informar sobre el tráfico (LaSalle, 2003, págs. 233-234).

Aunque el primer interés de las personas con síndrome de Asperger puede ser la fascinación por objetos insólitos, en un estadio posterior es posible que recojan información y personajes sobre un tema determinado. Pueden ser intereses acordes con su edad, pero su intensidad y duración siempre son poco comunes. Muchos niños corrientes en edad preescolar se interesan por programas de televisión, como los dibujos animados de los Picapiedra, pero a medida que se hacen mayores, este interés se desplaza hacia programas más comerciales. Sin embargo, el niño con síndrome de Asperger continuará interesándose por el primer programa hasta la etapa de la adolescencia.

El tema no suele ser adecuado para la edad y es raro para un niño pequeño. Stephen Shore explicaba que en su infancia:

> Los catálogos y manuales siempre atraían mi interés y me reconfortaban porque eran predecibles. Con frecuencia comparaba los diferentes tamaños y versiones de los productos ofrecidos en los catálogos. La capacidad de los aparatos de aire acondicionado, expresada en unidades térmicas británicas, me fascinaba, de modo

que en cada catálogo buscaba el aparato de aire acondicionado de mayor capacidad que funcionara con corriente alterna de 115 voltios (Shore, 2001, pág. 54).

Stephen me mandó otro comentario sobre esta cita, en el que mencionaba que había adquirido conocimientos considerables sobre los aparatos de aire acondicionado que le fueron de mucha utilidad para aconsejar a su familia, amigos y colegas. Suponía que una de las razones por las que estos aparatos se convirtieron en su mayor interés fue que, al igual que otros niños y adultos de espectro autístico, no tolera las condiciones de calor y humedad intensos (véase el cap. 11).

Algunos de los temas no serían elecciones previsibles para niños con síndrome de Asperger. Por ejemplo, puede haber un interés por un deporte, lo que es sorprendente y poco previsible si se considera la torpeza motora de muchos de estos niños. Sin embargo, el interés que muestran suele ser por coleccionar y recordar estadísticas y récords deportivos más que por practicar dicho deporte. Hay excepciones, y algunos niños muestran interés y aptitud en deportes solitarios, más que en los de equipo. Para adquirir habilidad, esos deportes requieren su práctica solitaria, precisión, ritmo, sincronización y estoicismo, como el golf, la natación, el billar, el alpinismo y correr maratones. La determinación de las personas con síndrome de Asperger y el tiempo que dedican a la práctica deportiva da lugar a éxitos deportivos destacados.

Buena parte de los conocimientos asociados con el interés particular se adquieren de forma autodidacta. El interés se elige porque algún aspecto es atractivo o importante para el niño con síndrome de Asperger y no porque la actividad sea el último grito y el niño deba ganar popularidad. Con frecuencia, el interés es una actividad solitaria e intuitiva que prosiguen con gran pasión pero, en general, no es compartida por los otros miembros de la familia o los compañeros. El grado de destreza y talento es extraordinario y se asocia a logros en la escuela o a premios, por ejemplo, en concursos de ortografía o matemáticas, y a la admiración real de los demás.

El interés puede estar en el ámbito de las bellas artes, como una capacidad asombrosa para el dibujo, la escultura o la música. La atención que presta el niño al detalle, el realismo fotográfico y el uso del color son sobresalientes. Las obras de arte suelen asociarse con su interés, por ejemplo, pinturas al óleo de trenes de vapor. También puede mostrar cualidades excepcionales, como cantar con buen oído o una capacidad extraordinaria para comunicar sus emociones mediante la composición o la interpretación musical, lo que contrasta con sus dificultades para comunicar sus sentimientos verbalmente y con el lenguaje corporal.

En los años de la preadolescencia y la adolescencia, los intereses pueden evolucionar hacia temas como la electrónica y la informática, la literatura fantástica, la ciencia-ficción y, a veces, hacia la fascinación por una persona concreta. Todo esto refleja los intereses de sus compañeros pero la intensidad y el objetivo son, una vez más, poco comunes. Nita Jackson, una adolescente con síndrome de Asperger, describe su progresión desde un interés por los objetos hasta un interés por individuos concretos:

> Mis preferencias empezaron dirigiéndose hacia los objetos de plástico, como envases (coleccioné 44 en total), y los tenía alineados en una estantería junto a mi ventana en orden alfabético, y las muñecas Barbie. Más tarde, empezó a interesarme la gente de carne y hueso. Entre los ocho y los doce años de edad, empezaron a obsesionarme las mujeres, que admiraba y a las que deseaba con todas mis fuerzas imitar, con independencia de que fueran personajes de ficción o reales. Un personaje concreto era la heroína de unas historietas australianas de batallas. También imitaba a otro personaje femenino de un cuento, que representaba todo lo que yo no era: alta, atractiva, hablaba y escuchaba con determinación, era fuerte, popular e independiente. Leía con veneración los tebeos e historietas hasta que podía recitarlos de memoria. Debía parecer ridícula soltando peroratas sobre mis personajes en plena conversación, cuando aburría con temas que no le importaban a nadie (N. Jackson, 2002, pág. 37).

Puede haber fascinación por un personaje concreto, ya sea mitológico, histórico o real. El interés que se centra en una persona real suele interpretarse como un enamoramiento de la adolescencia, pero la intensidad de este interés puede plantear problemas, como acusaciones de acoso e interpretaciones equivocadas de las intenciones. El interés por la literatura fantástica y los personajes y figurillas es tan intenso que la persona desarrolla sus propios juegos de rol y habilidades de dibujo muy detallista basadas en el interés particular.

Algunos adolescentes y adultos con síndrome de Asperger parecen tener una capacidad natural para entender el lenguaje informático y con frecuencia tienen habilidades para la programación de ordenadores casi tan buenas como las de un experto. Los compañeros valoran este interés, y es evidente que hay una cultura bien diferenciada de la adolescencia para los expertos en ordenadores. Previamente tachados de *gansos* y desdeñados por sus compañeros, se vuelven populares porque pueden acceder a los códigos de timadores, resolver problemas de ordenador y en las películas y programas de televisión populares son presentados como héroes y nunca como perdedores.

Los adultos con síndrome de Asperger tienen más probabilidades de leer sobre su afición que de hablar de ella, y el interés puede convertirse en un pasatiempo o, incluso, la futura fuente de trabajo. Los demás consideran al adulto experto en un tema especializado, que puede reconocerse en un grupo de personas con intereses o aficiones compartidos, o bien se le ofrece trabajo para que proporcione información o consejos sobre esa área especializada. Las personas con síndrome de Asperger son expertos naturales.

Categorías de intereses

Se identifican dos categorías principales de intereses: la obtención y colección de objetos, y la adquisición de conocimientos sobre un tema o concepto determinado.

Hans Asperger describió por primera vez la tendencia de los niños con una personalidad autística a ser coleccionistas ávidos:

> A menudo, la relación de los niños autistas con las cosas se limita a coleccionarlas y, una vez más, en lugar del orden armónico y la riqueza de una vida afectiva equilibrada, identificamos una deficiencia y espacios vacíos en los que se desarrollan áreas singulares en un grado excesivo. Las colecciones que prefiere el niño autista aparecen como posesiones frías e impersonales. El niño acumula objetos simplemente para poseerlos y nunca para hacer algo con ellos, como jugar o modificarlos. Por ejemplo, un niño de seis años de edad ambicionaba tener una colección de mil cajas de cerillas, un objetivo que perseguía con energía frenética (Asperger [1944] 1991, págs. 81-82).

La colección de objetos insólitos también es propia de los adultos que tienen síndrome de Asperger. Robert Sanders describe en su autobiografía su preocupación por una colección de teléfonos antiguos:

> Para demostrar un ejemplo de singularidad en mi colección de teléfonos antiguos, cuando en 1986 me encontraba en Nueva Zelanda observé que en aquel momento muchas ciudades pequeñas tenía un sistema de telefonía a través de operadora. Por ejemplo, Kaikoura, con 3.000 habitantes, tenía una centralita manual con nueve operadoras. Los teléfonos eran de baquelita negra y cada uno tenía una manivela. A principios del año siguiente, escribí a la New Zealand Post Office (su compañía telefónica) y les rogué que, si era posible, me vendieran uno de sus teléfonos con manivela. El jefe de la sucursal de correos me respondió y me dijo que en Kaikoura se había instalado telefonía automática el 15 de octubre de 1986 y estaban vendiendo los viejos aparatos por dos dólares neozelandeses cada uno. Volví a escribirles y les mandé dinero en efectivo para comprar tres, por lo que, incluido el franqueo y los gastos de envío, la cantidad ascendía a 60 dólares

norteamericanos. Al recibir el dinero, me mandaron los teléfonos por vía marítima.

Varios años más tarde, viajé una vez más a Nueva Zelanda y, cuando estaba en Kaikoura, hablé con la oficina de correos. El jefe de la oficina trabajaba todavía allí y le agradecí la venta y el envío de los teléfonos, que eran objetos muy apreciados. Me sorprendió al mencionar que era el *único* norteamericano que había coincido con él y había solicitado teléfonos de manivela.

¿El único? Por un momento me di cuenta de lo singular que soy y de lo singulares que son algunas personas de nuestro planeta. Hubiera dicho que, como mínimo, otros diez o doce norteamericanos, incluidos los coleccionistas de teléfonos, sin duda, habrían solicitado los teléfonos de manivela de Kaikoura (Sanders, 2002, pág. 54).

A medida que aumenta el número de objetos acumulados, la persona necesita establecer un sistema de catálogo o de biblioteca. El sistema ha de ser lógico pero es particular. Cuando Gisela y Chris contrajeron matrimonio, compartían un interés por la música clásica y juntaron sus colecciones de discos. Chris tiene síndrome de Asperger, pero su esposa, no. Catalogaron y clasificaron toda la colección en función de la fecha de nacimiento del compositor en vez de usar el orden alfabético (Slater-Walker y Slater-Walker, 2002). Su sistema de catalogación es lógico y es posible que sea superior desde el punto de vista intelectual y funcional a un sistema alfabético en el que Bach está junto a Bartok, dos compositores muy diferentes. Utilizando la fecha de nacimiento del compositor, la colección lineal de discos también representa la evolución de los estilos musicales. No obstante, la mayoría de la gente no tiene los suficientes conocimientos de las fechas de nacimiento de los compositores como para que les sean de ayuda a la hora de localizar un disco concreto en la colección.

Cuando se observan los objetos, se puede apreciar un sistema de orden determinado y una fascinación por la simetría. Si alguien toca por accidente o a propósito cualquier objeto de la secuencia, la persona con síndrome de Asperger se mostrará muy agitada y determinada a restablecer la secuencia simétrica.

Adquisición de conocimiento y destreza

La colección de objetos puede acabar transformándose en una colección de información y hechos sobre un tema o concepto determinado, lo que hace del coleccionista un experto en su particular interés. El niño bombardea a los adultos con preguntas sobre el tema, en general, sin darse cuenta de los signos de aburrimiento o irritación de los adultos al tener que contestar a preguntas sin tregua. La persona con síndrome de Asperger no se da cuenta de los signos no verbales y de la situación, que son evidentes para otras personas, y parece encontrarse en un estado de entusiasmo parecido al trance.

El niño o el adulto acumula conocimientos enciclopédicos sobre los hechos. En un correo electrónico Carolyn, una mujer adulta con síndrome de Asperger, me escribió: «Los hechos son importantes para nosotros porque nos proporcionan seguridad en lo que, de otro modo, es un mundo muy inestable. Los hechos y la información nos proporcionan bienestar y seguridad». La persona con síndrome de Asperger toma notas de los hechos confeccionando listas y acaba memorizando los datos y las cifras. Se parece a un científico que recoge datos, pero la información recopilada suele ser excéntrica, tal como los números de las matrículas o la localización de los radioaficionados en un país.

La evaluación, que Hans Asperger efectuó en su clínica en Austria desde 1950 a 1980, indica que hay ciertos temas que son atractivos para estos niños (Hippler y Klicpera, 2004). El interés más habitual son los animales y la naturaleza, lo que, por ejemplo, se inicia con un interés por los dinosaurios, típico de los niños pequeños, a pesar de que la profundidad de los conocimientos y el predominio de estos animales en sus conversaciones y el tiempo libre son inusuales. El interés por los animales evoluciona hasta una afición peculiar por

293

las clasificaciones de algún grupo zoológico determinado, como los arácnidos (arañas) o los reptiles del desierto. El segundo tipo de interés más habitual es el de carácter técnico y científico, y comprende especificaciones técnicas de marcas concretas de vehículos, como los BMW o los trenes AVE, o una rama de la ciencia como la geografía, la vulcanología, la astronomía o los planetas, las matemáticas o los números primos, la química y la tabla periódica de los elementos. El tercer tipo de interés por su frecuencia son los sistemas de transporte público. El niño puede memorizar todas las estaciones de la red de metro de una ciudad, vehículos antiguos restaurados y viajes en ferrocarril poco conocidos. Otras aficiones pueden ser el dibujo, en general, basado en un tema concreto o en un libro de cómics o en tebeos, o el dibujo de animales con un realismo casi fotográfico, y la música como oyente, intérprete o coleccionista de discos (Mercier, Mottron y Belleville, 2000).

En un sondeo, efectuado recientemente entre padres de niños con síndrome de Asperger, se confirmaron los temas y objetos relacionados con intereses particulares identificados por primera vez por Hans Asperger (Bashe y Kirby, 2001). Sin embargo, esa encuesta reflejó intereses actuales que no existían cuando Hans Asperger trabajaba como médico, por ejemplo, los relacionados con los juegos de ordenador, con los dibujos animados japoneses o con las películas de ciencia-ficción.

Los conocimientos enciclopédicos del niño llegan a ser notables y se le considera un profesor en miniatura, orgulloso de leer cualquier cosa sobre su tema favorito, que formula a los adultos preguntas relacionadas con ese tema y da clases a sus compañeros (de una forma que se parece más a un maestro que a un compañero). En ocasiones, da la impresión de ser un genio en potencia, pero los maestros observan que, aunque el nivel de atención y la atención a los detalles son considerables cuando se dedica a su interés particular, no presenta el mismo grado de motivación, atención y aptitud cuando el niño se ocupa de otras actividades de la clase, sobre todo las que interesarían a sus compañeros.

Invariablemente el objeto del interés cambia, pero cuando lo decide el niño, y es reemplazado por otro que, una vez más, es elección del niño y no de sus padres. La complejidad y el número de intereses varían de acuerdo con su grado de desarrollo y su capacidad intelectual. Con el tiempo, tiene lugar una progresión hacia varios intereses, cada vez más abstractos o complejos, tales como períodos de la historia, países o culturas concretas. Algunos niños establecen dos o más intereses simultáneos y su número aumenta con la madurez (Bashe y Kirby, 2001).

Intereses de las niñas y mujeres

Las niñas y los niños con síndrome de Asperger pueden pasarlo bien con los mismos intereses particulares, por ejemplo convirtiéndose en expertos sobre el *Titanic* o coleccionando con avidez cromos de Pokemón. No obstante, he observado algunas diferencias entre los interés de niños y niñas. Una niña con síndrome de Asperger puede manifestar un interés especial típico de los intereses de las niñas en general, como coleccionar muñecas Barbie, pero la niña con síndrome de Asperger tendrá una colección con más muñecas que sus compañeras, las tendrá colocadas en un orden concreto y no compartirá su juego con esas muñecas con nadie. En ocasiones usa las muñecas como personajes que representan gente real en su vida, y recrea acontecimientos para mejorar su comprensión de situaciones sociales, algo parecido a visualizar una y otra vez un vídeo para ayudarla a interpretar lo que está ocurriendo en la escena compleja de una película. También usa las muñecas para ensayar lo que diría en posibles situaciones de la vida real, de manera que las muñecas se convierten en amigas alternativas que quizás, a diferencia de las niñas reales de su vida, le proporcionan apoyo, la incluyen en su vida y son amables. Su interés es solitario y funcional.

Tanto los niños como las niñas adquieren información sobre su área de interés, con frecuencia un interés científico, y el material de lectura más apreciado son las enciclopedias y los libros de documentos. Sin embargo, he observado que algunas niñas muestran una fascinación peculiar por la ficción más que por los hechos reales. Entre sus intereses por la ficción está coleccionar y leer repetidas veces las novelas de autores como J. K. Rowling; o les fascina la literatura clásica, como las obras de Shakespeare, o las novelas de Charles Dickens, o Roald Dahl. Su intención no es sacar buenas notas en literatura, sino que siente un interés auténtico por los grandes autores y su obra. La niña se evade en un mundo alternativo y también es posible que piense en escribir novelas. Quizá sea el punto de partida de una carrera como escritora. La lectura y redacción de ficción también es una actividad terapéutica indirecta para conocer mejor los pensamientos internos de otras personas, lo que es útil para el desarrollo de las aptitudes de la teoría de la mente. En ocasiones, su interés particular se centra en los animales, pero es de tal intensidad que la niña se comporta como si fuera el animal, y si, por ejemplo, le fascinan los caballos, querrá dormir en una cuadra. Los animales reconocen intuitivamente a las personas que les gustan y saben que no les harán ningún daño, por lo que se establece una relación que sustituye a los amigos humanos. Los animales no decepcionan, no se burlan ni se comportan de manera despectiva, como ocurre con los seres humanos, y cuando escuchan a una persona que describe los acontecimientos del día, nunca la juzgan.

Durante la adolescencia, algunas niñas (y en ocasiones niños) con síndrome de Asperger desarrollan un interés particular por un mundo de fantasía. El centro de atención puede ser la ciencia-ficción y la fantasía, pero también las hadas, las brujas y los monstruos míticos. En ocasiones, se confunde un interés intenso por lo sobrenatural con algunas de las características asociadas a la esquizofrenia; en esos casos, el médico ha de conocer las diferencias cualitativas y funcionales entre un interés peculiar por lo sobrenatural y los signos precoces de esa enfermedad.

Una forma constructiva de que las niñas y las mujeres con síndrome de Asperger comprendan mejor las relaciones y las expectativas sociales es ver con avidez culebrones y telenovelas. El drama que se desarrolla proporciona un punto de vista de observador de las relaciones interpersonales y un posible guión para los encuentros en la vida real. El interés particular por los culebrones tiene valor porque constituyen una ventana al mundo social. Esta actividad también proporciona una posición ventajosa *segura* a partir de la que observar y asimilar los conocimientos sobre la amistad y sobre las relaciones más íntimas. No obstante, los modelos de conducta y el guión pueden estar excesivamente dramatizados y no ser adecuados para usarlos en la vida real.

Como adulta, un interés intenso por la literatura favorecerá la lectura de libros de *psicología* popular que ofrezcan los consejos prácticos que tanto necesita sobre las relaciones. Liane Holiday Willey, que tiene síndrome de Asperger, y cuya carrera académica se basó en su amor por la lengua y la literatura, refiere que, con la lectura de libros sobre el desarrollo de niños normales, ha sido más capaz de entender a sus hijos (Willey, 2001). Cuando se le plantea un problema, la persona con síndrome de Asperger busca conocimientos si no puede fiarse de la intuición.

Función del interés especial

Apenas se han investigado los orígenes y la función de los intereses peculiares asociados al síndrome de Asperger, pero a partir de mi extensa experiencia clínica y de la lectura de autobiografías de adultos que padecen ese síndrome, he podido observar que desempeñan diversas funciones.

SUPERAR LA ANSIEDAD

Una forma inteligente y práctica de reducir el miedo es conocer la causa de la ansiedad: para todo el mundo, los conocimientos son un antídoto del miedo. Lisa Pyles, la madre de un niño con síndrome de Asperger, escribió en la biografía de su hijo que el interés contribuye a que el niño controle sus miedos. El interés de su hijo por las brujas era su forma de afrontar el miedo que le causaban (Pyles, 2002). Varios padres me han contado que algo que daba miedo a su hijo se ha convertido en un interés particular. El temor al ruido del agua de la cisterna del retrete se convierte en una fascinación por la albañilería; una sensibilidad auditiva aguda al ruido de la aspiradora se traduce en una fascinación por los diferentes tipos de aparatos, cómo funcionan y sus propiedades. Conozco a varios niñas con síndrome de Asperger que sentían un intenso temor a los truenos y desarrollaron interés por la meteorología para poder pronosticar cuándo era inminente una tormenta. Liliana, una mujer adulta con síndrome de Asperger, describía cómo en su infancia tenía mucho miedo de las arañas, pero decidió superarlo leyendo todos los libros que pudiera encontrar y, de hecho, buscando arañas para estudiarlas. Matthias me contaba en un correo electrónico: «Si estoy paralizado de miedo tiendo a hablar de los sistemas de seguridad, uno de mis intereses particulares».

Un niño corriente puede resolver sus temores mediante palabras tranquilizadoras y el afecto profesado por padres y amigos, pero este método para resolver la ansiedad no es eficaz con las personas que tienen síndrome de Asperger. Sin embargo, su relativo punto fuerte es su capacidad para obtener conocimientos, que puede ser su forma de reducir la ansiedad.

FUENTE DE PLACER

Algunos intereses empiezan gracias a su asociación con una experiencia placentera. El interés es conmemorativo, relacionado con el recuerdo de una época más feliz o menos difícil (Tantam, 2000a). Uno de los primeros intereses de mi cuñada (que en realidad ha durado varias décadas) fueron los trenes: en particular, un tipo concreto de motor diésel, conocido como Deltic. Los primeros párrafos de mi libro *Síndrome de Asperger*, publicado en 1998, eran una descripción ficticia pero representativa de mi cuñada y su propensión a hablar de manera exaltada con desconocidos sobre los trenes Deltic. Hace poco tiempo, me mandó una breve autobiografía no publicada, en la que escribía:

> La mayoría de las épocas más felices de mi vida corresponden a los períodos de vacaciones porque me gustan los barcos y los trenes (las únicas ocasiones en que experimentábamos esas cosas). Para mí fueron momentos de gran estabilidad y seguridad.

Una asociación con el placer puede ilustrarse con el ejemplo de un niño pequeño que visitó un parque temático y montó por primera vez en una montaña rusa. La experiencia emocional de la aceleración y la caída fue muy divertida para él, que insistió en pasar la mayor parte del día delante de la montaña rusa, gritando, no de miedo, sino de placer. Siempre que, más tarde, veía fotografías de montañas rusas, leía toda la información que había o hablaba de ellas, y así experimentaba una sensación *fantasma* de euforia igual a la que había sentido durante aquella visita al parque de atracciones. Más adelante, desarrolló un interés especial por las montañas rusas y, cuando nos conocimos, me dio una conferencia fascinante y detallada sobre la historia y los diferentes tipos de montañas rusas. Sólo tenía ocho años.

En su manual para adolescentes con síndrome de Asperger, Luke Jackson contaba que:

> Si me centro en mi fascinación, sean los dinosaurios (cuando era pequeño me apresuraba a añadirlos a mi colección), sea Pokemón, sea un juego de la *PlayStation*, sea el ordenador, que ha sido una obsesión permanente, o cualquier otra cosa, siento una excitación abrumadora que no puedo describir (L. Jackson, 2002).

299

El interés puede ser una fuente de humor. Grace, una mujer joven, tiene un mundo de fantasía y dibuja máquinas imaginarias con nombres inventados, como Turbocepilladora Superembrujada. Los neologismos (nuevas palabras) y los mundos imaginarios son una característica del síndrome de Asperger y Grace incorpora su interés a sus temores y placeres. Tiene una falda escocesa que no le gusta llevar porque dice que la lana le irrita la piel y se ha inventado el término *faldescoce*. Sus juegos de palabras y bromas se basan en su afición y no pretenden hacer gracia para que los demás compartan su regocijo (Werth y otros, 2001).

Cuando evalúo los placeres de la vida de un adulto con síndrome de Asperger y hablo de ellos como parte de la terapia cognitivo-conductual, los placeres asociados con su interés particular son muy superiores a otros placeres. De hecho, el descubrimiento de un objeto muy raro para añadir a la colección se percibe como un *orgasmo* intelectual o estético que es muy superior a cualquier otra experiencia interpersonal agradable.

El placer o el goce también se debe a su dominio de una habilidad particular y proporciona un medio de validación y de crecimiento personal (Mercier y otros, 2000). Su aptitud le proporciona los elogios de los miembros de su familia, da lugar a una amistad genuina y puede ser una forma de compensación y de refuerzo de la autoestima, en especial si el paciente apenas tiene éxito en los ámbitos sociales e interpersonales.

UNA FORMA DE RELAJACIÓN

Las actividades repetitivas pueden ayudar a una persona a disminuir el estrés y a relajarse en la actividad rutinaria previsible. La experiencia clínica de pacientes con síndrome de Asperger indica que el grado o el predominio del interés particular en la vida cotidiana de una persona con síndrome de Asperger es proporcional a su grado de estrés: cuanto mayor es el estrés, más intenso es el interés. En términos psicológicos, el interés actúa como refuerzo negativo, es decir, termina con un sentimiento desagradable. El interés también actúa como una forma de inhibición o bloqueo de los pensamientos: cuando el paciente está ensimismado en su afición particular, ningún pensamiento ansioso, crítico o depresivo se cuela en su conciencia. También se altera la percepción del tiempo, y el adolescente al que se le dice que lleva cinco horas delante del ordenador se queja de que no ha sido suficiente y se siente como si sólo hubieran transcurrido cinco minutos. El tiempo pasa mucho más rápido cuando uno se divierte.

Uno de mis clientes es un cantante de rock que tiene mucho éxito. Es sumamente nervioso y, además, muy tímido. Durante sus años en la escuela de formación profesional regresaba a casa mentalmente agotado y agitado, y se aislaba en su dormitorio para escuchar rock. Su afición particular llegó a ser el rock y la música popular de un año determinado, algo anterior a que él naciera. Su forma de relajación era escuchar música, pero también desarrolló la aptitud de expresar sus sentimientos y pensamientos mediante la creación de música, con que era más elocuente y eficaz que su aptitud para comunicar sus pensamientos y sentimientos mediante palabras. Al formar una banda de rock, sus canciones llegaron a ser sumamente populares e hizo una gira mundial con su grupo. Le pregunté cómo, siendo una persona tan tímida, afrontaba los conciertos ante miles de personas. Me contestó: «La música me protege, pero cuando cesa, tengo que abandonar el escenario lo antes posible».

En su autobiografía Liane Holliday Willey relataba que uno de sus intereses es una fuente de relajación y placer:

> El diseño arquitectónico sigue siendo uno de mis temas favoritos, y ahora que soy más mayor, satisfago mi interés, cediendo al placer que me produce. En muchos aspectos es el elixir ideal para cualquier acontecimiento que me hiere. Cuando me siento confusa y tensa, saco mi historia de la arquitectura y los libros de diseño y me fijo en los tipos de espacios y estadios que tienen sentido para mí, en las líneas rectas y en los edificios de pisos que ofrecen

301

una imagen de gran equilibrio. Cuando me siento turbada por demasiados errores pragmáticos y comunicaciones perdidas, cojo mis programas de ordenador de diseño de casas y me pongo a dibujar un hogar perfecto (Willey, 1999, pág. 48).

Un intento de conseguir coherencia

Las rutinas impuestas en la vida cotidiana y que pueden ser parte del interés particular garantizan una vida más predecible y sin sobresaltos. La persona desarrolla un sistema de catalogación u orden basado en la lógica y la simetría, que le proporciona serenidad y la relaja. La gente con síndrome de Asperger tiene dificultades para establecer y afrontar los patrones y expectativas cambiantes de la vida cotidiana. Los intereses tienden a implicar orden, como en el caso de catalogar información o crear tablas o listas.

Una teoría psicológica formulada por Uta Frith y Francesca Happé (1994) puede ayudar a explicar algunos aspectos de los intereses particulares y la imposición de rutinas y rituales. Estas investigadoras proponen que las personas con síndrome de Asperger tienen un sistema diferente de procesamiento de la información y, más que prestar atención al cuadro general o *gestalt* (el todo es más que la suma de las partes), tienden a *perderse* en los detalles. Puede que no perciban el contexto o el significado más amplio y tengan problemas de *coherencia central*. Puesto que tienen una «coherencia central débil», el término psicológico sugerido por Frith y Happé, los intereses son un intento de obtener una coherencia difícil de lograr.

Cuando la persona con síndrome de Asperger ha descubierto o impuesto una taxonomía para el interés, caso de las diferentes clasificaciones de insectos o la tabla periódica de los elementos, o ha desarrollado un sistema de catalogación, obtiene una comprensión y un orden previsible que es muy satisfactorio. Por lo tanto, los intereses de esas personas son un intento de poner orden en el caos aparente.

Un interés por los trenes podría atribuirse a la fascinación por el

302

orden (los vagones están unidos en una línea) y el resultado previsible (el tren debe seguir los raíles). Un interés por la simetría o por determinados patrones también es un factor en el mismo sentido que las vías paralelas y las traviesas.

Luke Jackson escribió:

> Yo diría que coleccionar algo es una forma inofensiva de sentirse seguro y nadie debe impedirlo. Organizar los objetos personales, la ropa, los libros, etcétera es una forma maravillosa de disipar los sentimientos de caos que son consecuencia de vivir en un mundo tan desorganizado (L. Jackson, 2002, pág. 50).

Para adolescentes y adultos, la búsqueda de un patrón, modelo o unas normas de vida lleva a la fascinación no sólo por las leyes de la ciencia, sino también por las normas legales —lo que puede favorecer que se desarrolle una carrera profesional en la abogacía— y las leyes religiosas con un interés ulterior por la Biblia y las religiones fundamentales. Esto también les proporciona acceso a un grupo de personas similares, que compartan las mismas creencias y una comunidad con valores similares. Sin embargo, conviene tener cuidado, ya que, como consecuencia de su vulnerabilidad social, la persona con síndrome de Asperger puede ser presa fácil de organizaciones extremistas; eso puede ocurrir cuando el interés gira en torno a la política, y la persona expresa ideas y conductas de blanco y negro u opiniones radicales.

Comprender el mundo físico

La persona con síndrome de Asperger tiene una habilidad natural en el mundo físico más que en el interpersonal, y esto se refleja en la elección de los intereses (Baron-Cohen y Wheelwright, 1999). Mientras que los otros niños investigan el mundo social, los que tienen síndrome de Asperger examinan objetos, aparatos, animales y

303

conceptos científicos. Utilizamos el término «la larga búsqueda del modelo o del significado de la vida»: el paciente parece tener una habilidad natural para determinar la función de los objetos y un interés innato por lo que influye físicamente en la vida, como en la ciencia (en especial, la meteorología y la geografía), y los modelos o fórmulas de la vida determinados por la historia, la biología y las matemáticas. Las autobiografías de adultos con síndrome de Asperger suelen describir cómo de caótica e impredecible perciben su vida cotidiana. Por esta razón, un interés particular relacionado con los aspectos del mundo físico les resulta muy beneficioso, porque les permite encontrar un modelo y la vida predecible que tanto ansían.

La creación de un mundo alternativo

Para estas personas su centro de interés puede valorarse como un mundo alternativo en el que será feliz, tendrá éxito y será popular. En su autobiografía no publicada, mi cuñada escribió:

> Cuando tenía unos siete años de edad probablemente vi en un libro algo que me fascinó, y lo sigue haciendo, puesto que no se parecía en nada a lo que había visto hasta ese momento y no tenía ninguna relación con nuestro mundo y nuestra cultura: eran los países escandinavos y sus habitantes. Su forma de vida era por completo ajena y opuesta a lo que conocía. Se convirtió en mi evasión, en mi mundo de sueños donde nada me recordaba mi vida cotidiana y donde tenía que arreglármelas sola. La gente de aquel lugar maravilloso tenía un aspecto por completo diferente al de las personas del mundo real. Mirando sus rostros, no podía recordar a nadie que me hubiera humillado, asustado o la hubiera pagado conmigo. Lo principal es que volvía la espalda al mundo real y su capacidad para hacerme daño y me evadía.

Mi cuñada manifestaba un interés especial por los países escandinavos, en particular por los vikingos. Insistió hasta que su madre le confeccionó un disfraz de vikinga, que tenía como casco un molde de budín al que le pegó unos cuernos y que ella se encasquetó boca abajo. Cuando era una niña de ocho años de edad deambulaba por todo el pueblo haciendo como que era vikinga. Por fortuna, su juego de teatro aficionado no se extendió a las acciones reales de los vikingos, acontecidas miles de años atrás, como robar ganado o extorsionar a los demás para obtener dinero.

El interés puede centrarse en períodos de la historia, como la del antiguo Egipto, en otros países, en particular el Japón (un país que tiene fama de fascinar por su tecnología y por la creación de películas de dibujos animados y cómics), y en la ciencia-ficción. Estas personas buscan un mundo diferente, en el pasado, en el presente o en el futuro, que sea una alternativa al mundo que experimentan, en el que su vida suele ir asociada a la falta de éxito en la integración social y las relaciones de amistad.

Daniel Tammet tiene síndrome de Asperger y ha alcanzado una aptitud notable en matemáticas, que era su afición particular cuando era niño. En una entrevista contaba que en la escuela primaria deambulaba por el patio de recreo e iba contando el número de hojas de los árboles en vez de confundirse con sus compañeros y sus juegos (*Metro*, 2006, pág. 10). Cuando experimentaba ansiedad, calculaba mentalmente el cuadrado de números. Consideraba los números como sus amigos y describía su vínculo con ellos como emocional más que simplemente intelectual. Daniel presta atención a los números y a la aritmética como un poeta humaniza un río o un árbol a través de una metáfora (*Sunday Mail*, 2005, pág. 69).

La evasión en un mundo de fantasía o alternativo tiene ventajas nada desdeñables para estas personas. Sin embargo, dicha evasión es preocupante cuando el contraste entre el mundo real y el de fantasía se vuelve demasiado marcado y el paciente se retrae en su mundo alternativo durante un período desproporcionado. En ocasiones, se hace borrosa la línea entre fantasía y realidad, y la persona empieza a excluir otras actividades importantes de su vida.

Los niños pequeños con síndrome de Asperger son cada vez más conscientes de que no son populares ni tienen éxito en situaciones sociales, por lo que su autoestima disminuye al mismo tiempo que manifiestan su pesar o se deprimen por ser diferentes; se consideran de categoría inferior y de menor valía dentro de su grupo de compañeros. Un interés por los héroes y la representación de teatro, en la que ellos hacen de superhéroes, como el hombre araña, es un medio de conseguir éxito y admiración social. Con frecuencia, el superhéroe es alguien que tiene dos identidades, una persona tímida y con poco éxito que es capaz de transformarse en otra con aptitudes especiales, capaz de hacer frente a las adversidades. En lugar de ser un perdedor, se convierte en el héroe. Por lo tanto, el superhéroe proporciona el aspecto omitido en la vida del niño, un *alter ego*.

En un correo electrónico que recibí de Jennifer McIlwee Myers, una adulta con síndrome de Asperger, me contaba lo siguiente:

> Los temas morbosos y truculentos se convirtieron en un medio de afrontar mi propia otredad, y el temor bien fundado y constante al dolor y al rechazo. Ejemplos: un interés por los fenómenos anormales me proporcionaba un foro para abordar mentalmente mi propia otredad; los libros de Edgar Allan Poe y de H. P. Lovecraft ofrecen una descripción de los sentimientos tanto de paranoia como de otredad; la identificación de la inevitabilidad y de monstruos peligrosamente incomprendidos (como Frankenstein, el hombre lobo y el fantasma de la ópera) permite que uno afronte los sentimientos difíciles y dolorosos de ser un intruso. Si un interés cumple su objetivo legítimo, debe tolerarse aun cuando sea extraño o desagradable.

Uno de los desencadenantes del interés especial puede ser la lectura de un libro que describa a alguien diferente, por ejemplo, un personaje como Harry Potter en los libros de J. K. Rowling. El niño con síndrome de Asperger es capaz de identificarse con las adversidades que afronta el héroe de la historia y quizá desee tener las especiales habilidades que, en ultimo término, se reconocen en la personalidad del héroe triunfante.

El interés particular también es importante porque al adulto le ayuda a crear una sensación de identidad personal. En la conversación, con frecuencia el adulto se describe a sí mismo por sus intereses más que por su personalidad. Coleccionar objetos le proporciona tanto seguridad como identidad. Aunque puede manifestar nuevos intereses, en general la persona con síndrome de Asperger es muy reacia a cualquier comentario como que los objetos acumulados ocupan demasiado espacio y ha llegado el momento de arrojarlos a la basura. Su sensación de identidad y su historia personal se definen por las colecciones, y sugerirle que las elimine casi equivale a insinuarle que le amputen un dedo.

Para llenar el tiempo, facilitar la conversación y como signo de inteligencia

Si no lo invertimos en socialización, ¿cómo pasamos el tiempo? Su interés particular es una actividad lúdica agradable para la persona con síndrome de Asperger, ya que aumenta sus conocimientos y tiene valor práctico, por ejemplo, crear programas de ordenador o reparar vehículos viejos.

En situaciones sociales, si la persona no es un buen conversador, no tendrá la más ligera idea de lo que es un diálogo sobre temas triviales o una simple cháchara, y no estará seguro de las claves contextuales que le indican el tema apropiado de conversación; por consiguiente, si la charla (o el monólogo) trata de uno de sus intereses se sentirá cómodo y hablará con fluidez; prorrumpirá en un torrente de palabras con la elocuencia y la facilidad practicada en muchas interacciones similares. Supone que la otra persona comparte su misma fascinación por el tema o puede *contagiarse* del mismo entusiasmo.

Una aspiración habitual de las personas con síndrome de Asperger es evitar parecer estúpidos a los ojos de los demás, por lo que para compensarlo pueden comportarse con arrogancia y vanidad intelectual cuando se dan cuenta de que no son tan aptos como sus compañeros para socializarse. Una forma de indicar inteligencia y de impresionar a la gente con los conocimientos es pronunciar un monólogo repleto de términos técnicos con los que su interlocutor no esté familiarizado. Si la persona es profesor o tiene una profesión con fama de usar terminología especializada o compleja (como abogado, profesor de universidad o médico), la otra persona pensará que simplemente es un ejemplo un tanto excéntrico de esa profesión y tolerará o admirará esos crípticos conocimientos, sobre todo si puede beneficiarse de ellos.

La perspectiva de los padres

Desde la perspectiva de los padres del niño con síndrome de Asperger, el interés particular plantea numerosos problemas. Los padres tienen que tratar de satisfacer la sed casi insaciable de dedicación a la afición. En una encuesta realizada a padres de niños con síndrome de Asperger, sus autores observaron que, con frecuencia, los padres tenían que desplazarse a propósito para reemplazar o adquirir un objeto relacionado con la afición particular de sus hijos; otras veces llegaban tarde a una cita que pudieran tener o debían cambiar la ruta que pensaban seguir por alguna razón relacionada con la práctica de dicha afición, e incluso había veces que se veían obligados a planear unas vacaciones poco comunes para que el niño pudiera dedicarse a su interés preferido (Bashe y Kirby, 2001).

La duración y el predominio del interés en el juego del niño tendrán otras consecuencias. La cita planeada por los padres para que sus hijos jueguen se viene abajo cuando el niño domina el juego con una falta visible de reciprocidad en las actividades lúdicas escogidas o en la conversación. Por contra, es posible que tener un interés tan definido plantee menos problemas a la hora de pensar qué le gustaría como regalo de cumpleaños o de Navidad o qué libro desea como lectura a la hora de acostarse.

La propensión a hablar incesantemente sobre un tema concreto pone a prueba la paciencia de los padres y de otros miembros de la familia, sobre todo si el niño o el adulto pronuncia monólogos y no parece interesado en lo que piensa, opina o siente la otra persona. En su autobiografía, Donna Williams describió cómo sus monólogos no eran un intento de diálogo, sino una expresión de sus pensamientos y una forma de resolución de los problemas:

> Cuando tenía un día hablador, en general, conversaba sin cesar de lo que me interesaba. A medida que me hice mayor, mi interés por las cosas fue en aumento e invertía más tiempo hablando de ellas. En realidad, no me interesaba hablar de nada más ni esperaba la respuesta o la opinión de la otra persona, y con frecuencia hacía caso omiso de lo que decía o seguía hablando si me interrumpía. Para mí lo único importante era hablar para intentar contestar a *mis propias* preguntas, lo que en general conseguía (Williams, 1998, pág. 49).

Por desgracia, la determinación de dedicarse a su afición favorita da lugar a más problemas cuando el niño se convierte en adolescente. La práctica de su afición se produce sin una planificación cuidadosa y sin pensar en las consecuencias. He conocido a adolescentes con síndrome de Asperger interesados en los trenes que han emprendido un viaje sin pensar en cómo regresarían, o sin informar a los padres de su viaje y su destino. No tienen ni idea del sufrimiento de unos padres que no saben dónde y cómo está su hijo. También afecta al dinero de que disponen, ya que gastan cantidades desproporcionadas de su presupuesto en su afición; esto, a su vez, afectará a la familia, que tendrá que sufrir las consecuencias económicas o pensar en un gasto extra.

Sentir que quizá uno no pueda dedicarse a su afición particular puede desencadenar una reacción de cólera. En su autobiografía, Luke Jackson describe: «Siento una exaltación abrumadora que no puedo describir. Tengo que hablar de ello y la irritación de que me interrumpan puede desencadenar fácilmente un arrebato de ira» (L. Jackson, 2002, pág. 44). Los padres expresan preocupación porque la interrupción de la actividad suele traducirse en un estado de agitación extrema. Negarle el acceso a los objetos de su interés puede hacer que la persona con síndrome de Asperger entre en conflicto con la ley (Chen y otros, 2003). El adulto con síndrome de Asperger suele preocuparse de que los otros cumplan las leyes, pero siente la tentación de cometer delitos para obtener dinero con el objetivo de poder dedicarse a su afición (véase el cap. 15, pág 542).

El maestro se inquieta porque, en la escuela, los monólogos del niño sobre su interés particular hacen que parezca excéntrico y, por lo tanto, vulnerable a las burlas del resto de los compañeros, que creen que es aburrido, pedante, egocéntrico y descortés. Por esta razón, el interés se convierte en un obstáculo para la inclusión social. La determinación de hablar o leer sobre su interés interfiere con su capacidad para atender otras actividades. La cantidad de tiempo dedicada a su afición inhibe el aprendizaje de nuevas habilidades (Klin, Carter y Sparrow, 1997).

Un interés por las armas y, en concreto, las de fuego, junto con una tendencia a no pensar en las consecuencias de lo que podría llamarse un momento de exaltación (en el que puede proferir amenazas que otros consideran plausibles), dará lugar a su expulsión temporal o definitiva de la escuela o, en ocasiones, a la intervención de las fuerzas de orden público.

La perspectiva del médico

La afición particular ofrece mucha información al médico. Durante una evaluación diagnóstica, los adolescentes o los adultos están en guardia frente al médico: reflexionan antes de responder y se muestran vacilantes y reacios a hablar. La causa es su inseguridad respecto al guión que debe tener la conversación con una persona que no conocen bien, y que está observando y analizando su conducta y aptitudes. Sin embargo, su personalidad cambia espectacularmente cuando el profesional saca el tema de su interés concreto. A todas luces, se relajan, muestran entusiasmo, energía y el deleite de impresionar al médico con sus conocimientos. El contraste entre ambas personas es uno de los indicadores positivos de que padece síndrome de Asperger.

El objeto de su afición también tiene valor clínico. En ocasiones, un cambio de interés hacia un tema morboso o macabro, como la muerte, indica que puede padecer una depresión clínica; por su parte, un interés por las armas, las artes marciales y la venganza es un posible signo de acoso en la escuela (véase el cap. 4).

La persona con síndrome de Asperger puede obtener información sobre un tema que le cause sufrimiento emocional o confusión, como medio de entender un sentimiento o una situación, entre las que pueden estar la muerte y la mortalidad. Un ejemplo es un niño que tenía una relación muy estrecha con su abuelo. Los dos solían pasear por la granja de la familia hablando sobre los animales y la maquinaria agrícola. En uno de esos paseos, el abuelo sufrió un paro cardíaco y falleció. El niño no pareció sentir la pérdida de su abuelo del modo convencional, pero empezó a mostrar interés por las enfermedades cardíacas y a leer todos los libros que pudo encontrar sobre el tema. Deseaba saber con exactitud por qué y cómo había fallecido su admirado y querido abuelo.

El interés llega a ser tan intenso y domina hasta tal punto la vida de la persona que el médico teme que haya dejado de ser agradable o de tener un valor intelectual o psicológico para convertirse en irresistible e indeseable. La imposibilidad de controlar el tiempo dedicado al interés indica el desarrollo de un trastorno obsesivo-compulsivo (Baron-Cohen, 1990). En su autobiografía, Luke Jackson afirma: «No sé describir mis sentimientos cuando algo no salía bien. En ese momento, sentía que todo mi cuerpo estaba a punto de estallar» (L. Jackson, 2002, pág. 56). Si el interés peculiar cruza el límite psicológico y se convierte en indeseable o provoca efectos perjudiciales sobre la calidad de vida de la persona, es posible que necesite solicitar ayuda profesional para solucionar un trastorno de ansiedad (véase el cap. 6). El interés especial también puede asociarse con un trastorno caracterizado por delirios (Kurita, 1999). Esto se observa cuando el interés es la literatura fantástica y los superhéroes, y la persona actúa como el héroe para intentar tener éxito y ser respetado por sus compañeros en situaciones en las que se encuentra con ellos. Esta característica, o adaptación a tener síndrome de Asperger, tiene importancia clínica cuando la persona no puede separarse del personaje y considera que tiene poderes mágicos o especiales y es omnipotente.

Algunos aspectos del interés especial son indicativos de un deterioro de la función ejecutiva (véase el cap. 9). Uno de los papeles de la función ejecutiva desempeñada por los lóbulos frontales del cerebro es el control cognitivo o reflexivo de lo que hacemos o decimos, en particular la capacidad para modificar e inhibir pensamientos y acciones. Cuando una persona con síndrome de Asperger se dedica a su afición particular o habla de ella, se pueden identificar pruebas de persistencia o de que se queda clavado, con gran dificultad para cambiar de tema de reflexión o de conversación (Turner, 1997). Parece tener un solo pensamiento en mente, con una determinación irresistible a acabar la actividad o el monólogo. Con frecuencia, las personas con síndrome de Asperger refieren hasta qué punto su afición peculiar domina su pensamiento y lo difícil que les resulta interrumpirla al rato de empezar y hacer algo distinto. Es casi como si, una vez que han empezado, les dominara la compulsión de acabar. No se les puede interrumpir o distraer, ni pueden dejar de pensar en ello antes de su conclusión natural.

No tenemos un modelo biológico del desarrollo de los intereses especiales pero, en un estudio reciente de niños de cuatro años de edad con un desarrollo normal, se ha visto que algunos intereses restringidos se correlacionan con la concentración de testosterona en el feto (Knickmeyer y otros, 2005). No obstante, aunque éste puede ser uno de los factores que influyen en el desarrollo de intereses particu-

312

lares, muchos de los factores descritos previamente también influyen en su desarrollo en personas con síndrome de Asperger.

Reconocemos que el interés especial es una fuente de sumo placer para el paciente. No obstante, algunos adultos a los que se les ha recetado tratamiento con fármacos para la ansiedad, la depresión o los problemas de control de la cólera han referido cómo la medicación ha mejorado su estado de ánimo pero ha amortiguado o disminuido su goce del interés especial. El médico ha de considerar las ventajas y los efectos adversos de los medicamentos sobre el estado de ánimo en general, entre ellos, el efecto sobre el placer que se obtiene de dedicarse a la afición particular, y detallárselos a la persona que va a tomar los fármacos.

Con frecuencia, la persona con síndrome de Asperger, o su familia, le pide al médico estrategias para abordar, adaptar, reducir, diversificar o usar constructivamente los intereses especiales. Por fortuna, tenemos varias propuestas.

Reducción, eliminación o uso constructivo del interés especial

Aunque el ojetivo del niño con síndrome de Asperger es aumentar el tiempo que le dedica a su afición particular, el de los padres y maestros es reducir la duración y la frecuencia de esa dedicación, para que el niño pueda dedicarse a una variedad más amplia de actividades; esto es de particular importancia cuando el tiempo que dedica a su afición favorita hace que prácticamente descarte la interacción con la familia y con los compañeros en la escuela, y que no haga los deberes que le han puesto en el colegio. ¿Cuáles son las estrategias que pueden reducir el tiempo dedicado a su afición? ¿Hay que acabar con alguna de las aficiones o pueden desempeñar un papel constructivo?

El problema no es la propia actividad, sino su duración y el predominio sobre otras actividades. Puede tener cierto éxito la limitación del tiempo mediante un reloj o cronómetro. Cuando el tiempo permitido se termina, la actividad debe cesar y se animará activamente al niño a continuar con otros intereses o prioridades, como el contacto social, hacer sus deberes o cumplir con sus responsabilidades. Se le asegurará que pronto dispondrá de otro período programado para disfrutar de su afición. Es importante que la actividad alternativa no se desarrolle a la vista de los objetos o el material relacionado con su afición favorita, ya que eso haría que la tentación de continuar fuera muy intensa; de modo que es preferible que la nueva actividad tenga lugar en otra habitación o fuera. Ésta debe ser una actividad que le guste, aunque no lo pase tan bien como con la otra afición. La estrategia es racionar el acceso a la afición principal y alentar activamente a prestar atención a otras aficiones. El libro de placeres descrito en el capítulo 6 puede proporcionar algunas ideas de actividades alternativas (véase la pág. 249).

Parte del programa de dedicación controlada puede ser asignar un tiempo social determinado o de calidad para continuar con el interés como actividad social. En este caso, el padre o el maestro tiene un horario para hablar de su afición con el niño o explorarla con él. El adulto debe asegurarse de que no los distraerán y de que a ambas partes la experiencia les parece entretenida. He observado que estas sesiones, que en general se realizan después de una visita clínica, me dan la oportunidad para saber más sobre temas tan interesantes como el *Libro Guinness de los récords*, las mariposas, el *Titanic* o la meteorología. Por lo tanto, puedo hablar con cierta autoridad y conseguir el respeto de otros niños con síndrome de Asperger que comparten su afición con el niño que fue mi maestro. Si, como adulto, cuentas qué es lo que te interesa, la conversación se hace verdaderamente recíproca, y el niño y tú dedicáis tiempo a examinar los intereses mutuos.

Si la afición es peligrosa en potencia, ilegal o es probable que se preste a malas interpretaciones, como el fuego, las armas o la pornografía, han de tomarse medidas para ponerle fin o, como mínimo, modificarla, aunque la experiencia clínica muestra que no es tarea fácil. Es necesario hacer ver por qué no es aceptable para otras personas, quizás empleando una historia social para explicarle las normas sociales. También debe conocer la legislación pertinente; en algunos casos, se modificará el interés actual (Gray, 1998); por ejemplo, un interés por la pornografía puede ser un medio de tratar de entender las relaciones y la sexualidad. El interés es inaceptable cuando el adolescente o el adulto considera que las fotografías son representaciones realistas de las personas corrientes, y las actividades sexuales representadas les sirven de guía de conducta en una primera cita. Por fortuna, disponemos de programas específicos para informar a adolescentes y adultos con síndrome de Asperger sobre los niveles apropiados de intimidad y sobre la sexualidad (Hénault, 2005).

También creadas por Carol Gray (1998), las conversaciones mediante cómics (que representan una situación mediante monigotes y bocadillos en los que se sitúa lo que dicen y piensan) ayudan al niño a entender la perspectiva de otras personas. En los dibujos se representa lo que piensa el niño, pero también los pensamientos, sentimientos y puntos de vista de los miembros de la familia, de otros adultos, de la comunidad, y las posibles consecuencias. Se hace un llamamiento a la imagen que el niño tiene de sí mismo, en el sentido de que la decisión lógica, madura y sensata es modificar su afición particular; por ejemplo, el interés por los venenos puede transformarse en interés por el aparato digestivo o por las plantas carnívoras.

La otra opción es acabar con la afición. Se buscará y alentará otra que sea mutuamente aceptable. No obstante, la elección ha de basarse en la personalidad del niño y en sus aficiones previas y el objetivo que cumplían. Por ejemplo, si le interesan las armas y las represalias por haber sido víctima del acoso en la escuela, deben tomarse medidas para acabar con ese acoso.

A veces, es más sensato aprovechar la motivación que ponerse en contra de su dedicación al interés especial, que puede ser una fuente de dicha, conocimientos, identidad personal y autoestima que padres, maestros y terapeutas han de usar de manera constructiva.

Motivación y aprendizaje

Algunas de las motivaciones de los niños corrientes son complacer a sus padres o maestros, impresionar a los otros niños, imitarlos o que los incluyan en sus actividades. Estos deseos o motivaciones convencionales no son tan poderosos para los niños con síndrome de Asperger, a los que suele motivar más dedicarse a su interés particular que complacer a los demás. Una aplicación constructiva es aumentar su motivación por las actividades que no son de su agrado incorporando su afición favorita, o usando la dedicación a ella como aliciente. Por ejemplo, si el niño se interesa por los personajes y objetos de la serie de dibujos animados *Los Picapiedra*, hay muchos productos que incorporan los personajes y objetos de la serie en libros de lectura para diferentes edades, y cuadernos de actividades matemáticas o de dibujo. Es más probable que el niño esté motivado para leer un libro con sus personajes u objetos favoritos que otro cuyo tema no le interese.

Si su interés es la geografía y, en particular, las banderas de los países, puede contar banderas en lugar de los ítems convencionales que cuentan sus compañeros en clase o cuando hace los deberes. De hecho, uno de los problemas que plantean los padres es la motivación de su hijo para hacer los deberes. Si éstos incluyen algún aspecto de su interés particular, no tendrá problemas para acabarlos (Hinton y Kern, 1999).

Poder dedicarse a su afición favorita es un incentivo muy potente (Mercier y otros, 2000). Cuando el niño acaba los deberes escolares, dispone de tiempo libre para continuar con su afición. Por ejemplo, si el niño resuelve diez problemas de matemáticas en diez minutos, se habrá ganado diez minutos de tiempo libre frente al ordenador. Para otros niños, su afición por una rama de la ciencia dará lugar a conocimientos sobre la metodología científica y a su éxito en concursos de ciencia, lo que es gratificante y mejora su autoestima. La estrategia de incorporar su afición al plan de estudios requiere que el maestro sea más flexible en la presentación de las actividades de la clase y en los sistemas de motivación. No obstante, los beneficios pueden ser la mejora de las habilidades y de la concentración.

Algunos padres usan la prohibición de desdicarse a su afición como castigo por su mala conducta o por no acabar las tareas. Aunque esta estrategia es un componente eficaz de un programa de terapia conductual domiciliaria, en ocasiones desencadena una conducta agitada si el niño no tolera que se le prohíba dedicarse a su afición. Por lo tanto, recomiendo precaución en el uso de esa estrategia, ya que otras son más satisfactorias y la afición particular del niño debe seguir siendo un aspecto positivo en su vida cotidiana. Si se le veta uno de los pocos placeres de su vida, invariablemente mostrará resistencia.

Elisa Gagnon ha desarrollado la idea de las tarjetas de autoridad (Gagnon, 2001). La estrategia es usar su afición para aumentar la motivación y como ayuda del aprendizaje. Se usa en clase y en casa, y consiste en la elaboración de una tarjeta del tamaño de la de visita o de crédito, donde se explica la afición particular y consejos que incorporan escenas o personajes asociados con esa afición. El texto se escribe con un estilo similar al de las historias sociales y puede ir acompañado de dibujos y personajes asociados con la afición. Por ejemplo, una niña con síndrome de Asperger era impopular por sus comentarios directos y, en ocasiones, personales sobre sus compañeros. En voz muy alta hacía comentarios como «te huele el aliento». Tenía que aprender a inhibir esos comentarios o a expresarse con

317

más tacto. Puesto que su mayor afición era la cantante Britney Spears, se confeccionó una tarjeta de autoridad con un dibujo de Britney y un texto que expresaba consejos de la cantante sobre qué decir a los otros niños de la clase. La incorporación de su interés hace que el niño preste atención y, por lo tanto, es más probable que recuerde y utilice las recomendaciones.

Trabajo

A largo plazo, algunas aficiones se convierten en una fuente de ingresos y de trabajo. Por ejemplo, un adolescente con síndrome de Asperger tenía conocimientos asombrosos sobre pesca, en particular, sobre las especies de peces y el material de pescar. En su centro de formación profesional había un plan de prácticas, de modo que, al término del año escolar, cada estudiante era asignado a una situación laboral para vivir la experiencia de un día de trabajo. Los maestros debatieron sobre la experiencia laboral que podría vivir ese joven. Al final, se propuso que pasara un día en una tienda de aparejos de pesca. El adolescente se dirigió allí, pero jamás regresó al instituto: al terminar el día, había conseguido trabajo, ya que el propietario de la tienda reconoció que sus conocimientos y su entusiasmo lo convertirían en un empleado inestimable.

Que le interese el tiempo favorecerá que encuentre un trabajo de meteorólogo; si le interesan los mapas, como taxista o camionero; si le interesan las culturas y las lenguas, como guía turístico o traductor. Stephen Shore lo pasaba en grande construyendo bicicletas y montando en ellas, y me contó que consiguió trabajo gracias a la bicicleta personalizada que construyó él mismo y que presentó a modo de *currículum*. Mientras enseñaba su bicicleta personalizada y la describía, Stephen dijo que sabía cómo fabricar ruedas de las bicicletas, lo que era una habilidad poco común y valiosa en aquel momento. El dueño de la tienda lo contrató para que fabricara las ruedas de diez bicicletas; más tarde, amplió el contrato más horas y, al final, llegó a ser el encargado de la tienda.

318

Los padres deben pensar si es conveniente que el jovern tenga un tutor privado que desarrolle de forma adaptada los intereses susceptibles de convertirse en una fuente de ingresos o de trabajo, por ejemplo una habilidad natural con los ordenadores. Mi opinión es que los ordenadores se diseñaron para personas con síndrome de Asperger, y en el siglo XXI en muchos lugares de trabajo son necesarias habilidades informáticas. Un interés por los libros y los sistemas de catalogación puede transformarse en las habilidades necesarias para ser un bibliotecario eficaz, y un interés por los animales propiciará una carrera de veterinario.

Temple Grandin, en la que se ha establecido el diagnóstico de autismo de alto funcionamiento o síndrome de Asperger, recomienda a las personas con autismo y síndrome de Asperger que piensen en desarrollar un nivel óptimo de destreza en un ámbito determinado, de modo que los demás solicitarán sus conocimientos, más que tratar de adquirir una aptitud social para poder acceder a un trabajo. Una carpeta de trabajo con ejemplos de sus destrezas y conocimientos compensará su dificultad en las habilidades sociales necesarias en una entrevista de trabajo.

Puesto que una de las características de la afición particular es la acumulación de conocimientos y destrezas, una carrera académica puede ser una aplicación constructiva en torno a dicho interés. Un profesor con síndrome de Asperger que trabajaba en la universidad de California me escribió lo siguiente: «Lo mejor de trabajar en la universidad es que te pagan por hablar de tu tema favorito, y los estudiantes toman notas y nos devuelven nuestras palabras de sabiduría en los exámenes».

El adulto con síndrome de Asperger puede acercarse a entornos laborales que requieran destreza en los ámbitos de los intereses que se suelen asociar con el síndrome. Las empresas que contratan a ingenieros e informáticos pueden tener más trabajadores con síndrome de Asperger de lo que sería previsible si se consideran las cifras de prevalencia en la población general. Estos empresarios pueden crear una comunidad pro-Asperger. Lo mismo ocurre en las comunidades artísticas, donde con frecuencia se acepta su carácter singular o excéntrico gracias a su destreza como, por ejemplo, escritor o artista (Fitzgerald, 2005).

Un componente de la terapia cognitivo-conductual

El tratamiento psicológico preferente para los trastornos emocionales es la terapia cognitivo-conductual (TCC). He creado diversas modificaciones de la TCC para acomodarla al perfil poco común de las habilidades cognitivas y sociales asociadas con el síndrome de Asperger (Sofronoff y otros, 2005). Una de estas modificaciones es el concepto, o metáfora, de la *caja de herramientas* que contiene diversos instrumentos de reparación emocional (véase el cap. 6, pág. 261). Puesto que una de las características del interés particular es que constituye una fuente de placer y relajación, una de las herramientas de la caja será la dedicación a la afición como reparador emocional. La distracción, el consuelo y la conversación no son satisfactorias en el control de las emociones, mientras que el tiempo dedicado al interés particular proporciona un medio de relajación, placer y bloqueo del pensamiento, lo que impide un deterioro todavía mayor del estado de ánimo.

El interés también se incorpora al componente de reestructuración cognitiva de la terapia cognitivo-conductual. Por ejemplo, un adolescente en el que se ha establecido un diagnóstico de síndrome de Asperger y trastorno obsesivo-compulsivo teme la contaminación por las bacterias. Su interés particular es el programa de televisión *Doctor Who*, sobre los viajes en el tiempo y el espacio. Se diseñó una actividad en la que el joven se imaginaba en la piel del doctor Who, abandonado en un planeta con un monstruo invisible que genera miedo. Como psicólogo clínico, podía imaginarme al adolescente creyéndose un científico que estudiaba la conducta del monstruo. Trabajando en equipo, el doctor Who y el científico establecieron estrategias para vencer al monstruo y escapar del planeta. El tema es característico de muchas de las aventuras televisivas del doctor

320

Who, y proporcionaba un papel, una conceptuación y una estructura que eran atractivas para el adolescente, lo que contribuyó al éxito clínico de la terapia.

En el componente educativo afectivo de la terapia cognitivo-conductual, destinado a mejorar la comprensión de las emociones y cómo afectan a los pensamientos, los sentimientos y la conducta, una vez más, se utilizó el interés particular como metáfora. Por ejemplo, una niña interesada en el tiempo creó un barómetro para pronosticar los cambios del estado de ánimo, en el que expresaba los pensamientos como fenómenos meteorológicos (por ejemplo, la confusión se describía como niebla), y explicaba sus sentimientos y pensamientos como un parte meteorológico.

Una forma de hacer amigos

¿Puede en realidad el interés particular propiciar las relaciones de amistad de niños con síndrome de Asperger? Una de las respuestas habituales de una persona corriente a la pregunta «¿qué representa para ti un buen amigo?» es: «Nos gustan las mismas cosas». La base de la amistad pueden ser los intereses compartidos. Los padres han de pensar en algún ardid social, utilizando el interés particular de su hijo, para propiciar una posible relación de amistad. Los grupos locales de apoyo a los padres disponen de los nombres y las direcciones de los miembros del grupo y también tienen registradas las aficiones particulares de cada uno de ellos, lo que pemite que surja una amistad planificada pero posiblemente satisfactoria. No obstante, he observado que, si uno de los amigos deja de tener interés en la afición compartida, la amistad acaba. Los adultos con síndrome de Asperger pueden reunirse con personas afines y amigos potenciales en clubes y fiestas, como una oportunidad de reunión social de personas con síndrome de Asperger.

El propio interés puede usarse para facilitar la amistad con compañeros corrientes, aunque no siempre con éxito. Mi cuñada tiene una aptitud artística natural, que hace que dibuje con un realismo casi fotográfico. En su autobiografía, no publicada, contaba: «En la escuela, puesto que estaba deseando hacer amigos, cuando un niño elogió un dibujo que yo había hecho, empecé a regalar dibujos a toda la clase hasta que otro me acusó de fanfarrona, una humillación que nunca olvidé, ya que sólo trataba de ganar amigos».

Un interés por los ordenadores será popular entre los compañeros, y el niño se sentirá alborozado por que los otros niños soliciten sus consejos o su ayuda para resolver un problema del ordenador o crear un programa informático o un gráfico. Eso le proporcionará momentos de gloria porque se siente de verdad necesario y valorado por los demás. En la escuela puede formarse un pequeño grupo de amigos basado en el interés común por los ordenadores y, dentro de ese grupo, el niño tendrá auténticos amigos.

En ocasiones la amistad basada en un interés común se desarrolla más allá de un estadio platónico y se convierte en una relación más significativa. Durante las conversaciones con las parejas de adultos con síndrome de Asperger, con frecuencia he oído que al principio el interés particular de la pareja se considera una cualidad simpática y atractiva. Esta opinión cambia cuando el adulto con síndrome de Asperger tiene que decidir sus prioridades como miembro de una pareja o como padre. Más tarde, el otro miembro de la pareja se quejará de que dedica demasiado tiempo y recursos a su afición particular.

El propio interés dará lugar al hallazgo de una amistad que, al final, puede llegar a ser una relación de pareja para toda la vida. En una conferencia describí cómo el interés por los insectos favorece dedicarse profesionalmente a la entomología, lo que, a su vez, es un medio de hacer amistad con los colegas, e incluso dicha amistad puede convertirse en una relación de pareja. Era una mera hipótesis pero, durante uno de los descansos, una mujer se me acercó y me contó que ella y su esposo eran entomólogos y que hacía poco tiempo se había visto que su hijo también tenía síndrome de Asperger y que, probablemente, su cónyuge compartía ese diagnóstico. Las aptitudes de su esposo como entomólogo fueron algunas de las características que transformaron el sentimiento de admiración en amor.

Aprender cuándo hablar de su interés

Si en una conversación se aborda el tema que consituye el interés particular de una persona con síndrome de Asperger, ésta ha de aprender las claves y las respuestas pertinentes para que la conversación sea recíproca y mutua. Se emprenderán actividades para que se dé cuenta de los mensajes que indican que el interlocutor está aburrido, se siente violento o está molesto. La persona debe acordarse de comprobar con regularidad la percepción y la posible contribución del interlocutor en la conversación fijándose en los gestos de aprobación y en los signos que muestren que está verdaderamente interesado. Si no está seguro de las señales, deberá aprender a buscar información mediante comentarios o preguntas, como «supongo que no le aburro» o «¿cuál es su opinión sobre esto?» Además, tiene una percepción diferente del tiempo cuando habla de su interés y ha de ser consciente de cuánto tiempo hace que su monólogo domina la conversación. Como ya se ha mencionado, el tiempo pasa rápido cuando uno se divierte.

A veces los padres o los maestros tienen una señal secreta para el niño con síndrome de Asperger que le indica que ha de reconocer las indicaciones sutiles de su interlocutor, responder a ellas e incorporar los conocimientos y sugerencias de éste, o cambiar de tema y hablar de la afición del otro niño. También necesita información explícita sobre quién es una persona apropiada con la que hablar de su interés. Por ejemplo, se utilizará el concepto de círculos concéntricos de las relaciones, en el que, para las personas que están en los círculos internos, como la familia y los amigos íntimos, el tema es apropiado. Sin embargo, para las personas que son simplemente conocidas, antes de iniciar una conversación sobre su interés especial, el paciente debe tener más en cuenta las circunstancias y las claves sociales.

Un adolescente con síndrome de Asperger era consciente de que, cuando iniciaba una conversación con un desconocido, debía esperar un rato antes de hablar de su interés particular. Quería mi consejo sobre cuándo era adecuado hablar con una atractiva adolescente sobre su afición a visitar cementerios y apuntar las inscripciones de las lápidas. Como mínimo, reconocía la importancia de esperar unos minutos antes de iniciar una descripción entusiasta de todos los cementerios de la ciudad.

Intereses especiales: ¿un problema o un talento?

Hans Asperger tenía una actitud muy positiva respecto a los intereses particulares y consideraba que las aptitudes relacionadas con esos intereses eran un don especial. En su primer artículo publicado, que describía la personalidad autista (para usar el término que él usaba), afirmaba:

> No por razones teóricas, sino a partir de mis experiencias con muchos niños, afirmo que estas características positivas y negativas son dos aspectos conectados, naturalmente necesarios, de una personalidad trazada de modo homogéneo. También lo expresamos del modo siguiente: las dificultades, que el niño autista tiene consigo mismo y para relacionarse con el mundo, son el precio que tiene que pagar por su don especial (Asperger, 1938, pág. 2).

El interés puede ser una barrera o un puente para el contacto social, pero también se usa de manera constructiva en la escuela y en las terapias psicológicas o se convierte en la base de una carrera profesional satisfactoria. Cuando se consideran las características asociadas con el interés particular, no sólo es importante tener en cuenta los beneficios para la propia persona que tiene síndrome de Asperger, sino también para la sociedad. Se ha sugerido que los individuos con éxito en el terreno de las ciencias y las artes tienen personalidades que recuerdan al perfil de aptitudes asociado con el síndrome de Asperger (Fitzgerald, 2005; Ledgin, 2002; Paradiz, 2002).

Hans Asperger consideraba que:

> Parece ser que, para triunfar en la ciencia o en el arte, son esenciales unas gotas de autismo. Para tener éxito, el componente necesario es la habilidad de distanciarse del mundo cotidiano, de lo meramente práctico, una aptitud para reflexionar sobre un tema con originalidad, de modo que genere nuevos caminos no hollados y canalice todas las aptitudes en una especialidad.
>
> (Asperger, 1979, pág. 49)

Las diferentes sociedades y culturas tienen percepciones muy diversas de las aficiones particulares. En algunas sociedades, el interés se consideraría patológico e indicativo de que la persona necesita tratamiento psiquiátrico o debería buscarse la vida. Pero, en algunas culturas, sobre todo en el Reino Unido, simplemente se considera que esa persona es una excéntrica inofensiva, y el interés particular acaba convirtiéndose en el tema de un programa popular de televisión en el que la audiencia aprecia sus aptitudes y su personalidad. He visto el programa de la televisión británica *Antiques Roadshow* y lo he pasado muy bien con el entusiasmo que demuestran los ávidos coleccionistas, que parecen manifestar algunos signos del síndrome de Asperger. Como cultura, los británicos siempre han aceptado y admirado a la gente excéntrica. En conclusión, apoyo el comentario de Jennifer Mcillwee Myers, que tiene síndromede Asperger, y en un correo electrónico me escribió: «No tratemos el interés particular como una toxina que debe expulsarse, sino como un rasgo que ha de controlarse. En mi opinión, es un rasgo que confiere grandes ventajas a la sociedad».

Puntos clave y estrategias

- Una de las características que distingue una afición corriente de un interés particular clínicamente significativo es la anomalía en la intensidad o el objeto del interés.
- Un interés poco común o particular puede desarrollarse a una edad temprana, de sólo dos o tres años, y empieza con una preocupación por partes de objetos, como el giro de las ruedas de los coches de juguete o la manipulación de los enchufes.
- La fase siguiente es una fijación por algo que no es humano ni un juguete, o una fascinación por una categoría concreta de objetos y la adquisición de tantos ejemplares como le sea posible.
- Más adelante puede recoger hechos y datos sobre un tema concreto.
- Buena parte del conocimiento asociados al interés se adquiere de forma autodidacta.
- En los años previos a la adolescencia y en la adolescencia, el interés puede evolucionar hacia la electrónica y los ordenadores, la literatura fantástica, la ciencia-ficción y, a veces, hacia la fascinación por una persona concreta.
- Se identifican dos categorías de intereses: coleccionismo y adquisición de conocimientos sobre un tema concreto.
- Algunas niñas con síndrome de Asperger desarrollan un interés particular por la ficción más que por la realidad.
- En ocasiones el interés particular gira en torno a los animales pero la intensidad es de tal grado que el niño hace como que es el animal.
- El interés particular desempeña diversas funciones:

  — Superar la ansiedad.
  — Proporcionar placer.
  — Relajar.
  — Garantizar una rutina más predecible y mayor certeza en la vida.

— Ayudar a entender el mundo físico.
— Crea un mundo alternativo.
— Crear sensación de identidad.
— Llenar el tiempo, facilitar la conversación e indicar aptitudes intelectuales.

- Los padres han de tratar de satisfacer el ansia casi insaciable de dedicación al interés.
- El interés particular proporciona información considerable al clínico.
- Un desplazamiento del centro de interés hacia temas morbosos o macabros, como la muerte, puede indicar que el paciente sufre una depresión clínica; por su parte el interés por las armas, las artes marciales y la revancha, puede indicar que sufre acoso en la escuela.
- El niño o el adulto obtiene información sobre un tema que le genera sufrimiento emocional o confusión como medio para entender los sentimientos o las situaciones.
- La imposibilidad de controlar el tiempo dedicado al interés particular indica el desarrollo de un trastorno obsesivo-compulsivo.
- El problema no es la propia actividad, sino la duración y el predominio sobre otras actividades. La limitación del tiempo dedicado usando un reloj o cronómetro puede ser eficaz.
- Parte del programa de limitación de la dedicación es asignar un tiempo social determinado o de calidad para continuar con el interés particular como actividad social.
- Si la afición particular es potencialmente peligrosa, ilegal o con posibilidades de malinterpretarse, se tomarán medidas para interrumpirla o, al menos, modificarla, a pesar de que la experiencia clínica evidencia que no es tarea fácil.
- En ocasiones es más sensato *favorecer* la motivación para dedicarse al interés especial que mostrar una actitud *negativa* o de *oposición*.
- El interés es una fuente de disfrute, conocimientos, identidad y autoestima que padres, maestros y terapeuta han de usar de modo constructivo.

- Los padres deben pensar en la posibilidad de que un tutor desarrolle, de modo adaptado, los intereses que pueden llegar a ser fuente de ingresos o de trabajo, como es el caso de una habilidad natural con los ordenadores
- El interés particular se integra dentro de la terapia cognitivo-conductual para comprender y controlar las emociones.
- El interés particular se aprovecha para propiciar relaciones de amistad con compañeros o personas con síndrome de Asperger que compartan los mismos intereses.
- Si en una conversación se aborda el tema que constituye el centro del interés particular de una persona con síndrome de Asperger, ésta ha de aprender las claves y las respuestas relevantes que garantizan que la conversación es recíproca y mutua.
- Al pensar en las características asociadas a los intereses particulares, han de tenerse en cuenta no sólo los beneficios que de ellas puede obtener no sólo la persona que tiene síndrome de Asperger, sino la sociedad en general.

8

Lenguaje

Todos tienen algo en común: su lenguaje es poco natural.

Hans Asperger ([1944] 1991)

Hans Asperger describió con elocuencia un perfil poco común de aptitudes del lenguaje, que comprendía problemas con las habilidades de conversación, la *melodía* y la fluidez del habla, y un historial poco común del desarrollo del lenguaje, que tanto puede ser precoz como tardío. En algunos niños también describió una tendencia a hablar como los adultos, con un vocabulario avanzado y la utilización de frases complejas. Asperger escribió que si se los escucha con atención, invariablemente se detectan estos tipos de anomalías en el lenguaje y, por esta razón, su reconocimiento es de particular importancia diagnóstica (Asperger [1944], 1991, pág. 170).

Los criterios diagnósticos de Christopher Gillberg identifican un perfil inusual de habilidades del lenguaje. Se requieren, como mínimo, tres de las peculiaridades del habla y del lenguaje descritas a continuación, para establecer el diagnóstico de síndrome de Asperger (Gillberg y Gillberg, 1989):

- Retraso en el desarrollo del lenguaje.
- Lenguaje expresivo superficialmente perfecto.
- Lenguaje pedante, formal en exceso.
- Alteraciones de la prosodia, características peculiares de la voz.
- Alteración de la comprensión, incluidas interpretaciones erróneas de los significados literales e implícitos.

329

Los criterios diagnósticos de Peter Szatmari y sus colaboradores también reconocen las características peculiares del habla y requieren como mínimo dos de las siguientes (Szatmari, 1989b):

- Anomalías de la inflexión de voz.
- Habla en exceso.
- Escasa intervención en la conversación.
- Falta de cohesión de la conversación.
- Uso idiosincrásico de las palabras.
- Patrones repetitivos del habla.

Estos criterios diagnósticos incorporan tanto las descripciones originales de Hans Asperger como las características de las habilidades del lenguaje descritas por los médicos que efectúan una evaluación diagnóstica. Los criterios diagnósticos de la American Psychiatric Association para el síndrome de Asperger en el *Manual diagnóstico y estadístico de las enfermedades mentales* (DSM-IV) y los criterios de la Organización Mundial de la Salud descritos en la Clasificación Internacional de las Enfermedades (CIE-10) hacen referencia brevemente a las habilidades del lenguaje pero describen que no está presente un retraso general clínicamente significativo del lenguaje (APA, 2002, pág. 84). Lamentablemente esto se interpreta como la ausencia de características poco comunes en las habilidades del lenguaje. A los cinco años de edad, el niño con síndrome de Asperger no manifiesta un retraso general del lenguaje, pero en las investigaciones realizadas a partir de la experiencia clínica y de las descripciones de los padres se ha visto que el niño es peculiar en aspectos concretos y más sutiles del lenguaje.

El texto que acompaña los criterios diagnósticos en el DSM-IV hace referencia a la forma en la que el lenguaje puede ser anormal en términos de la preocupación del paciente por ciertos temas, como la verborrea, y la incapacidad para apreciar y utilizar las normas convencionales de conversación y el hecho de que el vocabulario del niño sea propio de un adulto. Por desgracia, estas características no se contemplan en los criterios diagnósticos del DSM-IV. En mi opinión, las habilidades peculiares del lenguaje son una característica esencial del síndrome de Asperger y deben incluirse en las revisiones futuras de dichos criterios.

Evaluación de las habilidades del lenguaje

Los tests estandarizados que valoran el lenguaje receptivo y expresivo no son sensibles a las características específicas del lenguaje de niños y adultos con síndrome de Asperger. En general la estructura superficial es apropiada para la edad por lo que respecta al desarrollo del vocabulario y la capacidad para decir frases bastante complejas. No obstante, una evaluación formal mediante tests como el Clinical Evaluation of Language Fundamentals IV (CELF-IV) puede poner de manifiesto problemas relacionados con las aptitudes del lenguaje receptivo, en particular con la comprensión del lenguaje, tales como entender las metáforas y su interpretación, y el recuerdo y la ejecución de instrucciones orales cada vez más complejas (Koning y Magill-Evans, 2001).

Esto explicaría un problema que suelen referir padres y maestros, consistente en que el niño es capaz de construir frases muy complejas, en ocasiones más típicas de un adulto que de un niño, pero muestra confusión cuando se le pide que complete una secuencia de órdenes que entiende un niño corriente de su misma edad. Su tendencia a usar frases complejas no necesariamente significa que el niño entienda las instrucciones complejas.

El perfil del lenguaje del niño está compuesto por una sintaxis, una gramática y un vocabulario muy desarrollados, de modo que no tiene sentido remitirlo a un servicio de logopedia (Paul y Sutherland, 2003). Pero los padres y los maestros suelen necesitar orientación sobre cómo alentar al niño para que mantenga una conversación (Linblad, 2005), y los problemas con las habilidades de conversación inhiben su integración en clase y en el patio de recreo. La evaluación formal de las habilidades del lenguaje de estos niños incluye la realización de tests para examinar los aspectos del lenguaje o el arte de la conversación (Bishop y Baird, 2001), así como la prosodia, el uso de acentos en palabras clave o sílabas, y la fluidez y el tono de voz. En la evaluación es preciso considerar una visión amplia del lenguaje e incluir una valoración de su aptitud para entender las metáforas, el lenguaje escrito, su destreza narrativa (sus habilidades para contar una historia), y los aspectos de la comunicación no verbal, como el lenguaje corporal y la comunicación de las emociones. En la evaluación también se examinará la presencia de características como la pedantería o la creatividad en el uso del lenguaje.

Con frecuencia, se observa una diferencia significativa entre los conocimientos y la práctica del lenguaje. El niño demuestra aptitudes lingüísticas en la situación formal de un test con un logopeda pero tiene dificultades considerables con la velocidad de procesamiento del lenguaje, necesaria en las situaciones de la vida real, como cuando juega con los compañeros y cuando escucha y entiende lo que está diciendo otra persona mientras hay otros elementos que lo distraen y ruido de fondo.

La evaluación también debe examinar su aptitud para comunicar lo que piensa y siente mediante elementos de comunicación no verbales. He observado que una de las interesantes habilidades del lenguaje de estas personas es que tienen dificultades para describir un acontecimiento emocional significativo en una conversación cara a cara, aunque muestran mucha elocuencia y discernimiento cuando expresan sus sentimientos y emociones por escrito, en un diario o con la ayuda del ordenador, o a través de un correo electrónico. En general, su lenguaje escrito es superior a su comunicación verbal (Frith, 2004).

Características y dificultades del lenguaje

El lenguaje de estos niños presenta algunas áreas de claras aptitudes. El niño desarrolla un vocabulario nada desdeñable, que incluye términos técnicos (en general relacionados con su interés particular) y expresiones asociadas más a menudo con la forma de hablar de un adulto. En ocasiones habla como un profesor en miniatura y extasía a su interlocutor con un monólogo que suele versar sobre su tema favorito. Cuando estas características se dan en la adolescencia pueden ser un factor que contribuya a su exclusión social. Manifiesta una curiosidad natural por el mundo físico y por cómo funcionan las cosas, y tiende a formular preguntas y a proporcionar información sobre hechos reales fascinantes. Cuando mantengo una conversación con personas que tienen síndrome de Asperger, lo paso muy bien con el intercambio intelectual de información y me he dado cuenta de que, en particular los adultos, cuyos conocimientos superan a los míos, son sumamente pacientes para explicarme conceptos concretos, lo que es muy importante cuando me ayudan con un problema informático, ya que impiden que experimente una *fusión* emocional.

En algunos niños pequeños a los que más tarde se diagnostica síndrome de Asperger se observa un retraso en el desarrollo del habla, pero puede ocurrir que cuando empiezan a hablar, lancen de repente varias palabras o frases. Mi cuñada no habló hasta que tuvo más de tres años de edad, pero sus primeras palabras fueron destacadas. Estaba a punto de besar a su padre en la mejilla cuando, de pronto, retrocedió y dijo: «No quero besa papá ta que use a Hoover». La Hoover es un tipo de aspiradora y la niña retrocedió porque su padre no se había afeitado. Esta anécdota también ilustra su empleo imaginativo de las palabras: la niña creía que una máquina de afeitar era como una aspiradora para el vello facial.

La expresión del niño es apropiada para la edad pero poco común porque es demasiado precisa. Puede pronunciar la palabra tal como se escribe, ya que los niños aprenden la lengua más por la lectura que de escuchar a los demás. Puede cambiar la acentuación de una sílaba a otra, lo que cambia cómo suenan las palabras. He observado que, para algunos niños con síndrome de Asperger, el desarrollo del lenguaje no se basa en la conversación con la familia y los amigos, sino en lo que asimilan de los programas de televisión y las películas. En general, el niño pequeño pronuncia la palabra con el acento de la persona a la que se la ha oído por primera vez. Esto explica la tendencia de algunos niños inmigrantes a hablar con el acento que oyen más a menudo. Su vocabulario y la pronunciación de las palabras se desarrolla viendo la televisión más que hablando con la gente, sobre todo viendo dibujos animados y películas, que están dobladas por actores del país al que han emigrado.

El niño con síndrome de Asperger también crea sus propias palabras o neologismos (Tantam, 1991; Volden y Lord, 1991). Por ejemplo, se inventa la palabra «chochupi» para describir los polos de chocolate; o la palabra «clink» para un imán. A otro niño se le preguntó porqué no mostraba interés por su hermano recién nacido y contestó: «No puede andar, no puede hablar, está roto». Mi cuñada describe el tobillo como «la muñeca del pie» y los cubitos de hielo son para ella «huesos de agua».

En ocasiones, el sonido o el significado de una palabra concreta provoca la hilaridad del niño. Repite una y otra vez la palabra y se ríe sin ninguna intención de compartir su regocijo o de explicar por qué la palabra es tan fascinante o divertida. El humor es idiosincrásico del niño y es enigmático para el maestro o los padres. Su capacidad para proporcionar una nueva perspectiva sobre el lenguaje es fascinante y es uno de los aspectos atractivos y genuinamente creativos del síndrome de Asperger. Quizás el niño podría recibir un premio de creatividad por el pensamiento lateral* que da lugar a estos nuevos términos, frases o descripciones y hay que animarlo a que los incorpore en sus escritos.

Aunque en el perfil de las habilidades lingüísticas hay características positivas, el niño tiene dificultades concretas. La más visible es

---

* El término «pensamiento lateral» fue acuñado por Edward de Bono para describir un tipo de pensamiento distinto del pensamiento convencional o lógico. En el pensamiento convencional (o vertical), avanzamos a lo largo de líneas familiares usando experiencias y suposiciones que parten de situaciones similares. Nos apoyamos en la lógica y las suposiciones que empleamos antes. Utilizamos un enfoque lógico y racional. (*N. de la t.*)

su incapacidad para modificar el lenguaje en función de las circunstancias sociales. Los niños corrientes en edad escolar participan en una conversación equilibrada, conscientes de los conocimientos, los intereses y las intenciones de su interlocutor y de las convenciones sociales que determinan qué decir, cómo decirlo y cómo escuchar con atención. Los logopedas describen la modificación y el uso del lenguaje en un contexto social como *aspectos pragmáticos* del lenguaje. En un apartado posterior de este capítulo, se describen con mayor detenimiento las dificultades en esta área del lenguaje y se proporcionan estrategias terapéuticas para padres y maestros.

La prosodia y, en particular, el tono de voz de algunas personas con síndrome de Asperger pueden ser extraños; su tono de voz se percibe como plano y monótono. Las características del habla presentan problemas con el volumen de la voz, demasiado alta o demasiado baja para la situación. Un tono de voz demasiado alto es sumamente irritante para los miembros de la familia y difícil para los maestros, que, en general, tratan de fomentar que en la clase haya menos ruido. También puede ocurrir que la voz tenga un timbre excepcionalmente agudo o una calidad nasal notable que distraiga a su interlocutor. En ocasiones la fluidez, o expresión verbal, es demasiado rápida, en particular cuando habla de su interés particular o está agitado. En comparación, es excepcionalmente ponderada cuando ha de pensar lo que va a decir, sobre todo si la respuesta requiere la comprensión de lo que piensa o siente la otra persona durante una conversación.

La conversación con una persona con síndrome de Asperger pasa por momentos en los que parece producirse una avería en la transmisión de la comunicación. Esa persona se queda ensimismada pensando para decidir lo que ha de decir y para asegurarse de que su concentración es absoluta, y evita mirar a la cara de la otra persona. Lamentablemente, la pérdida temporal del impulso de la conversación y del contacto ocular puede confundir al interlocutor, que espera una respuesta inmediata y duda de si debe interrumpir para restablecer el diálogo. Por lo general, yo espero pacientemente, sabiendo que a la mayor parte de los adultos con síndrome de Asperger no les gusta que los interrumpan, ya que eso los obliga a iniciar de nuevo todo el proceso de reflexión.

Aunque a muchos de ellos no les gusta que los interrumpan, tienen fama de interrumpir a los demás o de seguir hablando como si nada. El maestro se queja de que el niño se toma muy mal las interrupciones cuando está hablando o trabajando pero parece pasar por alto las señales que indican que no debe interrumpir a los demás. Es frecuente que se solicite consejo de logopedas y psicólogos sobre cómo conseguir que el niño no interrumpa continuamente al maestro.

Durante una conversación, la persona con síndrome de Asperger puede cambiar con frecuencia de tema, sin saber que la conexión lógica entre temas no es evidente para su interlocutor. Estas conversaciones, o monólogos, parecen desestructuradas y se perciben como una sarta de pensamientos y experiencias que carecen de coherencia y de relevancia en esa situación. La persona no percibe la perspectiva de su interlocutor, que trata de seguir la lógica y se pregunta cuál será la cuestión principal y también si tendrá la oportunidad de participar en la conversación. En sus conversaciones faltan comentarios que incluyan al interlocutor, como «¿qué piensa de esta propuesta?» o «¿ha tenido una experiencia similar?».

Otra característica de los niños y algunos adultos con síndrome de Asperger es que piensan en voz alta, comentan sus propias acciones u pronuncian monólogos sin necesidad de interlocutor (Hippler y Klicpera, 2004). Una característica de todos los niños pequeños es pensar en voz alta cuando juegan solos o con los demás. No obstante, en el momento en que inician la escolaridad, aprenden a guardarse lo que piensan para sí. Al final, hablar solo se considera un signo de alteración mental. El niño con síndrome de Asperger continúa hablando solo muchos años después del momento en que se esperaría que interiorizara sus pensamientos. Esto suele distraer la atención de otros niños de la clase y da lugar a que se mofen de él cuando habla solo en el patio de recreo. Tampoco oye las instrucciones del maestro porque está demasiado ensimismado en su monólogo.

Esta conducta responde a diversas razones. En primer lugar, el niño está menos influido por sus compañeros para permanecer callado, o le preocupa menos parecer distinto. Las vocalizaciones también tienen un objetivo constructivo o son tranquilizadoras. Por ejemplo, un adolescente decía que «hablar conmigo mismo me ayuda a entender y practicar cómo expresar bien las ideas», mientras que otro me contaba:

> ¿Sabe qué?, me gusta el sonido de mi propia voz porque me impide sentirme solo. Creo que también se debe al miedo de que, si no hablo, me volveré mudo. No empecé a hablar hasta que cumplí cinco años (Dewey, 1991, pág. 2004).

Otra razón es que esté ensayando posibles conversaciones para el día siguiente, o repitiendo conversaciones previas para tratar de entenderlas. En ocasiones las personas con síndrome de Asperger, que son propensas a sentir ansiedad, hablan consigo mismas como medio para reconfortarse y sentirse seguras y a salvo. Exteriorizan los comentarios tranquilizadores que la gente corriente guarda para sí.

Es importante averiguar por qué la persona habla para sí misma. Simplemente puede ser un retraso del desarrollo o una forma de organizar sus pensamientos, de mejorar su comprensión y de consolarse. Si este aspecto del lenguaje llega a ser un problema, hay que animar al niño a susurrar más que a hablar en voz alta, y a que trate de pensarlo pero no decirlo cuando esté junto a otras personas. He observado que algunos adultos con síndrome de Asperger, cuando están sumidos en sus pensamientos, mueven los labios, como si tuvieran dificultades para desconectar la mente de la boca.

Tener un perfil inusual de habilidades del lenguaje también produce consecuencias sociales secundarias asociadas al síndrome de Asperger. Otros niños se abstienen de jugar o hablar con él debido a sus problemas a la hora de conversar, y es propenso a ser víctima de las burlas y ridiculizado por su acento extraño. Han Asperger afirmaba que el lenguaje con frecuencia es como una caricatura, que provoca la risa del interlocutor ingenuo (Asperger [1994], 1991, pág. 70). Por lo tanto, los programas de terapia para mejorar las habilidades del lenguaje son un componente esencial de los servicios para niños con síndrome de Asperger.

El arte de la conversación

Cuando se oye hablar a un niño con síndrome de Asperger, impresiona tanto el uso de frases complejas como su extenso vocabulario de términos técnicos. Sin embargo, la impresión general de la conversación es que, en comparación con las pruebas fehacientes de sus habilidades lingüísticas, comete determinados errores relacionados con su aptitud para mantener una conversación natural.

La persona con síndrome de Asperger no sigue las normas de conversación convencionales sobre cómo iniciar, mantener y terminar una conversación. Comienza la interacción con un comentario que no viene al caso en esa situación, o infringiendo los códigos sociales o culturales. Por ejemplo, un niño pequeño puede acercarse a un desconocido en el supermercado e iniciar una conversación diciendo «¿tiene una segadora?» y, acto seguido, continuar con un monólogo que muestra unos conocimientos enciclopédicos sobre la maquinaria de jardín. Una vez empezada la conversación, no parece tener interruptor de desconexión y sólo termina cuando llega al final de un guión predeterminado que el niño ha ensayado antes. En ocasiones los padres pueden predecir qué es lo siguiente que su hijo va a decir según un guión de conversación que el niño ha ensayado mucho.

Ese niño no es consciente del efecto que el monólogo tiene sobre su interlocutor y hace caso omiso de los signos de apuro, confusión o deseo de terminar la interacción que el otro muestra. Da la impresión de que el niño habla pero no escucha, y no es consciente de las señales no verbales sutiles que regulan el flujo de la conversación. Durante ésta no reconoce ni aprecia el contexto, la jerarquía y las normas sociales, y apenas trata de incorporar los comentarios, sentimientos y conocimientos de su interlocutor en la conversación.

Al contrario de lo que ocurre a la hora de poner en marcha un auténtico monólogo, cuando se trata de participar en una conversación a veces, la persona con síndrome de Asperger se muestra reacia. Su verborrea tiene fama cuando se interesa por un tema, pero es reacia a mantener una conversación cuando éste apenas le interesa o lo ha introducido otra persona (Paul y Sutherland, 2003). Tengo la impresión de que muchas de esas personas consideran que una conversación es, sobre todo, una oportunidad para intercambiar información, aprender e informar, y si no hay información práctica que intercambiar, ¿por qué van a perder el tiempo hablando?

Otro ejemplo de dificultades en las habilidades de conversación es el conocimiento sobre cómo restablecerla. Cuando se vuelve confusa, quizás porque el interlocutor es poco preciso o su respuesta no es clara, la reacción natural de la mayor parte de la gente es pedir una aclaración para mantener el tema de la conversación. Cuando tiene dudas sobre lo que debe decir, la persona con síndrome de Asperger carece de confianza para admitir que no lo sabe o que está confusa y, más que decir «no estoy seguro de lo que quiere decir con esto», «no es fácil hablar de esto» o «me he quedado sin palabras», tarda un tiempo considerable en pensar su respuesta o cambia súbitamente el tema de conversación por otro que le sea familiar. La conversación carece de flexibilidad de temas, ya que tiene problemas para generar ideas congruentes (Bishop y Frazier Norbury, 2005). Por lo tanto, en la conversación se producen cambios bruscos de tema y salidas por la tangente (Adams y otros, 2002; Fine y otros, 1994). Una característica poco afortunada de algunas conversaciones con estas personas es que al final la conversación revierte hacia su interés particular, o se caracteriza por el comentario «y ahora, hablemos de algo completamente diferente».

Cuando el interlocutor se muestra confuso, suelen carecer de la flexibilidad mental para explicarse con otras palabras, o para facilitar la comprensión mediante gestos o una metáfora. Cuando se le formula una pregunta a un niño con síndrome de Asperger o se espera que conteste a un comentario, en general evita responder u ofrecer información nueva o relevante (Capps, Kehres y Sigman, 1998). Esto no es necesariamente una muestra de indiferencia o de insolencia, sino otro ejemplo de que tiene dificultades reales para restablecer y mantener una conversación.

Otra característica peculiar de las conversaciones es la tendencia a hacer lo que el interlocutor considera comentarios incongruentes. Pueden decir algo o formular una pregunta no relacionada con el tema de la conversación. Pueden ser asociaciones de palabras, fragmentos de conversaciones previas o palabras en apariencia extravagantes. Parece ser que el niño dice lo primero que le viene a la cabeza, sin ser consciente de la confusión que esto provoca en su interlocutor. No se conoce la razón de este comportamiento, pero podría asociarse con la tendencia a la impulsividad y con la menor capacidad de formular una estructura o secuencia lógica que exprese una aseveración o una descripción, y también puede estar relacionada con la incapacidad de tener en cuenta el punto de vista del interlocutor. Éste no está seguro de si debe responder al comentario incongruente o continuar con la conversación como si nada hubiera ocurrido. En mi opinión es preferible no hacer caso de esos comentarios y prestar atención al tema central de la conversación.

Las personas con síndrome de Asperger también tienden a interrumpir a los demás o a seguir hablando como si nada. Temple Grandin dice:

> Durante los dos últimos años, he empezado a ser más consciente de un tipo de electricidad que se transmite entre la gente. He observado que cuando se reúnen varias personas y lo pasan bien, su conversación y sus risas siguen un ritmo. Se ríen todos a la vez y después hablan tranquilamente hasta el ciclo siguiente de risa. Siempre me ha resultado difícil adaptarme a ese ritmo y suelo interrumpir las conversaciones sin darme cuenta de mi error. El problema es que no puedo seguir el ritmo (Grandin, 1995, págs. 91-92).

Estas interrupciones pueden enojar al interlocutor, que considera que la persona que las hace es muy maleducada; tendría que darse cuenta de que es una característica del síndrome de Asperger y que no se debe a una falta de respeto.

Durante una conversación típica se espera que la persona que escucha muestre claros signos de prestar atención al que habla, y lo comunique mediante signos, como asentir con la cabeza, con expresiones faciales o con palabras como «ya, ya» o «sí, sí». Estas conductas confirman la sensación de comunicación y de estar en sintonía con el que habla. También habrá sincronía de gestos y movimientos, sobre todo si entre las dos personas que hablan hay una relación positiva. Estos signos son menos evidentes cuando uno de los interlocutores tiene síndrome de Asperger. Aunque los signos de desacuerdo son claros, los de acuerdo, de escuchar con atención y sentir empatía no son tan visibles como sería de esperar. La persona con síndrome de Asperger suele ser percibida como una persona que no sabe escuchar. Esto no representa ningún problema en una conversación con un conocido fortuito, pero lo es para los padres, la familia directa, los amigos y los compañeros.

En ocasiones se le critica por su falta de tacto o su candor social durante una conversación, quizás expresando algo que, aunque sea cierto, hiere los sentimientos del otro o es inapropiado en esa situación concreta. Desde su más temprana infancia, un niño corriente cambia el tema de conversación de acuerdo con la persona con la que habla. Esos cambios se basan en la comprensión de las jerarquías, de las normas sociales y de la necesidad de reprimir ciertos comentarios cuando se tienen en cuenta los pensamientos y sentimientos del interlocutor. Debido al retraso en la adquisición de las aptitudes de la teoría de la mente (véase el cap. 5) la conversación se convierte en un campo de minas social, con tendencia a que su interlocutor se sienta ofendido por los comentarios, las críticas y los juicios de valor de la persona que padece síndrome de Asperger. No obstante, su intención no es ofender; simplemente dice lo que piensa, ya que cree que debe ser más fiel a los hechos y a la verdad que a los sentimientos de su interlocutor.

A veces el problema no es lo que dice, sino su forma de decirlo. Puede dar la impresión de que es francamente crítico, mezquino con los cumplidos; áspero y brusco, discutidor nato y maleducado. Otras personas saben cuándo no deben pensar en voz alta y cómo evitar o modificar sutilmente los comentarios que podrían considerarse ofensivos. Una vez más, es importante saber que no lo hace para fastidiar.

El retraso en la adquisición de las aptitudes de la teoría de la mente también explica otras características del deterioro de los aspectos pragmáticos del lenguaje; eso significa que la persona con síndrome de Asperger no está segura de lo que la otra persona sabe o desea saber. Cuando la madre de un niño corriente le pregunta qué ha hecho ese día en la escuela, el niño entiende qué quiere saber su madre; sin embargo, el niño síndrome de Asperger se queda atónito porque la pregunta no es precisa. ¿Quiere saber con quién he hablado, qué he aprendido, dónde fui, con quién jugué, si lo pasé bien, si alguien se burló de mí o lo que dijo e hizo el maestro? El niño o bien no le contestará o bien se embarcará en una descripción detallada del día con la esperanza de que algo de lo que diga sea la respuesta correcta.

Cuando se le pide que describa un acontecimiento (es decir, que ofrezca un discurso narrativo), el niño tendrá dificultades significativas para proporcionar un marco organizado y coherente de la historia (Abele y Grenier, 2005). Aproximadamente a los seis años de edad, un niño corriente organiza una historia en una estructura narrativa que su interlocutor entiende fácilmente. Hay un contexto claro y una secuencia lógica, y hace hincapié en los acontecimientos, pensamientos y consecuencias clave (Landa, 2000). Cuando se le pregunta qué ha hecho el fin de semana, el niño corriente analiza toda la información disponible para determinar qué aspectos son relevantes y serían interesantes para su interlocutor, y tendrá en cuenta tanto el tiempo necesario para expresar esa información como la cantidad de tiempo disponible para contarla. El niño (y algunos adultos) con síndrome de Asperger experimenta un retraso significativo del desarrollo de los aspectos narrativos de una conversación. La historia no tiene un comienzo claro, proporciona demasiada información o no la suficiente, no hay información clave y tiende a irse por las ramas con información que no viene al caso. Le resulta muy difícil resumir e ir al grano, lo que genera aburrimiento y es irritante para el interlocutor, que espera una exposición más breve pero coherente. Los hechos son reales, pero con frecuencia se exponen sin estructura lógica, y faltan los pensamientos y sentimientos de los participantes. Los errores en los aspectos pragmáticos del lenguaje hacen que su interlocutor suponga que esa persona es estúpida y no coopera y, por lo tanto, será reacio a entablar más conversaciones con ella.

Estrategias para mejorar las habilidades de conversación

El paciente necesita orientación en el arte de la conversación, en aspectos como las explicaciones de las circunstancias y las convenciones sociales; eso puede llevarse a cabo por medio de las historias sociales (Gray, 1998), la oportunidad de aprender a conversar y de practicar, y actividades para mejorar la madurez de las habilidades de la teoría de la mente.

Las estrategias para mejorar la comprensión social descritas en el capítulo 3 serán relevantes para mejorar las habilidades del lenguaje pragmático. Las historias sociales se usan como una ayuda para entender las circunstancias y las convenciones sociales, las expectativas, los pensamientos y los sentimientos de cada participante en la conversación; también proporcionan orientación sobre cuándo usar mecanismos para restablecer la conversación. Las primeras historias sociales se escribirán para tomar notas de sus habilidades de conversación. En las historias sociales siguientes hay que establecer un equilibrio entre las que se usen para registrar aptitudes y las que se empleen para aprender información nueva. También se escriben historias sociales o artículos sociales para adolescentes y adultos.

Aunque mejoran los conocimientos sociales, también es importante practicar las nuevas habilidades en un entorno controlado y de

343

apoyo. Los logopedas, maestros y psicólogos pueden organizar programas de habilidades sociales en los que haya actividades para mejorar las habilidades de conversación (Abele y Grenier, 2005; Chin y Bernard-Opitz, 2000).

En la organización de estos programas, el primer estadio es identificar las aptitudes y errores pragmáticos del niño, o del adulto, con síndrome de Asperger. Puede cometer diferentes errores, según cuál sea la situación; por ejemplo, es capaz de entablar una conversación razonable con un adulto pero comete errores evidentes en los aspectos pragmáticos del lenguaje cuando juega con otros niños y no sabe cuándo debe usar un lenguaje formal o informal. Un adolescente no conoce el vocabulario coloquial y los temas de interés de sus compañeros. Un adulto entabla conversaciones sobre temas prácticos pero tiene dificultades considerables en una charla intrascendente o en el lenguaje que se usa para cortejar a alguien.

El paso siguiente es mejorar los conocimientos usando historias sociales o artículos sociales. Después se pueden formar grupos de discusión o emprender el aprendizaje en grupo para identificar las claves sociales que señalan la necesidad de alguna modificación de la conversación. Los participantes practican nuevas respuestas y habilidades con orientación y apoyo y, por último, aplican sus nuevas habilidades de conversación en situaciones reales. Para los niños, éstas se enseñan y practican mediante juegos y actividades de teatro (Schroeder, 2003). Se apela a su genuina preocupación por los demás y su motivación para ser un buen amigo para explicarles que, a veces, hablar de lo que otro niño desea es un acto de amabilidad y camaradería. También es importante enseñarles estrategias para abandonar y concluir una conversación, lo que impide que la continúen indefinidamente.

Para evitar que el niño se sienta incompetente y, por lo tanto, se resista a participar, el adulto actuará como la persona que comete errores pragmáticos o de conversación, y pedirá al niño que identifique qué técnica de conversación no es buena. Entonces, se le pide que le recomiende al adulto qué puede hacer para mejorar sus habi-

344

lidades de conversación. Así el niño puede modelar la habilidad de responder a solicitudes: «Bien, creo que me has enseñado lo que debería haber dicho». Si el niño no está seguro de lo que debe decir o hacer durante una conversación práctica, el adulto puede susurrarle las instrucciones al oído.

También necesita conocer las claves que indican un cambio de guión. Por ejemplo, si sabemos que recientemente uno de los participantes en la conversación tuvo una experiencia desagradable como perder el dinero cuando iba de compras, tendemos a modificar el guión y hacer comentarios de consuelo o empatía. En la conversación de la persona con síndrome de Asperger hay menos ejemplos de comentarios compasivos espontáneos. Sin embargo, cuando un adulto le ofrece ejemplos apropiados, el niño los usa como clave para hacer sus propios comentarios (Loveland y Tunali, 1991). Por lo tanto, aunque no conoce el significado de algunas claves, si el padre o maestro le da un ejemplo inicial está animándolo a responder de la forma adecuada.

El niño y el adulto con síndrome de Asperger necesita aprender a formular preguntas y hacer comentarios de rescate que usará para restablecer una conversación o solicitar una aclaración. Ejemplos de ese tipo de comentarios son: «estoy confuso, ¿puede explicarme lo que quiere decir?», «nos entendemos, ¿verdad?», o comentarios como «me interesa lo que dice».

Otras habilidades del arte de la conversación son preguntar por las opiniones, aptitudes y experiencias del interlocutor, mostrar empatía o acuerdo y hacer cumplidos, saber cómo conseguir que el tema de la conversación sea interesante, y saber cómo y cuándo escuchar y mirar al interlocutor. Son habilidades muy complejas y avanzadas, difíciles para la persona con síndrome de Asperger. Una actividad para niños pequeños, destinada a estimular dichas habilidades, es sentar al niño junto al tutor (un maestro, un terapeuta o un progenitor) y facilitar una conversación con otro niño o adulto. La idea es que el tutor le susurre al oído qué decir o hacer y cuándo decirlo. El tutor identifica las claves relevantes y sugiere las respuestas apropiadas, animando gradualmente al niño a iniciar su propio diálogo. Un ejemplo es decir (susurrando): «Pregunta a Jessica cuál es su programa de televisión favorito» o «Dile: "A mí también me gusta este programa"» de modo que la conversación no se limite a una serie de preguntas encadenadas.

Una actividad en clase para animar la conversación es distribuir a los niños en parejas; cada participante practica cómo entablar y mantener una conversación con un amigo. En la clase se habrá identificado previamente una serie de preguntas que introducen una conversación, por ejemplo «¿cómo estás?» o «¿te gusta el tiempo que hace hoy?», o un tema escogido de las noticias. Cada niño identifica y recuerda información sobre su pareja de conversación y piensa en preguntas, comentarios o temas de conversación pertinentes, como «¿está mejor tu abuela?», «me gustan mucho tus gafas nuevas» o «el último episodio de los Simpson de ayer por la tarde fue muy divertido». Otra actividad es tratar de descubrir mediante la conversación los intereses que tienen en común y las opiniones compartidas, que pueden ser la base de una amistad.

El programa para mejorar las habilidades de conversación incluye instrucciones y actividades para reforzar:

- Las habilidades de interlocutor.
- La aptitud para hacer y recibir cumplidos y críticas.
- Los conocimientos de cuándo y cómo interrumpir.
- La aptitud para hacer comentarios que permiten cambiar el tema de conversación.
- La capacidad para usar comentarios con la finalidad de restablecer la conversación.
- Los conocimientos sobre cómo plantear preguntas cuando está confuso acerca de qué decir o hacer.

También es necesario orientar al niño sobre la elección del tema, cuándo renunciar al control de la conversación y cómo terminarla. El programa puede usar grabaciones en vídeo de las actividades para identificar los errores y éxitos de la conversación y secciones de los programas de televisión y películas que ilustren un problema en las habilidades de conversación. Se pueden desarrollar actividades para practicar las habilidades necesarias para contar una historia, describir la información importante y crear una estructura clara y coherente. Para niños pequeños, la historia se puede contar con la ayuda de un libro de dibujos más que con palabras, y para los niños más mayores se puede practicar cómo preparar una historia antes de empezar una conversación que se sabe que tendrá lugar. Por ejemplo, un padre le dice a su hijo: «Es probable que tu abuela te pregunte cómo te lo pasaste en la fiesta de cumpleaños. Practiquemos lo que le contestarás». A lo largo del programa hay que hacer hincapié en el descubrimiento de las nuevas habilidades más que en los sentimientos de incompetencia, y hay que reconocer y aplaudir las mejoras de las habilidades.

Figura 8.1. Conversación mediante un cómic para aprender técnicas de interrupción en una conversación.

Los adolescentes con síndrome de Asperger pueden ser reacios a participar en un grupo de conversación pero aceptarán orientación sobre habilidades de conversación si está integrada en una clase de teatro en la escuela de formación profesional. Es más probable que asistir a clases de teatro sea una actividad aceptable para los compañeros y para la imagen que tiene de sí mismo el adolescente con síndrome de Asperger. El director, más que el terapeuta, proporciona un posible guión y le da instrucciones acerca del lenguaje corporal, el tono de voz y las emociones. También se le dan consejos sobre qué decir y cómo decirlo en situaciones cotidianas, y lo ensaya. Por último, el guión y las nuevas habilidades se aplican en situaciones reales. Se puede animar a la persona con síndrome de Asperger a que observe a los compañeros que tengan buenas habilidades de conversación, para que las asimile e imite. En ocasiones el actor es tan convincente que su pareja en la conversación no tiene ni idea de cómo adquirió las habilidades de conversación y quién actuó como modelo de conducta. También se usan las conversaciones mediante cómics, desarrolladas originalmente por Carol Gray (1998), para explicar lo que alguien piensa y siente en una conversación. Se dibujan monigotes o caricaturas que representan a los participantes en la conversación y bocadillos en los que se escribe lo que dicen, piensan y sienten los participantes. Estos bocadillos se dibujan de diversas formas para transmitir la emoción: por ejemplo, si sus bordes terminan en ángulo recto indican cólera o si las líneas son onduladas, indican ansiedad. También se usan colores. Los comentarios alegres o positivos se escriben con un color determinado (elegido por el niño), mientras que los pensamientos desagradables se escriben con otro color. Se desarrolla un código de colores completo; por ejemplo, los comentarios embarazosos se escriben en rosa y los sentimientos de tristeza, en azul. Éstos pueden traducirse en aspectos relevantes del tono de voz o del lenguaje corporal de la persona.

Cuando el individuo con síndrome de Asperger tiene fama de interrumpir a los demás, una historia social le explicará los efectos de la interrupción sobre los pensamientos y el estado de ánimo de la otra persona; sin embargo, una imagen vale más que mil palabras y las conversaciones mediante cómics le proporcionarán una representación gráfica, como ilustra la conversación mediante un cómic para niños que interrumpen a los demás de la figura 8.1.

Se pueden usar actividades de teatro para reconocer las claves que indican cuándo empezar a hablar, tales como el final natural de un tema o de un «párrafo» conversacional o el contacto visual de quien comunica a su interlocutor que es su turno. La persona con síndrome de Asperger también merece elogios cuando habla en respuesta a las señales de luz verde adecuadas.

Las conversaciones mediante cómics son una herramienta inestimable para examinar y explicar la variedad de mensajes y significados que son parte natural de la conversación o del juego. Muchos niños con síndrome de Asperger muestran confusión y se inquietan por las burlas o el sarcasmo de los demás. Los bocadillos con lo que dicen y piensan los participantes, al igual que la elección de los colores, ilustran los mensajes ocultos y permiten que el niño entienda cómo perciben los otros niños su discurso y sus habilidades de lenguaje.

Un niño pequeño con síndrome de Asperger suele suponer que los demás piensan exactamente lo que él está pensando; o que las palabras de los demás son el reflejo de sus pensamientos. Las conversaciones mediante cómics se usan para mostrarle que pueden surgir pensamientos y sentimientos muy diferentes en la misma situación, y que lo que dice la gente no siempre se corresponde con lo que piensa. Otra ventaja de esta técnica es que se usa para representar la secuencia de acontecimientos en una conversación e ilustra los efectos potenciales de comentarios o acciones alternativos.

Hay diversas actividades que enseñan las habilidades de la teoría de la mente, tal como se ha descrito en el capítulo 5, que también están diseñadas para mejorar las habilidades de conversación. Se dispone de DVD interactivos que son útiles para identificar los cambios de la expresión facial y el tono de voz, que se usan para modificar la conversación. Estos DVD se emplean tanto con niños como con adultos, porque los sentimientos están clasificados por grado de dificultad. También es recomendable que los adultos lean algún libro de autoayuda que oriente sobre el arte de la conversación (Gabor, 2001).

La última fase del programa es aplicar las nuevas habilidades en situaciones reales. Es necesario informar a los compañeros y a los miembros de la familia de las nuevas habilidades del niño en la conversación para garantizar que las utiliza con éxito y fomentar su motivación y autoestima. Es muy importante que reciba elogios por sus conversaciones satisfactorias, que se explicite que su interlocutor apreció sus palabras y que mejora sus habilidades de conversación. En ocasiones el niño requerirá la ayuda de un tutor en el arte de la conversación durante mucho tiempo.

Interpretaciones literales

La persona con síndrome de Asperger tiende a interpretar literalmente lo que le dicen y le confunden los modismos, la ironía, las metáforas, las indirectas y el sarcasmo. Un ejemplo de interpretación literal relativamente simple de lo que una persona dice es el de un adolescente al que su padre le pide que prepare un poco de té. Un poco más tarde, el hombre se extraña de que su hijo no le haya llevado un poco de té y le pregunta: «¿Dónde está el té?». Su hijo le responde: «En la jarra, naturalmente». No entendió que la petición no sólo implicaba preparar el té sino también llevarle un poco a su padre. No es perezoso, corto de luces o desafiante a propósito, sino que responde al significado literal, no al implícito.

Durante una evaluación diagnóstica, le dije a una niña con síndrome de Asperger: «¿Puedes contar hasta diez?»; me contestó afirmativamente y continuó en silencio con su juego. También pueden interpretar literalmente los dibujos. Un niño con síndrome de Asperger estaba mirando un tebeo del Correcaminos, en el que el coyote se cae por un precipicio y, de pronto, se saca de la manga un paraguas y lo usa como paracaídas. El niño confuso preguntó: «¿Por qué saca un paraguas si no llueve?».

El paciente no trata de fastidiar a propósito ni es estúpido. Más bien no es consciente de los significados ocultos, implícitos o múltiples. Esta característica también afecta a la comprensión de dichos populares, modismos o metáforas, como:

- ¿Se te ha comido la lengua el gato?
- Me estás tomando el pelo.

- Una leonera.
- Leer la mirada.
- Si las miradas matasen.
- Estás mudando la voz.
- Poner el dedo en la llaga.
- Esforzarse codo con codo.
- Irse la pinza.

He observado que todas esas expresiones son motivo de confusión para los niños con síndrome de Asperger, y hay que explicarles con precisión el significado de muchas metáforas. Por fortuna, padres y psicólogos conocen el problema de hacer interpretaciones literales y hay libros que proporcionan orientación sobre la comprensión de las metáforas y expresiones cotidianas (Stuart-Hamilton 2004; Welton y Telford 2004).

Las historias sociales también puede usarse para ayudar a entender las figuras retóricas, como los giros idiomáticos. Carol Gray usó una historia social para explicar una de las frases mencionadas:

> En ocasiones, la gente dice: se me va la pinza.
>
> Esto significa que tienen una idea que no se ajusta a las normas o convenciones o que, por lo demás, es fuera de lo corriente.
>
> Cuando una persona diga que se le va la pinza, trataré de reflexionar sobre su idea cuando la exponga.

Los niños pueden pronunciar una frase que han encontrado confusa, como «te atraparé más tarde», y adivinar el significado de la frase. Se puede desarrollar una historia para explicar su significado y describir las situaciones en la que se puede usar la frase.

La gente con síndrome de Asperger suele mostrarse muy confusa con las burlas, la ironía y el sarcasmo. La investigación ha confirmado que la comprensión de los modismos en los niños con Asperger es menos avanzada de lo que sería de esperar en correspondencia con sus habilidades intelectuales y lingüísticas (Kerber y Grunwell,

1998). Otros niños, y a veces también algún maestro, lo pasan en grande aprovechándose de su ingenuidad. Es probable que ante observaciones irónicas piensen que su interlocutor está mintiendo (Martin y McDonald, 2004). El significado oculto es difícil de entender. La persona con síndrome de Asperger carece de flexibilidad de pensamiento para entender el significado alternativo y se basa en la lógica más que en el simbolismo, ya que supone que la otra persona dice exactamente lo que quiere decir. Percibe las metáforas como faltas de lógica y un ejemplo más de que la gente corriente no sabe expresar sus intenciones con claridad.

A veces, las interpretaciones literales también pueden conducir a presuponer que el interlocutor tiene problemas de conducta. Por ejemplo, en su autobiografía, Donna Williams cuenta lo siguiente:

> Siempre aplicaba a un momento o situación concreta, individual, el significado de lo que la gente me decía, cuando me daba cuenta de que eran algo más que las simples palabras. En una ocasión me echaron un sermón por pintar *graffitis* en las sillas del Congreso de los Diputados durante una excursión. Dije que no volvería a hacerlo y diez minutos más tarde me pillaron haciendo pintadas en la pared de la escuela. No estaba haciendo caso omiso de lo que se me había dicho ni trataba de divertirme: no estaba haciendo *exactamente* lo que había hecho antes (Williams, 1998, pág. 64).

Los padres, maestros y otros miembros de la familia han de saber que el niño es propenso a interpretar literalmente las palabras de los demás y, por lo tanto, deben pararse a pensar de qué modo puede malinterpretar o confundir un comentario o una orden. Siempre que el niño haga una interpretación literal, es importante explicarle el significado o intención oculta, o el significado implícito, que va más allá de las simples palabras. Un ejemplo es lo que le sucedió a mi cuñada cuando era adolescente. Contestó al teléfono y su interlocutor le preguntó: «¿Está Sarah?». Sarah es su hermana. Puesto que en ese momento no se encontraba en la habitación, contestó que no y, a continuación, colgó el receptor. El que llamaba por teléfono era yo, que conocía su tendencia a las interpretaciones literales. Telefoneé de nuevo y le expliqué que deseaba que encontrara a su hermana y que le dijera que yo deseaba hablar con ella.

Prosodia

Cuando se oye hablar a una persona con síndrome de Asperger, son evidentes las peculiaridades del timbre, de las inflexiones de la voz y del ritmo; es decir, la prosodia o melodía del habla (Fine y otros, 1991; Paul y otros, 2005; Shriberg y otros, 2001). También puede observarse una ausencia de modulación de la voz, de modo que el habla es monótona o tiene una calidad plana, un patrón poco común de inflexiones de voz o una dicción precisa hasta la exageración con inflexiones en casi cada sílaba.

La función prosódica tiene tres niveles: el gramatical, el pragmático y el afectivo. La función *gramatical* sirve para comunicar diversos aspectos, como si lo expresado era una pregunta (con un timbre de voz que asciende) o una afirmación (con un timbre de voz que desciende) o si la palabra se usó como sustantivo o verbo. Este aspecto de la prosodia parece ser el menos afectado en personas con síndrome de Asperger. La función *pragmática* consiste en proporcionar información social al interlocutor, utilizando un acento de empatía o contrastivo para comunicar los pensamientos, opiniones e intenciones o para llamar la atención del interlocutor hacia la información que es nueva en la conversación. Es el equivalente verbal de usar un rotulador fosforescente para resaltar una frase o una palabra cuando se lee.

La prosodia *afectiva* funciona como un medio de comunicación de sentimientos y actitudes. Por ejemplo, la simple petición «ven aquí» puede expresarse con un tono de voz que indique que la persona ha encontrado algo interesante y desea compartirlo; que está ansiosa y necesita tranquilizarse; o que está enfadada y a punto de ad-

353

ministrar una reprimenda predecible (Pyles, 2002). La investigación ha confirmado las impresiones de padres y médicos de que la prosodia tanto de los niños como de los adultos con síndrome de Asperger es extraña, en particular por lo que se refiere a las prosodias pragmática y afectiva (Shriberg y otros, 2001). El discurso de estas personas no transmite el grado de información social y emocional que sería de esperar.

La prosodia de algunas de ellas también se percibe como poco fluida, ya que suele repetir mucho algunas palabras, hace menos pausas de lo que sería de esperar en una persona de su edad y distorsiona o pronuncia de manera rara algunas palabras. También puede manifestar problemas de volumen, que, con frecuencia, es demasiado alto y, en ocasiones, tiene una calidad nasal o es de tono agudo; esto lo describió por primera vez Hans Asperger y se ha confirmado en estudios posteriores sobre la prosodia (Shriberg y otros, 2001).

También tiene dificultades para entender la importancia del cambio de tono, de las inflexiones de la voz, o del acento en determinadas palabras cuando oye hablar a otra persona (Koning y Magill-Evans, 2001). Estas claves sutiles son muy importantes para identificar las diferentes intenciones, pensamientos y emociones. El ejemplo mencionado a continuación se ha extraído del libro de Andrew Matthew *Hacer Amigos*, e ilustra cómo cambia el significado cuando se pone el acento en una palabra diferente (Matthews, 1990, pág. 129).

No dije que ella me robara el dinero.
No dije que ella me robara el dinero [pero *alguien* lo hizo].
NO dije que ella me robara el dinero [*definitivamente* no dije esto].
No *dije* que ella me robara el dinero [pero lo *supongo*].
No dije que *ella* me robara el dinero [pero alguien lo robó].
No dije que ella me *robara* el dinero [pero hizo *algo* con él].
No dije que ella *me* robara el dinero [ella robó el de *otra persona*].
No dije que ella me robara el *dinero* [robó *otra cosa*].

Es un ejemplo de siete significados distintos que se obtienen por el mero hecho de cambiar el tono de cada palabra en la frase.

La persona con síndrome de Asperger, que tiene problemas con la prosodia, tanto al hablar como al escuchar, necesita orientación para entender los mensajes que transmite la prosodia. Las actividades de teatro, escuchar grabaciones y otras actividades relacionadas con el arte dramático le explican cómo y por qué cambia el tono. Se le explica que enfatizar una palabra determinada es similar a utilizar un rotulador fosforescente, con consideraciones acerca de qué palabras hay que destacar para transmitir los pensamientos, los sentimientos y la información que son importantes para el interlocutor. También hay algunos DVD cuyos diálogos transmiten emociones concretas. Pueden usarse para identificar los sentimientos y como modelo para ensayar la expresión de una emoción determinada. Algunas de las actividades de comunicación de las emociones descritas en el capítulo 6 se usan para mejorar la comprensión y el uso de los aspectos prosódicos del lenguaje. También es importante que el niño entienda que el volumen de la voz, la velocidad del discurso, la entonación, etcétera, afectan a la capacidad del interlocutor para entender lo que está diciendo. Una grabación le proporcionará una comprensión inestimable; además se pueden usar algunas estrategias para alentar la comprensión de su discurso, tales como decirle: «Tu tren de pensamientos va demasiado rápido para que yo pueda subirme a él».

Lenguaje pedante o formal

El lenguaje de niños y adultos con síndrome de Asperger se considera pedante, formal en exceso y presuntuoso (Ghaziuddin y Gerstein, 1996; Ghaziuddin y otros, 2000; Kerbeshian y otros, 1990). Las características son proporcionar demasiada información, enfatizar normas y detalles sin importancia, tender a corregir los errores de las palabras previas de su interlocutor, utilizar estructuras sintácticas excesivamente formales e interpretar rígidamente lo que alguien dice, lo que se puede percibir como una actitud de discutir más que de corregir. Se suele caracterizar a la persona con síndrome de Asperger como una persona perfeccionista, un comentario que no pretende ser un cumplido.

Un ejemplo es el de un adolescente que ayudaba a su padre en su trabajo de empleado de la limpieza de una oficina. El padre le pidió que vaciara las papeleras; un poco más tarde, se dio cuenta de que algunas no estaban vacías. Le preguntó a su hijo por qué no las había vaciado, y éste le contestó: «Es que no son papeleras, son cestas de mimbre». Esta característica de ser pedante se percibe como insultante, como es el caso de mi conversación con un adolescente estadounidense fascinado por la velocidad que podían alcanzar algunas marcas de automóvil y los límites de velocidad establecidos en diversos países. Yo vivo en Australia y la conversación se desarrollaba de manera amigable hasta que mencioné el valor de limitar la velocidad de los vehículos para ahorrar petróleo. De repente, el adolescente se exaltó, y protestando con vehemencia, dijo: «Gasolina, no petróleo».

La elección de las palabras puede ser excesivamente formal para un niño, como una niña de cinco años de edad que, al recogerla en la escuela su hermana mayor, le preguntó: «¿Está mi madre en casa?». La respuesta de su hermana fue: «No, mamá todavía no ha llegado». Claramente, la familia utilizaba el término «mamá» pero la niña empleaba un término excepcionalmente formal para referirse a su madre. Esto se observa cuando se dirigen a los demás por su nombre y apellido e, incluso, Título; en lugar de decir «hola Mary», el niño dirá «hola señora Mary Smith».

En ocasiones, la elección de sus palabras y las frases de su conversación es más propia de un adulto que de un niño. El niño con síndrome de Asperger asimila e imita el estilo de lenguaje de su interlocutor y prefiere interaccionar con adultos que con los de su edad. Más que los otros niños, los adultos son su influencia más importante en el desarrollo de los patrones de lenguaje. Por ejemplo, el acento del niño no coincide con el de los otros niños de su localidad porque quizá conserva el acento de su madre (Baron-Cohen y Staunton,

1994). En general, se espera que el acento de un niño corriente en edad escolar cambie y se parezca al del grupo de compañeros de la escuela, lo que es especialmente visible cuando la familia se ha mudado a una región en la que se habla con un acento diferente. Es menos probable que esto ocurra en el caso del niño con síndrome de Asperger que en otros. Una vez que ha oído una palabra o frase concreta, el enunciado original continuará, de modo que un interlocutor con experiencia será capaz de identificar de dónde procede su acento.

Otra característica de su lenguaje pedante es que, durante una conversación, su interlocutor pronto reconoce que rara vez tolera las abstracciones y la falta de precisión. Los miembros de la familia han aprendido a evitar los comentarios y las respuestas en los que se usan palabras como «es posible», «quizás», «a veces» o «más tarde». Por ejemplo, Therese Jolliffe contaba cómo:

> La vida es un esfuerzo continuo; la indecisión sobre cosas a las que los demás hacen referencia como triviales me provoca un sufrimiento interno considerable. Por ejemplo, si en casa alguien dice: «Mañana iremos de compras», o «Ya veremos qué pasa», no parece darse cuenta de que la incertidumbre provoca un sufrimiento interno y que, en un sentido cognitivo, tengo que hacer cábalas constantemente de lo que puede o no pasar. La indecisión acerca de los acontecimientos se extiende a una indecisión sobre otras cosas, tal como dónde tengo que colocar un objeto y lo que la gente espera de mí (Jolliffe y otros, 1992, pág.16).

Cuando está ansioso, el paciente es cada vez más pedante. A veces, el niño para tranquilizarse bombardea incesantemente a sus padres con preguntas acerca de cuándo tendrá lugar un acontecimiento. Para evitar la ambigüedad y reducir la ansiedad, el lenguaje de los padres puede llegar a ser tan formal como el de su hijo.

Percepción y distorsión auditiva

Las autobiografías de varias personas con síndrome de Asperger se refieren a sus problemas para prestar atención a la voz de una persona cuando hablan varias a la vez; también comentan la distorsión de la percepción de lo que dicen otras personas. Por ejemplo, de mi experiencia clínica, recuerdo a un niño con síndrome de Asperger que estaba en un aula abierta, en la cual había dos clases de alumnos a la vez. El maestro de su clase leía un problema de matemáticas mientras que el otro estaba haciendo un dictado. Cuando el primero corrigió el trabajo del niño, se dio cuenta de que había respondido a las dos tareas.

Candy describía: «Cuando hablan muchas personas diferentes tengo dificultades para entender lo que dicen». El niño puede sentirse confuso cuando muchas personas hablan al mismo tiempo, en particular si hablan del mismo tema, como ocurre cuando en una clase hay parloteo de fondo. Hay pruebas que confirman que estos niños tienen problemas significativos en cuanto a su aptitud para entender lo que alguien dice cuando hay ruido o parloteo de fondo (Alcántara y otros, 2004) y para percibir, discriminar y procesar la información auditiva (Jansson Verkasalo y otros, 2005).

La mayor parte de la gente utiliza los momentos en que el ruido de fondo remite brevemente para retomar el hilo de la conversación o captar lo fundamental, es decir, para llenar los vacíos a fin de entender lo que otra persona ha dicho. Las personas con síndrome de Asperger no son muy buenas en esa destreza. Esto es una información muy valiosa para los padres y, sobre todo, para los maestros. Para ayudar a la percepción y la comprensión auditiva, es importante minimizar el ruido y la cháchara de fondo. Además, el niño debe sentarse lo más cerca posible del maestro, para poder oírlo con claridad y, si es necesario, tener la confianza de decirle que no ha oído sus instrucciones. No es un problema de falta de atención, sino de percepción auditiva.

Darren White explica la distorsión del habla del siguiente modo:

A veces, al principio, podía oír una palabra o dos y entenderlas pero, después, perdía la retahíla siguiente de palabras, que no tenían ni pies ni cabeza, y no podía seguir el hilo de la conversación (White y White, 1987, pág. 224).

En la escuela solía ser perezosa porque mis oídos distorsionaban las instrucciones del maestro o mi visión se hacía borrosa y me impedía ver lo que estaba escrito en la pizarra; eso hacía que el maestro me dijera: «Sigue con tu trabajo, Darren» (White y White, 1987, pág. 225).

Donna Williams describe lo siguiente:

Cualquier conocimiento que asimilaba tenía que descifrarlo como si tuviera que pasar por una especie de procedimiento complicado de control. En ocasiones la gente tenía que repetir varias veces una frase concreta porque la oía en partes, y la forma en que mi mente la había dividido en palabras me transmitía un mensaje extraño y, a menudo, ininteligible. Era parecido a cuando alguien juega con la televisión a todo volumen (Wiliams, 1998, pág. 64).

Temple Grandin también hace referencia a ello:

Incluso ahora sigo teniendo problemas de sintonía. Si oigo mi canción favorita en la radio, me doy cuenta de que he pasado por alto la mitad de las palabras. Mi oído se desconecta inesperadamente. En la universidad constantemente tenía que tomar notas que evitaban que me desconectara (Grandin, 1990, pág. 61).

Si estos problemas se hacen evidentes en el niño, quizá como una sordera selectiva, es importante que un logopeda o audiometrista evalúe las funciones en el procesamiento cortical de la información auditiva. No es un problema estrictamente auditivo, sino más bien de cómo el cerebro procesa las palabras de los demás.

Hay que animar al niño a que pida a su interlocutor que repita lo que ha dicho pero con otras palabras y simplificando el comentario o las instrucciones. Por desgracia, los niños con síndrome de Asperger son reacios a buscar ayuda debido al temor de que los consideren estúpidos o de molestar al adulto. Una estrategia para asegurarse de que el niño ha percibido y entendido las instrucciones es pedirle que repita en voz alta lo que se acaba de decir, o preguntarle «¿Puedes decirme qué tienes que hacer?».

También es útil hacer pausas entre frases para permitirle que tenga tiempo de procesar lo que acaba de oír, y también emplear instrucciones por escrito. Therese Jolliffe explica las ventajas de estas técnicas:

> Cuando alguien habla conmigo tengo que escuchar con atención si quiero tener alguna posibilidad de saber lo que está diciendo. En la escuela y durante mi primer curso de formación profesional, me ayudaba leer los temas con anticipación, también que las instrucciones estuvieran escritas en la pizarra, que la actividad académica siguiera una progresión lógica y, cuando nos presentaban nuevo material didáctico, que el profesor no hablara demasiado rápido, sino que dejara algunos segundos entre frase y frase, lo que me permitía adivinar con más precisión lo que había oído. Cuando leo libros, el problema de descifrar lo que significan realmente las palabras desaparece porque me doy cuenta de inmediato de su significado (Jolliffe y otros, 1992, pág. 14).

Por lo tanto, la persona con síndrome de Asperger tiene más probabilidades de entender lo que le dicen cuando presta atención a una sola voz, cuando se producen breves silencios entre instrucciones y cuando puede leerlas. Un ejemplo de la utilidad de la lectura para entender lo que debe hacer es el de un adulto joven con síndrome de Asperger cuyo trabajo era satisfactorio porque el director de la cadena de producción le proporcionaba un resumen escrito de lo que debía hacer además de las instrucciones orales. Cuando se contrató a un nuevo director, éste no quiso perder el tiempo escribiendo las instrucciones para el empleado con síndrome de Asperger, que tuvo dificultades considerables para seguir las complejas instrucciones orales de la fábrica y manifestaba una intensa ansiedad porque no sabía exactamente qué debía hacer. El hecho es que eso afectó a su rendimiento en el trabajo. Al final, el nuevo director reconoció la sensatez de escribir las instrucciones para ese trabajador en particular.

Algunos niños con síndrome de Asperger desarrollan habilidades de lectura precoces (véase el cap. 9) pero su grado de desarrollo del lenguaje limita su grado de comprensión. Leen en voz alta palabras complejas que serían muy difíciles para otros niños de su edad. Aunque la evaluación de sus habilidades lectoras suele indicar una precisión relativamente avanzada, su comprensión lectora está más acorde con sus habilidades del lenguaje. Por lo tanto, las instrucciones escritas para el niño con síndrome de Asperger han de ser adecuadas a su nivel de comprensión del lenguaje, más que basarse en sus aptitudes para expresar o leer palabras complejas.

Fluidez verbal

Una de las características del lenguaje de estos niños es que hablan demasiado o apenas hablan. A veces, su genuino entusiasmo por su afición favorita da lugar a una verborrea y unas preguntas incesantes, a un arroyo rumoroso (otro ejemplo de metáfora que podría confundirlo), lo que puede ser atractivo, aunque a veces resulta pesado. El niño está ansioso por desarrollar y demostrar sus conocimientos con una fluidez verbal notable, pero tiene que aprender las claves que le indican cuándo debe permanecer callado.

Por el contrario, algunos niños pueden tener períodos en los que se quedan literalmente sin palabras o incluso manifiestan mutismo. En la experiencia clínica se han detectado niños con síndrome de Asperger que sólo hablan con sus padres y manifiestan un mutismo selectivo con los otros adultos o en clase (Gillberg y Billstedt, 2000: Kopp y Gillberg, 1997). La ansiedad afecta a la fluidez verbal, como explica Therese Jolliffe:

361

Uno de los problemas más frustrantes del autismo es que resulta muy difícil explicar cómo te sientes; si algo te hace daño o te asusta o cuándo te sientes mal y no puedes valerte por ti mismo. Tomo betabloqueantes para reducir los síntomas físicos del miedo y la ansiedad y, aunque soy capaz de expresar mis miedos, nunca puedo hacerlo mientras está ocurriendo el acontecimiento. De igual manera, cuando un desconocido me pregunta mi nombre, no siempre puedo recordarlo, mientras que, cuando estoy más relajada, soy capaz de recordar los números de teléfono y las fórmulas después de oírlos una sola vez. Cuando alguien o algo me asusta, o tengo dolor, en general hago movimientos y ruidos, pero no me salen las palabras (Jolliffe y otros, 1992, pág. 14).

Por lo tanto, la causa de quedarse sin palabras o incluso mudo puede deberse a un alto grado de ansiedad. Sin duda, algunos adultos con síndrome de Asperger son propensos a tartamudear cuando están ansiosos. En ese caso el problema no es estrictamente una alteración de las habilidades del lenguaje, sino el efecto de la emoción sobre la capacidad para hablar. Si este problema se hace evidente, algunas de las estrategias descritas en el capítulo 6 pueden ayudar a combatir la ansiedad.

Aspergerés

Durante años, he logrado una mayor comprensión de las habilidades cognitivas, sociales y lingüísticas de las personas con síndrome de Asperger y he entablado innumerables conversaciones con ellas. He desarrollado un estilo de conversación que llamo *aspergerés* y que consiste en pensar cuidadosamente qué decir y cómo decirlo. Cuando se entabla una conversación con alguien que tiene síndrome de Asperger, la comunicación mejora si se evitan las metáforas y los giros idiomáticos, debido a que esa personas tienden a interpretar literalmente lo que la gente dice. Si la conversación versa sobre normas sociales, o sobre pensamientos y sentimientos, introduzco una breve pausa después de cada frase para que mi interlocutor procese la información mediante sus habilidades intelectuales más que las intuitivas. Temple Grandin me ha explicado que la gente tiene tendencia a hablar demasiado deprisa y ella no puede procesar de inmediato todos los canales de comunicación: palabras, prosodia, lenguaje corporal y expresiones faciales.

Cuando habla *aspergerés*, una persona corriente también ha de dejar claras sus intenciones, y evitar las ambigüedades o las sutilezas innecesarias. Es importante que la otra persona tenga tiempo de recopilar sus pensamientos antes de anticipar la respuesta a una pregunta, y no debe sentirse incómoda con los silencios momentáneos y la falta de contacto ocular. Antes de emprender una acción, para que no le lleguen como sorpresas inesperadas y desagradables, es necesario explicarle las intenciones expresadas mediante gestos de afecto, como coger a alguien del brazo como muestra de empatía, o un beso como respuesta a recibir un regalo.

Las expresiones faciales han de ser claras y coherentes con el tema de conversación, y es preferible evitar las burlas y el sarcasmo. La persona con síndrome de Asperger necesita estar segura de que su interlocutor entiende lo que está diciendo y éste ha de ser consciente de que no sabe cómo responder a los elogios y cumplidos. Si es posible, se reducirá al mínimo el ruido y la cháchara de fondo; quizá sea posible mantener la conversación en un lugar más tranquilo. Un grado mayor de estrés, en particular cuando se intenta entablar una conversación en un lugar abarrotado de gente, afecta a la comprensión del lenguaje y la fluidez verbal de quien tiene síndrome de Asperger. También es importante no mostrarse ofendido por su sinceridad y saber que esa persona no tiene un don natural para el arte de la conversación.

Lenguas extranjeras

En el capítulo anterior se explicaba la tendencia de muchas personas con síndrome de Asperger a desarrollar un interés particular. En ocasiones esas personas tienen un don natural y un interés especial por las lenguas extranjeras y pueden llegar a hablar muchas lenguas sin los errores de pronunciación que suele cometer la gente corriente que las aprende. Por ejemplo, cuando un español habla francés, la persona nativa de Francia detectará fácilmente que su primera lengua es el español. Sin embargo, las personas con síndrome de Asperger mostrarán una habilidad notable para imitar la pronunciación de los nativos. Eso puede propiciar una carrera profesional provechosa como traductor o intérprete. No obstante, el único lenguaje universal que siempre le resulta difícil aprender es el social. Geoff me decía: «Cuando participo en una conversación, es como si la gente hablara en una lengua diferente». Si consideramos que el lenguaje social le parece una lengua extranjera y, en consecuencia, se lo enseñamos y lo ayudamos a practicarlo desde una edad temprana, observaremos que acaba por hablar esa segunda lengua como un nativo.

Puntos clave y estrategias

- Las habilidades poco comunes del lenguaje son una característica esencial del síndrome de Asperger.
- Las pruebas estandarizadas para determinar el lenguaje receptivo y expresivo no son sensibles a las características específicas del lenguaje de la persona con síndrome de Asperger.
- La tendencia del niño a utilizar frases complejas no necesariamente significa que entienda las instrucciones complejas.
- El niño muestra habilidades lingüísticas en una situación formal, como un test con el logopeda, pero tiene dificultades considerables para procesar el lenguaje con la velocidad necesaria en situaciones reales.

- En algunos niños pequeños a los que, más tarde, se les diagnostica síndrome de Asperger se observa un retraso en el desarrollo del habla, pero cuando empiezan a hablar pueden hacerlo con varias palabras o frases.
- La persona con síndrome de Asperger no sigue las normas convencionales de la conversación relativas a cómo iniciarla, mantenerla y terminarla.
- Las historias sociales contribuyen a entender el contexto y las normas sociales, así como las expectativas, los pensamientos y los sentimientos de cada participante en una conversación.
- Utilizando juegos interactivos y actividades de teatro se pueden aprender y practicar nuevas habilidades de conversación.
- Un adulto actuará como la persona que comete errores pragmáticos o de conversación y le pedirá al niño que identifique lo que no ha sido una buena técnica de conversación.
- La persona con síndrome de Asperger necesita aprender a formular preguntas y comentarios de rescate, que usará para restablecer una conversación o para pedir una aclaración.
- Una actividad para un niño pequeño es sentarlo junto a un adulto que facilite la conversación con otro niño (o adulto) a base de susurrarle al oído qué decir o hacer y cuándo decirlo.
- Un programa para mejorar las habilidades de conversación ha de incluir instrucciones y actividades para mejorar:

  — Las habilidades como interlocutor.
  — Su capacidad para hacer y recibir cumplidos y críticas.
  — Saber cuándo y cómo interrumpir al interlocutor.
  — La capacidad para hacer comentarios que introduzcan un cambio de tema.
  — La capacidad para usar comentarios que restablezcan la conversación.
  — Los conocimientos sobre cómo plantear preguntas cuando está confuso respecto a qué decir o hacer.

- El programa puede usar vídeos de las actividades para identificar los errores y los aciertos en la conversación.
- Los adolescentes con síndrome de Asperger pueden ser reacios a participar en un grupo de conversación pero aceptarán que se los oriente en las habilidades de conversación en una clase de teatro.
- Se pueden usar las conversaciones mediante cómics para explicar lo que otra persona puede estar pensando o sintiendo durante una conversación.
- Es sumamente importante elogiar a la persona con síndrome de Asperger cuando ha desarrollado una conversación con éxito y reconocer que lo que dijo (o no dijo) se apreció.
- La persona con síndrome de Asperger tiende a interpretar literalmente lo que los demás dicen y le confunden las metáforas, la ironía, los giros idiomáticos, las indirectas y, sobre todo, el sarcasmo.
- Las figuras retóricas son percibidas por las personas con síndrome de Asperger como faltas de lógica y un ejemplo más de que la gente corriente no deja claras sus intenciones.
- También pueden tener dificultades para entender la relevancia y la información transmitidas por el cambio de tono, las inflexiones de la voz o el énfasis en determinadas palabras.
- Pueden usarse actividades de teatro, y oír grabaciones y representaciones para explicar cómo y por qué el tono, las inflexiones de la voz y el énfasis cambian para transmitir mensajes ocultos.
- La persona con síndrome de Asperger rara vez tolera las abstracciones y la falta de precisión. Su familia aprende a evitar los comentarios o las respuestas como «puede ser», «quizás», «a veces» o «más tarde».
- Las autobiografías de varios pacientes se refieren a los problemas que tienen para concentrarse en las palabras de una persona cuando varias hablan al mismo tiempo, lo que suele provocar percepciones distorsionadas de las palabras de los demás.
- Para contribuir a la percepción y a la comprensión auditiva,

es importante reducir al mínimo el ruido ambiente y las charlas de fondo.

- Las instrucciones impresas o escritas para una persona con síndrome de Asperger deben ser adecuadas a su nivel de comprensión del lenguaje, en vez de basarse en su aptitud para decir o leer palabras complejas.
- He formulado un estilo de conversación que llamo *asperguerés*, que consiste en pensar cuidadosamente qué decir y cómo decirlo cuando se entabla una conversación con personas que tienen síndrome de Asperger.
- Cuando hable *asperguerés* una persona corriente, ha de dejar claras sus intenciones, y evitar las ambigüedades o las sutilezas innecesarias. También es importante dar tiempo al interlocutor para que considere sus pensamientos antes de anticipar una respuesta y para que no se sienta incómodo con los silencios y la falta de contacto ocular.
- La sinceridad directa de las personas con síndrome de Asperger no debe ofender a su interlocutor, que debe ser consciente de que no tienen un don natural para el arte de la conversación.
- Partiendo de que el lenguaje social es para la persona con síndrome de Asperger como una lengua extranjera, se le enseñará desde la más temprana infancia para que acabe aprendiendo esa segunda lengua.

9

Aptitudes cognitivas

> Por lo que se refiere al pensamiento lógico, cuando el tema coincide con sus intereses particulares, estos niños van por delante y sorprenden a sus maestros con respuestas inteligentes; pero cuando se trata de un aprendizaje más o menos mecánico, de memoria, o cuando se les exige concentración, por ejemplo a la hora de copiar, hacer un dictado, prestar atención a la ortografía o a problemas de aritmética, estos niños *inteligentes* no se desenvuelven bien y a menudo están a punto de suspender los exámenes.
>
> *Hans Asperger (1938)*

Los niños y adultos con el síndrome de Asperger se caracterizan por tener un perfil de aptitudes cognitivas (es decir, para discurrir y aprender) poco común. Algunos niños inician la escolaridad con habilidades académicas superiores al nivel de los otros niños de su clase. Desde temprana edad aprenden a leer, escribir y las primeras nociones de cálculo aritmético por su cuenta, viendo programas de televisión de contenido educativo, como *Barrio sésamo*, o a partir de juegos o programas de ordenador u hojeando ávidamente libros que, cuando ya saben leer, se centran en su interés especial. Algunos niños pequeños parecen descifrar la lectura, la ortografía y la aritmética; de hecho, esas materias pueden convertirse en su afición favorita. No obstante, otros niños con este síndrome presentan un retraso considerable en esas aptitudes académicas y una evaluación precoz de las habilidades cognitivas muestra la presencia de problemas específicos del aprendizaje. Parecen existir más niños de lo que sería de esperar con problemas de este tipo.

369

En la escuela, los maestros pronto se darán cuenta de que algunos niños tienen un estilo de aprendizaje claramente diferente, ya que muestran mucho talento en la comprensión del mundo físico y lógico, se fijan en los detalles, y recuerdan y ordenan los hechos de modo sistemático (Baron-Cohen, 2003). No obstante, se distraen con facilidad, sobre todo en clase, y cuando sus habilidades en la resolución de problemas parecen ser las de no tener más que una idea en la cabeza, por lo que les atenaza el temor al fracaso. A medida que el niño va pasando un curso tras otro, los maestros identifican problemas con sus habilidades organizativas, sobre todo con respecto a las asignaciones de deberes y cuando se le pide que escriba una redacción. También observan que no parece seguir los consejos ni aprende de sus errores. En general, cuando se termina el curso escolar, los informes de evaluación del niño describen un perfil claramente desigual de logros académicos, con áreas de excelencia y áreas que requieren ayuda.

Es muy importante que padres y maestros sepan cómo discurre el pensamiento del niño con síndrome de Asperger, y cómo aprende para mejorar sus capacidades cognitivas y sus logros académicos. Esto es de especial importancia, ya que, en general, un niño tiene dos razones para asistir a la escuela: aprender y socializarse. Si el niño con síndrome de Asperger no tiene éxito social, su éxito académico llega a ser más importante como motivación primordial para asistir a la escuela y para el desarrollo de su autoestima.

El diagnóstico del propio síndrome de Asperger proporciona información limitada sobre el perfil previsible de aptitudes cognitivas de un niño concreto, pero puede obtenerse información muy valiosa a partir de las pruebas formales utilizando un test de inteligencia estandarizado y pruebas de los logros académicos.

Perfil de aptitudes en los tests de inteligencia

Los tests estandarizados de inteligencia tienen, como mínimo, diez subtests, que miden diversas aptitudes intelectuales. Algunos determinan componentes del razonamiento verbal, mientras que otros miden los componentes del razonamiento visual. El término psicológico de razonamiento visual es ejecución, y el cociente intelectual (CI) de una persona suele dividirse en CI verbal, un CI de ejecución y CI general. Este último suele calcularse a partir de cuatro variables: la comprensión verbal, el razonamiento perceptivo, la memoria de trabajo y la velocidad de procesamiento. Aunque el CI verbal, el de ejecución y el total de los niños con síndrome de Asperger se encuentran dentro de los límites normales, es decir, obtienen una puntuación superior a 70, al médico le interesa conocer, sobre todo, si hay una discrepancia entre el CI verbal y el CI de ejecución, al igual que el perfil de aptitudes cognitivas del niño, revelado por los subtests. El perfil proporciona datos de cómo el niño aprende los conceptos académicos y sobre las áreas de dificultades cognitivas, lo que representa una información valiosa para el maestro.

Una colega de Hans Asperger, Elizabeth Wurst, fue la primera que identificó la variación en el perfil de aptitudes cognitivas asociado con el síndrome de Asperger. Ella y Hans Asperger observaron que muchos de los niños que visitaban en la clínica infantil de Viena tenían un CI verbal significativamente más alto que el CI de ejecución. Una revisión posterior de los casos visitados por Asperger y sus colaboradores durante tres décadas confirmó que el 48 % de los niños tenía un CI verbal significativamente más alto que el de ejecución (Hippler y Klicpera, 2004). El porcentaje de niños en los que no se detectó una diferencia significativa entre el CI verbal y el de ejecución fue del 38 %, pero el 18 % de los niños con síndrome de Asperger mostró el patrón contrario, es decir, un CI de ejecución o de razonamiento visual sustancialmente mayor que el verbal.

Varios estudios han confirmado una discrepancia similar entre el CI verbal y el CI de ejecución en niños con síndrome de Asperger

371

(Barnhill y otros, 2000; Cederlund y Gillberg, 2004; Dickerson Mayes y Calhoun, 2003; Ehlers y otros, 1997; Ghaziuddin y Mountain Kimchi, 2004; Klin y otros, 1995; Lincoln y otros, 1988; Miller y Ozonoff, 2000). En los niños con un CI verbal mucho más alto que el de ejecución y un perfil concreto de aptitudes cognitivas se describe la discapacidad del aprendizaje no verbal (Rourke, 1989). Las estrategias para facilitar el aprendizaje destinadas a niños con este problema también se aplican a aquellos con el síndrome y un mismo perfil de aptitudes cognitivas (Brown Rubinstein, 2005; Russell Burger, 2004; Tanguay, 2002).

Es interesante mencionar que en algunos estudios no se ha visto que el CI verbal fuera superior al de ejecución en niños con síndrome de Asperger, sobre todo entre los que son muy capaces desde un punto de vista intelectual (Manjiviona y Prior, 1999; Szatmari y otros, 1990). Los autores de un estudio publicado recientemente sugieren que la diferencia entre el CI verbal y el de ejecución se estrecha a medida que el niño se hace mayor (Dickerson Mayers y Calhoun, 2003). Por lo tanto, para confirmar el diagnóstico, no podemos usar un perfil cognitivo o un test de inteligencia exclusivo, sino que lo único que sabemos es que el perfil global de aptitudes en las pruebas de inteligencia efectuadas en esos niños suele ser claramente desigual y, por lo tanto, se requiere precaución cuando se usa el resultado aislado de esas pruebas con una puntuación del CI como representación de las aptitudes cognitivas del niño. El perfil de aptitudes intelectuales es más importante que el CI general.

Alrededor del 50 % de los niños con síndrome de Asperger manifiesta aptitudes de razonamiento verbal relativamente avanzadas, por lo que se los denomina, coloquialmente, verbalizadores. Si esos niños tienen dificultades para adquirir una aptitud académica concreta en el teatro social de la clase, es posible mejorar sus conocimientos y su comprensión sugiriéndoles una lectura sobre un tema o participando en una discusión individual. Si el niño con síndrome de Asperger tiene aptitudes de razonamiento visual relativamente avanzadas (un visualizador, es decir, alrededor de uno de cada cinco ni-

372

ños con síndrome de Asperger), su aprendizaje se facilita con la observación y las técnicas de visualización mediante la imaginación. Por lo que respecta a estos niños resulta aplicable aquello de que una imagen vale más que mil palabras. Los verbalizadores llegan a tener éxito en profesiones donde las aptitudes verbales son una ventaja, por ejemplo en el periodismo o la abogacía, mientras que los visualizadores pueden destacar en carreras como la de ingeniero o en las artes visuales.

Cuando el médico analiza los resultados de la evaluación del CI de un niño, le resultará muy valioso un análisis del perfil de aptitudes cognitivas basado en el rendimiento del niño en los subtests de la escala de inteligencia. La investigación realizada sobre los perfiles del CI indica que el niño con síndrome de Asperger tiene buenos conocimientos de los hechos y el léxico. Con frecuencia, obtienen mayores puntuaciones en los subtests que evalúan el vocabulario, los conocimientos generales y la resolución de problemas verbales. Tienen un vocabulario impresionante y su recuerdo de los hechos hace que en una partida de Trivial Pursuit todo el mundo los quiera en su equipo. En los subtests de ejecución o razonamiento visual, obtienen puntuaciones relativamente altas en la prueba del diseño de un cubo, en la que hay que copiar un modelo abstracto usando cubos de color en un tiempo limitado. Con frecuencia estos niños son muy hábiles para fragmentar un modelo geométrico de grandes dimensiones en segmentos más pequeños; esto explica su capacidad para echar una ojeada al dibujo de un modelo acabado de Lego y completar rápidamente la construcción del juego. Los niños con síndrome de Asperger también son muy hábiles para encontrar una figura incrustada en un patrón geométrico complejo (Frith, 1989); pueden ser muy hábiles para «encontrar una aguja en un pajar». No obstante, algunos maestros pueden dudar de ello cuando el niño no es capaz de encontrar su libro de texto en el pupitre o en una estantería.

Su peor rendimiento suele darse en las pruebas que requieren la elaboración mental de la información (es decir, un seguimiento o rastreo múltiple) o en tareas en las que el niño es propenso a distraerse o las que se ven afectadas por el lento y pesado perfeccionismo del niño, es decir, pruebas de repetición de dígitos, aritmética y codificación (símbolos numéricos). En esos tests, el niño tiene que recordar una secuencia de números, realizar cálculos mentales y usar un lápiz para copiar formas en un límite de tiempo especificado. También tienen relativa dificultad con las pruebas que requieren un razonamiento secuencial, como el test en el que deben ordenar las secuencias de un dibujo. En ese test se le presenta una serie de dibujos que representan una historia, y tiene que entender esa historia y ordenar los dibujos en una secuencia lógica.

El psicólogo que dirige la prueba de inteligencia proporciona al maestro o a los padres una explicación de los aspectos cognitivos fuertes y débiles del niño para que comprendan la razón de que éste obtenga menos éxito académico de lo que sería de esperar en determinados aspectos del plan de estudios. El psicólogo también sugerirá estrategias alternativas que ayuden al niño a alcanzar aptitudes académicas particulares en función de sus puntos fuertes cognitivos. El retraso relativo en la adquisición de una aptitud concreta puede deberse a una dificultad genuina para entender el concepto, es decir, un problema de la programación informática del cerebro, y con un cambio en el método didáctico, partiendo de los conocimientos adquiridos a partir de los resultados de la evaluación de las aptitudes intelectuales, se obtendrán mayores logros.

Valorar el CI de estos niños proporciona información inestimable sobre sus aptitudes cognitivas, aunque Hans Asperger observó que la mayor parte de pruebas de inteligencia evitan deliberadamente una evaluación de los conocimientos escolares/académicos y excluyen las tareas en las que desempeñan un papel el aprendizaje y el entorno. Asperger escribió lo siguiente:

Sin embargo, las dificultades de estos niños se pondrán de manifiesto en las pruebas relacionadas con el aprendizaje. Por lo tanto, utilicemos los tests de aprendizaje no sólo para saber cuáles son los conocimientos académicos de estos niños, sino también para saber cuáles son sus métodos, cómo es su atención, su concentración, su capacidad de distracción y su perseverancia (Asperger [1944] 1991, pág. 76).

Para evaluar de manera exhaustiva las aptitudes cognitivas hay que examinar los conocimientos académicos del niño y del grado de seguimiento del curso escolar que le corresponde.

Perfil de aptitudes de aprendizaje en la escuela

Es posible que el niño con síndrome de Asperger tenga un CI que que haga pensar que puede obtener calificaciones altas en su trabajo escolar, pero algunos se caracterizan por un perfil poco común de aptitudes de aprendizaje, que suele conllevar dificultades concretas de aprendizaje y, en consecuencia, que saque notas inferiores a lo que sería de esperar (Manjiviona, 2003). Los maestros y los padres están de acuerdo en que el niño es inteligente pero su trabajo escolar no es tan bueno como sería de esperar. Eso tendrá un efecto muy perjudicial sobre la autoestima del niño.

Todo esto parece tener diversas razones; la principal es que el niño con síndrome de Asperger suele tener problemas relacionados con la atención y también un déficit de la función ejecutiva. Quizás el mejor modo de entender el concepto de función ejecutiva es imaginarla como el director de una gran empresa, que es capaz de darse cuenta de la situación global, puede considerar los posibles resultados de diversas decisiones, organizar los recursos y los conocimientos, planificar y priorizar dentro del marco de tiempo exigido y modificar las decisiones en función de los resultados. Estas habilidades de las funciones ejecutivas están muy retrasadas en las personas con síndrome de Asperger.

Hans Asperger afirmaba que «en niños autistas detectamos constantemente una alteración de la atención activa» (Asperger [1944] 1991, pág. 76), y los estudios que se han publicado más tarde han sugerido que como mínimo el 75 % de los niños afectados también presenta un perfil de aptitudes del aprendizaje que indica que además de síndrome de Asperger se les diagnostica trastorno de déficit de atención (Fein y otros, 2005; Goldstein y Schwebach, 2004; Holtmann, Bolte y Poustka, 2005; Nyden y otros, 1999; Schatz, Weimer y Trauner, 2002; Sturm, Fernell y Gillberg, 2004; Yoshida y Uchiyama, 2004).

Los psicólogos dividen la atención en cuatro componentes: la capacidad para mantenerla, prestar atención a la información relevante, desviar la atención cuando sea necesario y codificar la atención, es decir, recordar aquello a lo que se prestó atención. Estos niños parecen tener dificultades con esos cuatro aspectos (Nyden y otros, 1999). La duración de la atención prestada a la actividad escolar es un problema evidente, pero el grado de atención varía de acuerdo con la intensidad de la motivación. Si el niño asiste a una actividad asociada con su interés particular, el grado de atención puede ser incluso excesivo. El niño se encuentra casi en trance y hace caso omiso a cualquier clave externa que le indique que es hora de cambiar de actividad o de prestar atención a los comentarios, las peticiones y las instrucciones del maestro o de uno de sus progenitores. Ni un terremoto alteraría lo más mínimo su concentración. El grado de atención que mantiene también depende de si desea prestar atención a lo que un adulto quiere que haga. El niño con síndrome de Asperger tiene su propio horario por lo que respecta a quién debe prestar atención.

Incluso cuando parece estar atento a la tarea establecida por el maestro, es posible que no atienda a lo que sea relevante en el material que tiene delante. Un niño corriente puede identificar y seleccionar con más facilidad lo que es relevante para una situación o un problema concretos. Los niños con síndrome de Asperger se distraen con facilidad, y se muestran confusos con los detalles sin importancia y no saben automáticamente dónde tienen que mirar. Necesitan instrucciones concretas sobre qué deben mirar exactamente en una página determinada.

Algunas actividades académicas requieren una aptitud para saber desviar la atención durante la actividad y concentrarse en la información nueva. Lamentablemente los niños con el síndrome de Asperger tienen dificultades para seguir el cambio mientras participan en un tren de pensamientos. También tendrán problemas con los procesos de la memoria, ya que no almacenan ni codifican la información aprendida como sería de esperar. No recuerdan a qué deben prestar atención cuando se enfrentan a un problema que ya han visto antes. Esta característica afecta a las situaciones sociales. Los niños, y también los adultos, con síndrome de Asperger procesan la información social mediante el intelecto más que mediante la intuición y tienen problemas para recordar cuáles son las claves sociales relevantes, al igual que para cambiar su seguimiento mental cuando interaccionan con más de una persona.

Una de las características del deterioro de la función ejecutiva es la dificultad para desviar la atención de una tarea a otra. Suelen tener problemas considerables para cambiar su pensamiento hacia una nueva actividad, hasta que no han terminado la que está en marcha, es decir, hasta que se ha producido su conclusión con éxito. Sin embargo, los otros niños parecen ser capaces de detener un pensamiento o una actividad y pasar fácilmente al siguiente. En clase, el niño con síndrome de Asperger se resiste a cambiar de actividad hasta que ha acabado la previa porque sabe que su mente no puede afrontar fácilmente las transiciones si la actividad queda a medias. Cuando esté a punto de producirse un cambio de actividad, el maestro, el padre o la madre tendrá que lanzarle varios avisos verbales, quizás en forma de cuenta atrás y, si es posible, se le concederá algo más de tiempo para que pueda terminar la tarea.

Los programas de tratamiento de niños con síndrome de Asperger y problemas de atención son muy similares a los destinados a niños con un trastorno de déficit de atención. Por ejemplo:

- Es preciso destacar la información que sea relevante.
- Se fragmentarán las asignaciones de trabajo escolar y deberes en unidades más pequeñas, que coincidan con la capacidad del niño para mantener la atención.
- El maestro debe controlar con regularidad al niño y proporcionarle respuestas que contribuyan a mantener su atención.
- Se reducirá el grado de distracciones ambientales.
- Se proporcionará un espacio sin ruidos y aislado para que el niño no se distraiga con facilidad.
- En los posibles casos de diagnóstico concomitante de trastorno de déficit de atención, también debe considerarse el valor potencial de los medicamentos.

Estamos desarrollando estrategias para mantener la atención y mejorarla, que pueden aplicarse en la escuela y en el hogar, sobre todo para niños con una combinación de síndrome de Asperger y trastorno de déficit de atención (Kutscher, 2005; Wilkinson, 2005).

FUNCIÓN EJECUTIVA

El término psicológico «función ejecutiva» comprende:

- Aptitudes de planificación y organización.
- Memoria de trabajo.
- Inhibición y control de los impulsos.
- Reflexión y autocontrol.
- Gestión (control) del tiempo y prioridades.
- Comprensión de los conceptos complejos o abstractos.
- Utilización de nuevas estrategias.

Hay bastantes evidencias científicas que confirman que algunos niños, y más concretamente los adolescentes y adultos con síndrome de Asperger, padecen un deterioro de la función ejecutiva (Goldberg y otros, 2005; Goldstein, Johnson y Minshew, 2001; Hughes, Russell y Robbins, 1994; Joseph, McGrath y Tager-Flusberg, 2005; Kleinhans, Akshoomoff y Delis, 2005; Landa y Goldberg, 2005; Ozonoff y otros, 2004; Ozonoff, South y Provencal, 2005b; Prior y Hoffmann, 1990; Rumsey y Hamburger, 1990; Shu y otros, 2001; Szatmari y otros, 1990).

En los primeros años de escolaridad, los principales signos del deterioro de la función ejecutiva son las dificultades para inhibir una respuesta (por ejemplo, son muy impulsivos) y los problemas de la memoria de trabajo y de la utilización de nuevas estrategias. Tanto en la clase como en las situaciones sociales, estos niños son conocidos por su impulsividad, ya que parecen responder sin pensar en las circunstancias, en las consecuencias ni en la experiencia previa. A los ocho años, un niño corriente es capaz de conectarse y usa el lóbulo frontal para inhibir una respuesta y pensar antes de decidir qué hacer o qué decir. Estos niños son capaces de reflexionar cuidadosamente antes de responder, pero, en condiciones de estrés, o si se sienten abrumados o confusos, se muestran impulsivos. Es importante animarlos a relajarse y a considerar diversas alternativas antes de responder y darse cuenta de que su conducta impulsiva puede indicar que se sienten confusos y estresados.

La memoria de trabajo es la capacidad para mantener la información *en línea* cuando se resuelve un problema. Estos niños tienen una memoria a largo plazo excepcional, y quizás pueden recitar de memoria los créditos o todos los diálogos de su película preferida, pero, en cambio, tienen dificultades de recuerdo mental y de elaboración de la información relacionada con una tarea académica. Su memoria de trabajo es menor que la de sus compañeros. Los otros niños tienen una capacidad para recordar y usar la información relevante equivalente a un cubo, mientras que la del niño con síndrome de Asperger es equivalente a una copa o vaso, lo que afecta a la cantidad de información que puede recuperar del pozo de la memoria.

Otro problema con la memoria de trabajo es la tendencia a olvidar una idea rápidamente. Un niño explicaba que una de las razones por las que tenía fama de interrumpir a los demás es que tenía que decir enseguida lo que se le había ocurrido porque, si esperaba, se olvidaría de lo que iba a decir.

El deterioro de la función ejecutiva también se manifiesta en la dificultad para considerar estrategias alternativas de resolución de problemas. Harold Stone, un hombre con síndrome de Asperger, me decía que el pensamiento de las personas afectadas puede representarse como un tren que recorre una vía extraña. Si es la vía correcta, llega rápidamente a su destino, es decir, a la solución del problema. Sin embargo, he observado que los niños con síndrome de Asperger son los últimos en saber que están en la vía equivocada, o en reconocer que existen otras vías para llegar a su destino. Por lo tanto, tienen un problema con el pensamiento flexible, una de las características del deterioro de la función ejecutiva. Una persona corriente reacciona rápidamente a las respuestas y está preparada para cambiar de estrategia o de dirección; su vehículo de pensamiento no es un tren, sino un automóvil de cuatro ruedas que cambia fácilmente de dirección y es capaz de ir campo a través.

La investigación indica que los niños con síndrome de Asperger tienden a seguir usando las estrategias incorrectas y tienen menor probabilidad de aprender de sus errores aun cuando sepan que sus estrategias no funcionan (Shu y otros, 2001). Un adulto con síndrome de Asperger me contaba que, cuando tenía que resolver un problema, suponía que la solución que había buscado era la correcta y no era necesario cambiarla. Sus reflexiones eran: «Ésta es la forma correcta de resolver el problema, por lo tanto, ¿por qué no funciona?», lo que le generaba una frustración considerable. Eso explica también los frecuentes comentarios de padres y maestros de que esos niños no parecen aprender de sus errores. Hoy en día identificamos tal rasgo como un signo del deterioro de la función ejecutiva que se debe a un problema neurológico (el funcionamiento de los lóbulos frontales), más que como una elección del niño.

En los años de escolaridad intermedios, los problemas de la función ejecutiva se hacen evidentes a medida que el plan de estudios se hace más complejo, y padres y maestros tienen expectativas basadas en la edad partiendo de las aptitudes cognitivas de compañeros de la misma edad. En los años de la escuela elemental, su éxito en materias como la historia venía determinado por la capacidad para recordar hechos como las fechas. En cambio, en los años de escolaridad intermedios, la evaluación de la asignatura de historia ha cambiado y requiere que el niño muestre aptitudes para redactar con una estructura organizativa clara del escrito, y que pueda reconocer, comparar y evaluar las diferentes perspectivas e interpretaciones. Los adolescentes con la función ejecutiva deteriorada tienen problemas con los aspectos de organización y planificación del trabajo en clase, así como de los deberes. Jerry Newport, un adulto con síndrome de Asperger, comentaba con respecto a la planificación: «No veo los baches de la carretera» (comunicación personal).

Stephen Shore también ha proporcionado conocimientos personales sobre problemas de las habilidades organizativas en sus descripciones: «Sin el apoyo apropiado el niño con síndrome de Asperger siente que se ahoga en un millón de tareas y más tareas diferentes. Muchos de nosotros tenemos dificultades para priorizar y organizar las tareas» (comunicación personal). Los maestros se quejan de que el adolescente no parece hacer las cosas como Dios manda y critican su desorganización. Éste es otro signo de deterioro de la función ejecutiva y no necesariamente se debe a la pereza del niño o a su falta de compromiso y participación en el trabajo escolar. Se angustian en situaciones escolares en las que no se les brinda la oportunidad de efectuar un ensayo o repetición mental o de prepararse para el cambio. Un cambio por sorpresa en el método de evaluación o de los exámenes crea una confusión y una ansiedad considerables en estos niños.

Algunos adolescentes también tienen dificultades con el razonamiento abstracto, en establecer prioridades para saber en qué tarea deben concentrarse en primer lugar y en la gestión del tiempo, en particular para determinar cuánto tiempo invertir en una actividad designada. Esto exaspera a padres y maestros, que saben que el niño tiene la capacidad intelectual para realizar un buen trabajo, pero el deterioro de la función ejecutiva hará que se retrase en la presentación de un trabajo o de los deberes y, por lo tanto, es posible que se le ponga falta o se le eche una reprimenda.

También pueden tener problemas de reflexión y autocontrol. En los años intermedios de escolarización el niño corriente desarrolla la capacidad de entablar una conversación mental con el objetivo de resolver el problema (Russell, 1997). El proceso de reflexión comprende el diálogo y el debate interiores sobre las ventajas de las diversas opciones y soluciones. Este proceso no es tan eficiente en un niño con síndrome de Asperger como en un niño corriente de su misma edad. Muchas personas con síndrome de Asperger piensan en imágenes y tienen menos probabilidades de usar una voz interna o la conversación para facilitar la resolución de problemas (Grandin, 1995). El adolescente con síndrome de Asperger necesita la voz de su maestro o de un adulto para orientar y organizar sus pensamientos.

Algunos niños y adolescentes con síndrome de Asperger facilitan la resolución de problemas entablando una conversación externa (más que interna) y, a medida que reflexionan y resuelven el problema, se dan cuenta de la utilidad de hablar consigo mismos. Esta forma adaptada de resolución de problemas y aprendizaje tiene tanto ventajas como desventajas: aunque es posible que sus compañeros se distraigan mientras el niño habla consigo mismo, y consideren que la conducta de su compañero es extraña, los maestros escuchan su razonamiento y corrigen sus errores tanto de los conocimientos como de lógica.

Una estrategia para resolver el problema asociado al deterioro de la función ejecutiva es que alguien actúe de secretario ejecutivo. El padre del niño se da cuenta de que ya desempeña esta función porque orienta a su hijo, le proporciona directrices y lo ayuda a planificar y a organizarse, sobre todo con los deberes. El secretario ejecutivo (que puede ser un progenitor o un maestro) también ha de ser firme y enérgico en establecer horarios, corregir los borradores de sus redacciones, establecer un código de colores por temas a los libros, alentar estrategias alternativas, elaborar listas de las tareas que debe hacer y establecer un programa claro de actividades. Este control y orientación cuidadosos parecerán excesivos a un adolescente con una aptitud intelectual normal.

El resto de la familia puede considerar sobreprotector a un padre que proporciona apoyo como secretario ejecutivo de su hijo, pero este padre ya sabe por experiencia que, sin dicho apoyo, su hijo no será capaz de obtener las notas académicas que reflejen sus aptitudes reales. En general, yo animo a los padres y a los maestros a asumir ese importante papel de secretario ejecutivo. En todos los casos albergo la esperanza de que sea un compromiso pasajero a medida que el paciente logre mayor independencia con las habilidades organizativas. Sin embargo, es posible que una madre acostumbrada a hacer de secretaria ejecutiva de su hijo no renuncie a este papel hasta que la sustituya una esposa que desempeñará el mismo rol.

Resolución de problemas

El niño con síndrome de Asperger prefiere usar su propia estrategia idiosincrásica de resolución de problemas, que suelo describir como «síndrome de Frank Sinatra», por la canción de ese artista, *My way* (a mi manera). Los adultos con síndrome de Asperger tienen fama de ser iconoclastas y de rechazar las opiniones populares y la sabiduría convencional. El niño no considera los consejos o las recomendaciones que le ofrece el maestro o las estrategias que usan otros niños. Esto tiene la posible ventaja de producir una respuesta extra, no considerada por otros niños pero, por desgracia, la mayor parte del trabajo escolar se basa en la creación de estrategias de resolución de problemas en niños corrientes y una conducta del estilo *a mi ma-*

nera acabará por exasperar al maestro, que intenta que, primero, el niño siga las estrategias convencionales.

Es importante estimular el pensamiento flexible desde temprana edad. Un adulto puede jugar con un niño con síndrome de Asperger a *¿Qué más podría ser?* Para un niño corriente, un aspecto del juego social e imaginativo es el pensamiento flexible que permite que un objeto represente algo más de lo que parece a simple vista o desempeñe varias funciones. No obstante, el niño con síndrome de Asperger es de ideas fijas por lo que respecta a la función de los objetos. Yo, cuando juego con ellos, les enseño libros de cuentos ilustrados, por ejemplo, con la historia de un tren y, sosteniendo el tramo recto de un raíl, les pregunto qué es y qué más podría ser. Les hago sugerencias, como las alas de un avión (que le permite volar), una escalera para trepar a la casa en lo alto de un árbol (y con dos dedos asciendo por esa escalera) o un compás para dibujar una línea recta. Otra actividad es el juego de *¿Para cuántas cosas crees que sirve...?* (por ejemplo, un ladrillo, una percha, etc.). Estos juegos son un pasatiempo divertido, animan al niño a pensar de manera flexible y creativa y facilitan el juego social con sus compañeros.

Cuando un adulto juega con esos niños es importante que, de vez en cuando, utilice una situación real (o la cree a propósito) donde se requiera la resolución de un problema. El adulto expresa en voz alta sus pensamientos de modo que el niño puede oír las diferentes estrategias que aquél está considerando para resolverlo. No obstante, cuando encuentra una solución, el adulto puede animar al niño a seguir concentrado y a determinar si habría funcionado otra estrategia. Es un ejemplo de «podemos hacer esto, pero también podríamos hacer aquello», que lo anima a reconocer que hay más de un modo de resolver un problema. Cuando el adulto expresa en voz alta sus pensamientos debe incorporar comentarios como «si conservo la calma, encontraré la solución con más rapidez» o «lo más inteligente y razonable que puedo hacer es pedir ayuda».

En los años de colegio, los maestros tendrán que usar la misma estrategia de expresar en voz alta sus pensamientos cuando proporcionen orientación a un problema académico afrontado por el niño. También es importante recordar que, cuando está relajado, el alumno con síndrome de Asperger es más flexible desde el punto de vista mental. Si se pone nervioso porque no encuentra la solución, la prioridad es animarlo a tranquilizarse o cambiar temporalmente de actividad para ayudarlo a relajarse, de modo que sea capaz de escuchar, concentrarse y pensar mejor las alternativas.

Algunas de las estrategias poco convencionales para la resolución de problemas usadas por las personas con síndrome de Asperger se interpretan como irrespetuosas. Nick me contaba: «Siempre miro un objeto inanimado, ya que esto me ayuda a pensar. Puedo concentrarme más si miro a la pared, pero la gente cree que no le hago caso». Su interlocutor debe darse cuenta de que esa conducta es una acción constructiva que facilita su reflexión; al mismo tiempo, conviene que la persona con síndrome de Asperger explique su forma de actuar para evitar que los demás se formen un mal concepto de él.

Afrontar los errores y aprender de ellos

Entre las características de los niños y también los adultos con síndrome de Asperger están la tendencia a prestar atención a los errores, la necesidad de arreglar una irregularidad y su deseo de ser perfeccionistas. Esto se traduce en un temor a cometer errores, por lo que el niño rechazará comenzar una actividad a menos que pueda completarla a la perfección. Evitar de errores significa que estos niños prefieren la precisión a la velocidad, lo que puede afectar a su rendimiento en las pruebas cronometradas y propiciará que los demás consideren que tienen una forma de pensar pedante. Muchos adultos creativos con síndrome de Asperger, como compositores, ingenieros o arquitectos, no han sido capaces de afrontar la más mínima desviación de su diseño o idea original.

Los niños con síndrome de Asperger se ven más como adultos que como niños y esperan de sí mismos un nivel adulto de capacidad y experiencia en cualquier actividad. Un niño pequeño tendrá miedo de parecer estúpido y de ser ridiculizado por sus compañeros si demuestra que no sabe hacer algo. Además, les cuesta trabajo aceptar que están equivocados, lo que los demás perciben como una expresión de vanidad o petulancia. Cualquier consejo lo consideran una crítica personal, y su reacción más probable es una actitud antagónica frente a maestros y amigos.

Es muy importante cambiar la percepción de los errores y las equivocaciones que tienen estos niños. En general, una persona con síndrome de Asperger da mucha importancia a las aptitudes intelectuales, tanto a las suyas como a las de los demás, por lo que se puede animar a los niños pequeños a comprender que el desarrollo de la fuerza cognitiva es parecido al de la fuerza física, en el sentido de que el cerebro necesita practicar una actividad mental difícil o extenuante para mejorar sus aptitudes intelectuales. Si todas la tareas mentales fueran sencillas, nunca mejoraríamos nuestro intelecto. El esfuerzo intelectual hace que nuestro cerebro sea más inteligente.

Se pueden usar historias sociales para explicarle al niño que podemos aprender más de nuestros errores que de nuestros éxitos; los errores dan lugar a descubrimientos interesantes, y un error es una oportunidad y no un desastre. Los adultos han de tener ejemplos de cómo responder a un error y deben tener una respuesta constructiva para los errores del niño, con comentarios como «es un problema difícil cuyo objetivo es que razones y aprendas», o «juntos encontraremos la solución». También debe recordar que, aunque tenga miedo de cometer un error, cuando una actividad le salga bien se sentirá contento; el éxito y la perfección son una motivación más poderosa que complacer a un adulto o impresionar a sus compañeros.

He observado que los niños, y en ocasiones los adultos, con síndrome de Asperger tienen tendencia a señalar los errores de otras personas, sin saber que, a lo mejor, ese comentario quebranta las normas sociales y puede ser embarazoso u ofensivo. Sin que importe su posición o categoría social, el niño con síndrome de Asperger señalará el error y pensará que esa persona debe estarle agradecida por haberlo señalado. En particular, el maestro no tiene ningún interés en que sus errores se pongan en evidencia en plena clase. Las historias sociales y las conversaciones mediante cómics permiten que el niño con síndrome de Asperger entienda cómo puede identificar los errores de otra persona sin herir sus sentimientos.

LOGROS ESCOLARES EN LECTURA Y MATEMÁTICAS

En los estudios realizados se ha indicado que, en conjunto, los logros escolares de los niños con síndrome de Asperger tanto en lectura como en matemáticas coinciden con los de sus compañeros (Dickerson, Mayes y Calhoun, 2003; Griswold y otros, 2002; Reitzel y Szatmari, 2003; Smith-Myles y otros, 2002). Sin embargo, las desviaciones estándar de esos estudios son grandes, y se detectan más niños con síndrome de Asperger en los extremos de los logros académicos en lectura y aritmética de lo que sería de esperar. En un estudio en el que se revisaron setenta y cuatro casos clínicos de síndrome de Asperger, los autores describieron que el 23 % destacaba en matemáticas, el 12 % tenía un talento artístico sobresaliente, pero el 17 % tenía problemas significativos para leer y escribir (Hippler y Klicpera, 2004). Reconocemos que la hiperlexia (una aptitud avanzada en el reconocimiento de palabras con una comprensión relativamente deficiente de las palabras o la línea argumental) es más frecuente de lo esperado en niños con síndrome de Asperger (Grigorenko y otros, 2002; Tirosh y Canby, 1993). Sin embargo, en un estudio reciente sobre logros académicos, sus autores refieren que uno de cada cinco niños con síndrome de Asperger tiene problemas significativos con las matemáticas (Reitzel y Szatmari, 2003). Por lo tanto, esos niños tienen más probabilidades que los niños corrientes de, o bien manifestar signos de logros académicos en materias relacionadas con la lectura y las matemáticas, o bien, por el contrario, la ausencia de logros en esas áreas.

No conocemos la razón de que un niño con síndrome de Asperger obtenga puntuaciones elevadas en los tests de lectura, pero sabemos que suelen obtener buenas calificaciones en los exámenes trimestrales o finales en la escuela debido a su habilidad relativamente avanzada para aprender a partir del material escrito (Grigorenko y otros, 2002). Haber sido un buen lector en la escuela es una ventaja evidente. Tampoco estamos seguros de por qué algunos niños tienen problemas específicamente con la lectura, aunque sabemos que tienen dificultades de percepción y del lenguaje que afectan a su capacidad lectora. Por ejemplo, un niño con síndrome de Asperger refería que podía aprender a leer una palabra específica pero, cuando esa palabra estaba impresa en una tipografía diferente, la percibía como otra nueva. Los problemas perceptivos, cognitivos y de procesamiento del lenguaje, al igual que los antecedentes familiares, sugieren algunas de las características asociadas a la dislexia.

Basándome en mi experiencia clínica, los programas convencionales de lectura no han sido tan eficaces con estos niños como habría sido de esperar. El niño necesita una evaluación exhaustiva por parte de un neuropsicólogo especialista o un logopeda para determinar con precisión la razón de sus dificultades para aprender a leer. También necesitamos descubrir nuevas estrategias de aprendizaje para estos niños y tener en cuenta el efecto que provocará sobre su autoestima la persistencia de tales dificultades para leer en los niveles escolares intermedios y superiores. Un aspecto interesante del síndrome de Asperger es que algunos niños, en los que se identifica un retraso significativo en el aprendizaje de la lectura, en el transcurso de unos pocos días adquieren la capacidad de leer con la soltura adecuada para su edad. Luke Jackson, un adolescente con síndrome de Asperger, ha escrito un manual para otros adolescentes como él, donde escribe: «La escuela me proporcionaba todo tipo de ayudas extra con la lectura ¡y yo ni siquiera podía distinguir una letra de otra! Por mucho que cualquier profesor de la escuela tratara de enseñarme, no lo asimilaba». Más tarde, de la noche a la mañana, hacia los siete años de edad, adquirió la habilidad para leer. Y añade: «Espero que este manual anime a los padres a no tirar nunca la toalla cuando su hijo parezca incapaz de aprender a leer. Expliqué mi experiencia a mi madre y al personal de la escuela como si, de repente, alguien hubiera encendido una luz en mi mentc» (L. Jackson, 2002, pág. 117).

Hay niños con síndrome de Asperger que parecen llegar a dominar la destreza general de leer pero tienen problemas relacionados con la lectura en voz baja y la lectura independiente, es decir, una destreza por la que un niño puede leer cómodamente para sí mismo (Smith-Myles y otros, 2002). Es interesante observar que en el estudio de estos autores, los niños con síndrome de Asperger que presentaban un retraso en la lectura en voz baja obtuvieron un mayor nivel de comprensión lectora cuando leyeron en voz alta. De hecho, leer en voz alta facilita la comprensión del texto, pero, a medida que el niño madura, es previsible que empiece a leer en voz baja. Para algunos niños con síndrome de Asperger, expresar lo que piensan y leer en voz alta ayuda a tener una comprensión mayor y favorece las habilidades de resolución de problemas.

El interés particular y las aptitudes en matemáticas que presentan algunos niños con síndrome de Asperger se explican por el perfil cognitivo asociado. Los grandes matemáticos tienen tendencia a desarrollar conceptos matemáticos usando imágenes visuales, concibiendo los números como formas, y no cuantitativamente; y en algunos niños el razonamiento visual y la visualización de imágenes con la imaginación están relativamente avanzadas. También se reconoce que algunos grandes matemáticos han tenido características del síndrome (Harpur, Lawlor y Fitzgerald, 2004; James, 2006). Marc Fleisher lo tiene y muestra un talento natural para las matemáticas. Es licenciado en matemáticas y describe su dicha del modo siguiente:

> Las matemáticas están repletas de detalles y de fascinación que sólo esperan a ser descubiertos. Es la naturaleza del tema lo que atrae e interesa a muchas personas que se fijan en los detalles, entre los que están los autistas (Fleisher, 2006, pág. 182).

La dificultad de los niños con síndrome de Asperger que son capaces de resolver problemas matemáticos complejos es explicar en palabras cómo lograron la respuesta. Hans Asperger describía cómo uno de los niños a los que se le había diagnosticado el síndrome expresó que no podía hacerlo verbalmente, sino que sólo conseguía expresarlo en su mente (1991, pág. 71). El niño proporcionará la respuesta correcta a un problema de matemáticas pero no traducirá con facilidad en palabras los procesos mentales que ha usado para resolver el problema. Esto puede dejar perplejo a su maestro y dar lugar a problemas con los exámenes y evaluaciones cuando no sea capaz de explicar sus métodos durante la prueba de evaluación o en la hoja de papel del examen.

Una de las características del perfil de aprendizaje asociadas al síndrome de Asperger es un poderoso estímulo en busca de la verdad, y el niño o el adulto parecen incómodos con cualquier situación en la que hay más de una respuesta correcta. En la escuela, prefieren los temas o asignaturas que proporcionan certidumbre, como las matemáticas, y evitan los temas que incluyen juicios de valor, como la literatura. Por lo tanto, la tendencia a visualizar los números y a buscar la verdad serían dos de los factores que explican su propensión a destacar en matemáticas.

Algunos niños con síndrome de Asperger tienen dificultades considerables para entender conceptos matemáticos incluso básicos, y para describir dichas dificultades usamos el término «discalculia». Al igual que con los posibles signos de dislexia, que afectan a las habilidades de lectura, los niños con signos de discalculia necesitarán una evaluación exhaustiva de las habilidades cognitivas necesarias para desarrollar aptitudes matemáticas. La cuestión no es completar un problema de matemáticas o recordar las tablas de multiplicar, sino aplicar los conocimientos matemáticos a las situaciones cotidianas (Jordan, 2003). Todavía no hemos determinado cuál es la razón de este problema y cuál es la conducta que hay que seguir, aparte de ofrecer al paciente clases particulares para el desarrollo y, sobre todo, la aplicación de los conceptos matemáticos.

Uta Frith y Francesca Happé han examinado el perfil lingüístico y el procesamiento de la información de niños con autismo o síndrome de Asperger y han observado fenómenos fascinantes (Frith y Happé, 1994). Estos niños son notablemente buenos para fijarse en los detalles pero tienen problemas considerables para percibir y entender la perspectiva general, o lo fundamental. Una metáfora muy útil para entender en qué consiste la coherencia central débil es imaginarnos que enrollamos una hoja de papel en forma de tubo y con un ojo cerrado lo aplicamos contra el otro ojo abierto, como si fuera un telescopio, y miramos el mundo a través de él: se ven los detalles pero no se percibe el contexto.

Los niños corrientes tienen una perspectiva cognitiva más amplia que la de un niño con síndrome de Asperger. Cuando está en clase, su problema no es de atención, sino de concentrar esa atención. Le cuesta acabar algunas actividades a tiempo porque está demasiado preocupado por el detalle, prestando atención a las partes más que al conjunto. En ocasiones el maestro o los padres han de indicar al niño dónde debe mirar.

Un término acuñado más recientemente es «monotropismo» (Murria, Lesser y Lawson, 2005). El paciente establece estrategias poco comunes para asignar la atención y las amplias áreas de información potencial no se registran cognitivamente. Esto se traduce en una visión del mundo muy fragmentada. Aprende hechos aislados pero tiene dificultades con el análisis global. Como fotógrafo aficionado, yo explico el problema como la percepción del mundo a través de un teleobjetivo más que de un gran angular.

Cuando tiene que procesar información compleja, un niño corriente es capaz de organizar los acontecimientos simultáneos en un marco coherente y procesar la información en un nivel más profundo. Pronto se identifica un tema central coherente. Los niños y adultos con síndrome de Asperger parecen tener problemas para determinar lo que es relevante y lo que es superfluo, y para descifrar el patrón global o el significado con el objetivo de crear un contexto mental. Para describir este estilo de procesamiento de la información, los psicólogos utilizan el término «coherencia central débil».

La coherencia central débil explica algunos de los talentos y dificultades de las personas con síndrome de Asperger en las habilidades cognitivas, lingüísticas y sociales. En términos cognitivos, en ocasiones pueden identificar los detalles y darse cuenta de conexiones no percibidas por otras personas cuyo contexto mental es diferente. La identificación de nuevas conexiones y representaciones puede contribuir a que sean científicos o artistas de éxito, mientras que la atención que prestan a los detalles es una ventaja para ejercer como abogados, contables o correctores de libros y textos. Sin embargo, una de las desventajas de esta característica es que se invierte mucho más tiempo, y requiere una repetición y una coherencia para descifrar el patrón en aquellas actividades escolares en las que se necesita el procesamiento simultáneo de la información a partir de muchas fuentes diferentes.

En el lenguaje, el niño corriente puede recordar lo fundamental del mensaje, las partes clave, que hacen que la información sea más fácil de recordar. En una conversación, tener una coherencia central débil significa que se recuerdan los detalles pero no la historia en conjunto; el niño tiene fama de proporcionar información que no viene al caso y tiene dificultades para recordar y enumerar los aspectos importantes o clave.

Tener coherencia central firme en comparación con tenerla débil significa que una persona puede identificar con facilidad lo que es relevante y lo que es superfluo en una situación. Cuando una persona corriente entra en una estancia de grandes dimensiones que alberga mucha gente y actividades, el cerebro podría sentirse abrumado por la cantidad de información nueva, pero afronta la situación identificando lo que es importante atender. Tenemos un sistema de prioridades, y la prioridad habitual es fijarnos en las personas y las conversaciones y no en los motivos florales de la alfombra o en las lámparas que iluminan la habitación. Las personas con síndrome de

Asperger son menos capaces de determinar a qué deben prestar atención y lo que es irrelevante. Después del acontecimiento, una persona corriente tendrá tendencia a recordar la gente, sus emociones y conversaciones, y olvidará rápidamente el resto de la información. Por contra, la persona con síndrome de Asperger no recuerda quién había, pero se acuerda de lo que otras personas considerarían detalles sin importancia o trivialidades.

Para el niño con síndrome de Asperger, quizá la información más compleja de procesar es la social y la emocional. Una vez ha descifrado las normas sociales, se pone nervioso cuando se violan y muestra una intolerancia extrema hacia las normas inventadas y las trampas. El niño también se convierte en un verdadero policía que observa cualquier violación de las normas sociales y administra con resolución las consecuencias. Puesto que buena parte de los adolescentes corrientes están decididos a saltarse las normas o convenciones sociales, el niño con síndrome de Asperger parece ser su crítico constante, obviamente una característica poco popular entre los adolescentes comunes.

Entre los criterios diagnósticos del síndrome de Asperger establecidos en el DSM-IV se considera que el niño desarrolla una adhesión en apariencia inflexible a rutinas o rituales no funcionales (American Psychiatric Association, 2000, pág. 84). El desarrollo de rutinas y rituales puede ser un signo de ansiedad y sabemos que los niños con síndrome de Asperger están predispuestos a experimentarla (véase el cap. 6), pero otra razón del establecimiento de rutinas es la coherencia central débil, es decir, las dificultades para determinar los patrones o la coherencia en la vida cotidiana. Reconocemos que los niños pequeños con síndrome de Asperger tienden a establecer rutinas y cumplirlas. Una vez que ha emergido un patrón, deben mantenerlo. Por desgracia, los componentes de la secuencia anticipada aumentan con el tiempo. Por ejemplo, la rutina de la hora de acostarse puede haberse iniciado ordenando sólo tres juguetes, pero, con el tiempo, se convierte en un ritual elaborado en el que el niño coloca docenas de juguetes de acuerdo con unas normas estrictas de

393

orden y simetría. Cuando el trayecto hasta su destino ha seguido la misma ruta varias veces, el niño considera que debe ser la única y no tolera ninguna desviación. La cita mencionada a continuación ilustra la razón de que el niño esté determinado a crear orden y certidumbre:

> Para una persona autista, la realidad es confusa, con una interacción de masas de acontecimientos, individuos, lugares, ruidos y miradas. No parece tener límites, orden o significado claro para nadie más que él. Buena parte de mi vida transcurre tratando de averiguar cuál es el patrón que es la base de todas las cosas. Establecer rutinas, horarios, rutas específicas y rituales me ayuda a conservar el orden en una vida insoportablemente caótica (Jolliffe y otros 1992, pág. 16).

Donna Williams describe:

> Me gustaba mucho copiar, crear y ordenar cosas. Me encantaban nuestras enciclopedias. Contenían letras y números al margen y siempre estaba comprobándolas para estar segura de que estaban ordenadas o colocando los tomos por orden, si no lo estaban. La búsqueda de categorías no terminó con las enciclopedias. También me leí entero el listín de teléfonos, conté el número de Browns que se citaban y conté el número de variaciones de un apellido concreto o la rareza de otros. Examinaba el concepto de coherencia. Aunque parezca que mi mundo estaba patas arriba, lo que intentaba era obtener coherencia. El cambio constante de la mayor parte de cosas parecía privarme de la oportunidad de prepararme para ello. Por eso, encontraba placer y me relajaba haciendo las mismas cosas una y otra vez (Williams, 1998, pág. 42).

Podemos entender la razón de que el niño con síndrome de Asperger y una coherencia central débil imponga sus rutinas y rituales en su vida diaria para ayudarlo a determinar un patrón o una coherencia, de otro modo difícil de alcanzar. Las rutinas parecen establecerse para que la vida sea más predecible y para imponer un orden, porque las novedades, el caos o la incertidumbre son motivo de confusión o frustración para estos niños. El establecimiento de una rutina le garantiza al niño que no hay ninguna oportunidad para un cambio ni la necesidad de crear una nueva coherencia o contexto para entender lo que está sucediendo y lo que se espera de él.

Recuerdos de la primera infancia

La coherencia central débil puede explicar un aspecto fascinante del síndrome de Asperger, a saber, la capacidad para recordar acontecimientos de la primera infancia (Lyons y Fitzgerald, 2005). Un adulto corriente puede recordar acontecimientos autobiográficos de cuando tenía de tres a seis años de edad, pero tendrá dificultades para recordar los acontecimientos previos a esa edad. Los padres de los niños con síndrome de Asperger suelen darse cuenta de que su hijo tiene una aptitud para proporcionar descripciones vívidas y precisas de acontecimientos ocurridos, por ejemplo, durante sus dos primeros años de vida. Por ejemplo, los padres de Albert comentaban que podía recordar acontecimientos de cuando era muy pequeño, como, por ejemplo, un incidente aislado, que nadie hubiera vuelto a mencionar y que, al cabo de dos años, el niño podía sacar de nuevo a colación ese incidente y recordar todos los detalles (Cesaroni y Garber, 1991, pág. 308).

Albert refiere lo siguiente:

> Recuerdo que cuando tenía un año de edad regresé a Nashville y, a veces, el aire olía como la leña. Recuerdo que escuchar música me enloquecía. Sabía que estaba en un lugar diferente, me despertaba y olfateaba el aire; era parecido a un grupo entero de viejos edificios (Cesaroni y Garber, 1991, pág. 307).

Los primeros recuerdos autobiográficos son sobre todo visuales y de las experiencias de importancia para la persona; por ejemplo,

Candy contaba que sus recuerdos consistían fundamentalmente en objetos más que personas o cosas personales (comunicación personal).

No sabemos con seguridad por qué las personas con síndrome de Asperger gozan de una memoria a largo plazo ejemplar para los detalles y los hechos y una notoria capacidad para recordar acontecimientos de la infancia. Una explicación verosímil es que los niños con síndrome de Asperger tienen un patrón diferente de conexiones cerebrales y su coherencia central débil afecta a la percepción, el procesamiento cognitivo y el almacenamiento y la recuperación de los recuerdos. El resultado es una capacidad para recordar acontecimientos ocurridos durante la infancia que otros no pueden recuperar.

La capacidad para recordar con precisión las escenas puede extenderse hasta retener páginas enteras de libros. Esta memoria eidética o fotográfica es muy útil en los exámenes, aunque he conocido a estudiantes universitarios con síndrome de Asperger a los que se ha acusado falsamente de hacer trampas o de copiar porque sus respuestas en un examen presentaban reproducciones perfectas de los libros de texto. También he conocido a niños y, más rara vez, a niñas que recuerdan con una exactitud asombrosa las direcciones y lugares donde han estado. Un niño pequeño puede proporcionar instrucciones precisas de cómo llegar a mi clínica.

Estrategias en clase para alentar el desarrollo cognitivo

La experiencia de los diferentes investigadores ha indicado que los niños con síndrome de Asperger parecen aprovechar mejor sus aptitudes cognitivas y académicas en una clase tranquila, sin ruidos y bien estructurada. En la biografía de su hijo, Lisa Pyles hace referencia a la descripción que el psicólogo hizo de él en la escuela: «John parece un cachorro que está aprendiendo a estarse quieto. Cada centímetro de su cuerpo se concentra en no pensar más que en estar en clase y en quedarse quieto, cuando su instinto le dice que salga corriendo» (Pyles, 2002, pág. 23).

Por lo tanto, será necesario ser muy conscientes de la sobrecarga perceptiva y del estrés ulterior, y prestar una atención cuidadosa al lugar que ocupa el niño en clase para evitar distracciones e interrupciones, y para que pueda ver y oír claramente al maestro. También es necesario acometer algunas obras de ingeniería social con el objetivo de situarlo cerca de los compañeros más benevolentes, que estén dispuestos a echarle una mano cuando el maestro esté demasiado ocupado para hacerlo. Es preciso que los cambios de la rutina y del personal sean los mínimos posibles que el horario de actividades diarias sea visible y que se le proporcione preparación para los cambios. Si el maestro de su clase en la escuela primaria tiene que ausentarse y va a ir un sustituto, la escuela se pondrá en contacto con los padres y los avisará del cambio inminente. En algunos casos es aconsejable que ese día el niño permanezca en casa por su bien y el del maestro sustituto.

El maestro tendrá que vigilar con regularidad los progresos del niño para garantizar que va bien encaminado y saber qué tiene que hacer a continuación. En ocasiones, el establecimiento de un método de trabajo alienta la concentración. A los niños más mayores les irán bien las notas generales de clase y las guías de estudio, ya que los adolescentes con síndrome de Asperger no son tan eficientes como sus compañeros cuando toman notas y copian información de la pizarra. El maestro tendrá en cuenta los problemas relacionados con la función ejecutiva y proporcionará ayuda con las habilidades organizativas y de planificación utilizando una lista de los quehaceres y, a veces, dándole más tiempo para que ese alumno acabe una actividad o una tarea.

Cuando el niño tiene un CI general dentro de los límites normales, las autoridades escolares tienden a pensar que no reúne las condiciones para ponerle un apoyo en clase por sus problemas de aprendizaje. Sin embargo, muchos niños con síndrome de Asperger tienen el CI dentro de los límites normales pero su perfil de habilidades intelectuales o cognitivas es muy desigual. A pesar del alcanzar valores normales o algo superiores del CI, tienen una forma diferente de pensar y aprender, y algunos sufren problemas del aprendizaje que los tests normalizados de inteligencia no detectan. El maestro puede necesitar un ayudante en clase (y debe solicitarlo y recibirlo) que favorezca el desarrollo cognitivo y académico de niños que no presentan un déficit intelectual, sino un perfil poco convencional de habilidades cognitivas.

El acceso a un maestro especializado en educación especial o a una unidad de apoyo del aprendizaje en la escuela proporciona instrucciones y orientación en la preparación de la actividad escolar y de los deberes. El niño con síndrome de Asperger tiene dificultades para entender un concepto concreto en un entorno social, con ruido de fondo, donde es fácil distraerse, pero entenderá el concepto con más facilidad si el material se presenta como parte de un programa de ordenador. Muchas asignaturas escolares desde el jardín de infancia hasta el último curso están disponibles en CD-ROM.

Hay niños con síndrome de Asperger cuyos logros académicos son significativamente mayores que los de sus compañeros de su misma edad pero cuya madurez social es considerablemente menor que la de sus compañeros. Al término del curso escolar, los padres del niño pueden hablar con el personal de la escuela y los maestros para decidir si éste debe repetir curso, de modo que las diferencias de madurez social sean menos visibles, debe proseguir con el curso siguiente o debe saltarse un curso porque su nivel intelectual es equiparable al de niños más mayores.

El niño con síndrome de Asperger se mostrará ansioso y agitado si el trabajo escolar es demasiado fácil y, cuando está aprendiendo en clase, con frecuencia prefiere relacionarse con niños de su mismo nivel intelectual. Otros muchos factores influyen en la decisión de retrasar o acelerar el paso del niño de un curso a otro, pero yo acostumbro a recomendar que estos niños permanezcan en clases con compañeros del mismo nivel intelectual, con un programa o plan de estudios interesante y, por lo tanto, motivador. Sin duda, serán necesarios programas que alienten la madurez social del niño, es decir, que reduzcan la diferencia entre el desarrollo intelectual y el social.

Los conocimientos y la personalidad del maestro

Hace sesenta años, Hans Asperger escribió:

> Con frecuencia, estos niños demuestran una sorprendente sensibilidad hacia la personalidad del maestro. Por difíciles que sean, incluso en condiciones óptimas, se les puede orientar y pueden aprender, aunque sólo pueden hacerlo de las personas que los comprendan y expresen un afecto verdadero, gente que se muestre amable con ellos y tenga sentido del humor. La actitud emocional subyacente del maestro influye, involuntaria e inconscientemente, en el humor y la conducta del niño. Naturalmente, el tratamiento y la orientación de estos niños requieren unos conocimientos apropiados de sus peculiaridades, al igual que talento y experiencia pedagógicos auténticos. La simple eficiencia pedagógica no es suficiente.
> (Asperger [1944], 1991, pág. 48).

El maestro ha de crear un entorno amistoso y de camaradería con estos niños, basado en sus aptitudes sociales, lingüísticas y cognitivas. Para crearlo es esencial que el maestro tenga acceso a la información, que sea experto en el síndrome de Asperger y que asista a los correspondientes cursos de formación. La escuela ha de mantener una biblioteca de recursos sobre el síndrome, y los servicios de educación han de considerar el refuerzo en clase mediante un ayudante del maestro, que contribuya a la enseñanza del programa social, ayude en el control de las emociones del niño, facilite su inclusión social y le proporcione orientación para ciertas actividades académicas.

Se han descrito algunas características de la personalidad relacionadas con ser un maestro eficaz de un niño con síndrome de Asperger. Me he dado cuenta de que muchos de estos niños reciben una buena enseñanza en muchos ámbitos escolares y he observado que alcanzan el mayor progreso cognitivo y académico con maestros que comprenden su problema y manifiestan empatía hacia ellos.

399

Esos maestros son flexibles en sus estrategias docentes, evaluaciones y expectativas, aprecian y admiran a los niños, respetan sus aptitudes y conocen muy bien lo que los motiva y su perfil de aprendizaje. Carol Gray ha sugerido que un maestro eficaz debe comprender el retraso del niño en la adquisición de las aptitudes de la teoría de la mente (es decir, un retraso en la comprensión de lo que piensan y sienten los demás), pero el maestro también debe tener en cuenta la teoría de la mente del niño con síndrome de Asperger (es decir, una comprensión de cómo piensa y siente) (comunicación personal).

Nita Jackson proporciona un ejemplo al describir a uno de sus maestros:

> El señor Osbourne era una persona jovial y llena de vida, dispuesta a hacer bromas de cualquier cosa. Rara vez se enfadaba o levantaba la voz como la mayor parte de mis otros maestros. A la hora del recreo dejaba que me escondiera en el armario del departamento de música sin pestañear. Era como si entendiera y aceptara la razón de mi necesidad de tomar estas medidas ridículas para separarme de la sociedad. Lo respetaba porque no trataba de sonsacarme respuestas como hacían todos los demás. En ocasiones, llamaba a la puerta, decía cu-cu y me ofrecía una galleta (que nunca rechacé). El último día del curso, le compré un montón de galletas en agradecimiento por todas las que él me había permitido (N. Jackson, 2002, pág. 34).

También es importante recordar que no hay dos niños con síndrome de Asperger cuyo perfil de aptitudes, experiencias y personalidad sean iguales. Es posible que las estrategias pedagógicas que se han utilizado con éxito en uno o dos de ellos no sean apropiadas para otro que ingrese en la clase de este maestro; en ocasiones, han de formularse nuevas estrategias para cada niño.

Otro requisito del maestro es que no se ofenda por comentarios que a primera vista parecen groseros o insolentes. Cuando el maestro le pregunta al niño «¿puedes guardar tus juegos?» y éste le responde con un simple «no», el niño está siendo sincero más que maleducado. También es importante evitar los sarcasmos, porque es probable que el niño haga una interpretación literal de lo que se le dice. El maestro también ha de saber que los factores de motivación convencionales no son tan eficaces en comparación con lo observado en los otros niños de la clase. Hans Asperger se interesó profundamente por las estrategias educativas y pedagógicas para los niños que visitaba, y escribió:

> A pesar de que las demostraciones de cariño y afecto y los halagos complacen a un niño corriente y suelen inducir la conducta deseada, estas estrategias sólo consiguieron irritar a Fritz, al igual que al resto de niños como él (Asperger [1944] 1991, pág. 47).

Entre los elementos de motivación más satisfactorios se cuentan atraer su autoestima intelectual comentando lo inteligente que es el niño, incorporar aspectos de su interés o afición particular en la actividad, y reducir la posibilidad de riesgo o errores.

Hans Asperger continuaba afirmando que:

> Todas los transacciones educativas tienen que efectuarse sin la intervención del afecto. El maestro nunca debe montar en cólera ni tratar de que el niño le tome afecto. El maestro debe a toda costa mostrar una actitud tranquila y relajada y no perder el control jamás (Asperger [1944] 1991, pág. 47).

Son consejos llenos de sensatez. Mostrarse irritado o afectuoso cuando el niño trata de concentrarse le genera mayor confusión o irritación. A veces, cuando se requiere una actitud de reafirmación tranquila, la agitación cada vez mayor del niño no permite crear una reacción recíproca en el adulto.

Hans Asperger también sugería que otro riesgo pedagógico es que cualquier medida educativa no se anuncie como una petición personal, sino como una ley impersonal, objetiva (Asperger [1944] 1991, pág. 48). En ocasiones, el maestro o el director de la escuela tiene que mostrar al niño una copia de las normas escolares para corroborar que el maestro está cumpliendo una norma aceptada y no está siendo mezquino o vengativo.

Los deberes

Una importante causa de ansiedad para niños y adolescentes con síndrome de Asperger, su familia y sus maestros es el cumplimiento satisfactorio de los deberes. ¿Por qué este grupo de niños tiene una reacción emocional de tal envergadura ante el simple pensamiento de tener que empezar a hacer sus deberes, y tantas dificultades para acabar las tareas asignadas? Esta reacción parece tener dos explicaciones. La primera se basa en el grado de estrés y agotamiento mental durante la jornada escolar, y la segunda se debe a su perfil de aptitudes cognitivas. Al igual que sus compañeros de clase, tienen que aprender las asignaturas tradicionales correspondientes a su curso, pero, además, sufren muchas más experiencias estresantes que los otros niños de su clase. Tienen que enfrentarse a un plan o programa de estudios paralelo, adicional, es decir, su socialización. Han de usar su razonamiento intelectual para determinar las normas sociales vigentes en la clase y en el patio de recreo. Otros niños no tienen que aprender conscientemente habilidades de integración social, pero estos niños tienen que descifrar las claves y códigos sociales, y determinar desde un punto de vista cognitivo lo que deben hacer y decir en las situaciones sociales. A menudo su información primaria son las críticas de los demás por un error, con muy pocos elogios cuando ofrece la respuesta correcta o manifiesta la conducta apropiada. Por desgracia, aprender sólo de los errores no es la manera más constructiva de hacerlo. Por lo tanto, estos niños tienen que concentrarse en un plan o programa de estudios adicional que, al final del día, los deja exhaustos intelectual y emocionalmente. También tienen dificultades para interpretar las señales emocionales del maestro y de los otros niños y responder a ellas, y para afrontar la compleja socialización, el ruido y el caos del patio de recreo, los cambios

402

inesperados de la rutina escolar y las intensas experiencias sensiti-vass de una clase ruidosa. A lo largo del día, rara vez tienen la opor-tunidad de relajarse.

Cuando hablo con estos niños, que tienen dificultades para socia-lizarse y afrontar el estrés que les genera la escuela, suelen decirme que dividen claramente lo que les ocurre en el hogar y lo que sucede en la escuela. Su comentario es «la escuela está hecha para aprender; en mi casa, me divierto o me relajo». Por lo tanto, la perspectiva de interrumpir su diversión y relajación tan necesarias y merecidas para que hagan los deberes es más de lo que pueden soportar. Sean Ba-rron me decía que no entendía por qué tenía que hacer el trabajo de la escuela en casa. Daba por sentado que el trabajo que hacía en la escuela tenía que quedarse allí (Grandin y Barron, 2005, pág. 94).

Estos niños se caracterizan por un perfil poco común de aptitudes cognitivas que es preciso reconocer y tener en cuenta cuando abor-dan el trabajo académico en la escuela y, en particular, en su casa. Debido al deterioro de la función ejecutiva, tienen dificultades para planificar, organizar y priorizar, una tendencia a ser impulsivos e in-flexibles cuando resuelven problemas, y una memoria de trabajo li-mitada. Otras características son la dificultad para generar nuevas ideas y determinar lo que es relevante o superfluo; la falta de percep-ción del tiempo, problemas de gestión y control del tiempo y la ne-cesidad de supervisión y orientación. También es probable que pre-senten problemas concretos del aprendizaje, como dificultades en la lectura.

Las estrategias descritas a continuación están destinadas a redu-cir al mínimo los efectos del deterioro de la función ejecutiva en el hogar y ayudar al niño a terminar sus deberes con menos estrés, tan-to para él como para su familia.

Crear un entorno de aprendizaje dirigido

El lugar donde el niño trabaja debe ser favorable para su concen-tración y aprendizaje. Un modelo útil es la clase del niño, cuyas sillas e iluminación son apropiadas y sin ningún objeto o elemento que pueda distraerlo. Las distracciones pueden ser visuales, como la presencia de juguetes o la televisión, que son un recordatorio constante de lo que el niño desearía estar haciendo; o auditivas, como el ruido de aparatos eléctricos y la cháchara de los hermanos. Es importante que el lugar donde el niño hace sus deberes sólo tenga el material y el equipamiento necesarios para esa tarea. El entorno de trabajo también debe protegerse de la curiosidad de los hermanos más pequeños.

Resulta muy útil que los padres establezcan un horario para los deberes, que se anotará en un diario que el niño llevará todos los días a la escuela. En él, el maestro anotará la duración y el contenido esperados para cada actividad o tarea de los deberes. En ocasiones el niño tarda horas en hacer los deberes cuando el maestro sólo pretendía que dedicara varios minutos a una tarea determinada. El maestro también proporcionará a los padres una lista de todo el material necesario para que el niño termine los deberes.

Este diario de los deberes ayudará al niño a recordar qué libros tiene que llevarse a casa y los deberes específicos que ha de hacer cada tarde. Para que esta estrategia sea más atractiva para el niño se le puede comprar una agenda donde pueda planificar sus actividades de cada uno de los días de la semana.

Para recordarle cuánto tiempo le queda para completar cada parte de los deberes se usará un cronómetro. También es importante asegurarse de que el tiempo programado para los deberes no coincide con el programa de televisión favorito del niño. Si coincide, se le concederá el uso del vídeo o del DVD para que pueda grabar el programa y verlo una vez haya terminado los deberes.

Para favorecer la concentración son necesarias pausas establecidas con carácter regular. Los deberes se dividirán en segmentos para indicar cuánto trabajo ha de acabar el niño o cuánto tiene que estudiar antes de poder tomarse un descanso momentáneo. El error habitual es esperar una concentración demasiado prolongada, sobre todo después de un día agotador desde un punto de vista intelectual en la escuela.

El maestro puede destacar los aspectos clave de la hoja de los deberes, proporcionar explicaciones por escrito y formular preguntas al niño para asegurarse de que sabe qué aspectos del material para el trabajo escolar son relevantes para la preparación de éste. También le pedirá al niño que formule un plan antes de empezar para estar seguro de que el trabajo es coherente y lógico, en particular si los deberes consisten en una redacción. Si necesita varios días para completar los deberes, es importante que el maestro revise con regularidad el borrador y el progreso del niño, lo que también aumenta la probabilidad de que termine a tiempo los deberes.

PROBLEMAS DE MEMORIA

Si el niño tiene dificultades para recordar con exactitud en qué consistían los deberes y para recordar la información relevante mientras los hace (una característica del deterioro de la función ejecutiva), una solución es comprarle un juguete ejecutivo. Una pequeña grabadora digital usada para dictar proporciona un registro de las instrucciones orales del maestro, y el niño puede añadir sus propios comentarios o notas personales como recordatorio de la información clave. Tanto él como sus padres sabrán exactamente lo que se ha dicho en clase y lo que es importante para hacer los deberes. Otra estrategia es que el niño pida el número de teléfono de un compañero de la clase y lo llame para preguntarle por la información que necesita.

SUPERVISIÓN

Los padres y los maestros pronto se dan cuenta de que va a ser necesario un grado sustancial de supervisión. Para unos padres con otros compromisos familiares en el momento en que su hijo está haciendo los deberes, eso plantea un problema importante.

El niño tiene dificultades para ponerse manos a la obra y saber qué hacer en primer lugar. Sin embargo, una vez que ha empezado, la supervisión ha de continuar. Los padres también han de estar disponibles si requiere ayuda, si surge un motivo de confusión y para asegurarse de que ha elegido la estrategia apropiada. Estos niños tienden a ser inflexibles, por lo que se cierran a estrategias alternativas y muestran una determinación tenaz a seguir una estrategia concreta, cuando otros niños habrían reconocido que es más sensato considerar una alternativa. Una técnica para demostrarles que puede haber más de una idea válida es proporcionarles una lista de estrategias alternativas para resolver un problema concreto: el niño necesita saber que existe un plan B.

La supervisión también es necesaria para ayudarlo a priorizar y planificar, contribuir a resolver los problemas de recuperación de palabras y mantener su motivación. La motivación mejorará con recompensas concretas por su concentración y esfuerzo.

ESTILO COGNITIVO

Es necesario tener en cuenta los puntos cognitivos débiles y fuertes del niño. Si su punto fuerte es el razonamiento visual, los algoritmos, los gráficos, los mapas conceptuales o mentales y las demostraciones mejorarán su comprensión (Hubbard, 2005). Si el punto fuerte son las aptitudes verbales, serán útiles las instrucciones escritas y un debate utilizando metáforas (en particular las asociadas a su interés particular). Otras estrategias son el uso de un ordenador y un teclado, en especial para niños que tienen problemas de escritura y caligrafía. En ocasiones el padre o la madre actuarán como secretario ejecutivo, escribiendo con la ayuda del ordenador el material para el niño y corrigiendo las pruebas con las respuestas. Con frecuencia los deberes son una actividad de colaboración, más que solitaria. Los padres saben gracias a muchos años de experiencia que sin su compromiso y participación los deberes no se acabarán a tiempo o no tendrán el nivel académico requerido.

En general, estos niños lo pasan muy bien con los ordenadores y suelen aprender mejor un concepto educativo si se les presenta en la pantalla. El material expuesto por una persona añade una dimensión social y lingüística a la situación, lo que aumenta la confusión del niño. Por lo tanto, el maestro ha de adaptar los deberes de modo que una parte considerable se efectúe utilizando un ordenador. Los programas de tratamiento de textos, en particular los programas de gráficos, y de comprobación de gramática y de ortografía, son inestimables para mejorar la legibilidad y la calidad del producto final.

Si los padres no pueden ayudar a su hijo a resolver un problema concreto, una solución es pedir hora con el maestro o contactar con él por teléfono de modo que éste pueda hablar directamente con el niño. La utilización con regularidad de esta estrategia dará lugar a un cambio significativo del tipo y volumen de deberes.

Por último, la actividad docente con estos niños requiere habilidades especiales y no es de esperar que los padres las tengan. Como padre o madre uno está más involucrado emocionalmente que el maestro y puede resultar difícil ser objetivo e imparcial. Una opción es contratar a un profesor particular para que oriente y supervise al niño. No obstante, es una opción que en general está fuera del alcance de los recursos económicos de la mayor parte de las familias.

REDUCIR LAS HORAS DE ESTUDIO O EL VOLUMEN DE TRABAJO EN CASA

Si los deberes se asocian con una ansiedad de tal magnitud, ¿qué podemos hacer para reducir la desesperación del niño que está agotado después de un día entero en la escuela, al mismo tiempo que sus padres tratan de motivarlo y el maestro reconoce que los deberes no son el medio más eficaz de educarlo? Si al niño se le exige la misma cantidad de deberes que a sus compañeros, hay que reconocer la cantidad de tiempo y el grado de compromiso necesarios por todas las partes para que los termine satisfactoriamente y a tiempo. Un opción es permitirle que los complete en la escuela. Puede hacerlo a la hora de comer y antes o después de las clases en su propia aula o en la biblioteca. No obstante, seguirá necesitando la supervisión y la orientación de un maestro. En el instituto, algunos niños son capaces de obtener el título de bachillerato escogiendo un menor número de asignaturas y dedicando el tiempo que de esa manera les quedaba libre en la escuela a hacer los deberes que deberían hacer en casa.

Si todas estas estrategias fracasan, ¿cuál es la alternativa? Todavía no he leído ningún artículo de investigación que haya establecido correctamente un correlación entre las horas dedicadas a los deberes en la infancia y el éxito profesional de un adulto o su calidad de vida. La gente sostiene que los deberes alientan el aprendizaje autodidacta, pero los niños con síndrome de Asperger suelen ser muy buenos en este tipo de aprendizaje cuando se interesan en la actividad: su problema es el aprendizaje en el contexto social de la clase.

Mi opinión es que es preciso eximir a estos niños del castigo por no acabar sus deberes a tiempo, y el tiempo máximo invertido en hacerlos o en estudiar debe ser de una media hora, a menos que el niño o el adolescente desee invertir más tiempo. Después de esa media hora, los padres firmarán la hoja de los deberes (o en la agenda que han comprado a su hijo) para indicar que ésa fue la cantidad de trabajo realizada en el tiempo disponible, ya que los deberes asignados al día siguiente deberían basarse en lo que ha hecho el día anterior. Esta recomendación suele aliviar el estrés de estos niños, de sus padres y, probablemente, de su maestro.

Pensamiento visual

Las personas con síndrome de Asperger tienen una forma diferente de pensar, y en ocasiones piensan en imágenes más que en palabras. En un estudio fascinante, se hizo que algunos adultos con síndrome de Asperger llevaran durante varios días un pequeño dispositivo que producía un zumbido a intervalos aleatorios (Hurlburt, Happé y Frith, 1994). Se les pidió que congelaran el contenido de su pensamiento cuando oyeran el zumbido y tomaran notas de la naturaleza de sus pensamientos. Cuando este procedimiento se usa con gente corriente, las personas describen una variedad de pensamientos internos que incluyen el lenguaje, sentimientos, sensaciones corporales e imágenes visuales.

No obstante, los adultos con síndrome de Asperger refirieron sus pensamientos principal o exclusivamente en forma de imágenes. Algunas de esas personas parecen tener un estilo de pensar predominantemente visual, lo que confiere algunas ventajas, descritas por Temple Grandin con las palabras siguientes:

Mi mente es por completo visual y para mí resulta sencillo el trabajo espacial como el dibujo. Recuerdo que me enseñé a mí misma a dibujar en seis meses. He diseñado grandes edificios de acero y cemento como establos para alojar ganado, pero me sigue resultando difícil recordar un número de teléfono o sumar. Los tengo por escrito. Toda la información que he memorizado es visual. Si tengo que recordar un concepto abstracto, veo la página del libro o mis notas en mi mente y leo la información a partir de éstas. Las melodías es lo único que puedo memorizar sin necesidad de formar imágenes visuales. Apenas recuerdo lo que oigo a menos que sea estimulante emocionalmente o pueda formarme una imagen visual. En clase tomo notas meticulosas porque siempre olvido el material auditivo. Cuando pienso en conceptos abstractos, como las relaciones humanas, utilizo símiles visuales. Por ejemplo, las relaciones entre personas son como una puerta corredera de cristal. La puerta ha de abrirse con cuidado, ya que si la golpeas puede romperse. Si tuviera que aprender una lengua extranjera, lo haría a través de la lectura, haciéndola visual (Grandin, 1984, pág. 145).

Temple ha escrito un libro en el que examina su pensamiento visual y cómo ha afectado a su vida y le ha permitido desarrollar habilidades notables de dibujo (Grandin, 1995).

La desventaja de esta forma de pensar es que el trabajo escolar se presenta sobre todo para una forma verbal de pensamiento. El maestro suele utilizar el lenguaje y un estilo de conferencia para explicar un concepto académico, más que proporcionar una demostración práctica. Una estrategia para ayudar a las personas visualizadores es aumentar la utilización de diagramas, modelos y de la participación activa. Por ejemplo, en las clases de matemáticas, el niño puede tener un ábaco en su pupitre. También puede aprender a imaginarse los principios como escenas reales. Algunos adultos me han explicado que han aprendido historia o ciencia visualizando los acontecimientos: por ejemplo, poniendo en marcha un vídeo mental en el que graban los cambios de las estructuras moleculares.

Este tipo de pensamiento tiene ventajas considerables. Estas personas manifestarán un talento natural para el ajedrez y otros juegos del mismo estilo; el científico más grande del siglo xx, Albert Einstein, pensaba visualmente. Siempre sacaba malas notas en los exámenes de lengua pero se basaba en sus métodos visuales de estudio. Su teoría de la relatividad se basa en la visualización con la imaginación de imágenes de furgones en movimiento y cabalgar sobre un rayo de luz. Es interesante destacar que su personalidad y sus antecedentes familiares tienen elementos que parecen indicar que tenía el síndrome de Asperger (Grandin, 1984).

Talentos cognitivos

Hay niños y adultos con síndrome de Asperger cuyas aptitudes cognitivas son significativamente superiores a la media, es decir, con un CI superior a 130, y en ocasiones se les describe como superdotados o niños con mucho talento (Lovecky, 2004). Esto se asocia tanto con ventajas como con inconvenientes para el niño. Entre las ventajas está una mayor capacidad para procesar y aprender las claves y normas sociales desde un punto de vista intelectual. El maestro puede admirar su avanzada madurez intelectual, y el hecho de ganar un concurso tras otro hace ascender la categoría tanto del niño como de la escuela. Sus logros académicos aumentan su autoestima, tanto en el caso de los niños como en el de los adultos; en general se aceptan su ingenuidad social y sus excentricidades, e incluso se aprecian como parte de su imagen de profesor despistado. Los talentos cognitivos darán lugar a una carrera lucrativa en el campo de la tecnología o a una carrera insigne en el campo de la investigación. Sin embargo, el hecho de ser superdotado también se acompaña de algunas desventajas.

Estos niños son más inmaduros desde un punto de vista social y emocional que sus compañeros, lo que contribuye a su aislamiento social, a que se les ridiculice y se les atormente. El hecho de tener una madurez intelectual considerablemente avanzada en comparación en sus compañeros aumenta todavía más su aislamiento y su distanciamiento social. El niño no encaja en ningún grupo de su clase, ni desde un punto de vista social ni intelectual. El hecho de tener un vocabulario muy rico y conocimientos muy extensos hace que los adultos esperen de él una madurez equivalente en el razonamiento social, en el control de las emociones y la conducta; es posible que los critiquen injustamente porque no expresan esas aptitudes con la misma madurez que los compañeros de su misma edad.

Tener una madurez intelectual avanzada se asocia con un grado relativamente elevado de desarrollo e ideales morales. Por lo tanto, el niño pequeño con síndrome de Asperger se angustia en situaciones de injusticia, como la crueldad con los animales, y expresa su preocupación por los efectos de las catástrofes naturales sobre la gente. También puede tener ideales relacionados con la justicia y la imparcialidad, que afectan a sus interacciones y juegos con sus compañeros, los cuales suelen tener una visión más flexible y egocéntrica de las normas.

Al igual que sucede con los niños corrientes dotados intelectualmente, el niño tiene una capacidad intelectual muy por encima de lo que puede afrontar desde un punto de vista emocional. Se preocupa por conceptos que están muy alejados de los pensamientos e ideas de otros niños de su edad. El niño superdotado con síndrome de Asperger tiene menos mecanismos que un niño corriente para controlar la ansiedad creciente asociada con sus aptitudes intelectuales avanzadas.

El perfil de aptitudes cognitivas asociadas al síndrome también puede afectar a la expresión de los talentos cognitivos. La conceptuación de una persona puede ser extraordinaria, pero los aspectos prácticos de organizar las ideas en un contexto coherente y comunicar lo que piensan a través del lenguaje es un problema significativo. El niño, o el adulto, sabe que la idea o solución es perfecta pero nadie parece entenderlo.

Sabemos que estos niños tienden a prestar atención a los componentes individuales del problema. Prestar una atención detallada a los componentes permite identificar aspectos que otros han pasado por alto (Hermelin, 2001), pero tiene la desventaja de responder exageradamente desde un punto de visto emocional a problemas que son relativamente insignificantes. Con frecuencia, son perfeccionistas, se ponen el listón muy alto y tienden a abandonar rápidamente un proyecto si al principio no tienen éxito. Estos niños pueden tener unas aptitudes intelectuales avanzadas pero, al ponerse el listón tan alto, sus frustraciones son considerables y es bien sabido que no son capaces de afrontar la frustración.

Cuando un niño pequeño tiene un razonamiento intelectual considerablemente más maduro que sus compañeros, puede tener aptitudes para crear relatos imaginarios que son fascinantes para otros niños (Lovecky, 2004). Se convierte en el líder del grupo de compañeros, ansioso por representarles historias. Más adelante, la creatividad y el talento en las artes serán una forma de expresión y satisfacción personal que no está destinada a un público ni pretende suscitar la admiración de sus compañeros (Hermelin, 2001).

Deirdre Lovecky (2004) ha estudiado a niños con síndrome de Asperger considerados superdotados y ha observado que en la escuela su trabajo rara vez se equipara a sus aptitudes cognitivas. Es importante que el maestro reconozca su potencial intelectual y planifique un programa de estudios avanzados. El niño también se beneficiará de su inscripción en programas para niños superdotados, no sólo para ampliar sus conocimientos y favorecer su desarrollo cognitivo, sino también para brindarle la oportunidad de conocer a posibles amigos. La amistad puede basarse en el intercambio de información y en las discusiones intelectuales, pero ¿en qué otro lugar puede el niño encontrar un compañero intelectual de su misma edad que se convierta en un verdadero amigo?

Hoy día reconocemos las ventajas significativas en el ámbito de la ciencia y de las artes atribuibles a individuos que han tenido una forma diferente de pensar y que poseían muchas de las características asociadas al síndrome de Asperger (James, 2006). La gente corriente tiene una forma de pensar social/lingüística, pero es una ventaja tener una percepción y un perfil alternativo de aptitudes cognitivas que pueden dar lugar a talentos inestimables. Liliana, una mujer con síndrome de Asperger y unas aptitudes intelectuales considerables, me decía que el lenguaje es la jaula del pensamiento y por medio de conceptuaciones alternativas que no se han basado en el pensamiento lingüístico se han obtenido muchos progresos en ciencia y filosofía.

Lee, un estudiante de la Oxford University, dice lo siguiente:

> Creo que el síndrome de Asperger es otra perspectiva del mundo. Sin ninguna duda, me ayudó con la vertiente matemática de las cosas. Creo que es muy fácil pensar en términos muy abstractos. Puedo resolver el cubo de Rubik en tan sólo dos minutos (Molloy y Vasil, 2004, pág. 40).

Y Rachel considera que:

> Una de las razones por las que solicité ingresar en Mensa* fue que deseaba utilizar esa asociación como característica dis-

* Mensa es una asociación internacional de personas con un cociente intelectual elevado (*N. de la t.*)

413

tintiva de mi inteligencia y decir ¡tengo este grado de inteligencia y puedo demostrarlo porque me han aceptado en Mensa! En conjunto, creo que la mayoría de personas con síndrome de Asperger son muy inteligentes. Si pudiera cambiarme y desembarazarme del síndrome, la verdad, no creo que lo hiciera porque estoy segura de que perdería parte de mi inteligencia (Molloy y Vasil, 2004, pág. 43).

Necesitamos a las personas con síndrome de Asperger para poner en una nueva perspectiva los problemas del mañana.

Puntos clave y estrategias

- Algunos niños pequeños con síndrome de Asperger inician la escuela con aptitudes académicas superiores a las de sus compañeros de curso.
- Hay más niños con síndrome de Asperger de lo que se esperaría en los extremos de las aptitudes cognitivas.
- Perfil de las aptitudes de aprendizaje en la escuela:

  — Los maestros pronto reconocen que el niño tiene un estilo de aprendizaje claramente diferente, con mucho talento para comprender el mundo lógico y físico, lo que les hace prestar atención a los detalles y recordar y organizar los hechos de manera sistemática.

  — Los niños con síndrome de Asperger se distraen con facilidad, sobre todo en clase. Cuando resuelven problemas, parecen tener un sola idea en la cabeza y temen el fracaso.

  — A medida que el niño progresa y va pasando de curso, los maestros identifican problemas con las aptitudes organizativas, en particular con respecto a la asignación de deberes y las redacciones.

  — Si el niño no tiene éxito desde un punto de vista social

en la escuela, el éxito y los logros académicos se hacen muy importantes como motivación principal para asistir a la escuela y para el desarrollo de su autoestima.

— El perfil o patrón de aptitudes intelectuales es más importante que el CI general.

— Como mínimo, el 75 % de los niños con síndrome de Asperger también tiene un perfil de aptitudes de aprendizaje indicativo de un diagnóstico adicional de trastorno de déficit de atención.

— Los psicólogos dividen la atención en cuatro componentes: capacidad para mantenerla, para prestar atención a la información relevante, para desviar la atención cuando es necesario y para codificarla, es decir, recordar aquello a lo que se ha prestado atención. Estos niños parecen tener problemas con los cuatro aspectos de la atención.

• Función ejecutiva:

— En la actualidad hay numerosas pruebas científicas que confirman que algunos niños, pero sobre todo los adolescentes y los adultos, con síndrome de Asperger presentan un deterioro de la función ejecutiva.
El término psicológico «función ejecutiva» abarca:
  – Aptitudes organizativas y de planificación.
  – Memoria de trabajo.
  – Inhibición y control de impulsos.
  – Reflexión y vigilancia de sí mismos.
  – Control del tiempo y priorización.
  – Comprensión de conceptos complejos o abstractos.
  – Utilización de nuevas estrategias.

— Una estrategia para reducir los problemas asociados con el deterioro de la función ejecutiva es que los padres, los maestro, el profesor particular, etcétera actúen como una secretaria ejecutiva.

- Resolución de problemas:

  — Los estudios indican que los niños con síndrome de Asperger tiende a continuar usando estrategias incorrectas y menos probabilidades de aprender de sus errores, aun cuando sepan que su estrategia no funciona.
  — El niño prefiere usar su propia estrategia idiosincrásica para la resolución de problemas.
  — Es importante alentar la flexibilidad del razonamiento y pensamiento; esto ha de empezar a una edad temprana. Al jugar con un niño muy pequeño con síndrome de Asperger, el adulto puede seleccionar una actividad del estilo *¿Qué más podría ser?*
  — El adulto puede expresar sus pensamientos cuando resuelve un problema para que el niño oiga las diversas estrategias que aquél considera para resolverlo.

- Afrontar los errores:

  — El perfil de aprendizaje de estos niños incluye su tendencia a prestar atención a los errores, la necesidad de reparar una irregularidad y el deseo de perfeccionismo.
  — Es importante cambiar la percepción del niño en cuanto a los errores y equivocaciones.
  — Pueden usarse las historias sociales para explicarle que aprendemos más de nuestro errores que de nuestros logros; las equivocaciones suelen dar lugar a descubrimientos interesantes, y un error es una oportunidad y no un desastre.

- Logros escolares en lectura y matemáticas:

  — Se identifican más niños con síndrome de Asperger en los extremos de los logros escolares en lectura y aritmética de lo que se esperaría.
  — Basándome en mi experiencia clínica, los programas convencionales de lectura no son tan eficaces con estos niños como sería de esperar.

416

— La dificultad de los niños con síndrome de Asperger que son capaces de resolver problemas matemáticos complejos es explicar en palabras cómo obtuvieron la respuesta.

• Coherencia central débil:

— Los niños con síndrome de Asperger son muy buenos para fijarse en los detalles pero tienen dificultades considerables para percibir y comprender la perspectiva general o lo fundamental.
— Los padres de un niño, o adulto, con síndrome de Asperger suelen ver que su hijo es capaz de proporcionar descripciones vívidas y precisas de acontecimientos que sucedieron durante sus dos primeros años de vida.

• Estrategias en clase que favorecen el desarrollo cognitivo:

— Los niños con síndrome de Asperger parecen conseguir los mayores progresos en las aptitudes cognitivas y académicas en una clase sin ruidos y bien estructurada.
— El maestro ha de crear un entorno de camaradería y *amable con el síndrome*, basado en la aptitudes sociales, lingüísticas y cognitivas del niño. Para crearlo, es esencial que el maestro tenga acceso a la información y experiencia sobre el síndrome de Asperger y asista a cursos de formación pertinentes.
— Los maestros que muestran una comprensión del niño basada en la empatía logran los mayores progresos cognitivos y académicos. Estos maestros son flexibles en sus estrategias pedagógicas, evaluaciones y expectativas. Les gustan estos niños y los admiran, respetan sus aptitudes y saben muy bien qué los motiva y cuál es su perfil de aprendizaje.

• Deberes:

— Una importante causa de ansiedad y angustia para los niños con síndrome de Asperger, sus familias y sus maes-

417

tros es que aquéllos hagan y terminen satisfactoriamente sus deberes.

— El lugar donde el niño estudia en casa debe favorecer la concentración y el aprendizaje.

— Es muy útil que los padres establezcan un horario para los deberes y que le proporcionen una agenda donde se anotarán las incidencias y detalles relativos a los deberes tanto en el hogar como en la escuela.

— El maestro destacará los aspectos clave de la hoja de los deberes, proporcionará al niño explicaciones por escrito y le formulará preguntas para asegurarse de que el niño sabe cuáles son los aspectos del material de los deberes pertinentes para su preparación.

— Mi opinión es que no se debe castigar a estos niños por no terminar los deberes a tiempo, a los que deben dedicarles, como máximo, treinta minutos, excepto si desean invertir más tiempo.

• Hoy día, nos hemos dado cuenta de que hay avances importantes en la ciencia y en las artes que se deben a personas con una forma diferente de pensar y que poseían muchas de las características cognitivas asociadas al síndrome de Asperger.

10

Movimiento y coordinación

> La torpeza se demostró en todo su esplendor durante las clases de educación física. Nunca fue capaz de moverse al ritmo del grupo. Sus movimientos jamás se desplegaban de manera natural y espontánea y, por lo tanto, de manera placentera, a partir de la coordinación apropiada del sistema locomotor.
>
> *Hans Asperger ([1944] 1991)*

Así como muchas personas con síndrome de Asperger tienen una forma diferente de pensar, también parecen tener una forma distinta de moverse. Cuando anda o corre, la coordinación del niño es inmadura. Por su parte, el adulto tiene una marcha extraña, en ocasiones idiosincrásica, que carece de fluidez y eficiencia. Si se les observa cuidadosamente, les falta sincronía en el movimiento de brazos y piernas, sobre todo cuando corren (Gillberg, 1989; Hallett y otros, 1993). Con frecuencia, los padres refieren que el niño ha aprendido a andar uno o dos meses más tarde de lo que habría sido de esperar (Eisenmajer y otros, 1996; Manjiviona y Prior, 1995) y han necesitado bastante orientación en actividades de aprendizaje que requieren destreza manual, como atarse los zapatos, vestirse y usar los cubiertos (Szatmari, Bartolucci y Bremner, 1989a). Los maestros se fijan en sus problemas con las habilidades motoras finas, como escribir o utilizar las tijeras. También están afectadas las actividades que requieren coordinación y equilibrio, como aprender a montar en bicicleta, a patinar o a conducir un ciclomotor. Los niños y, en ocasiones, los adultos con síndrome de Asperger tienen dificultades para saber dónde está su cuerpo en el espacio, lo que con frecuencia les hace tropezar, darse golpes con objetos o derramar una bebida. El aspecto general de estos niños es de torpeza.

Los problemas de movimiento y coordinación son evidentes para el profesor de educación física y para los otros niños durante las clases, al practicar deporte y en los juegos en el patio que requieren habilidades con el balón. El niño es inmaduro en el desarrollo de la habilidad para atrapar, lanzar y golpear una pelota (Tantam, 1991). Cuando atrapa un balón con las dos manos, apenas coordina los brazos y el movimiento está afectado por un problema de sincronización; es decir, las manos casi adoptan la posición correcta pero una fracción de segundo demasiado tarde; ha tardado demasiado tiempo en pensar lo que tenía que hacer. Cuando lanza un balón, el niño con síndrome de Asperger no mira en la dirección del objetivo antes de hacerlo, lo que afecta a su precisión (Manjiviona y Prior, 1995). Una de las consecuencias de no tener éxito o no ser popular en los juegos y deportes de pelota es la exclusión de algunos de los juegos sociales en el patio. Este niño evitará con todas sus fuerzas estas actividades, ya que sabe que no es tan capaz como sus compañeros. No obstante, cuando se arma de valor y se incorpora a la actividad, sus compañeros lo excluyen a propósito porque lo consideran un verdadero lastre más que una baza para el equipo. Por lo tanto, estos niños no pueden mejorar sus habilidades practicando con sus compañeros. Desde temprana edad, los padres han de prestarles ayuda para que practiquen estas habilidades, no para que su hijo se convierta en un deportista excepcional, sino para asegurarse de que tiene las aptitudes básicas para ser incluido en los juegos de sus compañeros. No obstante, es interesante mencionar que algunos de estos niños manifiestan mejor coordinación y fluidez de movimiento cuando nadan, desarrollan una notable agilidad al saltar desde un trampolín, adquieren coordinación a través de la práctica de deportes solitarios como el golf, que puede convertirse en su afición o interés particular, y disfrutan de actividades como montar a caballo. En todas estas actividades demuestran más habilidad que sus compañeros.

Las destrezas del movimiento se valoran a través de la observación y con diversas pruebas estandarizadas que miden las habilidades específicas del movimiento. Para un observador sin experiencia, la mayor parte de niños con el síndrome dan la impresión de que son torpes y patosos, pero en diversos estudios, que han usado procedimientos de valoración especializados, se indica que casi todos los niños con síndrome de Asperger muestran expresiones específicas de alteraciones o trastornos del movimiento (Ghaziuddin y otros, 1994; Gillberg, 1989; Gowen y Miall, 2005; Green y otros, 2002; Hippler y Klicpera, 2004; Klin y otros, 1995; Manjiviona y Prior, 1995; Miyahara y otros, 1997).

Así, Christopher Gillberg ha incluido la torpeza motora como uno de los seis criterios diagnósticos del síndrome (Gillberg y Gillberg, 1989). Por el contrario, los criterios de Peter Szatmari y colaboradores, los criterios del DSM-IV, de la American Psychiatric Association, y los criterios CIE-10, establecidos por la Organización Mundial de la Salud, no se refieren directamente a las aptitudes del movimiento. Sin embargo, en el DSM- IV hay una lista de características asociadas con el síndrome entre las que están la presencia de torpeza motora y la falta de destreza, que es relativamente leve pero contribuye al rechazo de los compañeros y al aislamiento social. Hoy día la torpeza se considera una característica asociada con el síndrome de Asperger, pero no una de sus características distintivas en tres de los cuatro criterios diagnósticos.

Perfil de habilidades del movimiento

El perfil de habilidades del movimiento puede incluir problemas de destreza manual (Gunter, Ghaziuddin y Ellis, 2002; Manjiviona y Prior, 1995; Miyahar y otros, 1977), coordinación, equilibrio, prensión y tono muscular (Nass y Gutman, 1997), así como menor velocidad en las tareas manuales (Nass y Gutman, 1997; Szatmari y otros, 1989a). Puede observarse un problema de equilibrio en las pruebas que examinan la capacidad para sostenerse sobre un solo pie con los ojos cerrados y para andar en tándem, es decir, la tarea de andar en línea recta como si fuera el cable tensado por el que anda un equilibrista (Kawasaki y Tsuchida, 2000; Manjiviona y Prior, 1995; Tantam, 1991). Temple Grandin describe que es incapaz de mantener el equilibrio cuando pone un pie delante del otro (marcha en tándem) (Grandin, 1984). Nita Jackson describe sus dificultades para andar:

> Lo peor fue aprender a andar. Nunca pensaba en usar los brazos para ayudarme, y de cintura para arriba mi cuerpo permanecía rígido, como si tuviera los brazos cosidos a ambos lados. Me era imposible andar en tándem (es decir, poner un pie delante del otro como si estuviera andando por el cable de un equilibrista), por lo que acabé por andar de una forma extraña, parecida a la de un pato o a un ser humano con problemas graves de vejiga urinaria. Era de una de las muchas razones por las que mis compañeros me acosaban e intimidaban (N. Jackson, 2002, pág. 87).

Estas características afectarán a la capacidad del niño para usar el equipamiento de los parques infantiles o del patio de recreo en la escuela, al igual que su capacidad en diversas actividades en el gimnasio. Además aumentará su vulnerabilidad a ser la víctima de las burlas de los demás.

Hans Asperger observó que algunos de los niños a los que visitó tenían una expresión facial poco común. Describía las expresiones faciales de estos niños como pobres y rígidas (Asperger [1944] 1991, pág. 57). Además, no realizan algunos de los movimientos faciales que expresan lo que piensa y siente una persona. Una expresión facial plana que carece de tono y de movimientos sutiles hace que estos niños den la impresión de estar tristes. En los criterios diagnósticos de Christopher Gillberg se incluye la torpeza o el lenguaje corporal desmañado o torpe (Gillberg y Gillberg, 1989). También me he dado cuenta de que el lenguaje corporal no es una danza sincronizada con el interlocutor o la persona con la que está conversando.

Aunque disponemos de bastantes conocimientos clínicos y de investigación relativos a las aptitudes sociales, emocionales, lingüísticas y cognitivas de personas con síndrome de Asperger, apenas tenemos datos de sus habilidades motoras (Smith, 2000). Es necesario que se emprendan una investigación sobre este aspecto particular del síndrome en la próxima década y que se desarrollen y evalúen más estrategias terapéuticas para mejorar el movimiento y la coordinación.

Detección precoz de la alteración del movimiento

En los estudios de investigación de publicación reciente, sus autores han indicado que pueden detectarse anomalías del movimiento en bebés que, más tarde, presentan signos clínicos del síndrome de Asperger. Osnat Teitelbaum y colaboradores analizaron las grabaciones en vídeo doméstico de los primeros años de dieciséis niños con síndrome de Asperger (Teitelbaum y otros, 2004). Los tipos de movimiento y los reflejos de los niños se examinaron con un detalle considerable y el estudio identificó que los reflejos llamados primitivos persistieron demasiado tiempo y que los otros reflejos no aparecieron a la edad esperada. Los autores revelaron que algunos de los bebés que, más tarde, presentaron síndrome de Asperger tenían una forma anormal de la boca, descrita como *boca de Moebius*, es decir, el labio superior prominente y un labio inferior plano. Cuando el niño estaba acostado boca arriba se observaba una asimetría rara cuando trataba de alcanzar un juguete y manipularlo; por ejemplo, sólo usaba una mano, y un movimiento diferente o una rotación desde la posición de decúbito supino a prono, es decir, cuando estaba boca arriba y se ponía boca abajo. El desarrollo de la posición de sedestación (sentado) se retrasaba unos meses, y los movimientos de gateo no tenían los patrones básicos de las extremidades en oposición diagonal. El análisis de las tentativas del bebé para andar mostró problemas de caídas, como la tendencia a caer hacia un lado y la falta de utilización de los reflejos protectores.

Otro reflejo que se desarrolló más tardíamente fue el de girar la cabeza para mantener una posición vertical al girar el cuerpo. Entre los seis y los ocho meses, si se sostiene un bebé corriente en el aire por la cintura con el cuerpo ligeramente inclinado unos cuarenta y cinco grados hacia un lado y después se vuelve a la posición vertical y se gira al otro lado, tendrá un movimiento compensador de la cabeza para mantener la posición vertical de ésta. Este examen se conoce como prueba de la inclinación y un retraso en el desarrollo de esta habilidad es otro signo de la aparición tardía de los reflejos observada en bebés que más tarde manifiestan signos del síndrome de Asperger.

Se necesita más investigación para confirmar y describir con mayor detalle estos tipos raros de movimientos y el retraso en la aparición de los reflejos durante los primeros meses de vida que podrían asociarse con el síndrome de Asperger. Los padres se interesarán en los procedimientos de evaluación que pueden indicar si el nuevo miembro de la familia está desarrollando signos del síndrome y los pediatras pueden usar estas pruebas de evaluación como sistema de detección precoz, a fin de identificar a un bebé cuyo desarrollo requiere una supervisión o vigilancia cuidadosa en busca de otros signos del síndrome de Asperger.

Planificación mental y coordinación del movimiento

Se dice que una persona presenta apraxia cuando tiene problemas con la conceptuación y planificación del movimiento de modo que la acción es menos eficiente y coordinada de lo que sería de esperar. Los estudios de investigación y clínicos han indicado que los niños con síndrome de Asperger tienen problemas con la preparación y la planificación mental del movimiento, aunque sus vías motoras están relativamente intactas (Minshew, Goldstein y Siegel, 1997; Rinehart y otros, 2001; Rogers y otros, 1996; Smith y Bryson, 1998; Weimer y otros, 2001). La falta de planificación del movimiento y un

424

tiempo lento de preparación mental son una descripción más precisa que la simple presencia de una torpeza.

Ben describe la experiencia de detectar un retraso entre su pensamiento y la acción o la falta de coordinación entre ambos:

> Siempre he sentido una desconexión entre mi cuerpo y mi cerebro. A veces, me siento como si no tuviera cuerpo. Me falla el cuerpo. Cuando trato de girarme, me caigo. Tengo problemas de visión porque no puedo enfocar bien. No puedo hacer que las manos se muevan como yo quiero (Lasalle, 2003, pág. 47).

También pueden tener problemas con la cinestesia o propiocepción, es decir, la integración de la información sobre la posición y el movimiento del cuerpo en el espacio (Weimer y otros, 2001) y la capacidad para mantener la posición y el equilibrio (Gepner y Maestre, 2002; Molloy, Dietrich y Bhattacharya, 2003). Éstas son habilidades que suelen usarse para trepar, por ejemplo en los juegos de los parques infantiles como las barras deslizantes, las escaleras, toboganes, columpios, etcétera. En general estos niños tienden a caerse de la estructura a la que están trepando, con un riesgo de caídas y lesiones más graves cuando trepan a un árbol. El niño con síndrome de Asperger será reacio a participar en ese tipo de actividades lúdicas con amigos y compañeros. También es conocido que muchos de ellos lo pasan muy bien permaneciendo períodos muy largos colgados cabeza abajo. Mientras ven la televisión, adoptan una postura con los pies sobre la silla y la cabeza en el suelo.

Cuando se examinan las aptitudes generales del movimiento de niños con síndrome de Asperger, pueden observarse signos de ataxia; es decir, una coordinación muscular menos metódica y un tipo de movimiento anómalo. Esto incluye movimientos que se efectúan con fuerza, ritmo y precisión anormales y una marcha inestable; y cuando andan, corren, suben escaleras, saltan y alcanzan un objetivo (prueba dedo a nariz) indican signos de ataxia (Ahsgren y otros, 2005). Los terapeutas ocupacionales, los fisioterapeutas y neurólogos que se especializan en los trastornos del movimiento acontecidos durante el desarrollo deben pensar en el cribado de casos nuevos, ya que existe la posibilidad de que el diagnóstico sea, además, de síndrome de Asperger (Ahsgren y otros, 2005).

Una de las alteraciones del movimiento asociada con el síndrome de Asperger es la hiperlaxitud articular (es decir, el movimiento exagerado de las articulaciones) (Tantam, Everet y Hersov, 1990). No sabemos si es una anomalía estructural o se debe a la hipotonía muscular, pero en la autobiografía de David Miedzianik se describe lo siguiente:

> Puedo recordar que en la guardería jugaba y que nos enseñaban a escribir. En la escuela primaria el maestro solía decirme que no sujetaba bien el lápiz. Y todavía no he conseguido aprender, por lo que mi escritura nunca ha sido buena. Creo que una de las causas de que sujete mal el lápiz es que tengo las articulaciones de las puntas de los dedos dobles y puedo flexionar los dedos del derecho y del revés (Miedzianik, 1986, pág. 4).

Si el niño presenta problemas por la laxitud de las articulaciones o por una prensión inmadura o anormal, hay que llevarlo a un terapeuta ocupacional o a un fisioterapeuta para su evaluación y para que haga recuperación. Se trata de una prioridad con un niño pequeño porque la mayor parte del trabajo escolar requiere el uso del lápiz o rotulador.

Cuando Asperger definió originalmente las características del síndrome, describió problemas para seguir el ritmo. Esta característica se ha descrito en uno de los ensayos autobiográficos de Temple Grandin:

> Tanto cuando era niña como ahora que soy adulta, siempre he tenido dificultades para seguir un ritmo. En un concierto, cuando la gente da palmadas de modo sincronizado, siguiendo el ritmo de la música, tengo que fijarme en los movimientos que hace la persona sentada junto a mí. Puedo mantener el ritmo con una habilidad

moderada por mí misma, pero me resulta muy difícil sincronizar mis movimientos rítmicos con los de otras personas o con un acompañamiento musical (Grandin, 1984, pág. 165).

Esto explica una característica muy visible cuando se anda junto a una persona con síndrome de Asperger. Cuando dos personas andan la una junto a la otra, tienen tendencia a sincronizar los movimientos de los brazos y las piernas, al igual que los soldados lo hacen durante un desfile: sus movimientos tienen el mismo ritmo. Sin embargo, estas personas parecen andar al son de un tambor diferente.

Caligrafía

Hans Asperger fue el primero en describir los problemas que algunos niños tienen para escribir y hacer buena letra. Su estudio original se basó en las observaciones cuidadosas de cuatro niños, y para uno de ellos, Fritz, observó que «en su puño tenso el lápiz no puede moverse con soltura», y para otro niño, Ernst, escribía: «El lápiz no parecía obedecerlo, permanecía atascado y vacilaba» (Asperger [1944], 1991, pág. 63). Los maestros y los padres muestran su preocupación por las dificultades del niño para escribir y hacer buena letra. Cada una de las letras está mal formada y es más grande de lo que sería de esperar tanto en el caso de niños como de adultos (Beversdorf y otros, 2001). El término técnico de este problema es «macrografía». El niño tarda demasiado en acabar cada letra, con el consiguiente retraso en terminar las tareas o deberes escritos. Mientras que el resto de la clase ha escrito varias frases, el niño con síndrome de Asperger todavía piensa en la primera, tratando de que su escritura sea legible, y se frustra cada vez más o se avergüenza de su incapacidad para escribir bien y con coherencia.

En ocasiones, el niño ha borrado una y otra vez la palabra, escrita con lápiz, porque considera que las letras no son perfectas, es decir, no son una copia exacta del texto impreso en el libro. Puede re-

427

chazar una actividad en clase debido a su aversión a que se le exija escribir y no necesariamente porque no le guste el tema. Los maestros se frustran porque su escritura no es legible pero han de recordar que se trata de la expresión de un trastorno del movimiento y no tiene por qué indicar falta de responsabilidad para hacer su trabajo en la escuela.

Algunos niños con síndrome de Asperger se sienten fascinados por la escritura y establecen un especial interés por la caligrafía. El problema es que el niño tarda demasiado en hacer lo que se le ha pedido en clase. Cada letra puede ser perfecta, pero él está más concentrado en la formación de las letras que en el contenido de la frase.

Cuando estos niños tienen un problema de caligrafía hay varias opciones. Los ejercicios terapéuticos que mejoran la coordinación, básicamente mucha práctica, mejoran las habilidades motoras finas necesarias para que la escritura sea legible, pero esas actividades son muy aburridas para el niño, por lo que se resiste a ponerlas en práctica. Un terapeuta ocupacional puede sugerir modificaciones para mejorar las habilidades de escritura, tales como que la superficie de la mesa donde escribe sea ligeramente inclinada y que use un rotulador más fácil de empuñar. En clase, si es posible, otra persona puede escribir por él. Sin embargo, sugiero a los maestros y padres que no se preocupen, ya que en el siglo XXI la escritura se está convirtiendo en una habilidad obsoleta: la tecnología moderna ha venido en nuestra ayuda y el teclado del ordenador actúa como instrumento para escribir.

El niño pequeño con síndrome de Asperger debe aprender a usar el teclado del ordenador, el ordenador y la impresora en clase. Aunque seguirá necesitando habilidades básicas de escritura, a medida que la generación actual de niños alcance la vida adulta podrá hablar en voz alta con la ayuda de un procesador de textos que registrará su voz e imprimirá sus palabras. Hoy día pocas personas escriben a mano una carta; la comunicación tiene lugar predominantemente a través del correo electrónico. Los exámenes en el instituto y en la universidad para adolescentes y adultos jóvenes con síndrome de Asperger se basan en escribir la respuesta a las preguntas en el tecla-

428

do de ordenador, que es una forma más eficiente de examinar los conocimientos y de que el profesorado lea sus respuestas con más facilidad. Por consiguiente, los maestros y los padres no deben preocuparse en exceso por la falta de habilidad del niño en hacer buena letra; más bien deben asegurarse de que aprende a manejar el teclado del ordenador. Cuando no tengan esta opción, algunos de estos niños necesitarán que se les conceda más tiempo que sus compañeros para terminar sus deberes, tareas escolares y exámenes.

Actividades y estrategias que mejoran el movimiento y la coordinación

Cuando se observen problemas con el desarrollo y la coordinación del movimiento, un terapeuta ocupacional o un fisioterapeuta evaluarán el grado de retraso y el perfil de aptitudes motoras. Esto proporciona unos datos basales respecto a los que puede medirse el progreso y asignar, instaurar y evaluar actividades terapéuticas. La evaluación puede indicar los ajustes que será necesario hacer tanto en la vida del niño como en las expectativas de los demás para acomodarse al trastorno del movimiento que aquél tenga. También es importante valorar cómo afecta ese deterioro del movimiento a la vida cotidiana del niño, sobre todo en los aspectos relacionados con los cuidados personales, la autoestima, la inclusión o exclusión por parte de compañeros y la posibilidad de que se le ridiculice. El hecho de describirlo como torpe y desmañado tiene implicaciones de índole práctica y psicológica para el niño.

Un terapeuta puede proponer las actividades para hacer en casa a fin de mejorar sus habilidades; asimismo, el niño puede seguir una terapia motora. Es importante que las actividades, tanto en casa como en la escuela sean un motivo de diversión. El niño sabrá claramente que es menos capaz y hábil que sus compañeros y se resistirá a participar a menos que la actividad sea intrínsecamente divertida y observe un claro progreso, se le apoye y tenga éxito.

El entrenador o monitor de educación física ha de conocer la naturaleza del síndrome de Asperger y cómo adaptar las actividades de educación física (Groft y Block, 2003). Las adaptaciones deben dirigirse hacia la forma física más que a los deportes en equipo competitivos. Cuando le pida al niño que participe en juegos de pelota, el profesor no debe permitir que otros niños se rían de él si deja caer la pelota, ni debe permitir que los líderes del equipo seleccionen a los miembros, lo que suele originar que estos niños se dejen para el último lugar y también las quejas de los otros niños por tener que soportar a un niño tan patoso en su equipo.

También es importante que el profesor entienda que el gimnasio es un entorno que estos niños aborrecen. El nivel de ruido es alto, ya que los gritos de los niños resuenan desde las paredes; además, el hecho de moverse con rapidez es agotador y desconcertante para un niño con problemas de planificación motora, y también lo es el inevitable contacto físico directo con otros niños. Por otra parte, el entrenador ha de abordar el grado de ansiedad o sus reacciones exageradas cuando cometa un error o su equipo pierda.

En el gimnasio es útil que otro niño haga las veces de tutor del que tiene síndrome de Asperger y le proporcione apoyo y lo proteja para que no haga el ridículo. El entrenador debe usar la imaginación con respecto a algunos juegos en equipo. Por ejemplo, su capacidad para identificar los errores y sus conocimientos sobre las normas lo convierten en la persona ideal para ocuparse de la puntuación y ser el responsable de la tabla de la liga escolar.

Cuando trate los problemas del movimiento, será útil que el entrenador o el terapeuta se sitúen junto al niño más que frente a él para mostrarle lo que debe hacer. También es útil grabarlo en vídeo para que el niño pueda ver sus propios movimientos y para documentar cómo el programa ha mejorado habilidades específicas (Manjiviona y Prior, 1995). En ocasiones, la enseñanza mano sobre mano proporciona directrices de los movimientos necesarios. Por último, además de que un programa de entrenamiento puede mejorar las habilidades de movimiento y coordinación, la liberación de la energía física también es reparadora desde el punto de vista emocional para el niño con síndrome de Asperger, que tiene problemas para expresar y controlar sus emociones.

Movimientos involuntarios o tics

La experiencia clínica y la observación de niños y adultos con síndrome de Asperger ha indicado que algunos manifiestan movimientos involuntarios o tics. La investigación realizada señala que entre un 20 % y un 60 % de pacientes son portadores de tics (Gadow y DeVincent, 2005; Hippler y Klicpera, 2004; Kerbeshian y Burd, 1986, 1996; Marriage y otros, 1993; Nass y Gutman, 1997 y Sverd, 1991). Los tics pueden fluctuar desde simples sacudidas o torsiones hasta movimientos complejos. En ocasiones los músculos de las cuerdas vocales producen un sonido involuntario o una frase. En la tabla 10.1 se proporcionan algunos ejemplos de tics motores, simples y complejos, y vocales.

El movimiento o el sonido involuntario es inesperado y carece de sentido. Si estos niños manifiestan tics, los primeros signos suelen observarse en la primera infancia y, con el tiempo, su frecuencia y complejidad aumentan gradualmente con un apogeo relativo a los diez o doce años de edad. Hacia el final de la adolescencia, su frecuencia tiende a disminuir, y alrededor del 40 % de niños los ha dejado atrás al cumplir los dieciocho años de edad (Burd y otros, 2001).

El repertorio de tics del niño puede cambiar con el tiempo, a medida que aparecen y desaparecen tipos distintos, y durante meses es posible que no se observe ninguno. Los tics desaparecen cuando el niño se concentra en una actividad y son más prominentes cuando realiza actividades específicas como responder a preguntas abiertas (Nass y Gutman, 1997). También pueden aparecer cuando el niño está relajado, por ejemplo, sentado y viendo la televisión; aunque el estrés no es una causa directa de los tics, la frecuencia de éstos aumenta cuando aquél se agudiza.

TABLA 10.1. Tics motores simples y complejos

Tics motores simples	Tics motores complejos
Bizquear	Brincos
Muecas faciales	Giros
Fruncir la nariz	Tocar objetos
Fruncir los labios	Morderse los labios
Encogerse de hombros	Gestos faciales
Sacudir los brazos	Pasarse la lengua alrededor de los labios
Espasmos con la cabeza, como si saludara	Pellizcos (a sí mismo y a los demás)
Protrusión de la lengua	Levantar ambos brazos flexionados por el codo como si fueran las alas de un pájaro
Carraspear con la garganta	Mascullar por lo bajo
Sorber con la nariz	Hacer ruidos imitando a animales
Gruñidos	Repetir palabras o frases que una persona acaba de decir
Silbidos	Patrones respiratorios complejos
Toser	
Resoplidos	
Ladridos	
Ruidos de succión	

Los tics no sólo son movimientos y sonidos involuntarios. Conozco a adolescentes que padecen síndrome de Asperger y un trastorno de tics que hacen comentarios como «en mi cerebro estallan pensamientos irracionales». Los llamo tics del pensamiento y de las emociones. El pensamiento y la acción o el sentimiento ulterior no guarda relación con el contexto. En ocasiones el pensamiento es algo inapropiado y puede causar vergüenza, o el tic emocional es un sentimiento súbito de tristeza, cólera o ansiedad intensa. Estos sentimientos sólo duran unos pocos segundos pero son preocupantes si aparecen muchas veces durante todo el día.

Sabemos que los tics se deben a un trastorno en el circuito de la planificación entre la corteza cerebral y los centros del cerebro especializados en el movimiento, y la actividad de los neurotransmisores dopamina y noradrenalina (Kutscher, 2005). El tratamiento médico para reducir la frecuencia de los tics se basa en una disminución de la concentración de dopamina. Los padres han de saber que algunos fármacos, como los estimulantes para tratar el trastorno por déficit de atención con hiperactividad, aumentan la concentración de dopamina y pueden incrementar la frecuencia de los tics.

Puesto que el movimiento es involuntario, el niño no sabe conscientemente cuándo va a producirse el tic y, por lo tanto, tiene dificultades para inhibir el movimiento o el sonido. Lamentablemente, las acciones como sorberse la nariz a intervalos regulares acaban por irritar a los miembros de la familia y propician que los compañeros de la escuela se burlen de él y lo ridiculicen. Es importante que los miembros de la familia, maestros y compañeros no critiquen o ridiculicen al niño por sus movimientos y sonidos involuntarios. En ocasiones, simplemente es mejor hacer caso omiso, mostrar empatía y ofrecer todo el apoyo emocional si el niño se siente angustiado por la reacción de los demás a sus tics. Además, estos movimientos y sonidos involuntarios pueden interferir con las actividades en clase y el niño tardará más tiempo en completar sus quehaceres porque la frecuencia de los tics perturba su atención y, a veces, también distrae a otros niños. El maestro debe ser un modelo de conducta de la aceptación de los tics y, si es necesario, concederá más tiempo al niño para que realice la actividad y animará a los demás a no hacer caso de los tics.

Los psicólogos clínicos y los psiquiatras debaten sobre la posibilidad de que el desarrollo de los tics indique la presencia de uno de tres posibles trastornos del desarrollo. El síndrome de la Tourette se diagnostica en un niño cuando se observa la combinación de, como mínimo, dos tics motores y un tic vocal, y los tics han persistido como mínimo un año. Los niños con una combinación de síndrome de Asperger y síndrome de la Tourette también corren mayor riesgo de presentar signos de padecer trastorno por déficit de atención con hiperactividad, y de experimentar un trastorno de ansiedad, como un un trastorno obsesivo-compulsivo (Epstein y Saltzman-Benaiah, 2005; Gadow y DeVincent, 2005). Por lo tanto, aunque la presencia de tics se considera relativamente benigna, cuando se observan durante la evaluación diagnóstica hay que efectuar alguna prueba en busca de signos de un trastorno por déficit de atención con hiperactividad, y tener en cuenta la posibilidad de que el niño también presente signos de un trastorno obsesivo-compulsivo. Los médicos también han de conocer cómo esta combinación concreta de trastornos afectará a la vida cotidiana del niño, así como estar familiarizados con cualquier tratamiento y modificaciones educativas que pueda requerir.

Deterioro de las habilidades del movimiento

Entre los estudios publicados sobre adolescentes con síndrome de Asperger se han descrito casos que han desarrollado un deterioro lento y constante de las habilidades motoras (Dhossche, 1998; Ghaziuddin, Quinlan y Ghaziuddin, 2005; Hare y Malone, 2004; Realmuto y August, 1991; Wing y Attwood, 1987; Wing y Shah, 2000). Esos casos son excepcionales. El patrón de deterioro es el de un aumento de la lentitud que afecta a los movimientos y a las respuestas verbales. La persona tiene dificultades para iniciar y llevar a cabo el movimiento y cada vez se apoya más en ayudas físicas e indicios verbales para realizar actos como hacer la cama o vestirse. A veces puede congelar el movimiento momentáneamente durante la actividad y puede mostrar temblor en reposo, marcha lenta, rigidez muscular y cara inexpresiva, casi como una máscara. Estas características se parecen al patrón del trastorno del movimiento asociado con la catatonia y la enfermedad de Parkinson.

El deterioro del movimiento suele presentarse entre los diez y los diecinueve años de edad, y es más probable en adolescentes con au-

434

tismo que en los que tienen síndrome de Asperger: es decir, el paciente se caracteriza por una incapacidad significativa del aprendizaje y del lenguaje. Sin embargo, en adolescentes con síndrome de Asperger se han descrito casos raros de este deterioro. El patrón de deterioro sólo se parece a nuestra conceptuación de la catatonia y de la enfermedad de Parkinson, pero no puede compararse directamente, por lo que los expertos usan un término nuevo, el de «catatonia autística» (Hare y Malone, 2004). No estamos seguros de si el deterioro del movimiento se debe a una enfermedad neurológica específica, una expresión poco común del retraso psicomotor y la falta de motivación asociada a la depresión clínica, o a un deterioro significativo de las aptitudes cognitivas para planificar el movimiento y ejecutar una respuesta, es decir, para que el pensamiento se convierta en acción.

Por fortuna, estamos investigando varias opciones terapéuticas (Dhossche, 1998; Ghaziuddin y otros, 2005; Hare y Malone, 2004). Si la persona desarrolla signos de catatonia, es importante que acuda a un neurólogo o a un neuropsiquiatra para que le realicen un examen completo de las habilidades motoras. Los medicamentos y otras técnicas terapéuticas pueden reducir sustancialmente la expresión de este trastorno. Por ejemplo, en ocasiones es de ayuda considerable que otra persona le toque la extremidad o la mano que ha de mover, o que esa otra persona efectúe el mismo movimiento a su lado; una sola repetición es suficiente para que inicie el movimiento necesario. Escuchar música mantiene la fluidez de movimientos. Los fisioterapeutas también han desarrollado actividades para pacientes con enfermedad de Parkinson que pueden aplicarse a un adolescente con síndrome de Asperger y catatonia autística.

Excelencia en las actividades motoras

Aunque sabemos que el síndrome de Asperger se asocia con un deterioro de las habilidades del movimiento, conocemos a muchos niños y adultos que lo tienen y han desarrollado aptitudes en las habilidades del movimiento que han sido excepcionales y han contribuido a que ganaran campeonatos nacionales e internacionales. La alteración del movimiento no parece afectar a algunas actividades deportivas como la natación, los saltos de trampolín, el golf y la equitación. También son actividades que pueden practicarse en solitario. Debido a su éxito relativo en estas actividades, el niño con síndrome de Asperger desarrolla un interés especial por la actividad, y con una práctica constante y la determinación de quien sólo tiene una idea en la cabeza alcanza un nivel de perfección muy elevado.

También se han descrito aptitudes para los deportes de resistencia, como el maratón. Una vez que ha alcanzado el desarrollo motor suficiente para correr, la persona con síndrome de Asperger será mucho más tolerante con el malestar y podrá continuar corriendo. Los niños suelen pasarlo muy bien con deportes como la esgrima; en él, el participante tiene que llevar una careta (y, por lo tanto, no tendrá problemas de contacto ocular con su adversario) y ha de aprender una serie de movimientos y de respuestas. Las artes marciales también son atractivas, en especial si se utiliza alguna estrategia de movimientos lentos como las acciones defensivas y ofensivas de aprendizaje inicial. La historia y la cultura de las artes marciales también pueden ser un interés intelectual para estos niños. Los juegos bajo techo y el billar no son deportes asociados a la agilidad, pero los adolescentes con síndrome de Asperger parecen tener una comprensión natural de la geometría de las bolas en movimiento. Aunque Jerry Newport, un hombre con el síndrome, refería que «nunca he tenido una gracia natural», los niños con síndrome de Asperger tienen la posibilidad de participar en muchos deportes y disfrutar de ellos y, en ocasiones, destacar en algunos en concreto.

Puntos clave y estrategias

- Al menos el 60 % de los niños con síndrome de Asperger parecen torpes, pero diversos estudios que han utilizado procedimientos de evaluación especializados indican que las expresiones específicas de las alteraciones del movimiento se observan en casi todos los niños con síndrome de Asperger.
- Cuando anda o corre, la coordinación del niño es inmadura, y el adulto tiene una marcha extraña, en ocasiones idiosincrásica, que carece de fluidez y eficiencia.
- El maestro puede observar problemas con las habilidades motoras finas, como la capacidad para escribir y hacer buena letra, y utilizar las tijeras.
- Algunos niños muestran inmadurez en la habilidad para atrapar, lanzar y golpear una pelota.
- Desde temprana edad, los padres han de proporcionar apoyo al niño en la práctica de las habilidades con la pelota, no para que se convierta en un deportista excepcional, sino para garantizar que posee las aptitudes mínimas imprescindibles para que los compañeros lo incluyan en los juegos de pelota.
- La investigación reciente ha indicado que en bebés que más tarde desarrollan los signos clínicos del síndrome de Asperger se detectan tipos anómalos de movimiento.
- El movimiento apenas planificado y la mayor lentitud de preparación mental son una descripción más precisa que la que se refiere a la torpeza.
- Los maestros y los padres suelen estar preocupados por las dificultades del niño para hacer buena letra.
- Les sugiero a los padres y maestros que en el siglo XXI la escritura es una habilidad cada vez más obsoleta: la moderna tecnología ha venido en nuestra ayuda reemplazándola con el teclado de ordenador.
- El entrenador de educación física ha de conocer la naturaleza del síndrome de Asperger y cómo adaptar las actividades.
- La experiencia clínica y la observación de niños y adultos

con síndrome de Asperger ha indicado que en ocasiones presentan movimientos involuntarios o tics.
- La alteración del movimiento no parece afectar a algunas actividades deportivas, como la natación, los saltos de trampolín, el golf y la equitación.

11

Sensibilidad sensitiva

En el sentido del gusto, casi invariablemente encontramos preferencias y aversiones o manías muy acusadas. Lo mismo ocurre con el sentido del tacto. Muchos niños tienen una aversión anormalmente intensa hacia sensaciones táctiles concretas. No pueden tolerar la aspereza de una camisa nueva o de unos calcetines zurcidos. Al lavarse, el agua suele ser el origen de sensaciones desagradables y, en consecuencia, de escenas violentas. También son hipersensibles al ruido. No obstante, el mismo niño que, en general, es claramente hipersensible al ruido en situaciones concretas, en otras parece ser hiposensible.

Hans Asperger ([1944] 1991)

Los médicos y académicos definen el síndrome de Asperger en buena parte por el perfil de aptitudes del paciente en las áreas de razonamiento social, empatía, y habilidades del lenguaje y cognitivas, pero una de las características del síndrome, identificada claramente en las autobiografías y en la descripción que los padres hacen de sus hijo, es la hipersensibilidad y la hiposensibilidad a las experiencias sensitivas específicas. En las investigaciones y en las revisiones de estudios publicadas recientemente se ha confirmado un patrón extraño de percepción y reacción sensitiva (Dunn, Smith Myles y Orr, 2002; Harrison y Hare, 2004; Hippler y Klicpera, 2004; Jones, Quigney y Huws, 2003; O'Neil y Jones, 1997; Rogers y Ozonoff, 2005). Algunos adultos con síndrome de Asperger consideran que su sensibilidad sensitiva produce mayor impacto en su vida cotidiana que los problemas para hacer amigos, controlar las emociones y encontrar un empleo adecuado. Por desgracia, los médicos y académicos tienen tendencia a hacer caso omiso de este aspecto del síndrome, y carecemos de una explicación satisfactoria sobre los motivos de que estas personas tengan una sensibilidad sensitiva poco común, por lo que carecemos de estrategias efectivas para modificarla.

La anomalía más habitual es la sensibilidad a sonidos concretos, pero también puede darse una sensibilidad especial a las experiencias táctiles, a la intensidad de la luz, a algún sabor y textura de los alimentos, y a aromas y olores determinados. También puede que no haya reacción o que haya una reacción exagerada al dolor y al malestar y, asimismo, puede ocurrir que el equilibrio, la percepción del movimiento y la orientación corporal se salgan de lo habitual. Pueden estar afectados uno o más sistemas sensitivos de tal modo que las sensaciones cotidianas se perciben como insoportablemente intensas o, en apariencia, no se perciben en absoluto. En general, los padres están desconcertados, ya que no saben por qué esas sensaciones son intolerables o no se perciben; la propia persona también se siente aturdida por el hecho de que otras personas no tengan este mismo grado de sensibilidad.

En general, los padres refieren que su hijo percibe sonidos que son demasiado tenues para que los demás los oigan, se sorprende o se asusta en exceso por los ruidos súbitos o le resultan insoportables ruidos de un tono concreto (como el de la secadora o la aspiradora); tiene que taparse los oídos con las manos para dejar de oírlo o da muestras de desesperación y trata de salir del lugar donde se encuentra. También puede ocurrir que el niño aborrece los gestos de afecto, como un abrazo o un beso, porque la experiencia sensitiva (y no necesariamente la emocional) es desagradable. La luz solar intensa puede ser casi cegadora, evitarán determinados colores por ser demasiado intensos y el niño percibe detalles visuales, como las motas de polvo que revolotean alrededor de un rayo de sol y se queda paralizado por esos detalles. Un niño pequeño con síndrome de Asperger se habrá impuesto una dieta restrictiva que excluya los alimentos de determinada textura, sabor, aroma o temperatura. Evita con todas sus fuerzas los aromas y fragancias, como las de los perfumes, o el olor de los productos de limpieza porque le hacen sentir náuseas. También puede tener problemas con el equilibrio, y manifestará miedo cuando sus pies no toquen el suelo y no tolerará una postura en la que tenga que permanecer cabeza abajo.

Por el contrario, puede haber una falta de sensibilidad a algunas experiencias sensitivas, como la ausencia de respuesta a ruidos concretos, la imposibilidad de expresar dolor cuando se hacen daño o una aparente falta de necesidad de abrigarse cuando hace mucho frío. Su sistema sensitiva puede ser hipersensible en un momento dado y, en otro, hiposensible. No obstante, algunas experiencias sensitivas desencadenan un placer intenso, como el ruido y la sensación táctil de la vibración de la lavadora al centrifugar o la variedad de colores emitidos por una farola.

Sobrecarga sensitiva

Con frecuencia, tanto niños como adultos con síndrome de Asperger describen una sensación de sobrecarga sensitiva. Claire Sainsbury explica los efectos de los problemas sensitivos en la escuela.

> Los pasillos y el vestíbulo de la escuela son un tumulto constante de ruidos que resuenan y de luces fluorescentes (el origen concreto de un estrés visual y auditivo para las personas del espectro autístico), de tañidos de campanas, personas que tropiezan unas con las otras, el olor de los productos de limpieza, etcétera. Para cualquier persona con hipersensibilidad sensitiva y problemas de procesamiento típicos de un proceso del espectro autístico, el resultado es que, en general, permanecemos la mayor parte del día peligrosamente próximos a una sobrecarga sensitiva (Sainsbury, 2000, pág. 101).

Las experiencias sensitivas intensas, descritas por Nita Jackson como oleadas sensitivas dinámicas (N. Jackson, 2002, pág. 53), hacen

441

que las personas con síndrome de Asperger manifiesten un grado elevado de estrés, ansiedad, y se queden casi paralizadas en situaciones en las que otros no perciben como desagradables sino como placenteras. El niño con hipersensibilidad sensitiva se vuelve hipervigilante, está siempre tenso y se distrae fácilmente en entornos de estimulación sensitiva, como el aula, ya que no está seguro de cuándo tendrá lugar la próxima experiencia sensitiva dolorosa. Evita con todas sus fuerzas las situaciones o lugares donde se siente vulnerable, como los pasillos de la escuela, el patio de recreo o las zonas de juegos infantiles, las tiendas y los supermercados abarrotados, ya que constituyen una experiencia sensitiva demasiado intensa. La miedo anticipado puede llegar a ser tan intenso que evolucione hacia un trastorno de ansiedad, como la fobia a los perros porque ladran de repente y sin control, o la agorafobia (miedo a los lugares públicos), mientras que el hogar es una experiencia sensitiva relativamente poco peligrosa y controlada. El niño evita algunas situaciones sociales, como asistir a una fiesta de cumpleaños, no sólo debido a su incertidumbre sobre las normas sociales esperadas, sino también por el ruido que hacen los niños que están divirtiéndose de lo lindo y el riesgo de que estallen los muchos globos que suele haber en una fiesta infantil.

Evaluación y criterios diagnósticos

Sabemos que es posible identificar una sensibilidad sensitiva peculiar en bebés que, más tarde, presentarán otros signos de autismo o de síndrome de Asperger (Dawson y otros, 2000; Gillberg y otros, 1990). En una selección de niños muy pequeños con riesgo de desarrollar otros signos del síndrome de Asperger se podrían contemplar aspectos concretos de la sensibilidad sensitiva. También sabemos que los signos son más visibles en la primera infancia y que disminuyen gradualmente durante la adolescencia, aunque para algunos adultos persisten durante toda la vida (Baranek, Foster y Berkson, 1997; Church y otros, 2000).

Se han diseñado instrumentos de detección para identificar a los niños que pueden presentar signos de síndrome de Asperger y necesitan una valoración diagnóstica exhaustiva por parte de un médico experto. Los instrumentos de detección usados en la actualidad (véase el cap. 1) incluyen preguntas sobre la sensibilidad sensitiva porque los médicos reconocen que el tipo poco común de sensibilidad diferencia a estos niños de los corrientes (Rogers y Ozonoff, 2005). La sensibilidad sensitiva es una característica reconocida de autismo grave y el instrumento primario de evaluación diagnóstica de la enfermedad, la Entrevista Diagnóstica para el Autismo, revisada, o EDA-R (Rutter, le Courter y Lord, 2003), comprende una serie de preguntas para los padres, que examinan si el niño ha manifestado alguna vez hipersensibilidad al ruido o ha presentado una reacción rara al sabor de los alimentos, a algún aroma o a ciertas experiencias táctiles. Hoy día, no tenemos un instrumento equivalente a la EDA-R para el síndrome de Asperger, pero algunos médicos, y yo mismo, recopilamos información sobre sensibilidad sensitiva durante la evaluación diagnóstica, y los antecedentes de una percepción sensitiva poco común se consideran un signo que corrobora el síndrome de Asperger. Sin embargo, en ninguno de los cuatro criterios diagnósticos habituales se contempla esa percepción sensitiva poco común. En las futuras revisiones de esos criterios diagnósticos los expertos deben incluir una referencia a este problema, sobre todo porque las consecuencias pueden producir un efecto significativo sobre la calidad de vida de las personae.

Un contexto conceptual

Los médicos y académicos necesitan un contexto conceptual y descriptivo para examinar las experiencias sensitivas de las personas con síndrome de Asperger; Bogdashina (2003) y Harrison y Hare (2004) han sugerido que pueden manifestar:

- Experiencias sensitives tanto hiper como hiposensibles.
- Distorsiones sensitives.
- Falta de sintonización sensitiva.
- Sobrecarga sensitiva.
- Procesamiento sensitivo poco común.
- Dificultades para identificar el canal de origen de la información sensitiva.

Algunas experiencias sensitivas y perceptivas provocan mucho malestar, de manera que la persona afectada suele establecer una serie de estrategias de afrontamiento y compensación para adaptarse. No obstante, otras experiencias sensitivas, como escuchar el tic-tac de un reloj o como un reloj da las horas, son sumamente placenteras y desea con todas sus fuerzas acceder a esas experiencias (Jones y otros, 2003). Con independencia de que les causen placer o malestar, sin duda estas personas perciben de forma diferente el mundo sensitivo.

Instrumentos de evaluación

En la actualidad podemos elegir entre diversos instrumentos de evaluación destinados a determinar la sensibilidad sensitiva en todas las modalidades sensitivas. El Cuestionario de la Conducta Sensitiva (CCS) es un cuestionario de detección de diecisiete ítems destinado a proporcionar una breve descripción de la percepción sensitiva y de las conductas asociadas (Harrison y Hare, 2004). El Perfil Sensitivo es un cuestionario de ciento veinticinco ítems que mide el grado hasta el cual los niños de cinco a once años de edad manifiestan problemas de procesamiento y modulación sensitivas, respuestas conductuales y emocionales a las experiencias sensitivas e hiper e hiposensibilidad (Duna, 1999b). Para mayor comodidad, también se puede usar el perfil sensitivo breve, que los padres sólo tardarán diez minutos en completar (Dunn, 1999a).

444

La Lista de Control del Perfil Sensitivo Revisada es un instrumento de evaluación exhaustivo para niños con autismo y síndrome de Asperger. Contiene doscientas treinta y dos preguntas que los padres deben completar, las cuales identifican los puntos sensitivos fuertes y débiles y está destinada a identificar las actividades terapéuticas adecuadas (Bogdashina, 2003).

Los médicos también crean sus propios instrumentos de evaluación, como una lista de control de las experiencias sensitivas conocidas que contribuyen a una conducta ansiosa o agitada. En una evaluación de las circunstancias del niño en la escuela hay que examinar las experiencias sensitivas, como el ruido de un rotulador al escribir en la pizarra, las luces centelleantes, el ruido de las lámparas fluorescentes, el chirrido de las sillas contra el suelo, la temperatura ambiente, el grado de ruido de fondo, el olor de los ambientadores, el material de la clase de dibujo y arte y de los productos de limpieza. Cuando observo a niños con síndrome de Asperger en circunstancias asociadas con la conducta que deseo provocar, cierro los ojos y escucho, respiro profundamente, identifico cualquier olor y trato de mirar a través de los ojos y del sistema sensitivo del niño con síndrome de Asperger.

Sensibilidad al ruido

Entre el 70 % y el 85 % de estos niños presenta sensibilidad extrema a sonidos concretos (Bromley y otros, 2004; Smith Myles y otros, 2000). Las observaciones clínicas y las descripciones personales de los pacientes sugieren que hay tres tipos de sonido percibidos como sumamente desagradables. La primera categoría son los súbitos e inesperados, que un adulto describía como penetrantes, como el ladrido de un perro, el timbre del teléfono, la tos, la alarma contra incendios de la escuela, el sonido seco del capuchón de un bolígrafo al taparlo o el de un objeto al romperse, como un vaso, o el que se produce al cascar un huevo o descorchar una botella. La segunda categoría son los sonidos altos, continuos, en particular el zumbido de los motores eléctricos de los aparatos domésticos, como la batidora, licuadora o aspiradora, o también el ruido del agua de la cisterna al tirar de la cadena después de usar el retrete. La tercera categoría son los sonidos múltiples o complejos, confusos, como los de un centro comercial o una reunión social muy numerosa.

Como padre o maestro, resulta difícil manifestar empatía por la persona, porque la gente corriente no percibe estos ruidos como demasiado desagradables. Sin embargo, una analogía apropiada de la experiencia es el malestar que muchas personas experimentan a algunos sonidos, como el chirrido de las uñas al rascar la pizarra de la escuela. Sólo con el mero hecho de pensar en el ruido, algunas personas se estremecen de angustia o repugnancia.

Las citas enumeradas a continuación de personas con síndrome de Asperger ilustran la intensidad de la experiencia sensitiva y el dolor o malestar asociado. La primera es de Temple Grandin:

> Los ruidos fuertes y bruscos me asustan. Mi reacción a ellos es más intensa que la de otras personas. Sigo detestando los globos porque nunca sé cuándo estallarán y harán que pegue un brinco de miedo. Los ruidos de motor fuertes y prolongados como el del secador del pelo o el del extractor siguen molestándome, mientras que puedo tolerar los de menor frecuencia (Grandin, 1988, pág. 3).

Darren White describe:

> También me asustaban los sonidos de la aspiradora, la batidora y la licuadora, porque yo los oía unas cinco veces más fuerte de lo que era en realidad.
>
> El ruido del motor del autobús se mezclaba con los bocinazos y a mi entender ambos sonaban casi cuatro veces más fuerte de lo normal, por lo me pasaba la mayor parte del día tapándome los oídos con ambas manos (White y White, 1987, págs. 224-225).

446

Therese Jolliffe describía su sensibilidad auditiva con las palabras siguientes:

Los ruidos que describo a continuación son algunos de los que siguen molestándome lo suficiente como para taparme los oídos para evitarlos: los gritos, el ruido de los lugares abarrotados, el ruido que hace el poliestireno al tocarlo, los globos de helio, el de los aviones, los martillazos, los estallidos, portazos, el ruido de las herramientas eléctricas, el sonido del mar, el sonido del rotulador cuando escribes y los juegos artificiales. A pesar de esto puedo escuchar música y tocarla y me encantan algunos tipos de música. En realidad, cuando me enfado y me siento desesperada, la música es lo único que me ayuda a recuperar la paz interior (Jolliffe y otros, 1992, pág. 15).

Liane Holliday Willey ha identificado los sonidos concretos que le resultan especialmente desagradables:

Los ruidos metálicos, de alta frecuencia y estridentes me atacaban los nervios. Los silbidos, el bullicio de una reunión o fiesta, el sonido de la flauta y la trompeta y cualquier sonido similar, desbarataban mi calma y mi mundo se volvía muy poco acogedor (Willey, 1999, pág. 22).

Will Hadcroft cuenta cómo la anticipación de una experiencia auditiva desagradable le generaba ansiedad:

Estaba siempre nervioso, asustado de todo. Aborrecía el ruido de los trenes al cruzar un puente mientras yo estaba debajo; tampoco toleraba el estallido de los globos, el chisporroteo de las palomitas de maíz al cocerlas en las fiestas y el ruido que hacían las galletas de navidad al morderlas. Trataba de evitar cualquier situación que pudiera dar lugar a un ruido fuerte e inesperado. No hace falta decir que uno de los que más me asustaban era el de los truenos; incluso más tarde, con el paso de los años, cuando supe que lo peligroso de una tormenta eran los rayos, seguían asustándome más los truenos. La noche de San Juan también es un motivo de ansiedad y tensión aunque me gustan mucho los juegos artificiales (Hadcroft, 2005, pág. 22).

Es posible utilizar la sensibilidad auditiva aguda como una ventaja; por ejemplo, Albert sabía cuándo llegaba un tren a la estación varios minutos antes de que sus padres lo oyeran. Decía: «Aunque mi madre y mi padre no puedan, yo siempre lo oigo; lo siento en mis oídos y en todo mi cuerpo» (Cesaroni y Garber, 1991, pág. 306). Un niño que acudía a mi consulta tenía un interés particular por los autobuses y era capaz de reconocer el ruido exclusivo del motor de cada uno de los autobuses que circulaba por delante de su casa. Con un interés secundario por las matrículas de los vehículos, podía identificar la matrícula del autobús que estaba a punto de llegar pero aún no era visible. También se mostraba reacio a jugar en el jardín de su casa. Cuando le pregunté la razón me respondió que aborrecía el ruido de clac-clac de las alas de los insectos revoloteando, como las mariposas.

También se observa una distorsión auditiva y una ausencia de sintonía. Darren describe la distorsión fluctuante del siguiente modo:

Otra broma que me gastaban mis oídos era el volumen del ruido a mi alrededor. En ocasiones, cuando otros niños me hablaban, apenas podía oír lo que decían y a veces sus palabras sonaban como disparos (White y White, 1987, pág. 224).

Donna Williams contaba:

A veces la gente tenía que repetirme una frase varias veces porque sólo oía algún fragmento y la forma en que mi mente fragmentaba la frase en palabras me transmitía un mensaje extraño y muchas veces ininteligible. Era algo parecido a cuando una persona está escuchando un disco y al mismo tiempo tiene encendida la televisión al máximo volumen (Williams, 1998, pág. 64).

No estamos seguros de que la falta de sintonía sensitiva se deba a que están tan preocupados o concentrados en una actividad que las señales auditivas no interrumpen su intensa concentración, o a la presencia de una pérdida temporal y fluctuante genuina de la percepción y procesamiento de la información auditiva. Sin embargo, esta característica hará que los padres piensen que quizá su hijo sea sordo. Donna Williams describe:

Mi padre y mi madre creían que yo era sorda. Se colocaban detrás sin que yo pudiera verlos, haciendo ruidos fuertes sin que yo ni siquiera pestañeara. Por último, me llevaron a un especialista para someterme a un examen de la audición. Éste mostró que yo no era sorda, sino que me concentraba demasiado; años más tarde, me sometí a un nuevo examen que demostró que no sólo no era sorda, sino que mi audición era mejor que la de la media y podía oír ruidos de frecuencia que sólo los animales son capaces de percibir. El problema de mi audición era obviamente una fluctuación en la conciencia de los ruidos (1998, pág. 44).

¿Cómo afronta la persona con síndrome de Asperger esta sensibilidad auditiva excesiva? Algunos aprenden a desconectar o a hacer caso omiso de ciertos ruidos, como describe Temple Grandin:

Cuando tengo que afrontar un ruido fuerte o confuso no puedo modularlo. Tengo que impedir que entre y recluirme o dejar que termine y tratar de acostumbrarme a él. Para evitar su impacto, suelo desentenderme y me desconecto del mundo. Al llegar a adulta sigo teniendo problemas para modular la información auditiva. Cuando uso el teléfono en el aeropuerto soy incapaz de aislarme del ruido de fondo sin eliminar la voz del teléfono. Mucha gente puede usar el teléfono en un entorno ruidoso, pero a mí resulta imposible, a pesar de que mi audición es normal (Grandin, 1998, pág. 3).

Otras técnicas son tararear una melodía para bloquear el ruido o prestar atención a propósito a una actividad concreta, para quedarse

449

absorto y ensimismado e impedir la intromisión de las experiencias sensitivas desagradables.

ESTRATEGIAS PARA REDUCIR LA SENSIBILIDAD AUDITIVA

Es importante que, de entrada, el niño identifique qué experiencias percibe como dolorosamente intensas y exprese la ansiedad que le producen, por ejemplo tapándose los oídos, o bizqueando como respuesta a ruidos súbitos, o simplemente hablando con un adulto de qué ruidos le molestan. Algunos pueden evitarse. Por ejemplo, si el ruido de la aspiradora es demasiado intenso, se utilizará el aparato cuando el niño esté en la escuela. Para eliminar la ansiedad de una niña muy pequeña que no toleraba el ruido que hacen las sillas cuando se desplazan en clase, se fijó una tira de fieltro adhesivo en los extremos de las patas y, de este modo, la niña pudo concentrarse en su trabajo escolar.

También puede utilizarse una barrera para reducir el nivel de estimulación auditiva, como tapones de silicona, que el niño guardará en su bolsillo para utilizarlos cuando el ruido se vuelva intolerable. Son especialmente útiles en situaciones conocidas por su nivel de ruido, como la cafetería de la escuela. En la cita de un parágrafo previo, Therese Jolliffe sugiere otra estrategia: «Cuando monto en cólera y me siento desesperada por el nivel de ruido, la música es lo único que puede devolverme la paz interior» (Jolliffe y otros, 1992, pág. 15). Hoy día, sabemos que escuchar música con auriculares ayuda a camuflar el ruido percibido como demasiado intenso y permite que la persona ande tranquilamente por un centro comercial o se concentre en su trabajo en una clase bulliciosa.

También es útil explicar la causa y la duración del ruido que se percibe como insoportable. Las historias sociales desarrolladas por Carol Gray (véase el cap. 3) son muy versátiles y pueden adaptarse para que se centren en la sensibilidad auditiva. En la historia social de un niño que era muy sensible al ruido de los secamanos de los aseos públicos se incorporó una descripción de la función y el diseño del aparato, y palabras tranquilizadoras que explicaban que el aparato se desconectaba automáticamente después de un tiempo fijo. Saber eso le proporcionaba tranquilidad al niño y lo ayudaba a reducir la ansiedad y a aumentar su tolerancia.

Claramente, lo importante es que los padres y los maestros conozcan la hipersensibilidad auditiva del niño y traten de reducir al mínimo el nivel de los ruidos súbitos, reduzcan el ruido de fondo y el de la conversación y eviten las experiencias auditivas concretas que el niño percibe como insoportablemente intensas. Esto contribuirá a disminuir su ansiedad y favorecerá su concentración y socialización.

Existen dos tratamientos que se han usado para reducir la sensibilidad auditiva en niños con autismo y síndrome de Asperger. Los terapeutas ocupacionales aplican el tratamiento de integración sensitiva (Ayers, 1972), basado en la investigación de Jean Ayers, que abrió nuevos caminos. El tratamiento utiliza material de juego muy diverso, especializado en mejorar el procesamiento, la modulación, la organización y la integración de la información sensitiva. En un plan de tratamiento dirigido por un terapeuta ocupacional durante varias horas a la semana, en general, durante varios meses, se utilizan experiencias sensitivas controladas y placenteras. A pesar de su popularidad, apenas tenemos pruebas empíricas de su eficacia (Baranek, 2002; Dawson y Watling, 2000). No obstante, como Grace Baranek afirmaba en su revisión de los estudios publicados, la ausencia de datos empíricos sobre el tratamiento de integración sensitiva no significa que no sea útil, sino que su eficacia todavía no se ha demostrado objetivamente.

El tratamiento de integración auditiva, desarrollado originalmente por Guy Berard en Francia (Berard, 1993), requiere que la persona escuche diez horas de música modificada electrónicamente a través de unos auriculares en dos sesiones diarias de media hora durante diez días. La evaluación inicial se efectúa a través de una audiometría para identificar las frecuencias a las que el paciente es hipersensible.

Acto seguido se utiliza un dispositivo electrónico especial que modula y filtra para modular al azar las frecuencias altas y bajas y filtrar las frecuencias seleccionadas en función de la información obtenida a partir de los resultados de la audiometría. El tratamiento es caro y, aunque se han publicado informes anecdóticos de su eficacia para reducir la sensibilidad auditiva, en conjunto no tenemos pruebas que respalden su utilidad (Baranek, 2002; Dawson y Watling, 2000).

Aunque algunos sonidos se perciben como muy desagradables, es importante recordar que otros son sumamente placenteros: por ejemplo, un niño pequeño se fascina por ciertas melodías o por el tic-tac del reloj. Donna Williams contaba:

> No obstante, un sonido que era una fuente de placer era el de cualquier metal. Por desgracia para mi madre, el timbre de nuestra casa entraba en esta categoría y pasaba épocas tocándolo incesante y obsesivamente (Williams, 1998, pág. 45).

> Hacía poco tiempo que mi madre había alquilado un piano, y me encantaba el sonido de las teclas y de cualquier cosa que tintineara. Podía confeccionarme un collar de imperdibles y, cuando no los estaba masticando, los hacía tintinear junto al oído. De forma parecida, me gustaba el sonido del metal chocando contra el metal, y mis dos objetos favoritos eran una pieza de cristal tallado y un diapasón que llevé siempre conmigo durante años (Williams, 1998, pág. 68).

Sensibilidad táctil

La sensibilidad a algunas texturas o a las experiencias táctiles afecta a más del 50 % de los niños con síndrome de Asperger (Bromley y cols, 2004; Smith Myles y otros, 2000). Pueden manifestar una sensibilidad extrema a un tipo concreto de textura, al grado de presión o al contacto con alguna parte del cuerpo. Temple Grandin describe su sensibilidad táctil aguda cuando era niña:

Cuando era niña me resistía a que me tocaran y, a medida que me hice mayor, recuerdo muy bien que cuando un miembro de mi familia trataba de abrazarme me ponía rígida, me resistía y me desprendía del abrazo (Grandin, 1984, pág. 155).

Como niña, deseaba sentir el bienestar que proporciona que un adulto te sostenga en sus brazos, pero cuando lo hacían, me encogía y trataba de escabullirme por el temor a perder el control y ser engullida por el abrazo de una persona mayor (Grandin, 1984, pág. 151).

Para Temple, las formas de contacto usadas en los saludos sociales o los gestos de afecto eran demasiado intensas o abrumadoras: provocaban en ella una «sensación de marea». Por lo tanto, la evitación de algunas interacciones sociales y del contacto físico directo se debía a su reacción fisiológica al contacto.

El niño con síndrome de Asperger tiene miedo de la proximidad directa de otros niños debido al riesgo de contacto accidental o inesperado, y de reunirse con familiares debido a la probabilidad de que muestren gestos de afecto, como un abrazo o un beso, percibidos como una sensación demasiada intensa.

Liane Holliday Willey contaba sobre su infancia:

En general, me resultaba casi imposible tocar algunos objetos. Aborrecía los objetos rígidos, los satinados, los rugosos y todo lo que me hacía sentir tensa. Pensar en ellos, imaginarlos o visualizarlos en cualquier momento me causaba escalofríos y una sensación general de malestar. Sistemáticamente me arrancaba la ropa que llevaba puesta aunque estuviéramos en un lugar público (Willey, 1999, pág. 21-22).

Hasta donde sé, en la edad adulta Liane no ha persistido en esa actitud. Sin embargo, en un correo electrónico reciente que me mandó mencionaba su exagerada sensibilidad táctil persistente y me explicaba que, a veces, si no podía tolerar la ropa que llevaba puesta, y estaba demasiado lejos de su casa, tenía que pararse y entrar en una tienda de ropa a comprarse una prenda nueva. En mi opinión, ¡no era una excusa preparada para su marido como justificación de la compra de ropa!

Cuando era niña, Temple Grandin también tenía aversión a las sensaciones táctiles de algunas prendas y tipos de tejido:

> Algunos episodios de mala conducta se debieron directamente a mis problemas sensitivos. Con frecuencia en la iglesia mi comportamiento dejaba mucho que desear y lloraba porque la ropa del domingo me molestaba. Durante el invierno, cuando tenía que salir con falda me quejaba de que las piernas me dolían. El picor que me causaban los abrigos me volvía loca; una sensación que sería insignificante para cualquier persona, me hacía sentir como si alguien me frotara la piel con papel de lija. Algunos tipos de estímulos se amplifican debido a los problemas del sistema nervioso. El problema se habría resuelto usando una ropa de domingo que tuviera el mismo tacto que la ropa que usaba a diario. Ahora, en la edad adulta, en general me siento incómoda cuando estreno ropa interior. La mayor parte de gente se acostumbra a los diferentes tipos de tejido, pero yo los noto como una molestia en la piel durante horas y horas. Ahora compro la ropa de diario y la ropa buena para salir con el mismo tacto tolerable para mi piel (Grandin, 1988, pág. 4-5).

El niño insiste en tener un guardarropa limitado para asegurarse de la regularidad de su experiencia táctil. El problema para los padres es el lavado de las prendas y su durabilidad. Una vez que tolera una prenda concreta, los padres pueden comprar la misma en diferentes tallas, de manera que, aunque el niño crezca, siempre tendrá disponible una prenda que no afecta a su sensibilidad táctil.

Algunas zonas del cuerpo parecen ser más sensibles que otras. Son la cabeza, los antebrazos y las palmas de las manos. El niño también mostrará ansiedad cuando se le lava la cabeza, se le peina o se le corta el pelo. Stephen Shore describe su reacción cuando, de niño, lo llevaron a cortarse el pelo:

Los cortes de pelo se convirtieron en un acontecimiento importante. ¡Qué sufrimiento! Para tratar de tranquilizarme, mis padres me decían que el pelo estaba muerto y que no sentiría dolor. Para mí era imposible expresar que lo que me molestaba eran los tirones en el cuero cabelludo. También era un problema que mi madre me lavara el pelo. En la actualidad, con el paso de los años y la maduración de mi sistema nervioso, cortarme el pelo ha dejado de ser un calvario (Shore, 2001, pág. 19).

La experiencia de un corte de pelo también está afectada por la sensibilidad auditiva, por la aversión al ruido cortante de las tijeras y a la vibración de la maquinilla de afeitar. El niño también puede tener una reacción a la sensación táctil del cabello cortado que le cae sobre la cara y los hombros y, en el caso del niño muy pequeño, la sensación desagradable de inestabilidad al no tener los pies en el suelo cuando está sentado en la silla de la peluquería destinada a un adulto.

Asperger observó que algunos de los niños a los que visitó aborrecían la sensación del agua salpicándoles la cara. Leah me escribió diciéndome:

Cuando era niño, no soportaba la ducha y prefería el baño. La sensación de las gotas de agua salpicándome la cara era insoportable. Incluso en el agua sigue persistiendo esta sensación intolerable. Pasaría semanas sin bañarme y, de muy pequeño, me causó gran sorpresa saber que la gran mayoría de niños se duchaban a diario.

Sin ninguna duda, esta característica puede producir efectos sobre la higiene personal ¡lo que hará que el niño no sea bienvenido cuando inicie una interacción con sus compañeros!

La sensibilidad táctil afecta a la tolerancia de determinadas actividades en clase. El niño puede manifestar aversión por los restos de pegamento en las manos, por pintar con los dedos, utilizar plastilina y participar en actividades lúdicas como fiestas o juegos de disfraces debido a su repulsión intensa por las sensaciones táctiles de los tejidos o el papel. También puede presentar una reacción exagerada si otro niño lo toca y una reacción excesiva al contacto inesperado en alguna región determinada del cuerpo, como que le toquen las nalgas. Una vez que que sus compañeros lo descubren, pueden sentir la tentación de burlarse del adolescente con síndrome de Asperger y atormentarlo haciéndole orejas de burro y pasándolo bien con su reacción evidente de sorpresa y malestar.

La sensibilidad táctil también puede afectar a las relaciones sensuales y sexuales entre un adulto con síndrome de Asperger y su pareja (Aston, 2003; Renault, 2005). Estas personas no consideran sensaciones agradables los gestos cotidianos de afecto, por ejemplo coger a la pareja por el brazo en una expresión de ternura o abrazarla. El otro miembro de la pareja se quejará de la falta evidente de placer como respuesta a sus demostraciones de afecto y la rareza de su pareja con síndrome de Asperger. Al mantener relaciones sexuales, que deben proporcionar un placer sexual mutuo, puede presentar una sensibilidad táctil extrema y encontrar la experiencia desagradable y difícil de tolerar, y muy lejos de ser gozosa. La aversión al tacto físico durante el coito puede deberse a problemas de percepción sensitiva más que a la falta de afecto y atracción por la pareja.

Estrategias para reducir la sensibilidad táctil

¿Qué medidas podemos tomar para reducir la sensibilidad táctil?

Los miembros de la familia, los maestros y los amigos han de conocer las dificultades de percepción y la reacción en algunas experiencias táctiles y no obligar a la persona con síndrome de Asperger a soportar la experiencia si puede evitarlo. El niño pequeño con el síndrome puede entretenerse con juguetes y actividades educativas que no le generen ansiedad debido a su reacción defensiva táctil (el término técnico de ser sensible a experiencias táctiles específicas). La terapia de integración sensitiva puede reducir la reacción defen-

456

siva táctil pero, como se describe en el apartado de sensibilidad auditiva, no hay pruebas de la eficacia del tratamiento de integración sensitiva.

Los miembros de la familia pueden reducir la frecuencia y duración de los gestos de afecto usados en los saludos y dejar que la persona con síndrome de Asperger sepa cuándo y cómo la tocarán, de modo que la sensación no sea una sorpresa absoluta y desencadene una reacción de asombro. Los padres eliminarán las etiquetas de la ropa y animarán al niño a tolerar el lavado y el corte del pelo. En ocasiones, antes de utilizar las tijeras o la maquinilla de afeitar, un masaje suave del cuero cabelludo o unas friegas lentas pero firmes en la cabeza y los hombros del niño con una toalla reduce la hipersensibilidad del cuero cabelludo. A veces el problema es la intensidad del contacto, cuando el niño es hipersensible al tacto superficial, mientras que la presión física de mayor intensidad es más aceptable o incluso placentera. Temple Grandin mencionaba que la presión profunda le resultaba placentera y tranquilizadora:

Cuando alguien me abrazaba, me desprendía de sus brazos y me ponía rígida, pero me gustaban las friegas de la espalda. Las friegas de la piel tenían un efecto tranquilizador. Me gustaba la estimulación de la presión profunda. Me acostaba en el sofá y mi hermana se sentaba junto a mí efectuando movimientos de presión profunda cuyo efecto era calmante y relajante. Cuando era niña, me encantaba gatear en espacios pequeños y mullidos. Me sentía segura, relajada y a salvo (Grandin, 1988, pág. 4).

Esta paciente diseñó un aparato de compresión, cuyas paredes estaban tapizadas de goma espuma, que podía albergarla casi de cuerpo entero y ejercía una presión firme sobre su cuerpo. El aparato creaba una experiencia calmante y relajante que gradualmente contribuyó a una desensibilización sensitiva.

Liane Holliday Willey refiere que obtiene un placer considerable cuando está dentro del agua. En su autobiografía describe:

Dentro del agua, encontraba solaz. Me gustaba mucho la sensación de flotar en el agua. Era como si me volviera líquida, estaba tranquila, era una sensación que describiría como balsámica; me sosegaba. El agua era sólida y poderosa. Me sostenía en su oscuridad y me ofrecía tranquilidad, tranquilidad pura y sin esfuerzo. Me hubiera pasado la mañana entera debajo del agua, impulsando mis pulmones a contener la respiración en las aguas tranquilas y oscuras hasta que me obligaran a buscar el aire (Willey, 1999, pág. 22).

Por lo tanto, hay experiencias táctiles, solitarias que son placenteras; sin embargo, tener una reacción defensiva táctil no sólo afecta al estado mental de la persona, sino también a sus relaciones interpersonales, porque las personas corrientes suelen tocarse unas a otras. La petición de «estamos en contacto» no es una invitación que las personas con síndrome de Asperger acepten con facilidad.

Sensibilidad gustativa y olfativa

En general los padres refieren que su hijo tiene una aptitud notable para detectar los olores que los demás no perciben y pueden ser sumamente caprichosos en la elección de lo que desean comer. Más del 50 % de los niños con síndrome de Asperger tiene una sensibilidad olfativa y gustativa especial (Bromley y otros, 2004; Smith Myles y otros, 2000).

Sean Barron decribe su percepción de los sabores y textura de los alimentos:

Tenía un importante problema con la comida. Me gustaba la comida sosa y los platos poco complicados. Mis favoritos eran los cereales, pero solos, el pan, las tortas, macarrones y espaguetis, patatas y leche. Puesto que fueron los alimentos que comía de pequeño, les atribuía propiedades casi balsámicas y tranquilizadoras y no deseaba probar nada nuevo.

Era hipersensible a la textura de los alimentos y, antes de ponérmela en la boca, tenía que tocar la comida con los dedos para comprobar su consistencia. No soportaba las mezclas, por ejemplo, la pasta con verdura o el pan untado para hacer sándwiches. La sola idea de llevármelos a la boca me estremecía, y, sabía que si lo hacía tendría vómitos violentos (Barron y Barron, 1992, pág. 96).

Stephen Shore soportaba experiencias sensitivas similares:

No toleraba los espárragos en conserva debido a su textura viscosa y, después de que un día me estallara un tomate pequeño en la boca cuando estaba masticándolo, dejé de comerlos. La estimulación sensitiva que entrañaba que una pieza de fruta o una hortaliza me estallara en la boca era más de lo que podía soportar y no quería correr ningún riesgo de que volviera a ocurrir.

Las zanahorias en una ensalada verde y el apio en una ensalada de atún siguen pareciéndome intolerables porque el contraste de la consistencia entre las zanahorias o el apio y la lechuga o el atún es demasiado abismal. No obstante, el apio y las zanahorias solas siguen gustándome. En general cuando era niño comía cada alimento por separado y nunca mezclaba en un bocado dos alimentos distintos: por ejemplo, terminaba primero las patatas fritas antes de comerme la carne (Shore, 2001, pág. 44).

Un niño pequeño con síndrome de Asperger insistirá en seguir una dieta restrictiva y sólo querrá comer arroz hervido o patatas fritas y salchichas durante años. Lamentablemente, la sensibilidad y la evitación posterior del alimento que tiene una textura fibrosa o húmeda determinada, y la combinación de algunos alimentos, puede ser origen de agitación, crisis nerviosas y excitación para toda la familia a las horas de las comidas. En particular, la madre puede desesperarse porque su hijo no quiere ni siquiera oír hablar de otros platos nuevos o más nutritivos. Por suerte, la mayoría de los niños con este tipo de sensibilidad acaban por ampliar su dieta cuando crecen, y muchos dejan atrás esta característica al llegar a la adolescencia.

También hay un elemento de reacción defensiva táctil cuando el niño come determinados alimentos. Reconocemos el reflejo de náusea cuando una persona se introduce el dedo en la garganta, y la sensación es muy desagradable. Es un reflejo automático para evitar que un objeto sólido se introduzca en la garganta. No obstante, el niño con síndrome de Asperger tiene esa misma reacción a los alimentos fibrosos que tiene en la boca y no porque se haya atragantado.

A veces la resistencia a comer una fruta o verdura concreta se debe a su mayor sensibilidad a ciertos olores. A una persona corriente el aroma de la fruta o verdura le resulta delicioso, pero el niño con síndrome de Asperger tiene una percepción diferente y detecta algunos olores como claramente acres. Cuando pido a los niños que tienen esa característica que describan los olores que perciben cuando, por ejemplo, están comiendo un melocotón maduro, responden con descripciones como «huele a orina» o «el aroma me recuerda al óxido».

La sensibilidad olfativa puede dar lugar a náuseas cuando la persona con síndrome de Asperger detecta el perfume o el desodorante que usa otra persona. Un adulto me comentaba que la fragancia de los perfumes le recordaba el olor que desprenden los insecticidas. Un niño con hipersensibilidad olfativa evitará el olor de la pintura y de otros materiales usados en la clase de arte en la escuela, el olor a comida de la cafetería de la escuela o las aulas de la escuela en las que se utilice un limpiador concreto.

En ocasiones el sentido del olfato hipersensible confiere alguna ventaja. Conozco a algunos adultos que han combinado su agudo sentido del olfato con su interés particular por los vinos y se han convertido en expertos y reputados catadores de vinos. Cuando Liane Holliday Willey se dirigió a su mesa en un restaurante, su agudo sentido del olfato le permitió advertir que la cena servida en otra mesa, un plato de marisco, se encontraba en mal estado y, por lo tanto, su ingestión habría causado una enfermedad a los comensales. También utiliza su aptitud para percibir los olores patológicos en sus hijas prestando atención a su aliento (comunicación personal).

Es importante evitar los programas que obligan al niño a comer o a ayunar para animarlo a seguir una dieta más variada. El niño tiene mayor sensibilidad real a algunos tipos de alimentos o platos: no es un simple problema de conducta en el que el niño se muestra desafiante a propósito. Sin embargo, los padres han de estar seguros de que su hijo come de todo, y es importante que sigan los consejos de un experto en dietética, que proporcionará unas directrices de lo que es adecuado, nutritivo y tolerable para el niño desde el punto de vista de la textura, el aroma o el sabor. La sensibilidad disminuye gradualmente, pero el temor y la evitación consiguiente continúan. Cuando se da este patrón, un psicólogo clínico puede introducir una terapia de desensibilización sistemática. Primero se anima al niño a describir la experiencia sensitiva e identificar los alimentos que le parecen menos desagradables y con mayores probabilidades de tolerarlos si se le anima. Cuando se introduce un alimento de los que aborrece o no le gustan, al principio sólo tendrá que probarlo un poco con la lengua, más que masticarlo o tragárselo. Cuando pruebe sensaciones con alimentos concretos, hay que animarlo a relajarse, con la ayuda de un adulto que le proporcione apoyo, y felicitarlo, y quizás ofrecerle una recompensa por ser tan valiente. También es útil una terapia de tratamiento de integración sensitiva. No obstante, algunos adultos con síndrome de Asperger continuarán siguiendo una dieta muy limitada, que consiste en los mismos componentes esenciales, cocidos y presentados siempre de la misma forma durante el resto de su vida. Como mínimo, la preparación de las comidas será muy eficiente porque habrá adquirido una práctica considerable.

Sensibilidad visual

La sensibilidad a una cierta intensidad de iluminación o a los colores, o la distorsión de la percepción visual se observa en uno de cada cinco niños con síndrome de Asperger (Smith Myles y otros, 2000). Estos niños y adultos refieren que los ciega la luz, por lo que evitan los grados intensos de iluminación. Por ejemplo, Darren refería como en los días luminosos su visión se hacía borrosa. Pueden ser sensibles a un color concreto, por ejemplo:

> Recuerdo que unas Navidades uno de los regalos que me hizo mi familia fue una bicicleta nueva. Era de color amarillo y ni siquiera podía mirarla. Añadimos pintura roja al color original, con lo que su aspecto final era anaranjado, y por la parte de arriba se difuminó haciendo que pareciera que la bicicleta estuviera en llamas.
>
> Tampoco podía ver con claridad el color azul, parecía demasiado claro y tenía un aspecto muy semejante al hielo (White y White, 1987, pág. 224).

También puede haber una fascinación intensa por los detalles visuales, que hace que se observe cualquier mancha o mota de polvo de una alfombra o los cardenales de la piel de una persona. Cuando el niño tiene un talento natural para dibujar y éste se combina con el interés particular y una práctica considerable en dibujar, los resultados son obras de arte que adquieren un efecto de realismo fotográfico. Por ejemplo, un niño pequeño interesado en los trenes puede aprender precozmente a dibujar en perspectiva escenas de vías férreas, incluyendo casi todos los detalles de la locomotora, y sin embargo, quizás en esa misma escena dibuje personas con el estilo de representación propio de su edad.

Se han publicado informes de distorsión visual, como la descrita por Darren:

> En general, no soportaba las tiendas pequeñas porque mi visión me hacía verlas todavía más pequeñas de lo que eran (White y White, 1987, pág. 224).

Esto fomentará el temor o la ansiedad como respuesta a ciertos tipos de experiencias visuales, como explicaba Therese Jolliffe:

Quizás porque las cosas que ven mis ojos no siempre me dan la impresión correcta me asustan muchas de ellas: las personas, sobre todo su cara, la luz muy brillante, las aglomeraciones, el movimiento brusco, los grandes aparatos y los edificios desconocidos, los lugares que no conozco, mi propia sombra, la oscuridad, los puentes, ríos, canales, riachuelos y el mar (Jolliffe y otros, 1992, pág. 15).

Algunas experiencia visuales son confusas, por ejemplo la luz que se refleja en la pizarra de la clase hace que el texto sea ilegible y crea una distracción que perturba al niño. Liane Holliday Willey describía:

La luz intensa, los rayos de sol al mediodía, la luz reflejada, la luz parpadeante y la fluorescente parecían cegar mis ojos. En conjunto, el ruido penetrante y la luz intensa eran más que suficientes para sobrecargar mis sentidos. Sentía un entumecimiento de la cabeza, un nudo en la garganta y el corazón me latía cada vez más deprisa hasta que podía escapar a un lugar donde me encontrara a salvo (Willey, 1999, pág. 22).

En un correo electrónico Carolyn me explicaba lo siguiente:

La luz fluorescente no sólo me deslumbraba, sino que me molestaba su parpadeo. Producía sombras en mi visión (lo que me asustaba mucho cuando era pequeña) y la exposición prolongada a esta luz me hacía sentir confusión y un mareo que en ocasiones acababa en una migraña.

Algunas personas han descrito que no son capaces de ver algo que es claramente visible para los demás y que están buscando (Smith Myles y otros, 2000). La persona con síndrome de Asperger puede tener muchos más ejemplos de lo que sería de esperar de este fenómeno natural de no ver algo que tenemos delante de las narices. Se le pide que busque un libro concreto en su cartera o en su estante-

463

ría y, a pesar de que los demás lo encuentran al instante, el niño no es capaz de reconocer el libro que está buscando. Y esto puede motivar una reacción de cólera por su parte y también por la del maestro.

Pero no todas las experiencias visuales son perturbadoras. Para la persona con síndrome de Asperger, los ejemplos de simetría visual se acompañan de un placer intenso. Para un niño pequeño pueden ser líneas paralelas y los tramos horizontales de una vía férrea, una valla o los postes de la electricidad en una paisaje rural. El adulto con síndrome de Asperger extenderá el interés a la simetría hasta llegar a apreciar la arquitectura. Liane Holliday Willey tiene conocimientos notables sobre esta materia:

> El diseño arquitectónico sigue siendo uno de mis temas favoritos y, ahora que soy mayor, puedo satisfacer mi interés rindiéndome a la dicha que me produce. En muchos sentidos es el remedio ideal para mis males. Cuando me siento tensa y confusa, saco mi libro de historia de la arquitectura y mis libros de diseño y recorro con los ojos los espacios y los lugares que me hacen sentir bien; las líneas rectas, lineales y los edificios altos que muestran un panorama de un equilibrio firme (Willey, 1999, pág. 48).

Algunos famosos arquitectos parecen tener las características de la personalidad descritas para el síndrome de Asperger. Sin embargo, el reconocimiento de la simetría de los edificios puede representar una desventaja. Liane me explicaba que cuando contemplaba edificios asimétricos, o como decía, de diseño irregular, sentía náuseas y una profunda ansiedad.

ESTRATEGIAS PARA REDUCIR LA SENSIBILIDAD VISUAL

Es preciso que tanto los padres como el maestro eviten que el niño experimente las circunstancias asociadas con las sensaciones visuales intensas o perturbadoras: por ejemplo, cuando viajan, no lo sentarán junto a la ventanilla del automóvil para que no reciba los rayos directos del sol, y en la escuela tratarán de que su mesa no quede iluminada por una luz solar demasiado intensa. Además, el niño debe usar gafas de sol y una visera para evitar la luz intensa o el deslumbramiento, o tener una terminal de trabajo u ordenador que elimine la estimulación visual excesiva. Una buena idea es que lleve el pelo largo para que actúe de cortina y barrera visual (y social). La preocupación por la percepción intensa de los colores propiciará que el niño prefiera usar ropa oscura, lo que en ningún caso hace para seguir alguna moda.

Algunas terapias pueden ayudar a reducir la hipersensibilidad visual del niño. Helen Irlen ha diseñado unas gafas tintadas que mejoran la percepción visual y reducen la sobrecarga perceptiva y las alteraciones visuales. Estas gafas tintadas, no graduadas (*filtros de Irlen*), están destinadas a filtrar las frecuencias del espectro de la luz a las que el paciente es sensible. Al principio, se efectúa un proceso de detección mediante un cuestionario especial y un test para determinar la prescripción apropiada del color. No hay estudios empíricos que confirmen el valor de esas gafas, pero algunos niños y adultos han referido una reducción considerable de la sensibilidad visual y de la sobrecarga sensitiva cuando han usado las gafas Irlen.

Los optometristas conductuales han creado la *terapia de la visión* para readiestrar los ojos y las estructuras del cerebro que procesan la información visual. Se procede a evaluar una posible disfunción visual y cualquier mecanismo de compensación que el niño utilice, como inclinar o girar la cabeza, usar la visión periférica y la preferencia de uso de uno u otro ojo. El programa se conduce usando sesiones de tratamiento semanal y deberes para hacer en casa. Hasta la fecha no disponemos de pruebas empíricas que respalden su eficacia en las personas con síndrome de Asperger.

También es importante recordar que para una persona con síndrome de Asperger que está sometida a estrés agudo o está excitada es beneficioso disponer de un lugar donde recobrar la calma, lejos de los demás. Este lugar ha de tener características sensitivas tranquilizadoras y calmantes; por ejemplo, la disposición de los muebles guardará una simetría, el color de las paredes y la alfombra será agradable y no habrá ningún aroma, olor o ruido que se perciba como desagradable.

Sentido del equilibrio y movimiento

Algunos niños con síndrome de Asperger tienen problemas con el vestíbulo del oído interno, que está relacionado con el sentido del equilibrio, la percepción del movimiento y la coordinación (Smith Myles y otros, 2000). Una descripción llamativa es que el niño no se siente seguro desde el punto de vista de la gravedad, se muestra ansioso si sus pies no tocan el suelo y manifiesta desorientación cuando tiene que cambiar rápidamente de posición, tal como es necesario en los juegos de pelota como el fútbol. El sentido del equilibrio también puede quedar afectado cuando el paciente está boca abajo ya que experimenta una sensación desagradable.

Liane Holliday Willey explicaba:

> El movimiento es mi peor enemigo. Mi estómago se encoge y me parece notar un revoloteo de mariposas cuando miro un tiovivo o conduzco mi automóvil por una colina o doblo una esquina con demasiada rapidez. Cuando nació mi primer hijo, pronto comprendí que con mis problemas de movimiento vestibular no podría enfrentarme a los parques de atracciones ni a los autos de choque. Ni siquiera podía acunarlo. Sin embargo, podía balancearme y lo hacía incluso en la mecedora (Willey, 1999, pág. 76).

Por el contrario, he conocido a niños con síndrome de Asperger que experimentan un placer extremo cuando se montan en la montaña rusa hasta el punto de que ésta se convierte en su interés particular. Les apasiona oír sonidos y observar todo lo que ocurre a su alrededor.

Sólo empezamos a examinar los problemas del vestíbulo de personas con síndrome de Asperger, pero si un niño refiere problemas del sentido del equilibrio y del movimiento se recomendará un tratamiento de integración sensitiva.

Percepción del dolor y la temperatura

El niño o el adulto con síndrome de Asperger parecen muy estoicos y no se quejan ni demuestran ansiedad o malestar como respuesta a un grado de dolor que otros considerarían insoportable. Si se le hace ver que tienen una moradura o un corte ni siquiera recordará cómo se lo hizo. Si ha sido víctima de una lesión, se le retirará la férula sin el más mínimo problema; puede ingerir una bebida muy caliente sin que le moleste y, en los días cálidos, llevará ropa de abrigo o, en los días fríos de invierno, insistirá en continuar llevando la ropa de verano. Es como si tuviera un termostato interno idiosincrásico.

Puede darse hiposensibilidad o hipersensibilidad al dolor (Bromley y otros, 2004). La disminución del umbral para algunos tipos de dolor y malestar suele provocar sufrimiento a los niños, ya que sus compañeros lo consideran un llorica. No obstante, es más probable que estos niños sean hiposensibles al dolor que hipersensibles. El padre de un adolescente con síndrome de Asperger me describía el elevado umbral al dolor del niño con las palabras siguientes:

> Hace dos años, mi hijo llegó a casa con una pierna ensangrentada debido a un profundo arañazo, con múltiples morados y numerosos cortes. Me precipité al baño para coger el botiquín de primeros auxilios. Cuando regresé, le pedí que se sentara para curar sus heridas y mi hijo no podía entenderme. Me decía que no le pasaba nada, que no le hacía daño y que siempre le ocurría lo mismo y, acto seguido, se fue a la cama. Eso sucedió muchas veces hasta que cumplió los dieciocho años de edad. Tampoco nota el frío como los demás. En invierno rara vez lleva un chaquetón y utiliza pantalón corto para ir a la escuela porque lo encuentra más cómodo.

Por casualidad, conocí a un joven norteamericano con síndrome de Asperger que estaba de vacaciones en el centro de Australia durante el invierno. Formábamos parte de un grupo de turistas que disfrutábamos de una cena al aire libre, de modo que podíamos ver las brillantes estrellas del desierto australiano y escuchar la conferencia impartida por un astrónomo después de cenar. De repente, la temperatura cayó en picado y todo el mundo, excepto aquel chico, se quejó del frío y salió a buscar ropa de abrigo. Él sólo llevaba una camiseta y rechazó las ofertas de los demás de prestarle alguna prenda de más abrigo. Nos explicó que se sentía cómodo vestido así, pero su ropa de verano en un ambiente con temperaturas bajo cero hizo que todos los demás nos sintiéramos incómodos.

Otro ejemplo es el de Carolyn que, en un correo electrónico, me explicaba lo siguiente:

> Mi respuesta al dolor y a la temperatura parece similar a mi respuesta a los acontecimientos insignificantes o traumáticos. Con un nivel reducido de estimulación, la respuesta es exagerada, pero con niveles más altos mis sentidos parecen encerrarse y soy capaz de funcionar mejor de lo normal en la mayoría de los casos. Un acontecimiento insignificante puede dificultar dramáticamente mi capacidad para funcionar, pero cuando me enfrento a un trauma puedo pensar con lógica y actuar con calma y eficiencia cuando otros habrían sucumbido al pánico.

Asperger observó que en uno de cada cuatro niños que visitó, el control de esfínteres se retrasó respecto a lo que habría sido de esperar (Hippler y Klicpera, 2004). Es posible que aquellos niños tuvieran menos aptitudes para percibir las señales internas de malestar vesical e intestinal que ayudan a prevenir los accidentes. La falta de reacción al malestar, al dolor y a las temperaturas extremas también impide que un niño muy pequeño con síndrome de Asperger aprenda a evitar ciertas acciones peligrosas, lo que se acompañará de frecuentes visitas a urgencias. El personal médico se sorprenderá de la audacia del niño o considerará que es víctima de malos tratos o desamparo por parte de los padres.

Uno de los aspectos más preocupantes para los padres es cómo detectar cuándo el niño es víctima de un dolor crónico y necesita ayuda médica. Las infecciones del oído (otitis) o la apendicitis pueden progresar hasta una gravedad peligroso antes de que se detecten. Por otra parte, el niño no referirá los efectos adversos de los medicamentos. Es posible que tenga odontalgia (dolor de dientes) o dismenorrea (dolor menstrual) pero nunca lo exprese. Los padres de un niño contaban que su hijo no parecía ser el mismo durante algunos días, pero tampoco indicaba que experimentara un dolor importante. Por fin lo llevaron al médico, que diagnosticó torsión testicular, que tuvo que ser operada. Si el niño muestra una respuesta mínima al dolor es esencial que los padres presten atención en busca de signos de malestar, comprueben la presencia de signos físicos de enfermedad, como fiebre o inflamación, o utilicen las pautas creadas para expresar los sentimientos, descritas en el capítulo 6, como el termómetro de las emociones, lo que permitirá que el niño comunique la intensidad del dolor. También es importante escribir una historia social para explicarle por qué es esencial que cuando sienta dolor se lo comunique a un adulto para que lo ayuden a recobrar la salud, y así evitar complicaciones más graves.

Procesamiento sensitivo poco común

Existe una forma rara de percepción sensitiva, la *sinestesia*, en la que la persona experimenta una sensación en un sistema sensitivo pero la percibe en otra modalidad. La expresión más frecuente es la visión de colores al oír un sonido concreto (audición en colores), o percibe un olor específico. No es una característica exclusiva del síndrome de Asperger, aunque algunos adultos que lo padecen han descrito este fenómeno poco frecuente. Por ejemplo, Jim describía como en ocasiones los canales se confunden, como cuando los sonidos aparecen en forma de colores (Cesaroni y Garber, 1991, pág. 305). Me explicaba que cada ruido suele ir acompañado de un conjunto de sensaciones específicas de color, forma, textura, movimiento, aroma o sabor. Liane refería: «Busqué durante mucho tiempo y con todas mis fuerzas para encontrar las palabras que me producían estremecimientos, las que tenían texturas lisas y las que me producían una sensación de calor cuando las decía en voz alta» (Willey, 1999, pág. 31).

Jim también destacaba que los estímulos auditivos interferían con otros procesos sensitivos; por ejemplo, tenía que desconectar todos los electrodomésticos de la cocina para poder probar la comida que estaba haciendo (Cesaroni y Garber, 1991, pág. 305). El procesamiento sensitivo poco común incluye dificultades para identificar el canal de origen de la información sensitiva. Jim contaba: «A veces sé que algo va a pasar en algún sitio pero no puedo decir con exactitud si ha sido una impresión auditiva, visual, etcétera» (Cesaroni y Garber, 1991, pág. 305). La experiencia es desconcertante; por desgracia, sólo empezamos a investigar esta área de percepción sensitiva (Bogdashina, 2003).

He reservado las palabras finales de este capítulo sobre sensibilidad sensitiva para Liane Holliday Willey, que ha acabado por aceptar su percepción sensitiva anómala y vivir entre el sonido que la rodea y describe lo siguiente:

Creo que mis hijas han aprendido a aceptarme en público sin demasiado sufrimiento ni vergüenza. Sin duda, me recuerdan que no hable sola en público, que no hable en voz muy alta cuando estoy con otras personas, que no saque a relucir el tema de los perros ante cualquier interlocutor, que da muestras de escucharla cortésmente, que no divague en mis conversaciones, que no me tape los oídos en el parque y diga «¿quién en su sano juicio puede tolerar todo este ruido?» y que no frunza la nariz y grite: «¡Dios mío, qué olor tan hediondo!». Sin embargo, lo que resulta maravilloso es que, pase lo que pase, nunca jamás se olvidan de decirme que, a pesar de mis peculiaridades y rarezas, me quieren por encima de todo (Willey, 1999, págs. 93-94).

Puntos clave y estrategias

- Algunos adultos con síndrome de Asperger consideran que su hipersensibilidad sensitiva produce mayor impacto en su vida cotidiana que sus problemas para hacer amigos, controlar sus emociones y encontrar un empleo adecuado.
- La sensibilidad peculiar más habitual es a sonidos concretos, pero también se han descrito experiencias táctiles, a la intensidad de la luz, al sabor y consistencia de los alimentos y a aromas específicos. Pueden no reaccionar o reaccionar de forma exagerada al dolor y al malestar, y el sentido del equilibrio, la percepción del movimiento y la orientación corporal son peculiares.
- El niño con hipersensibilidad sensitiva se caracteriza por una vigilancia excesiva, está tenso y se distrae con facilidad en un entorno estimulante para los sentidos, como el aula de la escuela, porque no sabe cuándo tendrá lugar la próxima experiencia sensitiva dolorosa.
- Sabemos que los signos son más visibles en la primera infancia y disminuyen gradualmente en la adolescencia pero pueden ser una característica de por vida para algunos adultos.
- Sensibilidad al ruido:

  - Hay tres tipos de ruido, percibidos como sumamente desagradables. La primera categoría son los súbitos e inesperados, la segunda son los ruidos altos, continuos, y la tercera categoría son los ruidos múltiples o complejos, confusos.
  - Algunos de esos ruidos pueden evitarse. Los tapones de los oídos actúan como barrera que reduce el nivel de estimulación auditiva. Para niños pequeños, también es útil explicarles la causa y la duración del ruido con la ayuda de una historia social.
  - Hay dos tratamientos que se han usado para reducir la hipersensibilidad auditiva de estos niños: el trata-

471

miento de integración sensitiva y el de integración auditiva. Su eficacia todavía no se ha demostrado objetivamente.

- También se describen casos de hipersensibilidad a algunos tipos de texturas, a cierto grado de presión o al contacto con algunas partes del cuerpo.
- Sensibilidad olfativa y a los alimentos:

  — Los padres refieren que su hijo tiene una aptitud notable para detectar los olores que los demás no perciben y pueden ser sumamente caprichosos en la elección de lo que desean comer.
  — Gradualmente la sensibilidad disminuye, pero el miedo y la consiguiente evitación persisten. En estos casos, un psicólogo clínico puede introducir un programa de desensibilización automática.

- Sensibilidad visual:

  — La sensibilidad a grados concretos de iluminación o a los colores, o una distorsión de la percepción visual se observan en uno de cada cinco niños con síndrome de Asperger.
  — Es preciso que tanto los padres como el maestro eviten poner al niño en circunstancias asociadas con sensaciones visuales intensas o perturbadoras: por ejemplo, cuando viajan, no lo sentarán junto a la ventanilla del automóvil para que no reciba los rayos directos del sol o en la escuela tratarán de que su mesa no quede iluminada por una luz solar demasiado intensa.

- Algunos niños son inseguros desde el punto de vista de la gravedad: se muestran ansiosos si sus pies no tocan el suelo y manifiestan desorientación cuando tienen que cambiar rápidamente de posición.
- Percepción del dolor:

472

— El niño o el adulto con síndrome de Asperger parece muy estoico y no se queja ni muestra ansiedad o malestar como respuesta a un grado de dolor que otros considerarían insoportable.
— Uno de los aspectos más preocupantes para los padres es cómo detectar cuándo el niño sufre dolor crónico y necesita asistencia médica.
— Es importante escribir una historia social y explicar al niño por qué es esencial que cuando sienta dolor se lo diga a un adulto para que lo ayuden a recobrar la salud y evitar consecuencias más graves.

12

La vida tras la escuela: la universidad y la carrera

> En la persona autista, podemos ver mucho más clara-
> mente que en el caso de un niño sano una predestinación
> para una profesión determinada desde los primeros años
> de la adolescencia. En general, de sus aptitudes peculiares
> surge de modo natural una actividad concreta que, más
> tarde, se convierte en su profesión.
>
> *Hans Asperger ([1944] 1991)*

Durante la última década, se ha producido un incremento extraordinario del número de niños a los que se ha diagnosticado síndrome
de Asperger. Estos niños se hacen mayores y muchos de ellos se ma-
triculan en una escuela de formación profesional o el instituto y, por
último, en la universidad. En el pasado algunos estudiantes promete-
dores con síndrome de Asperger no han sido capaces de afrontar la
transición desde la escuela al instituto, por lo que implica de ser más
independiente y la exigencia académica y social de ser un estudiante universitario. El estrés y la falta de apoyo pueden contribuir a que
aparezca un trastorno de ansiedad o una depresión, lo que puede hacer que se abandone el curso. Por fortuna, hoy día sabemos más
sobre el apoyo que necesitan los estudiantes universitarios con síndrome de Asperger y, en consecuencia, los padres tienen más información (Fleisher, 2003; Harper y otros, 2004; Palmer, 2006).

En algunos países, hay institutos, universidades y cursos de formación profesional apropiados para estos adolescentes y pueden colaborar en el proceso de la decisión cuando el estudiante, los padres
y el personal de la escuela hablan de las ventajas y los inconvenientes de cada opción. En diversos países, los padres o el propio estu-

diante pueden obtener información a partir de páginas web y descargando en el ordenador los detalles de cada curso o visitando el recinto universitario y los departamentos académicos. Los alumnos que estudian en ese momento y los que ya se han graduado u obtenido un diploma pueden proporcionar sus opiniones sobre los cursos y sobre el personal académico. Cuando el estudiante se ha matriculado para un curso determinado, un miembro del cuerpo docente o del personal administrativo del instituto puede actuar de coordinador con la universidad para proporcionar información sobre el apoyo que necesitarán esos alumnos.

Algunos estudiantes de bachillerato con síndrome de Asperger se muestran reacios a informar al centro donde estudian de su diagnóstico, y lo que desean es empezar de nuevo y no ser considerados diferentes de otros estudiantes. Es posible que tengan que valorar las ventajas y los inconvenientes de no revelar su diagnóstico, y la decisión de si deben informar o no del diagnóstico a la universidad recae en el personal que les proporciona apoyo. Yo suelo animar a los estudiantes a que informen de su característica al instituto o a la universidad. El problema no es si deben revelarlo, sino cómo hacerlo.

El estudiante con síndrome de Asperger tendrá que prepararse para un estilo de vida muy diferente y, antes de matricularse, tendrá que tomar decisiones sobre su alojamiento, su economía y el apoyo práctico y emocional. Continuar viviendo en su casa es una ventaja, como mínimo, durante el primer año de los estudios, de modo que el padre y la madre le proporcionen apoyo en materia de presupuesto, cuidados personales y aseo (lavado y planchado de la ropa, preparación de las comidas y recordatorios sobre la higiene personal), y los aspectos organizativos necesarios para hacer a tiempo los deberes y trabajos del curso, al igual que para supervisar el grado de estrés que manifiesta el estudiante. Si, por razones geográficas, éste tiene que dejar forzosamente el domicilio, será necesario conocer los servicios de apoyo de los estudiantes para la supervisión extra que es probable que necesite.

El estudiante tendrá que decidir el número de asignaturas que es capaz de afrontar en cada trimestre (o semestre), y es más sensato que empiece con un número inferior al máximo de éstas. Los estudiantes con síndrome de Asperger necesitan disponer de más tiempo libre para adaptarse a su nueva vida, para el aprendizaje de los requisitos del entorno y los académicos. También necesitarán directrices sobre las nuevas normas y protocolos sociales en las conferencias y las clases con un número reducido de alumnos, cuando trabaje en grupo y cuando mande mensajes por correo electrónico al personal. Un compañero del estudiante, su mejor colega o un tutor puede proporcionarle consejos sobre el protocolo y las expectativas sociales.

El estudiante tendrá una rutina diaria y semanal nueva y le beneficiará tener un plan de estudios y apoyo inicial para organizar y abordar los nuevos compromisos académicos. Es probable que estos adolescentes tengan que reunirse más a menudo que los otros estudiantes con su tutor académico para asegurarse de que están bien encaminados y adquieren el modo de pensar necesario para el curso. Es bueno tener un tutor académico que conozca bien el síndrome de Asperger y actúe como defensor del estudiante durante las discusiones de estudiantes con el personal académico.

Cuando se deciden los trabajos del curso y se ponen los exámenes es preciso tener en cuenta el perfil cognitivo, social, motor y sensitivo del estudiante con síndrome de Asperger, que puede tener dificultades para expresar lo que piensa, sus ideas y las soluciones que ha discurrido; su escritura en ocasiones es indescifrable, tendrá problemas con las habilidades interpersonales necesarias para contribuir a un proyecto de grupo y es posible que sea excesivamente sensible a las críticas y al fracaso. También puede haber problemas con su autoestima, con la ansiedad y con la sensibilidad a las experiencias sensitivas que pueden afectar a cursos concretos. Hay soluciones prácticas, como escribir en el ordenador en vez de hablar para explicar un concepto o solución, o para hacer un examen, a fin de evitar los problemas de escritura, y también pensar en que haga trabajos individuales en vez de en grupo. El personal académico ha de entender la naturaleza del síndrome de Asperger y, por consiguiente, modificar las explicaciones y expectativas, y no mostrarse confuso, ofendido o enojado por algunas de las características del alumno afectado.

La vida del estudiante no sólo es el estudio académico, y es probable que desee hacer amigos y participar en las actividades sociales estudiantiles. Las sociedades y agrupaciones de estudiantes le brindan oportunidades recreativas y sociales. En algunas universidades existe un grupo de apoyo específico para estudiantes con diferentes problemas, entre ellos el síndrome de Asperger. El grupo dará consejos sobre muchos aspectos, desde los sentimientos de aislamiento social a las estrategias para mejorar las habilidades de estudio. Los estudiantes más mayores que también tengan síndrome de Asperger mostrarán empatía y proporcionarán apoyo emocional a los novatos.

El estudiante con síndrome de Asperger también saldrá beneficiado de entablar amistad con los otros estudiantes, que le proporcionarán apoyo académico, tal como compartir recursos y ayudarle en la corrección de redacciones y trabajos, al igual que unas directrices cuando se comporte de manera ingenua y sea vulnerable a las burlas y a que lo pongan en ridículo. También hay que pensar en las relaciones con el otro sexo, así como la sexualidad y el acceso al alcohol y a las drogas. Por lo tanto, estos chicos necesitarán tanto un apoyo del personal académico como de sus compañeros.

La vida estudiantil puede ser estresante y es necesario animarlo a comunicar sus sentimientos de ansiedad, cólera y tristeza. La terapia cognitivo-conductual y las estrategias de control de las emociones descritas en el capítulo 6 pueden ser muy beneficiosas para estudiantes con síndrome de Asperger. Me he dado cuenta de que las razones de que estos chicos fracasen o abandonen un curso se relacionan más probablemente con el control del estrés que con la falta de capacidad intelectual o de compromiso con los estudios.

Creo que algunos centros de formación profesional o universidades poco a poco adquirirán mayor experiencia en el apoyo a los estudiantes con síndrome de Asperger gracias a que dispondrán de personal académico y de apoyo que entienda bien a estos estudiantes y les den la bienvenida. A la larga tendremos una guía universitaria, y estas universidades serán las de primera elección de los futuros estudiantes y sus padres. Algunas universidades, como la de Oxford y la de Cambridge, tienen fama de proporcionar apoyo a los estudiantes excéntricos o con talento, además de disponer de un excelente personal académico. Un resultado interesante de todo esto serán los graduados con síndrome de Asperger que se dediquen a investigar sobre él.

El momento de graduarse en la universidad merece mayor celebración para estas personas que para los estudiantes corrientes, puesto que han tenido que adaptarse a un nuevo estilo de vida, han tenido que depositar mayor confianza en sí mismas, mostrarse más seguras y convertirse en parte de una nueva jerarquía social. Después de graduarse, tendrán que decidir qué quieren hacer. Algunos adultos con síndrome de Asperger se adaptan tan bien a la vida académica que la investigación se convierte en su carrera profesional. Otros tendrán que decidir cómo aplicar sus diplomas, títulos y calificaciones académicas a su nueva carrera.

Carreras adecuadas para personas con síndrome de Asperger

Ninguna carrera o profesión es imposible para estas personas. He conocido a varios miles de adultos con síndrome de Asperger con una amplia variedad de carreras y trabajos, desde un cartero a tiempo parcial hasta el dueño y director ejecutivo de una compañía internacional de éxito. La lista de profesiones se reparte entre la enseñanza, la política, la aviación, la ingeniería y la psicología, y también hay oficios como electricista, mecánico y guarda forestal. Las personas con síndrome de Asperger tienen cualidades específicas pero también dificultades concretas, y estamos empezando a determinar la razón de que algunas no consigan un empleo adecuado a sus aptitudes, diplomas y calificaciones. Estamos empezando a diseñar estrategias que las ayuden a encontrar y mantener un empleo satisfactorio y productivo.

Con toda probabilidad, una evaluación del rendimiento de un empleado con síndrome de Asperger llegaría a la conclusión de que esta persona es:

- de confianza
- tenaz
- perfeccionista
- capaz de identificar errores con facilidad
- capaz desde un punto de vista técnico
- con un sentido de la justicia social y de la integridad
- es probable que ponga en duda los protocolos
- precisa
- atenta a los detalles
- lógica
- concienzuda
- informada y culta
- original en la resolución de problemas
- honesta y sincera
- es probable que se maneje bien con la rutina y las expectativas claras.

No obstante, estas personas también le plantean dificultades a un empresario o un director. Pueden tener problemas con:

- trabajar en equipo
- ser director de departamento
- los métodos convencionales
- la percepción sensitiva
- el control del tiempo y las rutinas laborales
- afrontar y comunicar el estrés y la ansiedad
- expectativas realistas en cuanto a su carrera
- adaptar su trabajo a sus diplomas, títulos o calificaciones: ten-

480

dencia a asignarle puestos para los que se requiere menos titulación de la que tiene
- interpretación de las instrucciones
- afrontar los cambios
- aceptar los consejos (los percibe como críticas)
- pulcritud, indumentaria e higiene personal
- adaptarse al grupo: son más crédulos y vulnerables, por lo que es más fácil que los compañeros del trabajo los atormenten y los conviertan en el blanco de sus mofas
- pedir ayuda
- organizar y planificar
- resolver conflictos: son propensos a culpar a los demás
- habilidades interpersonales

La experiencia general de estas personas es que encontrar y conservar un trabajo o carrera profesional adecuados no es tan fácil
como para la gente corriente con los mismos diplomas o títulos. No
obstante hay estrategias y servicios que facilitan que encuentren un
empleo satisfactorio.

Estrategias para encontrar un empleo satisfactorio

El primer paso que hay que seguir es valorar exhaustivamente las
aptitudes y experiencias vocacionales del paciente. Entre ellas hay
que contemplar las aptitudes cognitivas, la personalidad, la motivación, los intereses y las habilidades interpersonales.

Es importante que la valoración de las aptitudes vocacionales se
emprenda antes de que la persona se gradúe de la escuela de formación profesional o la universidad, lo que le brindará la oportunidad
de mejorarlas antes de buscar empleo. Esa mejora debe aplicarse a
las aptitudes de cooperación necesarias para trabajar en equipo, al
arte de la conversación y la interacción durante los descansos del trabajo y a cómo afrontar el cambio en las expectativas profesionales.

481

También será necesaria una consideración cuidadosa de la elección de una carrera concreta. Es posible que durante cierto tiempo la persona haya tenido la ambición de emprender una carrera determinada y necesite directrices para saber si dicha ambición es realista, así como consejos respecto a las titulaciones y la experiencia necesarias. El interés particular puede convertirse en una carrera. Las personas con síndrome de Asperger son conocidas por su gran experiencia y formación en campos concretos, lo que puede dar lugar a una carrera satisfactoria como investigadores en el campo de su interés. Mucha gente puede aceptar la personalidad excéntrica de una persona si ésta tiene conocimientos que se valoran, por ejemplo en la identificación y la tasación de antigüedades o en la resolución de problemas con el ordenador. Sus aptitudes avanzadas de razonamiento visual y una década de entretenerse con juegos de construcción y motores pueden ser el principio de una carrera con éxito como ingeniero o mecánico. Su habilidad para dibujar, cantar, tocar un instrumento, componer música o escribir novelas de fantasía puede orientarlos hacia una carrera artística. Su sentido de la justicia social y el hecho de ser personas amables y consideradas por naturaleza pueden favorecer que se incline por una carrera o profesión con vocación social o relacionada con la justicia, en particular la enseñanza, la policía, la medicina —o disciplinas relacionadas— o la veterinaria. Su interés por los idiomas y las matemáticas pueden servirles para formarse como traductores, abogados o contables. El interés por los mapas puede favorecer que se consiga empleo como taxista, camionero, chófer de autobús o cartero.

Algunos adolescentes y adultos jóvenes con síndrome de Asperger apenas tienen una idea de qué empleo sería el adecuado a sus aptitudes y su personalidad. Los padres les pueden sugerir que busquen diversas experiencias laborales mientras todavía están estudiando, con la finalidad de identificar una posible carrera o profesión. Por supuesto, ya que parte de la experiencia laboral será un aprendizaje, no remunerado, la intención no es aumentar los ingresos del joven, sino mejorar sus habilidades relacionadas con el ámbito laboral y aumentar sus conocimientos para que tome decisiones informadas acerca de la carrera que desea seguir. En algunos casos es más importante que el joven aprenda habilidades vocacionales concretas mediante una formación tradicional como aprendiz que el aprendizaje en estudios de formación profesional o en la universidad.

El paso siguiente es la preparación de un *curriculum vitae* (CV) que exprese la experiencia laboral relevante y los logros, intereses y aptitudes del adolescente, así como fotografías de su estancia como aprendiz en un taller mecánico o de carpintería, o una grabación digital de logros laborales previos, y testimonios positivos de personas que hayan trabajado con él. Es probable que persona con síndrome de Asperger no sea tan eficiente como otros candidatos por lo que respecta a las habilidades interpersonales y que durante una entrevista de trabajo no muestre la confianza y desenvoltura necesarias para vender sus aptitudes a un posible jefe, pero un CV bien elaborado e informativo ayudará al entrevistador a identificar mayores aptitudes de lo que su rendimiento deja entrever durante el encuentro. Necesitará algunas directrices para elaborar su CV.

Uno de los retos a los que se enfrentan los adultos con síndrome de Asperger cuando solicitan un puesto de trabajo, y durante la entrevista, es si deben revelar o no información sobre su diagnóstico y, en caso afirmativo, cuánta información revelar. Ésta es una decisión personal que sólo les incumbe a ellos y que se basa en muchos factores, y hay dos publicaciones recientes que pueden asesorar sobre este asunto (Murray 2006; Shore 2004). En general, mi opinión es que es preferible ser sincero con el entrevistador.

Algunos pacientes obtienen un empleo satisfactorio con muy poco apoyo y aliento, pero para los que tienen dificultades para encontrar un trabajo apropiado es importante ensayar previamente la entrevista de trabajo, hablar con alguna persona que los conozca bien y pedirle su opinión acerca de si deben aceptar una oferta concreta de empleo. No se trata de aceptar cualquier oferta de empleo, sino que éste sea adecuado para esa persona. Si el trabajo no es satisfactorio, tendrá un efecto perjudicial sobre su autoestima y disminuirá la probabilidad de encontrar otro empleo más tarde. También ha de considerarse su capacidad para afrontar el estrés, por lo que a veces es prudente que empiece con un empleo a tiempo parcial hasta que tenga más experiencia y haya obtenido la suficiente confianza en sí mismo para afrontar el empleo a tiempo completo.

Una vez que haya conseguido el empleo, la persona con síndrome de Asperger tendrá que abordar aspectos específicos. Es posible que su jefe tenga que prestarle un apoyo inicial y continuo sobre las expectativas del trabajo (en particular si se producen cambios inesperados), las habilidades interpersonales necesarias para trabajar con eficacia y en cooperación en un equipo, y las habilidades de organización precisas, en particular las prioridades del trabajo y el control del tiempo. Sin embargo, me he dado cuenta de que los problemas con la higiene personal que tienen estas personas han sido la razón más inmediata de que acaben perdiendo su lugar de trabajo. El director o superior tendrá que complementar las instrucciones verbales con instrucciones por escrito para evitar los problemas de la memoria auditiva, y es preciso que recuerde que, para evitar la confusión, no debe explicarle una tarea hasta que no haya terminado otra. Por otra parte, un empleado con síndrome de Asperger necesita continuamente la interacción para corroborar que su trabajo se desarrolla de la forma correcta, las áreas que debe mejorar y cómo lograrlo.

Una actitud positiva por parte tanto de su superior como del empleado, al igual que darle tiempo para adaptarse a su superior y a su puesto de trabajo, es todo lo necesario para ayudar a las personas con síndrome de Asperger a conseguir y conservar un empleo estable y satisfactorio. No obstante, algunas de ellas no encuentran y conservan fácilmente un empleo.

Por último, durante su vida laboral, el paciente puede adquirir la aptitud de convertirse en su propio jefe, quizás trabajando desde su casa y desarrollando su actividad en un campo que no requiera el trabajo en equipo o una jerarquía organizativa. Por ejemplo, muchas personas con síndrome de Asperger son inventores, expertos y artesanos por naturaleza. No obstante, pueden beneficiarse de la ayuda de miembros de la familia que les ofrecerán consejos en situaciones en esa persona no sea buen juez del carácter de los demás y, por lo tanto, puede ser vulnerable a la explotación económica; o cuando necesite un colega que tenga las habilidades interpersonales necesarias para enfrentarse al público o a posibles clientes del material que ha diseñado o fabricado.

Valor psicológico del empleo

La falta de empleo se ha asociado con depresión clínica en la gente corriente y, sin duda, esto también es verdad para las personas con síndrome de Asperger. La depresión también puede presentarse en los casos de subempleo, es decir, cuando esa persona está infrautilizada, ya que sus titulaciones son superiores al puesto de trabajo que se le ha asignado. Por ejemplo, quizá tenga diversos títulos y diplomas universitarios en tecnología de la información pero sólo logre trabajar como obrero, peón o empleado de un supermercado donde debe reponer las existencias en las estanterías. Por lo tanto, obtener un empleo que sea satisfactorio y valorado es una forma de prevenir la depresión clínica.

Por último, me he dado cuenta de que algunas carreras y profesiones son especialmente apropiadas para las personas que tienen síndrome de Asperger. La universidad tiene fama por su tolerancia con las personalidades extravagantes, en particular si demuestran originalidad y dedicación a la investigación. Suelo comentar que las universidades no sólo son la catedral que venera los conocimientos, sino que también son seminarios protegidos para los que afrontan retos sociales.

Hay otras carreras apropiadas para estas personas. Una es la de bibliotecario, puesto que las bibliotecas son un lugar de trabajo silencioso. Otra carrera es la militar, puesto que conservarían una relativa calma bajo el fuego y no se implicarían emocionalmente frente al objetivo militar. Por último, trabajos como guía turístico o vendedor telefónico, en los que se dispone de un guión preparado de antemano y la comunicación va en una sola dirección, pueden ser ideales para la persona con síndrome de Asperger.

La falta de empleo no sólo significa falta de ingresos, sino también la ausencia de objetivos y estructura de la vida diaria, la falta de valía personal y, en particular para la persona, la falta de identidad personal. Una carrera vocacional que se corresponda con las aptitudes y el carácter del paciente le proporcionará sentimientos de valía e identidad personal junto con una razón real para seguir adelante. Cuando le pido a los adultos con síndrome de Asperger que se describan a sí mismos sus relatos suelen incluir lo que hacen, a qué se dedican, su trabajo o su interés particular, más que su familia o su red social. Como decía Temple Grandin: «Soy lo que hago».

Puntos clave y estrategias

- Escuela de formación profesional, instituto y universidad

    — Cuando el estudiante se haya matriculado en un curso determinado, alguien del personal docente o administrativo debe actuar como coordinador para proporcionar la información sobre el apoyo que el estudiante necesitará.
    — Como mínimo durante el primer año es preferible que el estudiante con síndrome de Asperger siga en casa, de modo que el padre o la madre le proporcionen apoyo en ámbitos como la economía, los cuidados personales y la organización necesarios para llevar a cabo a tiempo los trabajos del curso y supervisar su nivel de estrés.
    — El estudiante tendrá que decidir el número de asignaturas que elegirá cada semestre y es sensato que empiece con un número menor que el máximo de asignaturas posibles.
    — El estudiante necesitará directrices sobre las nuevas normas y protocolos sociales en las conferencias y clases con un número reducido de alumnos, cuando trabaje en

---

equipo con otros estudiantes y para mandar correos electrónicos al personal. Un estudiante, si es posible su mejor colega, puede actuar como colega o tutor ofreciéndole consejos sobre los protocolos y expectativas sociales.

— Es probable que el estudiante necesite reunirse más a menudo con su tutor que sus compañeros para garantizar que está bien encaminado y ha adquirido la mentalidad o forma de pensar necesaria para que aproveche y apruebe el curso.

— Cuando se deciden los trabajos de curso y se planifican los exámenes es necesario considerar el perfil cognitivo, social, motor y sensorial del estudiante con síndrome de Asperger.

— El paciente dispone de soluciones prácticas, como teclear en el ordenador más que hablar para explicar un concepto o solución de un problema o utilizar el teclado del ordenador durante un examen para evitar los problemas de la escritura. Por su parte, el profesorado puede considerar los trabajos en solitario más que los de grupo.

— Algunas universidades tienen soporte para grupos específicos de alumnos con síndrome de Asperger.

— Es más probable que estos estudiantes fracasen o abandonen un curso debido al estrés que por la falta de capacidad intelectual o el compromiso con el curso.

• Carrera

— La experiencia general de la persona con síndrome de Asperger es que encontrar y conservar un trabajo adecuado no es tan fácil como para la gente corriente con la misma titulación.

— Para algunas profesiones y oficios, es posible que estas personas obtengan más éxito aprendiendo las habilidades vocacionales concretas como aprendices tradicionales que mediante estudios reglados.

— Es necesario que la persona con síndrome de Asperger

prepare un *curriculum vitae* que incluya su experiencia y los logros laborales relevantes, los intereses y las aptitudes; también aportará fotografías o una grabación digital de los logros laborales previos y de testimonios favorables de personas con las que ha trabajado.

— Es aconsejable que la persona con síndrome de Asperger ensaye de antemano la entrevista de trabajo y hable con alguien que la conozca bien para que le aconseje si debe aceptar una oferta concreta de empleo. No debe aceptar cualquier oferta de empleo.

— La persona con síndrome de Asperger necesitará apoyo inicial y continuado de su superior acerca de las expectativas laborales y las habilidades interpersonales necesarias para que su trabajo sea eficaz y para las actividades en equipo, así como sobre las habilidades organizativas requeridas, en particular las prioridades del trabajo y el control del tiempo.

— Los beneficios de un empleo satisfactorio para la persona con síndrome de Asperger son disponer de ingresos, mayor autoestima, creación de una nueva red social y su aptitud para demostrar sus habilidades y su talento.

13

Relaciones estables

Muchos de los que se casan refieren tensiones y problemas en su vida de pareja.

Hans Asperger ([1944] 1991)

Un hombre o una mujer con síndrome de Asperger puede establecer relaciones de pareja e íntimas y, al final, convertirse en la pareja estable de esa persona (¡a veces, para siempre!). Para que esa relación y cualquier relación de esta índole dé comienzo, al principio ambas partes han de encontrar al otro atractivo. ¿Cuáles son las características que alguien encontraría atractivas en una persona con síndrome de Asperger?

Elección de la pareja

A partir de mi experiencia clínica, y de la investigación de Maxine Aston (2003), en los hombres con síndrome de Asperger se identifican varias características positivas para una posible pareja. Es posible que el primer encuentro surja porque compartan un interés particular, como el cuidado de los animales, creencias religiosas parecidas o estudiar el mismo curso. Muchas mujeres describen la primera impresión de su pareja, en la que, en este estadio, es posible que no se haya establecido el diagnóstico, como una persona que es amable, atenta y algo inmadura, el muy deseable desconocido guapo y silencioso. Con frecuencia, se describe a los niños con síndrome de Asperger como de cara angelical, y cuando llegan a la edad adulta

489

pueden tener características faciales simétricas que son atractivas desde un punto de vista estético. Ese hombre puede ser mucho más guapo que las parejas previas que ha tenido la mujer, y los demás consideran que ha pescado *un buen partido* desde el punto de vista de su aspecto, en particular si la mujer tiene una baja autoestima, sobre todo sobre su atractivo físico. La falta de habilidades sociales y de conversación puede propiciar que ese hombre dé la impresión de ser un desconocido silencioso, cuyas habilidades sociales estarán ocultas y se transformarán gracias a la pareja, que es una experta en empatía y en socialización. La mujer puede manifestar una intensa compasión maternal hacia estas aptitudes sociales limitadas de su pareja, y puede creer que su confusión social y falta de confianza en sí mismo se deben a circunstancias de su niñez y que, con el tiempo, mejorarán. El amor lo cambia todo.

El atractivo como pareja de un hombre con síndrome de Asperger puede aumentar gracias a sus aptitudes intelectuales, sus perspectivas profesionales y el grado de atención prodigado a su pareja durante el noviazgo. La devoción que manifiesta hacia ella puede ser halagadora, aunque los demás crean que la adulación bordea lo obsesivo. Al principio, el interés o afición particular se percibe como típico de chicos y hombres. La persona con síndrome de Asperger puede tener una atractiva cualidad de Peter Pan.

Los hombre con síndrome de Asperger también son admirados por su franqueza y su sentido de la justicia social, junto con sus firmes convicciones morales. Con frecuencia, se los describe como poseedores de valores a la antigua usanza y parecen menos motivados que otros hombres para las actividades físicas íntimas y, en concreto, el sexo, o para dedicar el tiempo libre con amigos de su mismo sexo. Más que ser el típico macho, parece tener un carácter femenino, lo que representa la pareja ideal para la mujer moderna.

El hombre con síndrome de Asperger suele tardar más en madurar emocionalmente y por lo que respecta a las relaciones personales, y ésta puede ser su primera relación seria, mientras que compañeros de su misma edad ya han mantenido varias relaciones de pareja. Por esa razón, tiene la ventaja de no tener un bagaje de relaciones personales previas.

Muchas mujeres me describen que su pareja se parece en diversos aspectos a su propio padre. Tener un padre con síndrome de Asperger puede contribuir a determinar el tipo de persona que uno elige para que, si todo marcha bien, se convierta en la pareja.

Cuando se pregunta a un hombre con síndrome de Asperger qué le pareció atractivo de su pareja al principio, a menudo describen una cualidad física como el cabello, o características determinadas de la personalidad, sobre todo que se muestran maternales en los cuidados que prodigan a los hijos o en cuidar de un animal herido. En general el hombre con síndrome de Asperger está menos preocupado por el físico de su pareja que los otros hombres, y también le inquietan menos las diferencias de edad o las culturales.

En ocasiones la persona con síndrome de Asperger parece haberse creado su propia imagen mental del trabajo que desarrollaría su futura pareja, y busca un candidato adecuado que pueda compensar sus dificultades en la vida. Una vez que ha encontrado a ese candidato, tratará con determinación de convertirlo en su pareja hasta el punto de que resulta difícil resistirse a tal determinación. Uno de los requisitos es que la pareja tenga habilidades sociales y maternales superiores. Por lo tanto, una pareja atractiva será alguien que se encuentre en el extremo opuesto del *continuum* de la empatía y la comprensión social. Además la persona con síndrome de Asperger sabe que necesita una pareja que le haga las veces de secretaria ejecutiva para que la ayude en los problemas organizativos y continúe muchas de las funciones de apoyo emocional desempeñadas antes por su madre. El hombre con síndrome de Asperger suele inspirar sentimientos maternales intensos en las mujeres, y sabe qué es lo que necesita en una pareja. Habitualmente buscan a alguien que también tenga unos sólidos valores morales, y una vez casados o después de irse a vivir juntos, es probable que ponga todo su empeño en que la relación de pareja sea perfecta y duradera.

¿Qué encuentran atractivo los hombres corrientes en una mujer con síndrome de Asperger? Las características son similares a las de las mujeres que se sienten atraídas por un hombre que padece este trastorno. La inmadurez social y la ingenuidad de esas mujeres es atractiva para un hombre que tiene cualidades paternales y compasivas naturales. También habrá una atracción física evidente y admirará su talento y aptitudes. La personalidad en ocasiones distante desde el punto de vista emocional puede recordarle a la de su madre; además, es posible que compartan el placer de unos intereses en común y la pareja valore el grado inicial de adulación.

Aunque los hombres con síndrome de Asperger tienden a buscar una pareja que compense sus dificultades en la vida cotidiana, es decir, alguien en el otro extremo del *continuum* de las habilidades sociales y emocionales, la mujer con síndrome de Asperger suele buscar una pareja con una personalidad similar a la suya. Se sienten más cómodas con un hombre que apenas tiene vida social y no se muestra interesado en una intimidad física frecuente. Puesto que ambos miembros de la pareja tienen características y expectativas similares, la relación será un éxito y es probable que sea duradera.

Por desgracia, las personas con síndrome de Asperger no son lo bastante perspicaces para identificar a las aves de rapiña, que se dedican a intimidar o a acosar a los que consideran más vulnerables; algunas mujeres con el síndrome no son sensatas a la hora de elegir a su pareja. Se han convertido en las víctimas de una pareja que actúa como una auténtica ave de rapiña y han sufrido diversas formas de malos tratos. Al principio, esta mujer puede compadecerlo, un poco como si fuera un perro abandonado, pero es incapaz de soltarse a sí misma de una historia en la que se siente atractiva y atraída por un tipo de dudosa reputación. Para estas mujeres el hecho de tener muy poca autoestima también afecta a la elección de la pareja. Deborah me lo explicaba en un correo electrónico con las palabras siguientes: «Establecí unas expectativas muy bajas y, como consecuencia, fui a caer en brazos de personas desaprensivas. No puedo más que insistir en la importancia de reconocer lo esencial que es la autoestima para un adulto autista».

Problemas en la relación de pareja

El noviazgo o el contacto con la pareja no proporcionan una pista sobre el problema que puede aparecer más tarde en la relación. La persona con síndrome de Asperger habrá acumulado una experiencia superficial en el romance y el noviazgo a partir de sus observaciones cuidadosas, y es posible que imite a actores y utilice el guión de los culebrones de la televisión y las películas. Algunas personas cuentan que nunca se dieron cuenta de cómo era en realidad esa pareja antes de casarse, y después de la boda abandonan a quien antes fuera tan atractivo. Como decía una mujer, ganó el premio y no pretendía nada más.

En las relaciones personales e íntimas se plantean numerosos problemas. En general, lo que al principio era atractivo y simpático más tarde se convierte en un problema. El optimismo inicial de que el miembro de la pareja con síndrome de Asperger gradualmente cambiará y llegará a ser más maduro desde el punto de vista emocional y más hábil socialmente se convierte en desesperación porque las habilidades sociales no avanzan debido a su motivación limitada para ser más sociable. Esto puede deberse al esfuerzo intelectual necesario para socializarse, al agotamiento posterior y al temor de cometer errores sociales. El contacto social de ambos con los amigos disminuye lentamente. El miembro de la pareja con síndrome de Asperger no desea ni necesita el mismo grado de contacto social que hace sentirse bien a los miembros de una pareja corriente cuando empiezan a salir. El otro miembro de la pareja accede a regañadientes a reducir la frecuencia y duración de los contactos sociales con la familia, los amigos y los colegas por el bien de la relación; y poco a poco integra las características del síndrome de Asperger en su propia personalidad.

El problema más frecuente para la otra persona de la pareja es el sentimiento de soledad. El miembro que padece el síndrome de Asperger puede sentirse muy dichoso con su única compañía durante períodos muy prolongados. Aunque vivan juntos, las conversaciones disminuyen gradualmente y, sobre todo, implican un intercambio de información más que el goce de la compañía del otro, de sus experiencias y opiniones compartidas. Como refería un hombre con el síndrome, mi placer no procede de un intercambio emocional o interpersonal.

En una relación típica, se esperan expresiones de amor y afecto a intervalos regulares. Chris, un hombre casado con síndrome de Asperger, explicaba lo siguiente:

> Tengo grandes dificultades para expresar verbalmente mi afecto. No es que me sienta avergonzado o sea un problema de timidez. Creo que es difícil que los demás lo comprendan, pero para mí representa un gran esfuerzo explicarle a mi mujer qué siento por ella (Slater-Walker y Slater-Walker, 2002, pág. 89).

Su cónyuge añadía los comentarios siguientes a las escasas expresiones verbales y gestos que comunicaban sus sentimientos de afecto:

> Chris me dijo una vez que me quería y desde entonces he descubierto que para las personas con síndrome de Asperger no es necesario repetir estas intimidades que son una parte habitual de una relación de pareja; una vez lo han expresado, es suficiente (Slater-Walker y Slater-Walker, 2002, pág. 99).

Para la persona con el síndrome de Asperger, la reiteración frecuente de los hechos obvios o conocidos no es lógica. El otro miembro de la pareja experimenta una privación de afecto que puede convertirse en un factor que contribuya a sus sentimientos de baja autoestima y de depresión. Metafóricamente hablando, el miembro de la pareja que no tiene Asperger es una rosa que trata de florecer en un desierto de afecto (Long, 2003). Por su parte, el miembro con el síndrome desea ser un amigo y amante pero no tiene ni la más mínima idea de cómo desempeñar ambas funciones (Jacobs, 2006).

En un sondeo reciente de mujeres cuya pareja era portadora del síndrome de Asperger sus autores incluyeron la pregunta siguiente:

«¿La quiere su pareja?». Y el cincuenta por ciento contestó que no lo sabía (Jacobs, 2006). Lo que echaban de menos en la relación eran las palabras y los gestos cotidianos de afecto, al igual que las expresiones palpables de amor. El paciente tiene dificultades para comunicar sus emociones, y eso incluye el amor (véase el cap. 6). Cuando la pareja dice a su cónyuge: «Nunca me das muestras de afecto», él contesta «Bueno, he arreglado la valla, ¿te parece poco?». Expresa su amor y afecto en términos más prácticos; o cambiando una cita de *Start Trek* (cuando, al examinar a un extraterrestre, Spock dice: «Es vida, Jim, pero no tal como la conocemos»), en el caso del síndrome de Asperger, diríamos es amor, pero no tal como lo conocemos.

Una metáfora de la necesidad y la capacidad de afecto puede ser que la gente corriente tiene un jarrón que ha de llenarse mientras que la persona con síndrome de Asperger tiene un vaso que se llena rápidamente hasta el límite. No expresa el suficiente afecto para satisfacer las necesidades de su pareja. Sin embargo, he conocido parejas en las que el miembro con el síndrome expresa su afecto con demasiada frecuencia, aunque quizá refleja la manifestación de una ansiedad grave y la necesidad de que el otro le diga maternalmente palabras tranquilizadoras como cuando era pequeño. Como expresaba un hombre con el síndrome: «Siento y demuestro afecto pero no en el grado suficiente y con una intensidad equivocada». Estas personas pueden ser excesivamente distantes e indiferentes o, por el contrario, mostrarse demasiado apegadas.

Durante las épocas de ansiedad o de sufrimiento personal, cuando serían de esperar muestras de empatía y palabras y gestos de afecto para reparar las emociones, una persona corriente puede dejar sola a su pareja con síndrome de Asperger esperando a que lo supere y se recupere. Me he dado cuenta de que no es un acto de indiferencia, ya que estas personas son muy atentas y amables pero, desde su punto de vista, lo mejor para superar el sufrimiento emocional es la soledad. Con frecuencia, describen que experimentar un abrazo u otro gesto de ternura es percibido como un apretón incómodo y que, además, no les hace sentir mejor. En realidad, el comentario del miembro de la pareja sin síndrome de Asperger puede ser que abrazarlo es como hacerlo a un trozo de madera: nunca se relaja ni se siente complacido con la proximidad y el contacto tan estrechos.

Para la gente con síndrome de Asperger la soledad es el principal mecanismo de restablecimiento emocional y supone que también lo es para su pareja. Tampoco sabe cómo responder o le da miedo empeorar la situación. He observado situaciones en las que el cónyuge con el síndrome está sentado cerca de su pareja que está llorando. El hombre permanece quieto y callado y no ofrece ninguna palabra o gesto de afecto. Más tarde, al hablar de esta situación con él y preguntarle si se había dado cuenta de que su esposa lloraba, me contestó sí, pero no quería meter la pata.

También tendrá problemas con las relaciones sexuales. No es una persona romántica por naturaleza, que en una relación de pareja entienda el valor de crear una atmósfera propicia, la estimulación erótica previa antes del coito, y el contacto físico directo. Ron, un hombre con el síndrome, expresaba lo siguiente: «Para mí, la intimidad significa una invasión y me siento abrumado. No he experimentado ninguna de las sensaciones proverbiales de química sexual con nadie». Durante los momentos de intimidad sexual, percibe como desagradables algunas experiencias sensitivas, lo que afecta al goce de ambos miembros de la pareja.

También son limitados sus conocimientos sobre la sexualidad, o la fuente de la que obtiene conocimientos. El hombre se inspira en la pornografía como si fuera un libro de texto para desenvolverse en sus relaciones sexuales y la mujer usa los culebrones de la televisión como orientación para el guión y sus acciones en las relaciones íntimas. El otro miembro de la pareja tendrá dificultades para establecer una relación romántica, pasional y erótica con una persona a la que con frecuencia hace de madre, y cuya madurez emocional es la de un adolescente.

La sexualidad puede convertirse en un interés particular desde el punto de vista de la adquisición de información y un interés en la diversidad y en las actividades sexuales. El deseo de una actividad sexual puede ser excesivo, casi compulsivo. Sin embargo, es más probable que la pareja de un hombre o mujer con síndrome de Asperger se preocupe por la falta de deseo sexual de éste que por un exceso de libido. Puede llegar a ser asexuado una vez que ha tenido un hijo o que ha establecido un compromiso formal, o se ha casado. En una sesión de consejos matrimoniales, la pareja de un hombre con síndrome de Asperger se mostraba visiblemente ansiosa cuando me explicaba que su cónyuge no había querido mantener relaciones sexuales desde hacía más de un año. El cónyuge parecía confuso y le preguntó: «¿Por qué deseas con tanto interés mantener relaciones sexuales si ya tenemos hijos?».

También hay otros problemas. En la sociedad occidental moderna tendemos a sustituir la palabra «marido» o «esposa» por la de «pareja». Esto refleja el cambio de actitudes frente a las relaciones. Hoy día las mujeres no sólo se contentan con que su pareja mantenga a la familia, sino que esperan que su cónyuge comparta el trabajo doméstico, el cuidado de los hijos y sea su mejor amigo desde un punto de vista de las conversaciones, compartir experiencias y el apoyo emocional. Compartir experiencias y ser un buen amigo no son características fáciles que estén al alcance de la mano de una persona con síndrome de Asperger.

También se plantean problemas por la incapacidad de estas personas para afrontar la ansiedad, y esto afecta a sus relaciones. La pareja puede llegar a ser controladora y la vida de toda la familia se basará en rutinas muy rígidas. Impondrá sus decisiones sin consultar con su pareja, que se siente excluida de las decisiones importante, como un cambio de vivienda o un cambio de profesión o trabajo. En el caso de adultos con síndrome de Asperger que continúan presentando problemas con la función ejecutiva (véase el cap. 9), con frecuencia su pareja tiene que asumir la responsabilidad de la economía familiar, el presupuesto, y resolver los problemas organizativos e interpersonales que se han planteado en la situación laboral de la pareja. Esto aumenta el estrés y las responsabilidades del cónyuge. Inevitablemente, en cualquier relación existen ámbitos de desacuerdo y conflicto. Por desgracia, la persona con síndrome de Asperger tiene antecedentes de una aptitud limitada para afrontar satisfactoriamente los conflictos. Tiene una variedad limitada de opciones y no es nada hábil en el arte de la negociación, ni en aceptar perspectivas alternativas o un compromiso. Son incapaces de aceptar responsabilidades incluso parciales. Muchas veces la pareja se queja con estas palabras: «Nunca es culpa tuya, siempre es culpa mía y siempre me criticas, nunca me das ánimos». También se plantean preocupaciones por los malos tratos verbales, en especial como respuesta a las críticas percibidas, con una incapacidad evidente para demostrar remordimientos, y para pedir perdón y olvidar. Esto se debe a las dificultades que tiene una pesona con síndrome de Asperger para comprender los sentimientos, la forma de pensar y la perspectiva de los demás, una característica esencial del síndrome. Los problemas para controlar la cólera complican aún más la relación.

En un sondeo reciente sobre la salud mental y física de parejas en las que el miembro masculino tenía síndrome de Asperger, se observaba que la relación tenía efectos muy diferentes para la salud de cada miembro de la pareja (Aston, 2003). La mayor parte de hombres con el síndrome creían que su salud mental y física había mejorado sustancialmente gracias a la relación. Afirmaron que se sentían menos estresados y preferían la vida en pareja a vivir solos. Habían obtenido una satisfacción interna con la relación. Por el contrario, una abrumadora mayoría de los cónyuges sin el síndrome afirmó que su salud mental se había deteriorado considerablemente debido a la relación. Se sentían exhaustos y desamparados emocionalmente, y muchos presentaban signos de depresión clínica. La gran mayoría de los que respondieron en el sondeo también afirmó que la relación había deteriorado su salud física. Por lo tanto, la relación se consideró un factor de mejora de la salud física y mental para las personas con síndrome de Asperger, pero todo lo contrario para sus cónyuges. Esto explica la percepción de muchas personas con el síndrome de que la relación va muy bien y no pueden entender por qué se critican sus habilidades en la relación de pareja. Ésta es perfecta para sus necesidades, mientras que su cónyuge se siente más como un ama de llaves, un contable o una madre.

Estrategias para fortalecer la relación

He proporcionado consejos matrimoniales a parejas en las que un miembro tiene síndrome de Asperger y debo expresar mi admiración por la aptitud del otro miembro de la pareja para comprometerse en la relación. Entre sus muchas cualidades, está su fe en la pareja, permanecer fiel a la relación, la intuición de que el otro no es que no quiera, sino que no puede y su aptitud para imaginarse lo que debe ser tener síndrome de Asperger y, en consecuencia, mostrarse compasivo.

La experiencia clínica y los consejos sugieren que hay tres requisitos para que la relación sea satisfactoria y no se rompa (Aston, 2003). El primero es que ambos miembros reconozcan el diagnóstico. El miembro corriente puede ser el primero de los dos en hacerlo y, por lo tanto, dejará de sentirse culpable o loco. Sus circunstancias serán validadas y, en último termino, su familia y amigos lo entenderán. También tenderá a sentirse más capaz de afrontar la vida cotidiana. Sin embargo, conocer el diagnóstico puede ser el final de su esperanza de que su pareja mejore de manera natural y, por consiguiente, de que su relación de pareja mejore.

Es importante que la persona con síndrome de Asperger acepte el diagnóstico porque le permite reconocer los puntos fuertes y débiles de su relación de pareja. Puede ser el despertar de su comprensión de cómo su conducta y actitudes afectan a su pareja y de un mayor sentido de cooperación entre ambos miembros de la pareja para identificar los cambios que mejoren su relación y comprensión mutua. El segundo requisito es la motivación de ambos para cambiar y aprender. Habitualmente el miembro sin Asperger muestra mayor motivación para cambiar y, además, su actitud es más flexible y tiene más habilidades en las relaciones de pareja. El tercer requisito es que acudan a un consejero matrimonial, que deberá modificar la terapia para adaptarse al perfil de aptitudes de la persona con síndrome de Asperger y mostrarse dispuesto a implementar las sugerencias de los especialistas en el síndrome, los estudios clínicos publicados y los grupos de apoyo.

Muchas parejas que asisten a sesiones convencionales de consejos matrimoniales han referido que el tratamiento de referencia tiene pocas probabilidades de ser satisfactorio cuando uno de los miembros tiene síndrome de Asperger. El consejero debe tener una ampliar formación en el síndrome y modificar las técnicas de los consejos para adaptarse a los problemas específicos que la persona afectada tiene con la empatía, el conocimiento de sí misma, la comunicación de las emociones y las experiencias previas en las relaciones de pareja.

Es importante recordar que mis descripciones de las dificultades en las relaciones de pareja y las estrategias de apoyo se basan en mi experiencia como consejero de adultos a los que no se ha diagnosticado síndrome de Asperger en la infancia y, por lo tanto, no han tenido una orientación ulterior para establecer relaciones de amistad y mejorar sus habilidades en las relaciones de pareja. Estas personas han vivido un período de su vida sabiendo que son diferentes y estableciendo mecanismos de camuflaje y compensadores, que es posible que contribuyan a cierto éxito social superficial, pero que son perjudiciales para una relación íntima de pareja. Mi opinión es que, para las futuras generaciones, en las que el diagnóstico será más precoz y los médicos y psicólogos poseerán mayor comprensión del síndrome, las relaciones de pareja serán más satisfactorias para ambos miembros, y es probable que más duraderas.

Aunque al persona con síndrome de Asperger se beneficiará de los consejos y del aliento para que mejore sus habilidades en las relaciones de pareja, también hay estrategias que ayudan al otro cónyuge. Una vez que la familia ha aceptado el diagnóstico, los parientes directos y los amigos le ofrecerán mayor apoyo emocional. Es importante que cree una sólida red de amigos para reducir su sensación de aislamiento, y que aprenda a experimentar de nuevo la dicha de los acontecimientos sociales, quizá sin la presencia de su pareja. Es importante que no se sienta culpable si ésta no está allí. También es esencial que cuente con un amigo cercano que pueda reparar sus emociones, se convierta en su alma gemela y le ofrezca su empatía. Unas vacaciones o un fin de semana con amigos también le brindarán la oportunidad de recuperar su confianza en sus habilidades y contactos sociales. También es primordial que muestre una actitud positiva. Como decía el miembro de una pareja, cuando la vida te dé limones, haz limonada.

Un padre con el síndrome de Asperger

Cuando la relación de pareja evoluciona porque ambos miembros deciden tener hijos, es probable que la persona con síndrome de Asperger que se convierte en padre por primera vez no tenga la más ligera idea de las necesidades y la conducta de un niño o un adolescente corriente. En realidad el miembro sano de la pareja se sentirá como si, en realidad, fuera a la vez el padre y la madre de sus hijos. Con frecuencia, la familia tiene que adaptarse a la imposición de rutinas inflexibles y expectativas en la conducta, intolerancia al ruido, al desorden y a cualquier intromisión en las actividades solitarias del padre, la invasión percibida del hogar por los amigos de los hijos, y un análisis de la gente que sólo es blanco o negro. La persona con síndrome de Asperger necesita sentirse segura pero rara vez proporciona seguridad a los miembros de su familia, apenas muestra interés por acontecimientos que tienen significado emocional para los demás y con frecuencia los critica pero rara vez los elogia. El ambiente está afectado por su negativismo, que provoca tensión y enfría el entusiasmo de los demás. Los miembros de la familia conocen demasiado bien sus rápidos cambios de humor, en particular sus crisis de rabia súbita, y tratan de no llevarle la contraria debido al temor a una reacción emocional intensa.

Los miembros de la familia y la sociedad pueden excusar una expresión moderada de esta conducta y actitudes como típicas de algunos hombres, pero las expectativas acerca de las madres son diferentes. Se espera que una madre tenga una capacidad instintiva para criar y satisfacer las necesidades emocionales de sus hijos. Este instinto es mucho menos fiable en el caso de las mujeres con síndrome der Asperger. En ocasiones estas mujeres cuando son solteras y se quedan embarazadas llegan a reconocer que su instinto maternal es limitado y, por el bien del niño, deciden darlo en adopción. Es importante reconocer que, aunque el instinto de hacer de padres es menos fiable, una madre o un padre con síndrome de Asperger llegará a aprender a comportarse como tal. Conozco a muchos de ellos que, mediante la lectura y de cursos de formación y consejos, han adquirido la aptitud para comprender las necesidades del desarrollo de sus hijos y se han convertido en padres ejemplares. Hay ciertos requisitos: el primero es reconocer la necesidad de obtener consejos y el segundo es un acceso a dichos consejos. El cónyuge sin síndrome de Asperger suele tener dotes naturales intuitivas para criar un hijo y se percibe como el experto.

¿Cuáles son las reacciones de un niño en la familia al tener el padre o la madre con síndrome de Asperger? Cada niño tendrá su propia forma de afrontarlo y de reaccionar. En ocasiones siente que es invisible o una carga para el progenitor con el síndrome y se siente privado de la aceptación, seguridad, aliento y afecto que espera y necesita. Una niña me contaba que nunca se sintió querida por su padre, que tenía el síndrome. Cuando el paciente trata de mostrarse afectuoso, la impresión general de los hijos es que es frío y apenas ofrece consuelo o seguridad cuando lo necesitan. El niño sólo se siente valorado por sus logros y sus calificaciones académicas, pero considera que no se le valora por sí mismo. Las conversaciones con un padre con síndrome de Asperger pueden ser un monólogo prolongado sobre sus propios problemas e inquietudes y apenas manifestará un interés superficial por los problemas de su hijo. El niño aprende que no debe expresar algunas emociones, como el sufrimiento y la ansiedad, ni puede esperar compasión. También se avergonzará del modo en que la actitud de su padre, o su madre, afecta al desarrollo de sus relaciones de amistad. La hija de una mujer con el síndrome me mandó un ejemplo, que ilustra muchos de los aspectos de tener el padre o la madre con síndrome de Asperger:

> Cuando tenía seis años de edad, hice una amiga por correspondencia y me emocionaba recibir cartas del otro lado del mundo, mucho antes de que existiera Internet. Difícilmente podía contener mi excitación y apenas podía esperar a escribir a esa nueva amiga e intercambiar noticias de nuestras vidas. Tenía que leer su carta enseguida y deseaba responder a sus preguntas escribiéndole a mi vez, pero mi madre tenía otras ideas. «La carta de tu amiga está llena de errores ortográficos, primero tienes que corregirla y mandársela de nuevo para que aprenda a escribir bien.» No sé si mi amiga aprendió a escribir sin faltas de ortografía porque jamás volví a tener noticias suyas.

Los hijos establecen diversos mecanismos de afrontamiento. La falta de afecto y de aliento y las elevadas expectativas que la persona con síndrome de Asperger pone en su hijo pueden traducirse en que éste se convierta en un adulto que siempre obtiene excelentes resultados, en un intento de experimentar la adulación de sus padres, pasada por alto durante la infancia. Otro mecanismo es evadirse de la situación, tratando de pasar tiempo con la familia de los amigos y dejando el domicilio paterno lo antes posible, de preferencia cambiando de ciudad, para evitar las reuniones familiares. Una de las reacciones puede ser el remordimiento del progenitor con síndrome de Asperger por no ser la figura paterna o materna que su hijo necesita. En ocasiones, el niño insistirá una y otra vez para que el padre/la madre sin síndrome de Asperger se divorcie, pero la separación no es tan sencilla, ya que es obvio que el que sí lo padece no puede afrontar su vida desde un punto de vista práctico o emocional si está solo.

En último término, cuando el niño llega a adulto y sabe que su padre o su madre tiene síndrome de Asperger, entiende su personali-

503

dad, sus aptitudes y las razones de su comportamiento. Una niña me decía: «Nnunca se sentí querida por mi padre. Conocer su enfermedad me ha permitido aceptar a mi familia y sentir afecto por él, por lo que ya no pueden herirme emocionalmente».

Entre un padre y un hijo ambos con síndrome de Asperger se establecen vínculos naturales o, por el contrario, un antagonismo. Liane Holliday Willey ha establecido una relación muy estrecha con su padre. Éste reconoce que su hija necesita adquirir los conocimientos que él aprendió sobre la gente, la socialización y el arte de la conversación. Su padre se convirtió en su tutor social, y le daba consejos sobre lo qué hacer o decir en las situaciones sociales. Padre e hija entienden y respetan la perspectiva y las experiencias del otro. No siempre es así. La proximidad forzosa de dos personalidades inflexibles y dominantes puede traducirse en animosidad y peleas permanentes. El miembro sin síndrome de Asperger de la pareja se convierte en un diplomático experto que trata de seguir el ritmo y afrontar los problemas de las lealtades en conflicto. Una familia en la que dos miembros tuvieran síndrome de Asperger sería algo parecido a tener dos imanes, que se atraen y repelen entre sí.

En la familia de Liane Holliday Willey el síndrome ha afectado a algún miembro en cada generación. Liane tiene una hija afectada y su padre presenta algunas de las características asociadas. La familia ha adoptado una actitud muy positiva y Liane lo explicaba con estas palabras:

> En nuestra familia, siempre animamos a los miembros que tienen síndrome de Asperger a entender que son personas con rasgos admirables y aptitudes muy poderosas y tratamos de que sean conscientes de sus deficiencias sociales, emocionales y cognitivas. Manteniendo un equilibrio de autoridad de tal modo que los ayudemos a esforzarse a partir de sus cualidades y de los puntos fuertes de su carácter, les planteamos las estrategias académicas y afectivas que los ayudarán a convertir sus deficiencias en firmes competencias. Nuestro objetivo es ayudar a nuestra hija a llegar tan lejos como mi padre y yo fuimos capaces de hacer, de incor-

porarnos al mundo en sus condiciones, aunque sin perder de vista lo que somos y lo que necesitamos (Willey, 2001, pág. 149).

Puntos clave y estrategias

- El hombre tiene síndrome de Asperger:

  — Muchas mujeres describen su primera impresión de la pareja, que en este estadio es posible que no haya recibido el diagnóstico, como una persona amable, atenta y algo inmadura. El muy deseable desconocido, guapo y silencioso.
  — La mujer demuestra un fuerte sentimiento de compasión maternal por las habilidades sociales limitadas del paciente.
  — El atractivo como pareja de un hombre con síndrome de Asperger puede aumentar gracias a sus aptitudes intelectuales, sus perspectivas profesionales y el grado de atención prestado a su pareja durante el noviazgo.
  — El hombre con síndrome de Asperger suele tardar más en madurar emocionalmente y desde el punto de vista de las relaciones personales.
  — Muchas mujeres describen que su pareja tiene rasgos parecidos a los de su padre.
  — En general, el hombre con síndrome de Asperger está menos preocupado por el físico de su pareja que los hombres corrientes, y también le inquietan menos las diferencias de edad o las culturales.

- Aunque el hombre con síndrome de Asperger tiende a buscar una pareja que pueda compensar sus dificultades reconocidas en la vida, es decir, una mujer que se encuentre en el extremo opuesto del *continuum* de la empatía y la comprensión social, las mujeres con el síndrome suelen buscar una pareja con una personalidad similar a la suya.
- Problemas en las relaciones:

505

- El noviazgo no proporciona ninguna pista de los problemas que más tarde surgirán en la relación de pareja.
- El optimismo inicial de que la persona con síndrome de Asperger gradualmente cambiará, llegará a ser más madura desde un punto de vista emocional y tendrá mayores habilidades sociales se convierte en desesperación porque el miembro de la pareja sin el síndrome se da cuenta de que no hay avances, debido a la escasa motivación de su pareja por ser más sociable.
- El problema más habitual del miembro sin síndrome de Asperger es el sentimiento de soledad.
- El miembro sin síndrome de Asperger experimenta una privación de afecto que es un factor que contribuye a su baja autoestima y a la depresión.
- La persona con síndrome de Asperger expresa su afecto en términos más prácticos que a través de gestos de ternura.
- Una metáfora de la necesidad y capacidad de afecto es que una persona corriente tiene un jarrón que ha de llenarse, mientras que la persona con síndrome de Asperger tiene un vaso que rebosa rápidamente.

- Estrategias satisfactorias para superar las dificultades

  - La experiencia clínica y los consejeros matrimoniales sugieren que hay tres requisitos para que la relación de pareja tenga éxito. El primero es que ambos cónyuges reconozcan el diagnóstico. El segundo es la motivación de ambos para cambiar lo que va mal y aprender de sus errores. El tercero es acudir a un consejero matrimonial que modifique la estrategia terapéutica para adaptarla al perfil de aptitudes y experiencias de la persona con síndrome de Asperger.
  - Hay estrategias que ayudan al miembro de la pareja sin síndrome de Asperger, sobre todo a establecer una red de amigos que reduzca su sensación de aislamiento y experimente de nuevo la dicha de las reuniones y acontecimientos sociales.

- El progenitor con síndrome de Asperger

  — Cuando la relación de pareja evoluciona y deciden tener hijos, la persona con síndrome de Asperger que se convierte en padre apenas conocerá las necesidades y la conducta de su hijo pequeño o adolescente corriente.
  — Una madre o un padre con síndrome de Asperger puede aprender a convertirse en un buen progenitor.
  — Cuando el niño llega a la vida adulta y reconoce que su padre o su madre tienen síndrome de Asperger, finalmente entiende su personalidad, sus aptitudes y las razones de su comportamiento.
  — Entre un progenitor y un hijo ambos con síndrome de Asperger puede que o bien se establezcan vínculos naturales o, por el contrario, surja el antagonismo.

14

Psicoterapia

Son extrañamente impenetrables y difíciles de entender. Su vida emocional es un libro cerrado.

Hans Asperger ([1944] 1991)

En niños y adultos con síndrome de Asperger se han utilizado muchos tipos diferentes de psicoterapia, pero se han publicado muy pocos estudios de casos. En mi opinión, la terapia psicoanalítica tradicional tiene muy poco que ofrecer a estas personas, opinión que comparten algunos psicoterapeutas (Jacobsen, 2003, 2004). No obstante, se han publicado estudios de casos que han utilizado la psicoterapia psicoanalítica tradicional y modificada (Adamo, 2004; Alvarez y Reid, 1999; Pozzi, 2003; Rhode y Klauber, 2004; Youell, 1999). El psicoanálisis detallado de la relación madre-bebé no es importante para entender la mentalidad de estos niños, y puede propiciar que la madre desarrolle un sentimiento de culpa considerable y que el niño se sienta confundido. El síndrome de Asperger no se debe a la incapacidad de la madre de demostrar afecto y ternura a su hijo o de relacionarse con él. Aunque esto parezca evidente, por desgracia en algunos países como Francia el concepto psicoanalítico tradicional del autismo y del síndrome de Asperger es el modelo teórico predominante y la base del tratamiento.

Los métodos de análisis usados en la terapia psicoanalítica tradicional se basan en la conceptuación del desarrollo de los niños, pero los niños con síndrome de Asperger perciben un mundo por completo diferente y se relacionan con él de una manera distinta. En los tratamientos psicoanalíticos, se analiza el juego del niño para examinar sus pensamientos internos. El juego natural de un niño con síndrome de Asperger es una representación precisa o el eco de una escena de alguno de sus cuentos favoritos, y no es necesariamente una metáfora de su vida ni se le deben atribuir significados pronosticados. Cuando se usan los tests proyectivos, es más probable que el niño con síndrome de Asperger proporcione información sobre hechos que proyecciones de sí mismo. Simplemente describe lo que ve.

El Perfil del Test de Rorschach[*] de estos niños es consecuente con los criterios diagnósticos (Holaday, Moak, Shipley, 2001). Se observa que faltan comentarios de contenido humano, movimiento humano y movimiento cooperativo, y hay signos de relaciones sociales empobrecidas, o poco gratificantes, y de ineptitud social. Las respuestas también son sustancialmente diferentes de los datos normativos sobre las emociones y a la capacidad para establecer y mantener relaciones sexuales. El test es sensible a algunas de las características del síndrome de Asperger.

El Inventario Multifásico de Personalidad de Minnesota (Minnesota Multiphasic Personality Inventory [MMPI], segunda edición) se ha aplicado a adultos con síndrome de Asperger y el perfil refleja características de la personalidad relacionadas con el aislamiento social, las dificultades interpersonales, el estado de ánimo depresivo y déficit en las habilidades de afrontamiento (Ozonoff y otros, 2005a). El perfil de personalidad coincide con las descripciones clínicas y también presenta malestar ante las situaciones sociales, retraimiento social e introversión, timidez y ansiedad social. El estudio también identificó limitaciones en el discernimiento y la conciencia de sí mis-

---

* Este test consiste, básicamente, en mostrar diez láminas de manchas simétricas de tinta (negras, rojas o de varios colores) sobre un fondo blanco de tamaño estándar al paciente, el cual debe responder qué le sugieren las manchas. El test evalúa la capacidad de la persona de percibir la realidad; se trata de un estudio completo y complejo donde se hace una especie de *escáner* de la personalidad. Aporta mucha información sobre el modo de operar mentalmente de una persona, su labilidad emocional, cómo afronta los problemas, la distorsión en la percepción de la realidad y el tipo de actitud activa o pasiva frente a los acontecimientos vitales. *(N. de la t.)*

mos y de los demás, que coincidirían con nuestros modelos psicológicos del síndrome de Asperger, en particular un retraso en la adquisición de las aptitudes de la teoría de la mente.

La psicoterapia es muy valiosa para ayudar a los padres a entender sus reacciones psicológicas al tener a un hijo con síndrome de Asperger o, si se trata de la pareja, a entender al cónyuge, y la frustración de decir «No debería habértelo dicho» (Jacobsen, 2003). Este comentario, con frecuencia exasperado, probablemente se ha dirigido muchas veces a la persona con síndrome de Asperger y suele ser consecuencia de que la gente corriente no entiende la naturaleza del síndrome.

Los padres o la pareja necesitan comprender la mentalidad de esas personas a partir de un psicoterapeuta que facilite el afrontamiento de la enfermedad y que entienda que no puede tratar a esa persona a la manera convencional y que necesita adaptar su relación a las emociones del paciente. Sabemos que tener a alguien que explique la naturaleza del síndrome y la perspectiva del niño puede enriquecer la relación entre padres e hijos (Pakenham, Sofroff y Samios, 2004), al igual que mejorar la calidad de las relaciones cuando el cónyuge es portador del síndrome (Aston, 2003).

Tanto los niños como los adultos con síndrome de Asperger obtendrán beneficios de la psicoterapia, pero el tratamiento ha de basarse en una comprensión minuciosa de la naturaleza del síndrome, en particular la capacidad de esas personas para entender y comunicar sus pensamientos y sentimientos, y el concepto del yo desde el punto de vista de su imagen personal, la autoestima y la aceptación de sí mismos, partiendo de las experiencias vitales de alguien que tiene síndrome de Asperger. Esto requerirá que el terapeuta conozca la investigación más reciente en psicología cognitiva relacionada con el síndrome de Asperger, en particular los estudios sobre la teoría de la mente, la función ejecutiva y la coherencia central débil; será necesario que lea muchas de las experiencias descritas en las autobiografías y se prepare para modificar la psicoterapia convencional. Por último, podemos considerar el desarrollo de una perspectiva y una psicoterapia teórica por completo nueva, que no se basará en las aptitudes, las experiencias y la mentalidad del niño corriente, sino en el perfil diferente de aptitudes, experiencias y mentalidad de los niños con síndrome de Asperger.

Es esencial que se establezca un nexo entre cliente y terapeuta, aunque es posible que el primero guste instantánea y permanentemente a otras personas, en particular a los profesionales o, por el contrario, despierte sentimientos de rechazo. El psicoterapeuta ha de comprender el perfil lingüístico asociado al síndrome, que comprende dificultades de los aspectos pragmáticos del lenguaje, en especial, por lo que respecta a saber esperar su turno para hablar y saber cómo y cuándo interrumpir una conversación, y así mismo, entender la tendencia de estas personas a interpretar literalmente lo que se les dice y a ser pedantes. Necesitan más tiempo para procesar cognitivamente las explicaciones, y les resultará beneficiosa una estrategia clara, estructurada y sistemática con sesiones de tratamiento más breves pero más frecuentes. También será útil que en cada sesión se elijan los puntos claves que hay que abordar y se entreguen mecanografiadas a la persona que sigue el tratamiento para que revise dichos puntos al principio de la sesión siguiente. El psicoterapeuta tendrá que explicarle la naturaleza y los límites de la relación terapéutica, así como cuáles son los momentos apropiados para telefonearle, saber lo que necesita conocer, y reconocer que está ayudándolo como profesional y no como un amigo personal (Hare y Paine, 1997).

Aunque la psicoterapia es muy valiosa para las personas con síndrome de Asperger, es difícil encontrar un psicoterapeuta con una experiencia amplia en el síndrome, y, por otra parte, afrontar el coste de un tratamiento que será, a todas luces, prolongado. Algunas familias pueden pagar las sesiones semanales, que pueden durar desde varios meses a varios años, pero esto escapará de los límites de los recursos económicos de la mayoría de las familias y no es probable que lo cubra la Seguridad Social, o una mutua.

Uno de los componentes de la psicoterapia es que el terapeuta aprenda sobre el pensamiento interno del paciente. La comprensión y la expresión de lo que piensa, y de lo que piensan los demás, es un problema considerable para la persona con síndrome de Asperger. Liane Holiday Willey apunta: «El autoanálisis no es tan fácil para nosotros, sobre todo para los hombres. Algunos de nosotros nunca llegamos a conocernos por completo y a explicar y expresar nuestros sentimientos» (Willey, 2001 pág., 87).

Empleado por primera vez por los psicólogos cognitivos, utilizamos el término «teoría de la mente» para explicar esta característica, pero el concepto también se entiende en un marco psicoanalítico (Mayes, Cohen y Klin, 1993). El terapeuta tendrá que incorporar las estrategias descritas en el capítulo 5 para que la persona con síndrome de Asperger desarrolle mayor madurez y comprensión de los pensamientos, sentimientos e intenciones de los demás, y para ayudarlo a establecer un vocabulario que describa con precisión sus emociones, tal como se ha descrito en el capítulo 6.

La psicoterapia convencional se basa en la conversación entre terapeuta y cliente, en una interacción cara a cara. Sabemos que la persona con síndrome de Asperger tiene una capacidad limitada para expresar sus pensamientos y sus emociones con palabras y, en comparación con la gente corriente, mayores dificultades para procesar lo que le dice el psicoterapeuta y cuáles son sus intenciones, así como para descifrar las claves sociales y emocionales sutiles. Esto hace que la interacción psicoterapéutica sea más confusa y genere mayor estrés en comparación con lo que sucede con los otros clientes. He observado que una persona con síndrome de Asperger se relaja más y puede expresar mejor sus pensamientos y experiencias cuando se le pide que entable una conversación terapéutica mediante *messenger* o correos electrónicos. Como tiene dificultades considerables con los aspectos sociales y conversacionales, cuando éstos se reducen al mínimo puede explicarse mejor.

Otra estrategia es utilizar el dibujo artístico como medio de expresión, por ejemplo, dibujando un acontecimiento vital y utilizando bocadillos para situar el texto que expresa los pensamientos y sentimientos de cada uno de los participantes en el acontecimiento, como ocurre cuando se practica la conversación mediante cómics (véase el cap. 6). En algunos casos el cliente preferirá la música y elegirá la que exprese con precisión sus pensamientos o emociones o, en el caso de los niños, representará una escena de su película o cuento favoritos, que le recuerde al acontecimiento o sus emociones. Estas estrategias indirectas pueden proporcionar una notable comprensión del mundo interior de la persona con síndrome de Asperger.

Los incidentes relacionados con injusticias, hacia los demás o hacia sí mismos, son difíciles de entender y resolver para estas personas. El recuerdo de haber sido víctimas de acoso o de las burlas y la falta de comprensión se inmiscuyen en sus pensamientos continuamente, muchos años después de haber ocurrido. La persona puede representarse mentalmente la escena en un intento de entender los motivos de los participantes y determinar quién fue el culpable y, de este modo, entender y resolver el incidente. El psicoterapeuta puede utilizar las conversaciones mediante cómics para establecer, ante todo, la percepción del sujeto y su interpretación de los pensamientos y sentimientos de cada participante, a fin de que obtenga una mayor comprensión de la mentalidad y las motivaciones de cada uno y así pueda resolver el conflicto. Cuando falta la comprensión intuitiva, el terapeuta proporcionará a su cliente las explicaciones e informaciones relevantes. Cuando conozca y comprenda los pensamientos e intenciones de otras personas que antes le habían sido difíciles de entender, por fin podrá dejar descansar los fantasmas del pasado

El terapeuta no podrá usar la transferencia de una manera constructiva, como en el caso de otros clientes, pero puede convertirse en tutor, en alguien que comprende y educa a la persona con síndrome de Asperger, de manera que le permite expresar mejor su perspectiva e intenciones. Esa persona llegará a entender mejor cómo sus palabras y acciones afectan a la forma de pensar de los demás.

Por consiguiente, la psicoterapia a largo plazo lo ayudará a entender los acontecimientos clave de su vida, y a hacer frente a un mundo que no siempre es comprensivo con las perspectivas e intenciones de una persona con síndrome de Asperger. El proceso de determinar de dónde vengo, es decir, una combinación de la comprensión de la naturaleza del síndrome, las experiencias previas y cómo sus características han afectado al individuo, será útil en otro componente de la psicoterapia, la comprensión de quién soy ahora, el concepto del yo.

EL CONCEPTO DEL YO

En algún estadio de la niñez, la persona con síndrome de Asperger se da cuenta de que es diferente de otros niños. En el capítulo 1 describimos las cuatro reacciones psicológicas frente a este descubrimiento, a saber, depresión, evasión con la imaginación, arrogancia y supervivencia por imitación. La psicoterapia ayudará a estos niños, o al adulto, a obtener una comprensión realista de lo que son y a ver más sus puntos fuertes que los débiles.

Pueden ser sumamente autocríticos, uno de los factores que contribuyen a la depresión clínica. Caroline, una adolescente con síndrome de Asperger, me hizo la observación siguiente: «Lo peor de decepcionarse a uno mismo es que nunca puedes olvidarte por completo de ti». La psicoterapia los ayudará a aclarar y resolver las dudas de sí mismos y su acusada autocrítica. La imagen personal negativa disminuirá practicando la actividad de las cualidades o atributos descrita en el capítulo 15, lo que ayudará a la persona con síndrome de Asperger a identificar sus cualidades y a considerarse una persona diferente, pero no necesariamente defectuosa. La colaboración entre la familia y otras personas clave alienta las actividades satisfactorias y agradables, facilita que el éxito social sea mayor y favorece la autoestima.

La reacción psicológica de evadirse con la imaginación puede llegar a ser un problema cuando el mundo de fantasía se inmiscuye en la realidad. Evadirse en un mundo imaginario es una reacción comprensible en alguien que se siente aislado del mundo real, pero el estrés extremo puede propiciar la aparición de delirios y la pérdida de contacto con la realidad, es decir, una psicosis. El niño con síndrome de Asperger tratará de afrontar la vida creando un mundo imaginario en el que es el superhéroe para sentirse poderoso y mejorar su autoestima. El tratamiento lo ayudará a formarse un concepto de sí mismo que sea realista, de nuevo basado en una evaluación de las cualidades de su personalidad más que en sus dificultades de integración social y en las comparaciones con sus compañeros con grandes aptitudes sociales. Debido a haber sido la víctima de burlas y acoso, el adolescente puede llegar a presentar un delirio paranoide que lo llevará a pensar que las intenciones de los demás siempre son maliciosas y que la gente se comporta de forma malintencionada. El tratamiento y unas directrices sobre las aptitudes de la teoría de la mente lo ayudarán a entender de modo más objetivo las intenciones de los demás. La psicoterapia también fomentará las conversaciones-reflexiones consigo mismo, que también aumentarán la objetividad de su percepción e interpretación de las intenciones de los demás.

Una persona con síndrome de Asperger puede desarrollar un concepto compensador de sí mismo, como una persona superior, y en consecuencia, los demás lo considerarán arrogante y altivo. De nuevo, el tratamiento lo ayudará a valorarse de una manera más realista y a conocer sus aptitudes y las cualidades o atributos de los demás. El tratamiento debe contemplar la comprensión de cómo su actitud afecta a la relación con los demás y a su capacidad para hacer y conservar amigos, así como la importancia de admitir que ha cometido un error, y evitar los sentimientos de cólera hacia las personas que no cumplen sus expectativas ya que él pone el listón muy alto.

Cuando la reacción al síndrome de Asperger es obtener la aceptación social interpretando papeles, es decir, utilizando un guión predeterminado y desempeñando un papel designado, estas personas camuflan sus dificultades sociales pero no son sinceras consigo mismas ni entienden quiénes son en realidad. Su personalidad está determinada por el papel que adoptan en una situación concreta y al imitar a las personas que obtienen éxito social o reaccionan con eficacia ante cualquier situación. Un adulto con síndrome de Asperger que es actor profesional jubilado decía: «Sólo cuando llegué a adulto se formó mi verdadera identidad». Durante la infancia y la adolescencia no sabía quién era, a excepción del repertorio de papeles que desempeñaba. La psicoterapia puede ayudar a la persona en la búsqueda de su identidad personal, y el conocimiento y la aceptación de sí mismo.

ACTIVIDADES TERAPÉUTICAS DIRIGIDAS A LA IDENTIDAD PERSONAL

El primer estadio en la búsqueda y consolidación de la identidad personal es que la persona entienda la naturaleza del síndrome de Asperger y qué características asociadas con éste se expresan en su perfil de aptitudes y personalidad. El segundo estadio es usar actividades que se basan en semiproyecciones, como completar frases del estilo: *yo soy...*; y *a veces ... me siento..., cuando...*, etcétera, lo que permite al terapeuta entender la representación que esa persona tiene de sí misma. He observado que las descripciones de la identidad personal suelen incluir sentimientos de baja autoestima relativos a sus aptitudes físicas y sociales, pero una elevada opinión en cuanto a las aptitudes intelectuales.

Cuando se pide a un niño o a un adulto que se describa a sí mismo, tiende a describir su personalidad desde el punto de vista de lo que le gusta hacer o coleccionar, pero no su red social familiar y de amistades (Lee y Hobson, 1998). Cuando pedí a Danny, un adolescente con síndrome de Asperger, que describiera su propia personalidad y la de la gente que conocía, contestó: «No sé cuáles son los nombres de las personalidades».

Cuando hablo con estos niños de su interés o afición particular, me resulta sorprendente la asombrosa cantidad de conocimientos del

517

niño, pero también su capacidad para entender o crear su propia clasificación o sistema de catalogación del interés. Sin embargo, esto contrasta con su inmadurez en el sistema de catalogación natural de la gente, basado en las descripciones del carácter o de la personalidad. La persona con síndrome de Asperger es capaz de clasificar objetos y hechos de acuerdo con un marco lógico pero tiene dificultades considerables para crearlo para la gente.

El problema parece residir en una inmadurez del concepto de caracterización. Al principio, los niños corrientes muy pequeños sólo dividen a la gente en dos grupos o dimensiones de carácter, los simpáticos y los que no lo son. Más tarde, aceptan que las personas tienen diversas características. El niño corriente describe a su maestro como una persona amable que a veces puede tener muy mal genio. Una persona puede ser percibida como poseedora de más de un rasgo de personalidad. Un niño corriente empieza a entender cuáles de sus compañeros son buenos colegas y cuáles malos colegas; con quién puede entablar una relación y a quién es mejor evitar. También aprenden a adaptar su conducta a la personalidad o carácter de la persona con la que están en ese momento. A medida que crece, su vocabulario aumenta para describir las diferentes características de la personalidad y amplía el concepto que tiene de ésta. Al final, la amistad no se basa en la proximidad, las posesiones o las aptitudes físicas, sino en los diversos aspectos de la personalidad, como ser divertido, atento y digno de confianza. El niño ha madurado y, más allá de las características visibles para describir a las personas, valora su mentalidad, y tiene la capacidad para describirla.

El tercer estadio es establecer un vocabulario y una comprensión de la caracterización y las personalidades. Esto puede ayudar a la persona con síndrome de Asperger a entender la personalidad de los demás y, en último término, su propia personalidad o carácter. En las sesiones pido a un niño pequeño que piense en alguien que conozca bien y qué animal representaría a esa persona. Por ejemplo, podría representar a su madre como un castor muy ocupado; algún niño que se burla de él como un tigre o un tiburón depredador. Cuando le pregunto qué animal representaría yo, la opinión general es que sería un perro, feliz de verlo y, en definitiva, alguien que lo acepta. Cuando le pido que decida qué animal representaría su propio carácter, las ideas varían desde un tímido ratón hasta una lechuza salvaje. Esta actividad es útil para determinar qué caracteres es preferible evitar, a los que se reconoce como animales peligrosos; el concepto de confianza y duplicidad, un lobo con piel de cordero, y qué animales o personalidades son compatibles con la representación de su propio carácter. Esta caracterización puede usarse también con automóviles, edificios, habitaciones o muebles, que representarán a personas concretas; por ejemplo, se representa al maestro como una biblioteca, o a una persona desagradable, como un retrete maloliente. Me he dado cuenta de que el humor es un componente muy valioso de la psicoterapia (y de la educación) de las personas con síndrome de Asperger.

El interés o afición particular de estos niños también puede usarse para desarrollar sus habilidades de caracterización. Un niño con el síndrome tenía un interés especial por los aviones de las fuerzas aéreas rusas. Le pregunté: «Si tu madre fuera un avión de las fuerzas aéreas rusas, ¿qué aparato sería?». Me contestó que sería un avión de transporte Ilushin, muy antiguo y pesado, porque la mujer anda lentamente y siempre lleva el bolso repleto de objetos. Cuando le pregunté qué avión lo representaría a él, me contestó que sería el último modelo de caza, ultrarrápido y ultraligero. Su caracterización era muy perceptiva porque el niño mostraba signos de un trastorno de hiperactividad y déficit de atención.

El psicoterapeuta también puede usar libros de cuentos populares para que el niño establezca un vocabulario rico y, así, se haga una idea de la personalidad de los demás. El terapeuta le pregunta si conoce a alguien con el carácter que muestran los personajes del cuento. También pueden crear un nuevo personaje que ilustre las características del síndrome de Asperger y cómo los demás personajes del cuento reaccionarán frente a esta persona. Una prolongación del cuento es pedirle que escriba una historia imaginaria en la que él sea el héroe por sus cualidades del síndrome de Asperger.

En el caso de los adolescentes también se usan juegos de ordenador para examinar los diferentes tipos de personalidad y crear un personaje que muestre su propia personalidad y aptitudes. Para mejorar su comprensión son útiles las actividades de teatro, sobre todo cuando las representaciones se graban y visualizan con vídeo, y se examina la experiencia de ser otra persona y observar a alguien que represente *su* personalidad. De este modo, se verá a sí mismo tal como lo ven los demás.

Liane Holliday me describía que, cuando era adolescente, tenía dificultades para identificar a las personas de mal carácter, lo que la ponía en una situación de vulnerabilidad. Sabía que sus amigos, niños corrientes, eran muy buenos en el arte de juzgar el carácter de los demás, y cuando conocía a un niño que podía llegar a ser su amigo, les pedía a los otros niños que lo abordaran y le dieran su opinión acerca de su carácter.

La psicoterapia también se usa para fomentar una comprensión que es muy valiosa cuando se crean oportunidades sociales y se toman decisiones acerca de la amistad o de las relaciones de pareja. Uno de los valores de esta forma de tratamiento de caracterización es su potencial para definir el carácter de una persona y determinar la que se corresponde o complementa con esos atributos. Suelo usar la metáfora de un rompecabezas con dos piezas: la forma del rompecabezas de la persona (su carácter y perfil de aptitudes) es poco común, y la mejora de la comprensión de su propio carácter la ayudará a encontrar una forma o pieza que encaje con su carácter (una persona con características complementarias), que se convierta en un verdadero amigo o una posible pareja.

Al adulto con síndrome de Asperger le ayudará la lectura de autobiografías de hombres y mujeres como él para identificarse con experiencias y emociones similares. Una opción en la psicoterapia a largo plazo es que el sujeto escriba su propia autobiografía revisando los acontecimientos del pasado con el terapeuta bajo la luz creada por una mayor comprensión del síndrome obtenida en la terapia, así como de los pensamientos e intenciones de los demás.

En un estudio reciente sobre el temperamento y el carácter de adultos con síndrome de Asperger se identificó una tendencia hacia la personalidad ansiosa, obsesiva, y también a ser pasivos, dependientes y explosivos (Soderstrom, Rastam y Gillberg, 2002). En aquel estudio también se detectó una tendencia hacia un carácter inmaduro y a problemas de franqueza consigo mismos, es decir, un control exteriorizado en los demás, ya que suponen que sus sentimientos de placer o de malestar no se deben a las consecuencias de sus propios esfuerzos, sino a las acciones e intenciones de los demás. Formulada originalmente por George Kelly[*] en la década de 1950, la teoría de los constructos personales tiene un marco científico y lógico y una aplicación práctica que se adapta a la mentalidad de las personas con síndrome de Asperger (Hare, Jones y Paine, 1999). La psicología del constructo personal (PCP) se basa en el principio de que las personas desarrollan sus propios modelos exclusivos de la realidad (Fransella, 2005). Esta estrategia es particularmente aplicable a las personas con síndrome de Asperger. La técnica PCP de la rejilla utiliza un sistema de evaluación y de fórmulas matemáticas que proporciona una representación visual y concisa de la caracterización personal, la forma en la que una persona construye su mundo y se relaciona con los demás, así como directrices para un cambio en la comprensión de sí mismo y de sus cualidades personales.

El procedimiento consiste en la confección de una rejilla simple de elementos y constructos. Los elementos son las personas y se pide al cliente que escriba en una serie de tarjetas los nombres de las per-

* Este investigador formula esta teoría para el estudio de las relaciones interpersonales. En su opinión, las personas construyen su mundo personal mediante su interpretación de los acontecimientos. De esta forma, una persona comprende la realidad de acuerdo con sus sistemas de construcción, que dependen del tipo de supuestos en los que se basa y los valores que le asigna a las cosas. Estos constructos son ejes de referencia que proporcionan a las personas caminos de acción para interpretar y dar sentido al flujo de los acontecimientos que viven. La técnica de la rejilla sirve para evaluar los constructos personales a través de una entrevista, a partir de la cual se confecciona la rejilla. La técnica constituye una forma de «ponerse en la piel de otras personas, ver sus mundos como ellas los perciben, comprender su situación, sus preocupaciones e intereses». (*N. de la t.*)

521

sonas que son importante en su vida, un nombre en cada tarjeta, y se le proporcionan dos tarjetas más con las preguntas siguientes: «¿Cómo me gustaría ser? ¿cómo soy en este momento?». Los elementos (la gente) se usan para identificar los constructos (conceptos) o dimensiones que la persona utiliza para detectar similitudes y diferencias entre sujetos. El sujeto elige dos o tres tarjetas al azar y se le pide que describa en qué aspectos los elementos, o personas, son similares y en qué sentidos son diferentes. Acto seguido, la respuesta se convierte en un constructo (concepto) que permite una discusión de los términos que describen ambos extremos del constructo, por ejemplo, útil comparado con infructuoso. Ambos extremos del constructo se escriben en una gran hoja de papel. Acto seguido, expone todas las tarjetas y se le pregunta «¿quién es el más….?» y las coloca en orden entre ambos extremos. El médico toma notas del orden de los elementos. A continuación, se ordenan de nuevo las tarjetas y el sujeto escoge otros dos o tres elementos, identifica otro concepto, y el procedimiento se repite hasta que ha identificado diversos constructos (o los suficientes). La disposición de los elementos y constructos y sus interrelaciones se analizan visualmente y en un programa de ordenador. En mi opinión, las psicoterapias mejores para personas con síndrome de Asperger es la terapia cognitivo-conductual (véase el cap. 6) y la psicología de constructos personales.

Me he dado cuenta de que los adultos con síndrome de Asperger tienden a mostrar constructos inmaduros, algunos de los cuales son más probables en esta población. Por ejemplo, uno de los constructos probables es la aptitud intelectual, que, para ellos, tiene un alto valor personal. Por esta razón, consideran un insulto particularmente hiriente que los llamen estúpidos porque admiran a todas luces a las personas con un elevado coeficiente intelectual. Como parte del perfil de personalidad, también habrán desarrollado una arrogancia intelectual. Este descubrimiento ha representado una información inestimable para mí y ha cambiado mi modo de abordar a los niños con síndrome de Asperger. Para un niño corriente, el comentario elogioso sobre una acción o conducta que ha sido motivo de satisfacción para sus padres es un poderos estímulo gratificante o un motivador de su conducta. El deseo altruista de complacer a los demás no es una motivación para los niños con síndrome de Asperger. Habitualmente recurro a su vanidad intelectual, elogio su inteligencia y comento lo listo que es, más que hacer comentarios de lo complacido que me siento.

En la vida y en la psicoterapia, dos de los objetivos esenciales son entenderse y aceptarse. Algunas personas con síndrome de Asperger parecen conseguirlo sin recibir un tratamiento formal. Un niño de doce años con el síndrome me escribió un correo electrónico donde decía: «Me gustaría que los niños con síndrome de Asperger fueran aceptados por sus formas divertidas y poco habituales de comportarse. Creo que es muy estresante y pesado invertir tanto tiempo observando y tratando de imitar lo que hacen los demás. A veces, sólo deseo ser yo, y estoy muy contento de serlo». En una ocasión, un adulto me dijo: «Ya no deseo ser una persona "normal". Prefiero tener el síndrome y compartir mi alegría de ser así». Rebecca me mandó un correo electrónico en el que escribió:

> Soy lo que podríamos llamar uno de los miembros idiosincrásicos de la sociedad. Soy una de las imperdonables. Me llaman extraterrestre y bicho raro. O, en función de su generación, un ganso (véase la nota de la página 175), manojo de nervios, lerda u obtusa. Pero, ¿qué significa un nombre? Tengo síndrome de Asperger. De todos los nombres que la gente me ha llamado en la vida, yo creo que el de Asperger es el mejor porque significa que estoy en buena compañía.

El padre de Liane Holliday decía: «Si las personas con síndrome de Asperger tuvieran un mejor representante o encargado de prensa, en vez de mandar la gente corriente (los *neurotípicos*), ¡lo haríamos nosotros!» (comunicación personal).

En su autobiografía, Donna Williams hace el comentario siguiente: «Parecía que la "normalidad" de las otras personas era el camino hacia mi locura» (Williams, 1998, pág. 54). La mejor psicoterapia será la proporcionada por un profesional que tenga experiencia personal en el síndrome de Asperger y haya conseguido aceptarse a sí mismo. Nita Jackson, una mujer joven con el síndrome, aconseja a los pacientes lo siguiente:

> Es preciso aceptarse como uno es, por duro que sea. Negar la realidad sólo causa problemas. Reconocer el síndrome, investigar sobre él y recordar que cualquier persona que se muestre poco amable o cruel con nosotros porque somos diferentes, para empezar, no vale nada. Sé que es más fácil de decir que de hacer (yo todavía no lo he conseguido por completo). Por lo tanto, la aceptación de sí mismo es clave para el éxito personal... Y lo que es más importante todavía, la sinceridad consigo mismo, porque, en último término, uno depende exclusivamente de sí mismo (N. Jackson, 2002, págs. 16-17).

Puntos clave y estrategias

- La psicoterapia psicoanalítica tradicional tiene muy poco que ofrecer a las personas con síndrome de Asperger.
- El síndrome de Asperger no se debe a la incapacidad de la madre para demostrar afecto a su hijo y establecer vínculos con él.
- Cuando se usan los tests proyectivos, es posible que el niño con síndrome de Asperger proporcione más información sobre los hechos que proyecciones de sí mismo.
- Las personas con síndrome de Asperger obtendrán beneficios de la psicoterapia, pero el tratamiento se ha de basar en una comprensión cuidadosa de la naturaleza del síndrome, en particular, la capacidad del paciente para entender y comunicar sus pensamientos y sentimientos, y el concepto del yo como imagen personal, la autoestima y la aceptación de sí mismo que ha desarrollado en función de sus experiencias vitales.
- El psicoterapeuta ha de conocer la investigación psicológica

---

cognitiva más reciente sobre el síndrome de Asperger, en particular los estudios sobre la teoría de la mente, la función ejecutiva y la coherencia central débil; también es esencial que lea las experiencias descritas en las biografías, y se prepare para modificar las psicoterapias convencionales.

- La persona con síndrome de Asperger estará más relajada y proporcionará un mayor discernimiento sobre sus pensamientos y experiencias si se le pide que entable la conversación terapéutica a través del ordenador, bien mediante un programa de mensajería instantánea o bien mediante correos electrónicos, o dibujando los acontecimientos, tal como se hace en las conversación mediante cómics.
- El psicoterapeuta no podrá utilizar constructivamente la transferencia como con otras personas, pero puede convertirse en tutor, una persona que entiende y educa al sujeto con síndrome de Asperger, por lo que éste llega a expresar mejor su perspectiva e intenciones.
- La psicoterapia a largo plazo puede ayudar a la persona con síndrome de Asperger a entender los acontecimientos clave de su vida y a afrontar un mundo que no siempre entiende la perspectiva y las intenciones de alguien con síndrome de Asperger.
- La psicoterapia ayudará al niño y adulto con síndrome de Asperger a establecer una valoración realista de lo que es y a reparar más en sus virtudes que en sus defectos.

— El primer estadio de la identidad personal es que la persona que padece este trastorno entienda la naturaleza del síndrome de Asperger y qué características asociadas con él se expresan en su perfil de aptitudes y personalidad.

— El segundo estadio es utilizar actividades de semiproyección en las que forme oraciones para que el psicoterapeuta comprenda mejor la representación personal que su cliente se hace de sí mismo.

— El tercer estadio es crear un vocabulario y una comprensión de la caracterización y de las personalidades.

- Formulada originalmente por George Kelly en la década de 1950, la teoría de los constructos personales tiene un marco científico y lógico teórico y su aplicación práctica es apropiada para la mentalidad de las personas con síndrome de Asperger.
- Dos de los objetivos esenciales de la vida y de la psicoterapia son entender lo que uno es y aceptarlo. Algunos niños y adultos con síndrome de Asperger parecen conseguirlo sin recibir tratamiento formal.

15

Preguntas frecuentes

Este capítulo final trata de responder a algunas de las preguntas más frecuentes entre los padres, los profesionales y las personas con síndrome de Asperger, y a las que no se ha respondido en los capítulos previos. Durante más de veinte años, médicos y académicos han estudiado la razón de que estas personas sean diferentes, y en la actualidad tenemos una base cada vez mayor de conocimientos que proporcionan respuestas provisionales. La pregunta que se formula más a menudo, en especial cuando se establece el diagnóstico del síndrome de Asperger, es ¿cuál es su causa?

1. ¿Cuál es la causa del síndrome de Asperger?

En primer lugar, sabemos que su causa no guarda ninguna relación con una mala crianza del niño ni tampoco se debe a un trauma psicológico o un traumatismo físico. Por desgracia, con frecuencia los padres creen que la conducta y el perfil de aptitudes de su hijo se deben a algún defecto de su carácter o a su falta de habilidades para hacer de padres, quizá porque no proporcionan el suficiente afecto a su hijo; o a algún acontecimiento traumático, como presenciar un accidente o la caída de un árbol. Es necesario que lo padres se quiten de la cabeza esos sentimientos de culpa. Las investigaciones han establecido claramente que el síndrome de Asperger se debe a una disfunción de estructuras y sistemas concretos del cerebro. En pocas palabras, el sistema de circuitos neuronales e interconexiones entre neuronas está establecido de una manera distinta, pero no es necesariamente defectuoso y la causa no tiene nada que ver con la actitud de los padres frente a su hijo ni con cómo se le ha criado.

Hoy en día, hemos efectuado estudios de diagnóstico por la imagen del cerebro de personas corrientes que identifican las estructuras y sistemas que funcionan formando el cerebro social, y hemos examinado si alguna de csas estructuras funciona de manera distinta en las personas con síndrome de Asperger. Los estudios que han utilizado técnicas de diagnóstico por la imagen cerebral y tests neuropsicológicos han confirmado que el síndrome de Asperger se asocia con una disfunción del cerebro social, que comprende componentes de las regiones de la corteza frontal y temporal, y para ser más exactos, las áreas prefrontal medial y orbitofrontal de los lóbulos frontales, surco temporal superior, corteza temporal basal inferior, y polos temporales de los lóbulos temporales. También tenemos pruebas de una disfunción de la amígdala, los ganglios basales y el cerebelo (Frith, 2004; Gowen y Miall, 2005; Toal, Murphy y Murphy, 2005). La investigación más reciente sugiere la presencia de una débil conectividad entre estos componentes (Welchew y otros, 2005). También tenemos pruebas de que hay una disfunción cortical del hemisferio derecho (Gunter y otros, 2002) y una anomalía del sistema dopaminérgico (Nieminen-Von Wendt y otros, 2004). La investigación neurológica que ha examinado la función cerebral coincide con el perfil psicológico de las aptitudes en el razonamiento social, la empatía, la comunicación y la cognición, que son características del síndrome de Asperger. Por lo tanto, sabemos qué estructuras del cerebro funcionan de manera diferente o cuyas interconexiones neuronales son diferentes.

Pero, ¿por qué estas áreas del cerebro se desarrollan de forma distinta? Es probable que, para en la mayoría de las personas en las que ocurre, se deba a factores genéticos. Al principio Asperger observó un amago o sombra del síndrome en los padres (en particular el padre) de los niños que visitó, y propuso que era hereditario. La investigación posterior ha confirmado que en algunas familias hay características sorprendentemente similares en varios de sus miembros. La investigación ha indicado que, usando los criterios diagnósticos estrictos del síndrome, en alrededor del 20 % de los padres y en el 5 % de las madres de un niño con síndrome de Asperger también se detecta (Volkmar y otros, 1998). Aunque esta información no constituye en absoluto una sorpresa para el cónyuge, habitualmente en los progenitores no se ha establecido un diagnóstico formal. Si utilizamos una descripción más amplia del síndrome, casi el 50 % de los familiares en primer grado de un niño con síndrome de Asperger presenta características similares (Bailey y otros, 1998; Volkmar y otros, 1998). Cuando se examinan los familiares en segundo y tercer grado, más de dos tercios de los niños con el síndrome tienen un familiar con un tipo similar de aptitudes peculiares (Cederlund y Gillberg, 2004). Está claro que hay algo en los genes.

En el capítulo 1 he usado la metáfora de componer un rompecabezas de cien piezas para describir la evaluación diagnóstica del síndrome de Asperger. Algunas de las piezas o aspectos del síndrome producen un efecto perjudicial sobre la calidad de vida del paciente mientras que otros son beneficiosos. Los miembros de la familia que tienen más características del síndrome de lo que se esperaría en una persona corriente pueden haber heredado las que son beneficiosas o positivas porque contribuyen al éxito en una carrera como la de ingeniero, la contabilidad y las bellas artes. Sabemos que entre los padres y abuelos de niños con síndrome de Asperger hay más ingenieros de los que correspondería por su frecuencia en la sociedad en general (Baron-Cohen y otros, 2001b). Los hijos de estas personas corren mayor riesgo de presentar incluso más de características asociadas al síndrome, de modo que son suficientes para establecer el diagnóstico. Es probable que los hermanos del niño quieran saber la probabilidad de que el síndrome reaparezca cuando tengan sus propios hijos. Hasta ahora no conocemos el mecanismo preciso de transmisión o qué genes están implicados pero, en un futuro no muy lejano, podremos identificar la transmisión genética en una familia concreta.

Una pregunta que con frecuencia formulan las madres de un niño con síndrome de Asperger es si algún problema del embarazo o del parto podría haber sido la causa o, como mínimo, un factor que haya contribuido al grado de expresión. Lorna Wing (1981), que utilizó por primera vez el término diagnóstico de síndrome de Asperger, observó que algunos de sus casos tenían antecedentes de problemas prenatales, perinatales y puerperales, que podrían haber provocado una disfunción cerebral. Los estudios posteriores confirmaron su observación. Se han identificado complicaciones del embarazo en el 31 % de los niños a los que se diagnostica síndrome de Asperger, y en el período cerca del parto (perinatal) o del parto en alrededor del 60 % (Cederlund y Gillberg, 2004). Sin embargo, no se ha identificado sistemáticamente una complicación concreta durante el embarazo o el parto asociada con el desarrollo posterior de los signos del síndrome. Tampoco sabemos si ya estaba presente una alteración en el desarrollo del feto que más tarde afectó a los acontecimientos obstétricos, que provocaron un parto difícil que aumentó el grado de expresión.

También parece observarse mayor incidencia en bebés cuyo desarrollo gestacional no ha sido normal, y en las mujeres de mayor edad cuando dan a luz (Cederlund y Gillberg, 2004; Ghaziuddin, Shakal y Tsai, 1995). Asimismo parece observarse un mayor número de niños con el síndrome de lo que sería de esperar que nacieron prematuros (treinta y seis semanas o menos de gestación) o posmaduros (cuarenta y dos semanas o más) (Cederlund y Gillberg, 2004). Es posible que los factores que afectan al desarrollo del cerebro durante el embarazo y el parto puedan afectar al cerebro social y contribuyan al desarrollo del síndrome de Asperger.

En estudios de publicación reciente se ha indicado que, como mínimo, para uno de cada cuatro niños con síndrome de Asperger, el cerebro y la circunferencia cefálica crecen a un ritmo más rápido de lo habitual en los primeros meses después del nacimiento. En algunos de estos niños se diagnosticó macrocefalia o un perímetro o circunferencia cefálica y un cerebro excepcionalmente grandes (Cederlund y Gillberg, 2004; Gillberg y De Souza, 2002; Palmen y otros, 2005). Hay dos subgrupos de niños con síndrome de Asperger que presentan macrocefalia, el de niños que tienen la cabeza grande al nacer, y el de los que experimentan un aumento rápido del tamaño del cerebro durante los primeros meses de vida. Finalmente, esta aceleración inicial se hace más lenta, de modo que, a finales de la infancia, los niños corrientes se han puesto al día y, cuando tienen cinco años de edad, las diferencias en la circunferencia cefálica no son tan visibles. Por el momento, carecemos de una explicación satisfactoria y demostrada de la razón de esta característica. Sabemos que el aumento del tamaño del cerebro afecta a niños pequeños con síndrome de Asperger y con autismo. También disponemos de información preliminar que sugiere que las áreas frontal, temporal y parietal del cerebro, pero no la occipital, son de mayor tamaño (Carper y otros, 2002) y también que se produce un aumento de la sustancia gris pero no de la blanca (Palmen y otros, 2005). En ocasiones, tener un cerebro que crece rápidamente y es relativamente grande, o como mínimo lo son algunas de sus partes, no es ninguna ventaja.

Sabemos que el síndrome de Asperger forma parte del espectro autístico y la investigación sobre la etiología o las causas de este proceso proporciona información sobre las del síndrome. Por lo tanto, la investigación futura nos indicará si el síndrome podría deberse a infecciones durante el embarazo y en los primeros meses de vida del niño, a problemas congénitos del metabolismo, como la digestión de toxinas de determinados alimentos que afectaría al desarrollo del cerebro, u otros factores biológicos que puedan influir de modo negativo en su desarrollo.

En estos momentos no podemos afirmar con certeza su causa específica en niños o adultos pero, como mínimo, tenemos una cierta idea de las posibles causas, y además los expertos pueden asegurar a los padres que el problema de su hijo no se debe a que lo hayan criado mal porque sean malos padres.

2. ¿Debemos informar del diagnóstico al niño?

La respuesta inmediata es afirmativa. La experiencia clínica indica que es sumamente importante explicarle el diagnóstico lo antes posible y mejor antes de que el niño manifieste reacciones compensadoras inapropiadas. Por lo tanto, el niño tendrá más probabilidades de aceptar el diagnóstico, sin compararse con otros niños, y es menos probable que presente signos de un trastorno de ansiedad, depresión o trastorno de la conducta. El niño se convertirá en un participante entendido en el diseño de los programas, porque conoce sus virtudes y sus defectos, y porque ha visitado con regularidad a un especialista, mientras que sus hermanos y compañeros corrientes no lo han hecho. Experimentará una gran sensación de alivio al saber que no es anormal, sino que, simplemente, su cerebro funciona de manera distinta.

3. Cuándo y cómo informarle del diagnóstico

¿A qué edad hay que explicarle el diagnóstico? Un niño menor de unos ocho años de edad no se considera particularmente distinto de sus compañeros, y tendrá dificultades para entender el concepto de un trastorno del desarrollo tan complejo como el síndrome de Asperger. La explicación para un niño pequeño ha de ser adecuada a la edad y se le proporcionará información que sea relevante desde la perspectiva del niño. Los principales temas de la conversación serán los beneficios que obtendrá de los programas de aprendizaje que lo ayudarán a hacer amigos y pasarlo bien jugando con otros niños, y que serán útiles en su aprendizaje y en la obtención de logros académicos. Se abordará con el niño el concepto de las diferencias individuales como, por ejemplo, los niños de la clase que encuentran fácil aprender a leer mientras que otros consideran que es una tarea difícil. El médico o los padres pueden explicarle que hay otra forma de lectura, es decir la de leer (o interpretar) las emociones y la mentalidad de la gente y las diferentes situaciones sociales, y que hay programas que lo ayudarán en esta tarea de lectura particularmente difícil. Hoy en día es más probable que sean los padres, más que un especialista, quienes expliquen a su hijo el diagnóstico y sus implicaciones. En algunos libros se puede encontrar ayuda para hacerlo. Los padres complementarán la explicación animándolo a que lea cuentos en los que sus protagonistas tienen síndrome de Asperger.

La actividad de los atributos

Para niños mayores de unos ocho años, he creado la actividad de los atributos para explicarle el diagnóstico al niño y a su familia, incluidos los hermanos y abuelos. Organizo una reunión de todos los miembros de la familia con el niño o adolescente al que recientemente se la ha diagnosticado síndrome de Asperger. La primera actividad es colgar en la pared de la habitación grandes hojas de papel o utilizar una pizarra y lápices de colores. Cada hoja de papel se divide en dos columnas, una encabezada con la palabra *Cualidades* y la otra con la palabra *Dificultades*. Sugiero a la madre o al padre que sea la primera persona que lleve a cabo la actividad, lo que incluye la identificación y enumeración tanto de las cualidades como de las dificultades personales (habilidades prácticas, conocimientos, personalidad y pasiones). Después de que esa persona haya hecho sus aportaciones, que el médico escribe en una de las hojas de papel o en la pizarra, la familia añade sus propias sugerencias. Les aseguro que ésta es una actividad positiva, en la que se comentan los diversos atributos y se afirma que hay más cualidades que dificultades. Acto seguido, se nombra a otro miembro de la familia para que nombre sus cualidades y dificultades. El niño con síndrome de As-

533

TABLA 15.1. Representación de la actividad de los atributos para un niño con síndrome de Asperger

Cualidades	Dificultades
Honrado	Aceptar los errores
Decidido	Hacer amigos
Experto en insectos y en el *Titanic*	Seguir los consejos
Percibe ruidos que los demás son incapaces de oír	Controlar la cólera
Amable	Escribir a mano
Directo y franco	Saber lo que alguien piensa
Un solitario (y feliz de serlo)	Evitar las burlas e intimidaciones
Perfeccionista	Mostrar afecto como esperan los otros miembros de la familia
Amigo fiable	Afrontar los ruidos repentinos
Bueno en dibujo	Explicar oralmente lo que piensa
Observa detalles que otros no ven	
Excepcional para recordar cosas que otras personas han olvidado	
Tiene un sentido del humor peculiar	
Conocimientos superiores en matemáticas	
Valorado por los adultos	

perger observará y entenderá lo que se espera de él cuando le llega su turno.

A veces, el niño se muestra reacio a hacer aportaciones o considera que no tiene cualidades o atributos. En ese caso, se anima a la familia a hacerle sugerencias y el médico nombra algunas de sus cualidades partiendo de los comentarios hechos por algún miembro de la familia. Los participantes han de ser prudentes al nombrar las dificultades o puntos débiles del niño para que éste no se sienta tratado injustamente o discriminado. En la tabla 15.1 se representa la actividad de los atributos para un niño con síndrome de Asperger.

El médico comenta cada cualidad y dificultad nombrada por el niño y, a continuación, explica que, con frecuencia, los científicos examinan y buscan patrones de conducta; cuando encuentran uno que se repite, les gusta darle un nombre. Más adelante, el médico hace referencia al doctor Hans Asperger quien, hace más de sesenta años, visitó en su clínica de Viena a muchos niños cuyas características observadas eran similares. Publicó la primera descripción clínica de lo que ha acabado conociéndose como «síndrome de Asperger».

En mi consulta suelo decirle al niño «felicidades, tienes síndrome de Asperger», y le explico que eso no significa que esté loco, que tenga mal carácter o que sea deficiente, sino que tiene una forma diferente de pensar. El debate continúa con una explicación de cómo algunos de los talentos o cualidades del niño se deben precisamente a que tiene el síndrome, como sus extensos conocimientos sobre bujías, su habilidad para dibujar con un realismo casi fotográfico, su atención a los detalles o su talento natural para las matemáticas. De este modo, se le presentan los beneficios de tener síndrome de Asperger. En el caso de niños muy pequeños, en general, sus padres conducen la actividad sin la presencia de un especialista, pero he observado que es más probable que los adolescentes acepten la explicación de las cualidades y las dificultades o aspectos negativos asociados al síndrome si abordan la actividad con un médico que si lo hacen con sus padres.

El paso siguiente es hablar de los aspectos negativos y las estrategias necesarias para mejorar sus aptitudes en el hogar y en la escuela. Esto incluye las ventajas de los programas para mejorar la comprensión social, el tratamiento cognitivo-conductual y los medicamentos que puedan ayudarlo a controlar sus emociones, al igual que proporcionarle ideas y aliento para mejorar sus lazos de amistad.

Por último, el médico resume las cualidades y dificultades del niño que se deben al síndrome de Asperger, y menciona a personas conocidas que han tenido éxito en la ciencia, las tecnologías de la información, la política y el arte, favorecidos por los signos del síndrome en su propio perfil de aptitudes (Fitzgerald, 2005; James, 2006; Ledgin, 2002; Paradiz, 2002).

Hans Asperger escribió lo siguiente:

> Parece ser que, para tener éxito en la ciencia o en el arte, es esencial una pincelada de autismo. Para triunfar, es posible que el componente necesario sea la capacidad de alejarse del mundo cotidiano, de lo simplemente práctico, una aptitud para reflexionar sobre un tema con originalidad de modo que se vislumbren nuevas soluciones nunca antes descubiertas, en una afortunada conjunción de azar y sagacidad, y se canalicen todas las habilidades en una especialidad (Asperger, 1979, pág., 49).

Como decía Temple Grandin, una mujer que tiene síndrome de Asperger y, además de autora y académica, es una ingeniera de éxito: «Si el mundo se dejara en manos de las personas que figuran mucho en sociedad, todavía estaríamos en las cavernas, hablando los unos con los otros» (comunicación personal).

La actividad de los atributos también puede usarse con adultos, con familiares y con la pareja. Cuando se usa la actividad con una pareja en la que uno de los miembros tiene síndrome de Asperger, le pido al cónyuge corriente que exprese en palabras el amor y el afecto que sienten por su cónyuge y lo que le atrajo de él cuando lo vio por primera vez. He observado que entre los atributos del cónyuge con síndrome de Asperger están el atractivo físico (el desconocido guapo y silencioso), su lealtad, un intelecto notable y unas ideas originales, es un hombre con un lado femenino, que siempre se pone retos a sí mismo para profundizar sus conocimientos y, durante la época del noviazgo, se mostró muy atento. Como en todas las relaciones, con el tiempo algunas características de la personalidad se hacen más visibles, al igual que otras se perciben con menos intensidad, pero algunas de las características de la relación se explican por asociarse con los rasgos típicos del síndrome de Asperger en el adulto.

Cuando le explico el desarrollo del perfil de aptitudes asociadas al síndrome a un adolescente o a un adulto, en ocasiones utilizo la metáfora de un claro en un bosque. El claro representa el desarrollo del cerebro, y la aparición de plantas y árboles jóvenes en el claro representa el desarrollo de las diferentes funciones cerebrales. En el claro, un árbol joven crece con rapidez y crea una bóveda por encima de las otras plantas y una estructura que limita el acceso a los rayos de sol y a los nutrientes y, por lo tanto, inhibe el crecimiento de las plantas que compiten con ese árbol. El árbol joven dominante representa las partes del cerebro dedicadas al razonamiento social. Si ese árbol del razonamiento social no se forma rápidamente y se convierte en dominante, se hacen más fuertes los otros árboles o aptitudes. Éstas representan las habilidades en el razonamiento mecánico, la música, el arte, las matemáticas y la ciencia, y la percepción de las experiencias sensitivas. Entonces la persona afectada puede entender el síndrome de Asperger como una explicación tanto de sus talentos como de sus dificultades o aspectos negativos.

La actividad de los atributos se termina con una explicación de las ideas del médico sobre el síndrome. Estas personas tienen prioridades, percepciones del mundo y formas de pensar distintas. El cerebro tiene interconexiones neuronales diferentes pero no defectuosas. El paciente prioriza la búsqueda del conocimiento, la perfección, la verdad y la comprensión del mundo físico por encima de los sentimientos, emociones y experiencias interpersonales. Esto dará lugar a talentos valorados pero también a vulnerabilidades en el mundo social, y afectará a su autoestima. La persona percibirá el diagnóstico según cómo se lo haya explicado el médico.

En general, grabo en vídeo las descripciones de la persona con síndrome de Asperger y la explicación del síndrome para que la familia lo visualice, de modo que refresque sus recuerdos de los puntos clave. Las cualidades y dificultades también se incluyen en el in-

537

forme para la familia o en forma de una historia social para el niño. Otra opción es que el especialista y los padres le escriban una carta en la que se describa la naturaleza del síndrome, las ventajas e inconvenientes que acarrea e información adaptada a la edad del niño (Yoshida y otros, 2005).

Cuando explico el diagnóstico prefiero utilizar el término «síndrome de Asperger» más que el de «enfermedad» o «trastorno» porque el niño puede confundirse con respecto al concepto de trastorno. Este aspecto queda ilustrado por Thomas en la biografía escrita por su madre:

> Mientras estaba sentado en el asiento trasero del automóvil, mi hijo de once años, Thomas, leía un libro sobre el síndrome de Asperger y exclamó: «Mamá en este libro se habla del trastorno de Asperger; ¿por qué lo llaman trastorno?».
>
> No estoy segura pero es una buena pregunta, le dije.
>
> Mi hijo continuó. «Voy a escribir a la autora del libro y le diré que ha usado un término incorrecto. En realidad, yo no estoy trastornado sino que sin ninguna duda funciono muy bien».
>
> «Es una gran idea», le contesté (Barber, 2006, pág. 3).

Después de informar del diagnóstico al niño o al adulto, es importante comentar qué más desea conocer. Un niño puede mostrar su preocupación por cómo sus compañeros responderán a la noticia y una posible reacción negativa. Un adulto deseará saber si es prudente comunicarlo a sus amigos, posibles superiores y colegas. El médico abordará los problemas que rodean la revelación del diagnóstico para cada persona, partiendo de sus circunstancias, las ventajas e inconvenientes de que lo conozcan determinadas personas y cuánta información es preciso revelar.

Es importante respetar la opinión del niño acerca del problema de revelarlo o no a sus compañeros. Si desea que lo sepan los demás, será necesario ponerse de acuerdo en cuánta información debe divulgarse, quién ofrecerá las explicaciones, cómo se llevará a cabo y si el niño debe estar presente. Carol Gray ha desarrollado un programa, llamado *El sexto sentido*, para explicar el síndrome de Asperger a una clase de niños de una escuela elemental o primaria (Gray, 2002b). Esta autora ha creado una serie de actividades para realizar en el aula, que se basan en el aprendizaje de los cinco sentidos y se extienden para incluir un sexto sentido, la percepción de las normas y las claves sociales. Acto seguido, los niños descubren lo que significa tener dificultades en la percepción de las claves sociales y para darse cuenta de la mentalidad, las ideas y las emociones de los demás, y lo que pueden hacer para ayudar a su compañero a madurar y mejorar ese sexto sentido.

Un adulto al que se acaba de diagnosticar síndrome de Asperger también tendrá que abordar a quién revelar el síndrome y cómo explicarlo a su familia, red social y compañeros del trabajo. Algunos adultos tienen una personalidad más reservada y son muy prudentes con respecto a revelarlo y acaban decidiendo que limitarán la información a personas muy seleccionadas. Otros son más abiertos. Liane Holliday Willey eligió celebrar una fiesta de bienvenida en la que los invitados llevarían una camiseta especialmente hecha para la ocasión con el lema «Asperger y la inteligencia» o «el Asperger, una forma diferente de pensar». Por lo tanto el diagnóstico era visible para todos los invitados.

4. ¿Están las personas con síndrome de Asperger más predispuestas a participar en actividades delictivas?

Se han publicado estudios de casos de adultos con síndrome de Asperger que han cometido delitos graves (Baron-Cohen, 1988; Barry Walsh y Mullen, 2004; Cooper, Mohamed y Collacott, 1993; Everall y Le Couteur, 1990; Howlin, 2004; Mawson, Grounds y Tantam, 1985; Murrie y otros, 2002). En algunas ocasiones, la prensa popular ha hecho referencia al diagnóstico del síndrome de delincuentes condenados cuando ha publicado casos de delitos famosos.

Esta actitud de la prensa puede fomentar el prejuicio de que estos pacientes tienen más probabilidades de cometer actos delictivos graves. Sin embargo, la investigación ha establecido claramente que el porcentaje de adultos con síndrome de Asperger condenados es el mismo que en el de la población general y que la incidencia de delitos con violencia es muy baja (Ghaziuddin, Tsai y Ghaziuddin, 1991; Isager y otros, 2005). Tener síndrome de Asperger no significa que estén más inclinados a participar en actividades delictivas o a cometer un delito grave.

La abrumadora mayoría de los pacientes son ciudadanos que respetan la ley y, con frecuencia, emiten opiniones muy claras y convencionales sobre lo que es moral y legalmente correcto y lo que está mal. Pero para los adultos con síndrome de Asperger que cometen un delito, hay algunos tipos que son relativamente más frecuentes debido a la naturaleza del síndrome.

Aunque los niños y adolescentes no suelen ser declarados culpables por ningún delito grave, algunos pueden tener comportamientos que obliguen a expulsarlos temporalmente de la escuela o a recibi una advertencia de la policía.

En el capítulo 4, dedicado al acoso y a la intimidación, se describe cómo el niño con síndrome de Asperger puede vengarse con acciones que van en contra de las leyes de la escuela y del derecho penal. Durante años, el niño y, en ocasiones, el adulto piensa en las injusticias que se han cometido con él y desea resolverlas buscando venganza por medios que son ilegales (Tantam, 2000a). La ingenuidad y la inmadurez social de estas personas también las hace más vulnerables a ser manipuladas por sus compañeros, que las animan a cometer delitos. Un adulto puede malinterpretar las intenciones y comentarios hechos (cuando los ánimos están encendidos), lo que puede propiciar que piense quee se presenten cargos contra él. El niño o el adolescente adquirirá una fama que no está justificada.

Algunos de los niños a los que Asperger diagnosticó una personalidad autística le llegaron por sus problemas de comportamiento, lo que hoy día sería indicativo de un trastorno de la conducta (Hippler y Klicpera, 2004). Dentro de ese grupo, he identificado una pequeña minoría de niños que actúan maliciosamente a propósito y, a veces, esto les llena de satisfacción. He usado el término «malicia autística» (Asperger [1944] 1991, pág., 77).

A partir de mi experiencia clínica con estos niños y adolescentes que comenten actos malintencionados, opino que hay varios factores que propician esta conducta. Cuando el niño se siente aislado de sus compañeros debido a su falta de habilidades sociales y aceptación sociales, y quizá todavía más aislado debido a sus dificultades de aprendizaje o sus aptitudes intelectuales superiores, trata de obtener autoridad mediante la intimidación. El niño se convierte en un pequeño dictador, utiliza amenazas de violencia (más probable en el caso de los niños) y el chantaje emocional (más probable en el caso de las niñas), para obtener autoridad y control sobre los compañeros y la familia. La experiencia indica que la conducta del niño no se inspira en sus padres. En realidad, los padres suelen estar tan asustados como sus compañeros y los intimida con facilidad. Al rendirse a la autoridad y a las exigencias egocéntricas del niño, sin querer refuerzan su conducta. He conocido raros casos de adolescentes con las características de un pequeño dictador que muestran una conducta agresiva y malintencionada con sus padres, hasta el punto de que a estos no les queda más remedio que llamar a la policía y el adolescente es acusado de un delito grave.

Algunos adolescentes con síndrome de Asperger se dan cuenta de que tienen grandes dificultades de empatía y para entender las emociones de los demás, y desarrollan un interés especial en la creación de situaciones difíciles y en hacer observaciones desagradables como un verdadero experimento psicológico para poder predecir la reacción emocional de los demás. Estas observaciones son perturbadoras por lo que se refiere al tema del experimento. Por ejemplo, el adolescente le cuenta a su tía, de manera muy realista, que un automóvil acaba de atropellar a su muy querida mascota. El experimento es malicioso y está destinado a investigar la reacción emocional o a disfrutar con el sufrimiento o el miedo de la otra persona. Es poco probable que la que es el blanco del experimento haya hecho algo que justifique este acto de venganza. La única relación evidente es que esta persona es brillante en áreas de habilidades que son difíciles de alcanzar para el sujeto con síndrome de Asperger. La curiosidad intelectual o los deseos morbosos de hacer sufrir a alguien, como él ha sufrido, constituye una profunda preocupación para su familia y llama la atención de la policía, según a quien elige como blanco de su experimento. Todavía sabemos poco sobre la conducta que hay que seguir para cambiar el comportamiento y la mentalidad de adolescentes y adultos de este grupo. Es poco probable que la prisión o un reformatorio actúen como elemento de disuasión. Los expertos esperan que con la psicoterapia a largo plazo puedan entender su mentalidad y su imagen personal para obtener un reajuste de su conducta y de las habilidades interpersonales.

Tipos de delitos

He conocido pacientes que han cometido delitos, que van desde la alteración del orden público hasta un crimen. La acusación de alteración del orden público suele tener lugar a partir de que una persona con síndrome de Asperger tiene la sensación de que se ha cometido una injusticia con él en una discusión interpersonal; llega un momento en que el desacuerdo es absurdo o termina en una confrontación y una conducta delictiva. La rígida moral de esa persona da lugar a una disputa y propicia las peleas con las personas que considera inmorales, por ejemplo, porque llevan ropa provocativa o se visten o peinan con el estilo de una cultura concreta. La otra persona pone una denuncia en la comisaría y la policía arresta al que tiene síndrome de Asperger por alteración del orden público.

Los problemas de acceder al interés o afición particular pueden propiciar que se le acuse de robo para obtener dinero con la finalidad de comprar artículos que desea añadir a su colección, o por robar directamente el artículo relacionado con su interés o afición particular. El artículo robado puede ser extraño, como una farola o un tractor, y no tener ninguna aplicación práctica para él mismo ya que ni siquiera puede venderlo para obtener un beneficio. Con frecuencia, se identifica rápidamente al culpable y la policía encuentra con facilidad pruebas que lo incriminan. La naturaleza compulsiva del interés particular hace que algunos adultos con síndrome de Asperger, que suelen ser muy honrados, sientan la tentación de cometer un delito.

Asimismo es importante tener presente que los problemas con la expresión de la sexualidad y sus experiencias de pareja pueden propiciar que lo acusen de delitos sexuales. En general, se les acusa de conducta sexualmente inapropiada más que de abusos sexuales o conducta sexual violenta (Ray, Marks y Bray-Garretson, 2004). La persona tiene dificultades para distinguir entre ser amable y cortés y la atracción, y supone que un acto amistoso es un indicio de atracción romántica o sexual. Esto da lugar a su enamoramiento o a que se encapriche con la otra persona. Debido a su falta de madurez en las aptitudes de la teoría de la mente y en la interpretación de las claves sociales, supone que el enamoramiento es recíproco y no reconoce ningún signo de rechazo o de desdén. Por lo tanto, pueden denunciarlo por delitos relacionados con el acoso sexual.

La expresión del placer sexual también es motivo de preocupación. La persona con síndrome de Asperger no habrá tenido las experiencias sociales, sensuales y sexuales que suelen vivir los adolescentes corrientes y desarrollará fantasías sexuales relacionadas con objetos, ropa, niños o animales. El término técnico es «parafilia». Esa persona puede haber sido víctima de abusos sexuales y, más tarde, los repite con otras personas, asumiendo que esa conducta sexual

543

es aceptable o como un intento de entender por qué una persona comete abusos sexuales y parece disfrutar de esta conducta.

Su curiosidad y confusión sobre la sexualidad hace que quiera más información y que desarrolle un interés particular, solitario 'y clandestino por la pornografía. Supondrá que puede usar la conducta sexual o las escenas de sexo que ve en las películas y en algunas revistas como guión para su primera cita. Cuando hace ciertas sugerencias, es posible que parezca un pervertidoo sexual o una persona desviada sexualmente y que por ello se enfrente a una acusación de delito sexual. También se ha sugerido que tener síndrome de Asperger sería un factor en, como mínimo, un caso de crímenes sexuales en serie (Silva, Ferrari y Leong, 2002). Por lo tanto, recomiendo encarecidamente orientación y directrices sobre la sexualidad para adolescentes y adultos con síndrome de Asperger, usando los programas diseñados por especialistas en el síndrome (Henault, 2005) y las modificaciones necesarias de los programas de tratamiento para delincuentes acusados de agresiones sexuales (Ray y otros, 2004).

Creo que, hace mucho tiempo, un experto cuyo nombre no recuerdo mencionó que Hans Asperger había afirmado que los adultos con un trastorno de personalidad podían llegar a ser muy habilidosos en el descifrado de códigos, y sus aptitudes en matemáticas y su astucia con los códigos serían muy valoradas por los servicios de inteligencia militar. En su artículo publicado en 1938, se oponía firmemente a la ley nazi para la prevención de que la descendencia sufriera enfermedades hereditarias. Parece ser que Asperger consideró que destacando las habilidades y aptitudes peculiares de las personas con un trastorno de la personalidad, estaba haciendo hincapié en sus posibles ventajas para los militares, lo que trataba de impedir que estos niños fueran ejecutados. Sin duda, Asperger fue un hombre valiente al enfrentarse a la doctrina nazi.

Cuando me reuní con su hija, Maria, en Zurich varios años más tarde, le pregunté si era cierto que su padre había hecho estos comentarios sobre el descifrado de códigos y me contestó con un rotundo sí. También me contó que su padre fue considerado sospechoso por las autoridades nazis. Le comenté que sus comentarios fueron muy astutos y que, durante la Segunda Guerra Mundial, la inteligencia militar británica sacó provecho de las características del síndrome de Asperger, que teníane varios matcmáticos que contribuyeron a descifrar el código de la máquina del *Enigma* alemán.[*] Su contribución al fin de la guerra fue inestimable.

Hoy día, también es muy fácil que los códigos y la electrónica se conviertan en la afición favorita de adultos jóvenes con síndrome de Asperger, lo que puede propiciar que los acuse de piratería informática. Puede entrar en el sistema de datos del ordenador de otras personas como ejercicio intelectual y no necesariamente lo hace para sustraer dinero de una cuenta o para apropiarse de información como forma de espionaje industrial. No desea más beneficios personales que el prestigio de demostrar mayor inteligencia que los que diseñan programas de ordenador. A veces, su motivación es tomar represalias contra los que crean un programa que es defectuoso o que se convierte en un monopolio virtual que ofende su sentido de la justicia social. Sin embargo, no es probable que un tribunal considere que estos factores son circunstancias atenuantes. Si utiliza constructivamente estas habilidades, por ejemplo trabajando para una compañía de seguridad en Internet o para los servicios de inteligencia militar, puede convertir su interés en una carrera valorada y lucrativa.

Un niño o adolescente con síndrome de Asperger puede mostrarse fascinado por la luz parpadeante y los colores de las llamas y su afición excesiva por encender fuego puede asociarse a incidentes graves, de los que, como consecuencia, será acusado de pirómano (Everall y Le Couteur, 1990; Ysager y otros, 2005). Se considera un delito muy grave. También he conocido a adultos con el síndrome

---

[*] Los criptoanalistas lograron desarrollar el programa *Ultra*, que permitió descifrar la máquina criptográfica alemana *Enigma*, una tecnología que, sin duda, permitió que los aliados localizaran con mayor facilidad los submarinos alemanes. Poco después, los aliados también pudieron detectar el origen de las transmisiones de radio de los submarinos, lo que representó otra arma tecnológica importante contra Alemania y el nazismo (*N. de la t.*).

acusados de homicidio o de intento de homicidio. En ocasiones el crimen es consecuencia de una pelea que llega a ser inesperadamente violenta, en la que su estado mental y su sentido de la realidad se deteriora en un episodio de rabia ciega con consecuencias mortales. El homicidio puede ser premeditado, como forma de defensa propia o para obtener un beneficio personal. Por ejemplo, ese joven se lleva un arma a la escuela para impedir que sus compañeros sigan acosándolo e inicia un incidente violento cuya objetivo era la muerte de su verdugo. También se han publicado estudios de casos de crímenes cuya finalidad era clara y simplemente obtener un benofício personal (Murrie y otros, 2002). No obstante, es importante que el lector sepa que rara vez una persona con síndrome de Asperger comete delitos como el homicidio o el asesinato y no hay pruebas procedentes de la investigación que sugieran que el porcentaje de homicidios es mayor que en la población general, ni que el hecho de tener síndrome de Asperger sea un factor relevante.

EL SISTEMA JUDICIAL

Durante el interrogatorio con la policía no manifiesta un trastorno psiquiátrico evidente o una discapacidad del aprendizaje que requiera consideraciones especiales. La experiencia indica que, en general, la persona con síndrome de Asperger que ha cometido un delito confiesa más rápidamente justificando sus acciones; no pueden entender por qué dudan los demás: sus acciones fueron lógicas, justificadas y apropiadas, y las describe con frialdad sin transmitir ninguna emoción ni manifestar remordimientos

Todos los componentes del sistema judicial pueden sacar provecho de la participación de especialistas en la evaluación psicológica y psiquiátrica forense del paciente. Hoy día, sabemos que entre el 3 % y el 11 % de envíos a clínicas psiquiátricas forenses corresponden a delincuentes jóvenes con el síndrome (Person y Branden, 2005; Siponmaa y otros, 2001).

La falta de empatía y de remordimientos que serían de esperar sugiere que la persona presenta signos de ser un psicópata. Los psicópatas suelen tener un encanto superficial y antecedentes de formas ingeniosas e intuitivas de aprovecharse y manipular a los demás. Son las aves de rapiña humanas definitivas. Las persona con síndrome de Asperger es ingenua e inmadura desde un punto de vista social y suele estar en el otro extremo del espectro del individuo que actúa como un ave de rapiña (Murrie y otros, 2002). Ambos tienen problemas de empatía pero por diferentes razones

Los países tienen legislaciones y códigos penales diferentes, lo cual es importante para un acusado con síndrome de Asperger. Basándome en mi experiencia sobre los aspectos forenses del síndrome, puedo afirmar que, a menudo, los tribunales son reacios a imponer penas de prisión, en particular para delitos relativamente menores. Es una decisión sabia, ya que en la prisión he visto personas con síndrome de Asperger que han sido sometidas a acoso y se han convertido en víctimas de malos tratos graves por parte de otros presos. Un ejemplo reciente es el de un hombre joven que había cometido un robo para obtener dinero con el que comprar nuevos artículos de su afición particular. Durante el período que permaneció en la prisión fue sometido casi a diario a agresiones sexuales. Lo comunicó a las autoridades penitenciarias pero esas agresiones continuaron. El hombre se desesperaba tratando de evitar nuevas agresiones y se daba cuenta de que tenía pocas opciones. Razonó que la única opción que le quedaba era ser condenado a pasar una temporada en aislamiento. Empezó a provocar pequeños incendios en el taller de la prisión con la esperanza de que lo castigaran durante algún tiempo. Por desgracia, un día el fuego se extendió a un ritmo que no pudo controlar y el taller quedó destruido. Por consiguiente, fue acusado de otro delito más grave como pirómano y se enfrentaba a la perspectiva de una condena de cárcel mayor. No obstante, este caso tuvo un final feliz. Cuando se presentó al juez la acusación de piromanía y las circunstancias que rodeaban al preso con síndrome de Asperger, explicadas por el abogado defensor del centro penitenciario, se retiraron los cargos contra él.

Cuando un juez dicta sentencia para estas personas, es importante considerar sus razones y disponer de programas de rehabilitación adecuados para reducir la probabilidad de que reincida en los delitos. Estos programas trabajan la mejora de las habilidades sociales, el fomento de los lazos de amistad con compañeros cuya conducta sea normal, el entrenamiento en el control de la cólera; el tratamiento de un posible trastorno de ansiedad subyacente para reducir la naturaleza compulsiva del interés particular; la resolución de las injusticias pasada; y directrices y consejos sobre las relaciones de pareja y la sexualidad. Parte de la sentencia puede ser su participación forzosa en estos programas y tratamientos. Sin embargo, esto requiere que existan tales servicios, así como un experto con formación en el síndrome de Asperger que aplique el tratamiento

5. ¿Puede confundirse el síndrome de Asperger con la esquizofrenia?

Hans Asperger puso todo su empeño en diferenciar el trastorno de la personalidad de la esquizofrenia y mencionó que, mientras que el paciente esquizofrénico parece mostrar una progresiva pérdida de contacto con la realidad, los niños que estamos describiendo carecen de contacto desde el principio (Asperger [1944] 1991, pág. 39). No obstante, en el pasado y todavía hoy, se envía a algunos adultos jóvenes para una evaluación psiquiátrica por posible esquizofrenia.

Las personas con síndrome de Asperger pueden desarrollar lo que parecen signos de paranoia, pero ésta es una respuesta comprensible a las experiencias sociales muy reales. El niño con el síndrome afronta un mayor grado de burlas y acoso que sus compañeros. Una vez que los otros niños lo han sometido a acoso e intimidación intencionados, cualquier interacción posterior que sea confusa o de intención poco clara hace que ese niño suponga que lo tratan de manera intencionadamentefue hostil. A la larga, eso genera delirios persecutorios y la idea preconcebida de que las personas llevan mala intención.

Una de las preocupaciones de los médicos es diferenciar entre las consecuencias anticipadas de la inmadurez en las habilidades de la teoría de la mente, y la paranoia y los delirios persecutorios asociados con la esquizofrenia. En un estudio reciente se examinó la posible relación entre el retraso en la adquisición de habilidades de la teoría de la mente y la paranoia en adultos jóvenes con síndrome de Asperger (Blackshaw y otros, 2001). Un incidente sin importancia para otros niños, como ser pasado por alto por un amigo, podía conceptuarse desde el punto de vista de la situación (no te vio, iba de prisa, etc.), que utiliza las circunstancias como explicación; o podía conceptuarse desde el punto de vista de las situaciones mentales (no quería hablar contigo, o no quería que tú te sintieras avergonzado o no tenido en cuenta). El estudio utilizó una serie de tests y cuestionarios para determinar el grado de retraso en la adquisición en las habilidades de la teoría de la mente y la paranoia. Los individuos con síndrome de Asperger obtuvieron puntuaciones más bajas en los tests de la teoría de la mente y más altas en las escalas de paranoia que los niños corrientes, que sirvieron como grupo de control, pero el análisis de los resultados del estudio reveló que la paranoia se debió a la escasa adquisición de las habilidades de la teoría de la mente y fue diferente, cualitativamente, de las características de paranoia observadas en pacientes las qeu se había diagnosticado esquizofrenia. La paranoia no era una estrategia de defensa, como es el caso en la esquizofrenia, sino que se debe a la confusión en la comprensión de las sutilezas de las interacciones y normas sociales.

En un estudio posterior sobre delirios persecutorios y habilidades de la teoría de la mente se compararon personas que tenían síndrome Asperger con paciente que sufrían delirios paranoides, y sus autores concluyeron que los signos paranoides de bajo nivel observados en algunos individuos con síndrome de Asperger se deben a mecanismos diferentes que los que intervienen en el delirio psicótico (Craig y otros, 2004). Una persona con síndrome de Asperger crea manías persecutorias y paranoia, pero hay diferencias cualitativas entre éstos y los sentimientos de paranoia, que son un signo de esquizofrenia.

Uno de los mecanismos compensadores de una persona con síndrome de Asperger, que puede tener un éxito y comprensión sociales limitados, es crearse un mundo de fantasía en el que haya amigos y mundos imaginarios, y en el que es comprendida y brillante socialmente. El contraste entre el mundo real y el imaginario puede llegar a ser muy agudo durante la adolescencia y, en condiciones de estrés extremo, el adolescente se crea un mundo de fantasía que no es simplemente un santuario mental que le resulta placentero, sino una causa de preocupación para los demás, es decir la distinción entre el mundo de la fantasía y la realidad se vuelve borrosa. Por lo tanto, la tendencia a evadirse con la imaginación como mecanismo compensador se interpreta como un estado delirante de la mente (Lasalle, 2003).

También he observado que algunos niños y adultos con síndrome de Asperger tienden a expresar sus pensamientos, en apariencia sin saber lo confuso o molesto que esto puede ser para los demás. Expresan sus pensamientos como un medio de resolución de problemas, y algunos afirman que pueden mejorar su razonamiento hablando consigo mismos, o que tienen dificultades para «desligar el cerebro de la boca». Cuando se oye un monólogo que tiene lugar fuera de un contexto social, el contenido suele ser una representación de las conversaciones del día, en una tentativa de entender los diversos niveles de significado, o de representar lo que debe decir en futuros acontecimientos. Cuando está solo, el adolescente habla en voz alta con una persona o amigo imaginario, lo que no significa, que esté hablando en respuesta a una alucinación auditiva.

Los problemas con los aspectos pragmáticos del lenguaje explican su tendencia a cambiar de tema, lo que causa confusión a los demás y se interpreta como prueba de un trastorno cognitivo asociado a la esquizofrenia. Si tiene dudas de lo que ha de decir, cambia de tema y escoge otro que conozca bien y del que le guste hablar. Otro problema relacionado con los aspectos pragmáticos y semánticos del lenguaje de estas personas es que interpretan literalmente lo que se les dice. Por ejemplo, un psiquiatra puede preguntarles si alguna vez oyen voces, a lo que puede que contesten afirmativamente, es decir, la respuesta correcta basada en la interpretación literal de la pregunta (Lauson, 1998). Después de todo, ¡cada día oye las voces de muchas personas que hablan a su alrededor! Su respuesta contribuirá a la opinión clínica de que tiene esquizofrenia.

Sabemos que muchos niños con síndrome de Asperger piensan en imágenes (véase el cap. 9), y cuando les pregunto si también tienen una voz interna, que los ayuda a controlar una emoción o una situación, con frecuencia se quedan perplejos y afirman que no tienen una voz interna o una conversación cuando piensan. Es probable que esta característica se deba al retraso en la adquisición de los aspectos de la reflexión en la teoría de la mente, y es posible que se asocie con un desarrollo inmaduro de los lóbulos frontales. El niño corriente adquiere esa aptitud cuando tiene unos cinco años de edad. Sin embargo, en una persona con síndrome de Asperger, esa característica se despierta por primera vez durante la adolescencia; entonces refiere que oye voces y mantiene conversaciones mentalmente, lo que podría interpretarse como un signo de esquizofrenia. Es importante distinguir entre una voz interna como un aspecto natural de las reflexiones y la resolución de problemas, y las alucinaciones auditivas de la esquizofrenia.

Los médicos reconocen que en ocasiones la depresión grave y otros trastornos del esatdo de ánimo, como el trastorno bipolar y los trastornos de ansiedad, pueden favorecer la aparición de características psicóticas y los delirios congruentes con el estado de ánimo (Ghaziuddin, 2005b). En particular, una persona con una depresión grave puede presentar alucinaciones auditivas relacionadas con la depresión, en las que, por ejemplo, oye voces que la invitan a suicidarse, pero hay una diferencia cualitativa con las voces asociadas a la esquizofrenia. En la depresión psicótica, con frecuencia las voces le hablan directamente al paciente, mientras que en la esquizofrenia las voces suelen hablar sobre la persona (Ghaziuddin, 2005b).

Las similitudes superficiales entre algunos de los signos y consecuencias del síndrome de Asperger y la esquizofrenia no implican que una persona esté inmunizada frente a esa enfermedad. Los hay que presentan signos claros de esta psicosis (Ghaziuddin, 2005b; Stahlberg y otros, 2004). Sin embargo, Asperger observó que sólo uno de cada doscientos casos de sus casos presentaba claros signos de esquizofrenia (Wolff, 1995). Todavía no hemos establecido la co-morbilidad real del síndrome de Asperger y la esquizofrenia, pero, en los estudios publicados no hay pruebas de que ésta sea más frecuente en pacientes con el síndrome que en la población general (Tantam, 2000a).

Hay familias enlas que hay un hijo con síndrome de Asperger y un familiar diagnosticado de esquizofrenia (Ghaziuddin, 2005b). Sin embargo, en ocasiones no podemos estar seguros de si el familiar tenía esquizofrenia o características del síndrome similares a algunos rasgos de esta enfermedad. Antaño, a los pacientes remitidos a un psiquiatra experto en adultos que desconocía la existencia del síndrome de Asperger, se les habría diagnosticado esquizofrenia atípica (Perlmam, 2000). Obtuve mis diplomas clínicos en los últimos tiempos de los grandes hospitales mentales de los alrededores de Londres, que alojaban a cientos de pacientes psiquiátricos crónicos. Me doy cuenta de que ahora algunos de aquellos pacientes ingresados en instituciones muy antiguas recibirían un diagnóstico de síndrome de Asperger. Si, hoy día, dichos individuos residen en servicios psiquiátricos comunitarios les resultará beneficioso un nuevo examen del diagnóstico original. La familia de la persona con síndrome de Asperger con otro miembro al que se le haya diagnosticado esquizofrenia puede contemplar si las características del síndrome de Asperger se ajustan más a esa persona y si es necesario que un especialista en el síndrome revise el diagnóstico original.

6. ¿Cuál es el pronóstico a largo plazo?

Durante varias décadas he podido observar una mayor madurez, aptitudes y aceptación de sí mismos de varios miles de niños y adultos con síndrome de Asperger. Los niños en edad preescolar que he visitado después de inaugurar mi consultorio en 1992 son, en la actualidad, adultos jóvenes. También he diagnosticado el síndrome a adultos y les proporciono apoyo en su búsqueda de una identidad, una relación con su pareja e hijos y éxito en su carrera profesional. Para aquellos cuyos resultados y evolución han sido satisfactorios, he identificado diversos factores importantes que han contribuido a ello. Estos factores son los siguientes:

- El diagnóstico se establece en la primera infancia, lo que reduce los problemas psicológicos secundarios, como la depresión y la negación del síndrome.
- La persona y su familia han aceptado el diagnóstico.
- La persona tiene un tutor, es decir, un maestro, un familiar, un profesional u otra persona que también tiene síndrome de Asperger, que lo entiende y le ofrece consejos e inspiración.
- La persona adquiere conocimientos sobre el síndrome a través de la lectura de autobiografías y libros de autoayuda escritos por otras personas que tienen síndrome de Asperger.
- Los padres, el cónyuge o un amigo le proporcionan apoyo emocional y práctico, camuflan cualquier dificultad y se comprometen con él de por vida.
- La persona logra éxitos en el ámbito laboral o en el de su interés particular que superan los retos que le plantea su vida social. Al final el éxito social es menos importante en su vida, y no mide sus sentimientos de identidad y valía personal por sus relaciones personales sino por sus logros. Este aspecto queda ilustrado con las palabras de Temple Grandin:

Sé muy bien que en mi vida faltan cosas pero tengo una carrera fascinante que me mantiene ocupada todas las horas del día. Estar activa me ayuda a apartar de mi mente lo que falta en mi vida. En ocasiones los padres y los profesionales se preocupan demasiado por la vida social de un adulto con autismo. Establezco contactos sociales a través de mi trabajo. Si una persona desarrolla su talento, tendrá contactos con gente que comparte su interés (Grandin, 1995, pág.139).

- En último término, la persona aceptará sus virtudes y defectos, y ya no sentirá el deseo de convertirse en alguien que no puede ser: se da cuenta de que tiene cualidades que otros admiran.
- Puede tener lugar una recuperación natural. Al igual que hay niños que tardan en andar o en hablar, es posible que haya niños que tarden más en socializarse aunque este retraso puede ser de varias décadas. En último término la persona alcanza sus objetivos vitales.

Los profesionales sanitarios visitan a niños y adultos con síndrome de Asperger que presentan problemas visibles y difíciles de tratar o de resolver, y esto puede propiciar una visión claramente pesimista del pronóstico a largo plazo. El síndrome de Asperger es un trastorno del desarrollo y, al fin y al cabo, la persona aprende a mejorar sus habilidades de socialización y conversación, y a entender lo que piensan y sienten los demás, así como la expresión precisa y sutil de sus sentimientos. Suelo utilizar la analogía de componer un rompecabezas de varios miles de piezas sin una guía del dibujo. Con el tiempo, se completan pequeñas partes aisladas del rompecabezas pero no llega a componerse la imagen total. Al final, hay islas suficientes del rompecabezas para reconocer la imagen general, y en ese momento todas las piezas encajan. El rompecabezas de la comprensión social y de la aceptación de uno mismo encaja. He conocido a muchos adultos que refieren cómo, en sus madurez, finalmente, afrontaron su confusión intelectual de los mecanismos de las relaciones sociales. Las únicas personas que saben cómo han obtenido esta fluida integración social son su familia y los amigos íntimos.

En mi extensa experiencia clínica con estas personas de todas las edades y del conocimiento de niños y adultos concretos con síndrome de Asperger, he observado que, para algunos adultos, los signos visibles del síndrome disminuyen con el tiempo. Sabemos que hay un *continuum* en la expresión del autismo, desde el niño silencioso y solitario hasta la persona con el síndrome de Asperger. Estamos empezando a examinar la zona del *continuum* del autismo entre el síndrome de Asperger y la normalidad. He conocido algunos adolescentes y adultos que han progresado hasta el punto del *continuum* donde sólo persisten diferencias y dificultades sutiles. La persona ha progresado hasta situarse más en una descripción de la personalidad que una categoría diagnóstica usada por psicólogos y psiquiatras para justificar el acceso a tratamiento psicológico y psiquiátrico. Digby Tantam ha usado el término «excentricidad crónica» para describir el pronóstico a largo plazo de los pacientes (Tantam, 1988b). El término «excentricidad» no se usa en sentido peyorativo. Siempre hay una explicación lógica para la conducta en apariencia excéntrica de estas personas. Tengo amigos y familiares con síndrome de Asperger que son personas de mucha valía. Considero que las personas con el síndrome son una amenaza brillante en el rico tapiz de la vida. Nuestra civilización sería sumamente insípida y estéril si no tuviéramos estas personas y no las cultiváramos.

Sean Barron describe lo que puede ser el pronóstico para muchas personas con síndrome de Asperger:

> Por fortuna, las conexiones sociales que desesperadamente deseaba establecer se han producido. La relación con mi familia es extraordinaria; tengo una red de amigos maravillosos, un trabajo como periodista que me satisface en el plano intelectual y, desde 2003, tengo una pareja estable. Todas las personas de mi vida me afectan de manera positiva (Grandi y Baron, pág. 82).

7. ¿Qué ocurrió con Jack?

Mi guía del síndrome de Asperger se inició con la descripción ficticia de un niño con el síndrome, Jack, que acudía a la fiesta de cumpleaños de Alicia, una amiga de la escuela. Los padres pueden preguntarse: ¿cuál será el futuro de Jack? Me gustaría terminar esta obra con una descripción verosímil de Jack como adulto, basándome en mi extensa experiencia con miles de adultos y niños con síndrome de Asperger y de haber observado el desarrollo a largo plazo de los niños que visité varias décadas atrás.

Llamaron con fuerza a la puerta de la oficina. El nuevo director de recursos humanos sabía que debía tratarse del doctor Jack Johnston, que anunciaba su llegada para la supervisión de la productividad anual. Había oído hablar a sus colegas de este hombre y estaba impaciente por conocerlo. La empresa fabricaba sistemas de almacenamiento de energía y Jack trabajaba en un nuevo sistema para vehículos a motor que pudiera reemplazar los motores de gasolina. El departamento de investigación y desarrollo de esa empresa tenía un equipo de científicos que diseñaban nuevos productos, pero Jack trabajaba por su cuenta.

El director de recursos humanos tenía el expediente de Jack sobre su mesa. Era, con mucha diferencia, el más extenso que había visto de un miembro del personal. Contenía información básica sobre sus calificaciones académicas y diplomas, una referencia a su tesis doctoral, a su carrera como ingeniero electrónico y referencias de empresarios conlos que había trabajado y que destacaban su franqueza, su integridad y su determinación. Por otra parte, en su *curriculum* había notas escritas por su antecesor en ese cargo para ayudar al director de área y a otro personal de la empresa. Había una explicación breve de un proceso llamado síndrome de Asperger y cómo esto justificaba las aptitudes y la personalidad de Jack. Se le diagnóstico en 2005, cuando tenía nueve años de edad, y la escuela lo había apoyado para mejorar sus habilidades interpersonales y las clases para fomentar su talento como ingeniero. En ese momento, 2028, había dejado su cargo como académico para trabajar en la industria desde hacía solamente dos años atrás.

También se incluía una descripción detallada de sus conocimientos, sus formas alternativas de reflexionar y resolver los problemas, y su elevado estándar de trabajo, pero también un comentario sobre sus dificultades para trabajar en equipo, su tendencia a ser poco flexible y su incapacidad para afrontar emocionalmente los cambios súbitos en el trabajo. Sus ideas habían contribuido al aumento reciente de los beneficios de la empresa, ya que había diseñado una nueva batería de larga duración para consolas de video-juegos. Se le consideraba excéntrico pero un miembro valioso como trabajador por cuenta propia.

En la empresa también corrían rumores sobre Jack. Se encontraba en la treintena, vivía con sus padres y tenía una amiga íntima de la que a veces hablaba, Alicia, a la que conoció cuando estaba en la escuela primaria. Tenía un círculo de amigos en el trabajo que era relativamente pequeño pero nada indicaba que hubiera tenido una relación estable. Se había dedicado a la investigación y parecía incómodo en los acontecimientos sociales, como la fiesta de Navidad, en la que el año pasado sólo permaneció veinte minutos. Dijo que tenía que regresar a casa porque su afición era la cría de koalas y era necesario que los animales tuvieran siempre hojas de eucalipto recién cortadas. Seis meses atrás, se contrató como contable a una mujer soltera que tenía dos hijos adolescentes, era muy hábil para hacer sentir relajados a los demás y sorprendió a todo el mundo por su grado de eficiencia en la organización de la contabilidad de la empresa. Esta mujer conoció a Jack cuando estaba rellenando su hoja de gastos mensual y a partir de aquel día sus vidas se transformaron. Iban a casarse al mes siguiente.

El director de recursos humanos le dijo a Jack que entrara. No tenía la más ligera idea de cuál sería su aspecto pero, sin duda, la persona que tenía delante era de las que no se olvidan. Llevaba el cabello despeinado, no se había afeitado desde hacía días y en el bolsillo de su camisa sobresalían como mínimo cuatro bolígrafos, dos lápices y una vieja calculadora. Uno de los bolígrafos le había manchado de tinta la camisa. Jack se sentó directamente sin presentarse ni hacer ningún comentario cortés, e inició un monólogo sobre la ejecución de su trabajo durante el último año y sus proyectos para el siguiente. Pareció aliviado cuando hubo proporcionado la información requerida.

Acto seguido, le tocó el turno al director de recursos humanos, quien informó a Jack sobre el trabajo. Sus ideas habían sido muy originales, aunque en ocasiones difíciles de entender cuando explicaba verbalmente su fundamento, pero su modelo informático, para el que utilizó gráficos tridimensionales, lo dejó muy claro. Sus colegas lo apreciaban aunque tenía tendencia a repetir siempre las mismas bromas. Había ganado el campeonato entre departamentos del Trivial Pursuit y los demás lo consideraban una persona amable, tímida y dedicada.

Jack reflexionó durante un momento y estuvo de acuerdo con su valoración. Cortésmente, le preguntó cómo el director de recursos humanos afrontaba su nueva posición, si había encontrado escuela para sus hijos y qué pensaba de la nueva directora ejecutiva. Cuando Jack abandonó su despacho, recordó su infancia: cómo cuando era pequeño sentía que no era comprendido o apreciado por los otros niños de la escuela y, cómo durante su adolescencia había sufrido sentimientos de baja autoestima y había deseado ser popular. Otros niños de la clase lo atormentaban y le decían que era un fracasado pero, ¡cómo le gustaría que pudieran verlo ahora! No era un fracasado sino un profesional brillante. Esa idea lo consoló al abrir la puerta de su nuevo BMW serie 7, y se dio cuenta de que llegaba tarde a la reunión que serviría para los preparativos finales de su boda.

Glosario

Alexitimia

Alteración de la capacidad para identificar y expresar las emociones.

Amígdala

Estructura del cerebro asociada al reconocimiento de las emociones y a su regulación.

Apraxia

Trastorno caracterizado por problemas en la conceptuación y planificación del movimiento, que es menos eficiente y coordinado de lo que sería de esperar.

Aspectos pragmáticos del lenguaje

Modificación del lenguaje para adaptarlo a un contexto social determinado.

Ataxia

Alteración de la coordinación muscular voluntaria y del control de la postura, que conducen a realizar movimientos anómalos.

Autismo de alto funcionamiento

El término se ha usado para describir a aquellos niños que en la primera infancia manifiestan los signos clásicos del autismo pero que, a medida que crecen, muestran, en las pruebas de aptitudes cognitivas, más capacidad intelectual y habilidades de conducta social, de adaptación y de comunicación mayores que las habituales en niños autistas.

Boca de Moebius Labio superior prominente y labio inferior plano.

CI Coeficiente intelectual.

CIE-10 *Clasificación Internacional de Enfermedades*, décima edición. Esta clasificación está auspiciada por la Organización Mundial de la Salud.

Cinestesia o propiocepción Integración de la información sobre la posición y el movimiento del cuerpo en el espacio.

Coherencia central débil Dificultades para percibir y entender la perspectiva general o lo esencial, ya que se presta más atención a las partes que al conjunto.

Conversaciones mediante cómics Dibujos simples como caricaturas y monigotes con bocadillos de texto en los que se escribe lo que piensan y dicen las personas, en colores diferentes para ilustrar la secuencia de acciones, emociones y pensamientos en una situación social determinada. Creadas originalmente por Carol Gray.

DSM-IV *Manual Diagnóstico y Estadístico de las Enfermedades Mentales* (*Diagnostic and Statistical Manual of Mental Disorders*), cuarta edición. Nomenclatura psiquiátrica publicada por la American Psychiatric Association. Para referirse al libro de forma abreviada, en español también se usan las siglas inglesas, DSM-IV. Hasta la fecha, se han publicado cuatro revisiones (la última en el año 2000).

Discalculia	Problemas para entender los conceptos matemáticos básicos.
Discapacidad del aprendizaje no verbal	Trastorno cuyas principales características son déficit de las habilidades visuales, perceptivas y organizativas; de las habilidades psicomotoras complejas y la percepción táctil; de adaptación a nuevas situaciones; de percepción del tiempo; aritmética mecánica; y de habilidades de percepción social e interacción social. También hay dificultades de percepción auditiva, de reconocimiento de palabras, y de aprendizaje y memorización de los verbos y la ortografía.
Evitación patológica de responsabilidades o exigencias	Evitación pasiva de la cooperación e inclusión social en la escuela y el hogar.
Faux pas	Paso en falso, meter la pata.
Filtros de Irlen	Gafas tintadas, no graduadas, destinadas a filtrar las frecuencias del espectro de luz a las que la persona es sensible.
Hiperlexia	Capacidad superior en el reconocimiento de palabras con una comprensión relativamente deficitaria de las palabras o el argumento.
Historias sociales ™	Método terapéutico que describe una situación, una habilidad o un concepto desde el punto de vista de las claves sociales relevantes, las perspectivas y las respuestas habituales en un estilo y formato definidos. Fueron creadas por Carol Gray.
Incidencia	Número real de individuos a los que se les ha confirmado un diagnóstico.

561

Macrocefalia	Anomalía anatómica caracterizada por tener el cráneo y el cerebro de mayor tamaño que el considerado normal.
Macrografía	Trastorno caracterizado por las dificultades de la escritura manual.
Memoria de trabajo	Capacidad para mantener o conservar la información *on line* cuando se resuelve un problema.
Monotropismo	Trastorno caracterizado por la dificultad para percibir y entender la perspectiva o lo esencial, ya que se presta más atención a las partes que al conjunto.
Mutismo selectivo	Evitación del habla.
Olfativo	Relativo al sentido del olfato.
Parafilia	Fantasías sexuales que se relacionan con objetos, ropa, niños o animales. La exhibición de algunas parafilias es ilegal.
Prevalencia	Número de individuos que presentan una enfermedad en la población general.
Prosopagnosia	Trastorno que se caracteriza por la ceguera para percibir las caras.
Reacción defensiva táctil	Sensibilidad especial a determinadas experiencias táctiles.
Síndrome de Asperger	Expresión de autismo localizada en el extremo más leve del espectro de los trastornos autísticos.
Síndrome de la Tourette	Trastorno que se caracteriza por múltiples tics motores y uno o más tics vocales.

Sinestesia	Forma poco frecuente de percepción sensitiva en la que el paciente experimenta una sensación en un sistema sensitivo pero la percibe en otra modalidad.
Teoría de la mente	Capacidad para reconocer y entender lo que piensa, cree, desea y pretende hacer otra persona para que la propia conducta tenga sentido y predecir qué va a hacer a continuación.
Tics	Movimientos o ruidos involuntarios ocasionales.
Trastorno del lenguaje pragmático-semántico	Trastorno que se caracteriza por tener habilidades del lenguaje relativamente buenas en las áreas de sintaxis, vocabulario y fonología pero con un uso deficitario del lenguaje en un contexto social; es decir, que el trastorno afecta al arte de la conversación o aspecto pragmático del lenguaje.
Trastorno obsesivo-compulsivo	Trastorno en el que la persona tiene pensamientos molestos sobre cosas en las que no desea pensar. Esos pensamientos se describen como *egodistónicos*, es decir, angustiantes y desagradables. En las personas normales esos pensamientos se suelen relacionar con la limpieza, la agresividad, la religión y el sexo. Los pensamientos obsesivos de niños y adultos con síndrome de Asperger suelen estar relacionados, sobre todo, con el acoso y la intimidación, el temor a cometer un error y a ser criticado.
Trastorno de estrés postraumático	Este trastorno puede ser consecuencia de la experiencia de un acontecimiento traumático o de una serie de acontecimientos. Entre los signos clínicos están las tentativas de evitar el incidente o sus recuerdos, y los signos de ansiedad, depre-

sión, cólera e, incluso, alucinaciones asociadas al acontecimiento precipitante.

Trastorno de la personalidad

Término original usado por Hans Asperger para lo que más tarde se denominó síndrome de Asperger.

Trastorno pervasivo del desarrollo

Grave afectación de las habilidades de interacción social recíproca y de comunicación, y presencia de conducta, intereses y actividades repetitivos.

Trastorno de hiperactividad y déficit de atención

Trastorno caracterizado por la dificultad para para mantener la atención, impulsividad e hiperactividad.

Terapia cognitivo-conductual

Tratamiento eficaz para cambiar la forma en que una persona piensa en emociones como la ansiedad, la tristeza y la cólera, y reacciona a ellas. La terapia presta atención a la madurez, la complejidad, la sutileza y el vocabulario de las emociones, y el pensamiento disfuncional o ilógico y las presunciones incorrectas.

Referencias

Abele, E. y D. Grenier, «The language of social communication: running pragmatic groups in schools and clinical settings», en L. Baker y L. Welkowitz (comps.), *Asperger's Syndrome: Intervening in Schools, Clinics, and Communities*, Mahwah, NJ, Lawrence Erlbaum Associates, 2005.

Adamo, S., «An adolescent and his imaginary companions: from quasi-delusional constructs to creative imagination», *Journal of Child Psychotherapy*, n.º 30, 2004, págs. 275-295.

Adams, C., J. Green, A. Gilchrist y A. Cox, «Conversational behaviour of children with Asperger syndrome and conduct disorder», *Journal of Child Psychology and Psychiatry*, n.º 43, 2002, págs. 679-690.

Adolphs, R., L. Sears y J. Piven, «Abnormal processing of social information from faces in autism», *Journal of Cognitive Neuroscience*, n.º 13, 2001, págs. 232-240.

Ahearn, W., T. Castine, K. Nault y G. Green, «An assessment of food acceptance in children with autism of pervasive developmental disorder not otherwise specified», *Journal of Autism and Developmental Disorders*, n.º 31, 2001, págs. 505-511.

Ahsgren, I., I. Baldwin, C. Goetzinger-Falk, A. Arikson, O. Flodmark y C. Gillberg, «Ataxia, autism and the cerebellum: a clinical study of 32 individuals with congenital ataxia», *Develop-*

mental Medicine and Child Neurology, n.º 47, 2005, págs. 193-198.

Alcántara, J., E. Weisblatt, B. Moore y P. Bolton, «Speech-in-noise perception in high-functioning individuals with autism or Asperger's syndrome», *Journal of Child Psychology and Psychiatry*, n.º 45, 2004, págs. 1.107-1.114.

Alexander, R., D. Michael y S. Gangadharan, «The use of risperidone in adults with Asperger Syndrome», *British Journal of Developmental Disabilities*, n.º 50, 2004, págs. 109-115.

Álvarez, A. y S. Reid (comps.), *Autism and Personality: Findings from the Tavistock Autism Workshop*, Londres, Routledge, 1999.

American Psychiatric Association (APA), *Diagnostic and Statistical Manual of Mental Disorders*, 4.ª ed., Washington, DC, American Psychiatric Association, 1994 (trad. cast.: *DSM-IV: manual diagnóstico y estadístico de los trastornos mentales*, Barcelona, Masson, 1995).

—, *Diagnostic and Statistical Manual of Mental Disorders*, 4.ª ed., texto revisado, Washington, DC, American Psychiatric Association, 2000 (trad. cast.: *DSM-IV-TR: manual diagnóstico y estadístico de los trastornos mentales*, texto revisado, Barcelona, Masson, 2003).

Andron, L. y E. G. Weber, *From Solitary Perseveration to Social Relatedness: Facilitating Social Interaction for Children, Adolescents and Adults with Autism – A Family-centred Group Approach*, manuscrito no publicado, Los Ángeles, University of California, 1998.

Apple, A., F. Billingsley e I. Schwartz, «Effects of video modelling alone and with self-management on compliment-giving behaviours of children with High-Functioning ASD», *Journal of Positive Behaviour Interventions*, n.º 7, 2005, págs. 33-46.

Asperger, H., «Das psychisch abnorme Kind», *Wiener klinische Wochenschrift*, n.º 49, 1938, págs. 1-12.

—, «Die autistischen Psychopathen im Kindesalter», *Archiv für Psychiatrie und Nervenkrankheiten*, n.º 177, 1944, págs. 76-137.

—, *Heilpädagogik. Einführung in die Psychopathologie des Kindes für Ärzte, Lehrer, Psychologen und Fürsorgerinnen*, Viena, Springer, 1952 (trad. cast.: *Pedagogía curativa: introducción a la psicopatología infantil para uso de médicos, maestros, psicólogos, jueces y asistentes sociales*, Barcelona, Miracle, 1966).

—, «Problems of infantile autism», *Communication: Journal of the National Autistic Society, London*, n.º 13, 1979, págs. 45-52.

—, «Autistic psychopathy in childhood» (1944), en U. Frith (comp.), *Autism and Asperger Syndrome*, Cambridge, Cambridge University Press, 1991.

Aston, M., *Aspergers in Love: Couple Relationships and Family Affairs*, Londres, Jessica Kingsley Publishers, 2003.

Attwood, T., *Asperger's Syndrome: A Guide for Parents and Professionals*, Londres, Jessica Kingsley Publishers, 1998 (trad. cast.: *El síndrome de Asperger: una guía para la familia*, Barcelona, Paidós, 2008).

—, «Strategies for improving the social integration of children with Asperger syndrome», *Autism*, n.º 4, 2000, págs. 85-100.

—, «Frameworks for behavioural interventions», *Child and Adolescent Psychiatric Clinics*, n.º 12, 2003a, págs. 65-86.

—, «Understanding and managing circumscribed interests», en M. Prior (comp.), *Learning and Behavior Problems in Asperger Syndrome*, Nueva York, Guilford Press, 2003b.

—, *Exploring Feelings: Cognitive Behaviour Therapy to Manage Anger*, Arlington, TX, Future Horizons, 2004a.

—, *Exploring Feelings: Cognitive Behaviour Therapy to Manage Anxiety*, Arlington, TX, Future Horizons, 2004b.

—, «Strategies to reduce the bullying of young children with Asperger Syndrome», *Australian Journal of Early Childhood*, n.º 29, 2004c, págs. 15-23.

—, «Theory of Mind and Asperger syndrome», en L. J. Baker y L. A. Welkowitz (comps.), *Asperger Syndrome: Intervening in Schools, Clinics and Communities*, Hillsdale, NJ, Lawrence Erlbaum Associates, 2004d.

Attwood, T., U. Frith y B. Hermelin, «The understanding and use of interpersonal gestures by autistic Down's Syndrome children», *Journal of Autism and Development Disorders*, n.º 18, 1988, págs. 214-257.

Attwood, T. y L. H. Willey, *Crossing the Bridge* [vídeo], Higganum, CT, Starfish Speciality Press, 2000.

Ayers, A., *Sensory Integration and Learning Disabilities*, Los Ángeles, CA, Western Psychological Services, 1972.

Bailey, A., S. Palferman, L. Heavey y A. LeCouteur, «Autism: the phenotype in relatives», *Journal of Autism and Developmental Disorders*, n.º 28, 1998, págs. 369-392.

Baird, G., T. Charman, S. Baron-Cohen, A. Cox, J. Sweetenham, S. Wheelwright y A. Drew, «A screening instrument for autism at 18 months of age: a 6-year follow-up study», *Journal of the American Academy of Child and Adolescent Psychiatry*, n.º 39, 2000, págs. 694-702.

Baranek, G., «Efficacy of sensory and motor interventions for children with autism», *Journal of Autism and Developmental Disorders*, n.º 32, 2002, págs. 397-422.

Baranek, G., L. Foster y G. Berkson, «Sensory defensiveness in persons with developmental disabilities», *Occupational Therapy Journal of Research*, n.º 17, 1997, págs. 173-185.

Barber, K., *Living Your Best Life with Asperger's Syndrome*, Londres, SAGE Publications, 2006.

Barnhill, G., T. Hagiwara, B. Smith Myles y R. Simpson, «Asperger Syndrome: a study of the cognitive profiles of 37 children and adolescents», *Focus on Autism and Other Developmental Disabilities*, n.º 15, 2000, págs. 146-160.

Barnhill, G. y B. Smith Myles, «Attributional style and depression in adolescents with Asperger syndrome», *Journal of Positive Behavior Interventions*, n.º 3, 2001, págs. 175-182.

Barnhill, G., K. Tapscott Cook, K. Tebbenkamp y B. Smith Myles, «The effectiveness of social skills intervention targeting nonverbal communication for adolescents with Asperger syndrome and related pervasive developmental delays», *Focus on Autism and Other Developmental Disabilities*, n.º 17, 2002, págs. 112-118.

Baron-Cohen, S., «An assessment of violence in a young man with Asperger's Syndrome», *Journal of Child Psychology and Psychiatry*, n.º 29, 1988, págs. 351-360.

—, «Do autistic children have obsessions and compulsions?», *British Journal of Clinical Psychology*, n.º 28, 1990, págs. 193-200.

—, *Mind Blindness: An Essay on Autism and Theory of Mind*, Cambridge, MA, MIT Press, 1995.

—, *The Essential Difference: Men, Women and the Extreme Male Brain*, Londres, The Penguin Press, 2003 (trad. cast.: *La gran diferencia: cómo son realmente los cerebros de hombres y mujeres*, Barcelona, Amat, 2005).

Baron-Cohen, S. y T. Jolliffe, «Another advanced test of theory of mind: evidence from very high functioning adults with autism or Asperger's Syndrome», *Journal of Child Psychology and Psychiatry*, n.º 38, 1997, págs. 813-822.

Baron-Cohen, S., M. O'Riordan, V. Stone, R. Jones y K. Plaisted, «Recognition of Faux Pas by normally developing children and children with Asperger syndrome of High-Functioning Autism», *Journal of Autism and Developmental Disorders*, n.º 29, 1999a, págs. 407-418.

Baron-Cohen, S., H. A. Ring, S. Wheelwright, E. T. Bullmore, M. J. Brammer, A. Simmons y S. C. R. William, «Social intelligence in the normal autistic brain: an FMRI study», *European Journal of Neuroscience*, n.º 11, 1999b, págs. 1.891-1.898.

Baron-Cohen, S. y R. Staunton, «Do children with autism acquire the phonology of their peers? An examination of group identification through the window of bilingualism», *First Language*, n.º 14, 1994, págs. 241-248.

Baron-Cohen, S. y S. Wheelwright, «"Obsessions" in children with autism or Asperger Syndrome: content analysis in terms of core domains of cognition», *British Journal of Psychiatry*, n.º 175, 1999, págs. 484-490.

—, «The Friendship Questionnaire: an investigation of adults with Asperger Syndrome or High Functioning Autism, and normal sex differences», *Journal of Autism and Developmental Disorders*, n.º 33, 2003, págs. 509-518.

—, «The Empathy Quotient: an investigation of adults with Asperger syndrome or High Functioning Autism and normal sex differences», *Journal of Autism and Developmental Disorders*, n.º 34, 2004, págs. 163-175.

Baron-Cohen, S., S. Wheelwright, J. Hill, Y. Raste e I. Plumb, «The "Reading the Mind in the Eyes" Test, revised version: a study with normal adults with Asperger Syndrome or high-functioning autism», *Journal of Child Psychology and Psychiatry*, n.º 42, 2001a, págs. 241-251.

Baron-Cohen, S., S. Wheelwright, J. Robinson y M. Woodbury Smith, «The Adult Asperger Assessment (AAA): a diagnostic method», *Journal of Autism and Developmental Disorders*, n.º 35, 2005, págs. 807-819.

Baron-Cohen, S., S. Wheelwright, R. Skinner, J. Martin y E. Clubley, «The Autism Spectrum Quotient (AQ): evidence from Asperger syndrome/high-functioning autism, males and females, scientists and mathematicians», *Journal of Autism and Developmental Disorders*, n.º 31, 2001b, págs. 5-17.

Barron, J. y S. Barron, *There's a Boy in Here*, Nueva York, Simon and Schuster, 1992.

Barry, T., L. Klinger, J. M. Lee y N. Palardy, «Examining the effectiveness of an outpatient clinic-based social skills group for high-functioning children with autism», *Journal of Autism and Developmental Disorders*, n.º 33, 2003, págs. 685-699.

Barry Walsh, J. y P. Mullen, «Forensic aspects of Asperger's syndrome», *Journal of Forensic Psychiatry and Psychology*, n.º 15, 2004, págs. 96-107.

Barton, J., M. Cherkasova, R. Hefter, T. Cox, M. O'Connor y D. Manoach, «Are patients with social developmental disorders prosopagnosic? Perceptual heterogeneity in the Asperger and socio-emotional processing disorders», *Brain*, n.º 127, 2004, págs. 1.706-1.716.

Bashe, P. y B. K. Kirby, *The Oasis Guide to Asperger Syndrome*, Nueva York, Crown Publishers, 2001.

Bauminger, N., «The facilitation of social-emotional understanding and social interaction in high-functioning children with autism: intervention outcomes», *Journal of Autism and Developmental Disorders*, n.º 31, 2002, págs. 461-469.

Bauminger, N. y C. Kasari, «Brief report: theory of mind in high-functioning children with autism», *Journal of Autism and Developmental Disorders*, n.º 29, 1999, págs. 81-86.

—, «Loneliness and friendship in high functioning children with autism», *Child Development*, n.º 71, 2000, págs. 447-456.

Bauminger, N. y C. Shulman, «The development and maintenance of friendship in high-functioning children with autism», *Autism*, n.º 7, 2003, págs. 81-97.

Bauminger, N., C. Shulman y G. Agam, «Peer interaction and loneliness in high-functioning children with autism», *Journal of Autism and Developmental Disorders*, n.º 33, 2003, págs. 489-506.

Bejerot, S., L. Nylander y E. Lindstrom, «Autistic traits in obsessive-compulsive disorder», *Nordic Journal of Psychiatry*, n.º 55, 2001, págs. 169-176.

Berard, G., *Hearing Equals Behaviour*, New Canaan, CT, Keats Publishing, 1993.

Berthier, M. L., «Hypomania following bereavement in Asperger's Syndrome: a case of study», *Neuropsychiatry, Neuropsychology and Behavioural Neurology*, n.º 8, 1995, págs. 222-228.

Berthoz, S. y E. Hill, «The validity of using self-reports to assess emotion regulation abilities in adults with autism spectrum disorder», *European Psychiatry*, n.º 20, 2005, págs. 291-298.

Beversdorf, D., J. Anderson, S. Manning, S. Anderson, R. Nordgren, G. Felopulos y M. Bauman, «Brief report: macrographia in high-functioning adults with Autism Spectrum Disorder», *Journal of Autism and Developmental Disorders*, n.º 31, 2001, págs. 97-101.

Bishop, D., «What's so special about Asperger syndrome? The need for further exploration of the borderlands of autism», en A. Klin, F. Volkmar y S. Sparrow (comps.), *Asperger Syndrome*, Nueva York, Guilford Press, 2000.

Bishop, D. y G. Baird, «Parent and teacher report of pragmatic aspects of communication: use of the Children's Communication Checklist in a clinical setting», *Development Medicine and Child Neurology*, n.° 4, 2001, págs. 809-818.

Bishop, D. y C. Frazier Norbury, «Executive functions in children with communication impairments, in relation to autistic symptomatology», *Autism*, n.° 9, 2005, págs. 7-27.

Blackshaw, A. J., P. Kinderman, D. J. Hare y C. Hatton, «Theory of mind, causal attribution and paranoia in Asperger syndrome», *Autism*, n.° 5, 2001, págs. 147-163.

Bogdashina, O., *Sensory Perceptual Issues in Autism and Asperger Syndrome: Different Sensory Experiences, Different Perceptual Worlds*, Londres, Jessica Kingsley Publishers, 2003 (trad. cast.: *Problemas de percepción sensorial en el autismo y síndrome de Asperger: diferentes experiencias sensoriales, diferentes mundos perceptivos*, Ávila, Asociación Autismo, 2007).

Bolte, S., N. Ozkara y F. Poustka, «Autism spectrum disorders and low body weight: is there really a systematic association?», *International Journal of Eating Disorders*, n.° 32, 2002, págs. 349-351.

Bolton, P., A. Pickles, M. Murphy y M. Rutter, «Autism, affective and other psychiatric disorders: patterns of familial aggregation», *Psychological Medicine*, n.° 28, 1998, págs. 385-395.

Botroff, V., L. Bartak, P. Langford, M. Page y B. Tong, «Social cognitive skills and implications for social skills training in adolescents with autism», trabajo presentado en la Australian Autism Conference, Flinders University, Adelaide, Australia, 1995.

Broderick, C., R. Caswell, S. Gregory, S. Marzolini y O. Wilson, «Can I join the club? A social integration scheme for adolescents with Asperger's syndrome», *Autism*, n.° 6, 2002, págs. 427-431.

Bromley, J., D. Hare, K. Davison y E. Emerson, «Mothers supporting a child with autistic spectrum disorders: social support, mental health and satisfaction with services», *Autism*, n.º 8, 2004, págs. 419-433.

Brown Rubinstein, M., *Raising NLD Superstars*, Londres, Jessica Kingsley Publishers, 2005.

Buehner, C., *I Did It, I'm Sorry*, Nueva York, Puffin Books, 1998.

Burd, L., P. Kerbeshian, A. Barth, M. Klug, P. Avery y B. Benz, «Long term follow-up of an epidemiologically defined cohort of patients with Tourette syndrome», *Journal of Child Neurology*, n.º 16, 2001, págs. 431-437.

Campbell, J., «Diagnostic assessment of Asperger's disorder: a review of five third-party rating scales», *Journal of Autism and Developmental Disorders*, n.º 35, 2005, págs. 25-35.

Capps, L., J. Kehres y M. Sigman, «Conversational abilities among children with autism and children with developmental delays», *Autism*, n.º 2, 1998, págs. 325-344.

Carper, R., P. Moses, Z. Tigue y E. Courschesne, «Cerebral lobes in autism: early hyperplasia and abnormal age effects», *NeuroImage*, n.º 16, 2002, págs. 1.038-1.051.

Carrington, S. y T. Forder, «An affective skills programme using multimedia for a child with Asperger's syndrome», *Australian Journal of Learning Disabilities*, n.º 4, 1999, págs. 5-9.

Carrington, S. y L. Graham, «Perceptions of school by two teenage boys with Asperger syndrome and their mothers: a qualitative study», *Autism*, n.º 5, 2001, págs. 37-48.

Castelli, F., C. Frith, F. Happé y U. Frith, «Autism, Asperger syndrome and brain mechanisms for the atribution of mental states to animated shapes», *Brain*, n.º 125, 2002, págs. 1.839-1.849.

Cederlund, M. y C. Gillberg, «One hundred males with Asperger syndrome: a clinical study of background and associated factors», *Developmental Medicine and Child Neurology*, n.º 46, 2004, págs. 652-661.

Cesaroni, L. y M. Garber, «Exploring the experience of autism through first hand accounts», *Journal of Autism and Developmental Disorders*, n.º 21, 1991, págs. 303-313.

Chakrabarti, S. y E. Fombonne, «Pervasive developmental disorders in pre-school children», *Journal of the American Medical Association*, n.º 285, 2001, págs. 3.093-3.099.

Chen, P., S. Chen, Y. Yang, T. Yeh, C. Chen y H. Lo, «Asperger's disorder: a case report of repeated stealing and the collecting behaviours of an adolescent patient», *Acta Psychiatrica Scandinavica*, n.º 107, 2003, págs. 73-76.

Chin, H. Y. y V. Bernard-Opitz, «Teaching conversation skills to children with autism: effect on the development of a Theory of Mind», *Journal of Autism and Developmental Disorders*, n.º 30, 2000, págs. 569-583.

Church, C., S. Alisanski y S. Amanullah, «The social, behavioural and academic experiences of children with Asperger disorder», *Focus on Autism and Other Developmental Disabilities*, n.º 15, 2000, págs. 12-20.

Clarke, D., M. Baxter, D. Perry y V. Prasher, «Affective and psychotic disorders in adults with autism: seven case reports», *Autism*, n.º 3, 1999, págs. 149-164.

Cooper, S. A., W. N. Mohamed y R. A. Collacott, «Possible Asperger's Syndrome in a mentally handicapped transvestite offender», *Journal of Intellectual Disability Research*, n.º 37, 1993, págs. 189-194.

Craig, J., C. Hatton, F. Craig y R. Bentall, «Persecutory beliefs, attributions and theory of mind: comparison of patients with paranoid delusions, Asperger's syndrome and healthy controls», *Schizophrenia Research*, n.º 69, 2004, págs. 29-33.

Critchley, H. D., E. M. Daly, E. T. Bullmore, S. C. R. Williams, T. van Amelsvoort, D. M. Robertson, A. Rowe, M. Phillips, G. McAlonan, P. Howlin y D. Murphy, «The functional neuroanatomy of social behaviour», *Brain*, n.º 123, 2000, págs. 2.203-2.212.

Darlington, J., «Humor, imagination and empathy in autism», en

L. Andron (comp.), *Our Journey Through High Functioning Autism and Asperger Syndrome: A Roadmap*, Londres, Jessica Kingsley Publishers, 2001.

Dawson, G., J. Osterling, A. Melzoff y P. Kuhl, «Case study of the development of an infant with autism from birth to 2 years of age», *Journal of Applied Developmental Psychology*, n.º 21, 2000, págs. 299-313.

Dawson, G. y R. Watling, «Interventions to facilitate auditory, visual, and motor integration in autism: a review of the evidence», *Journal of Autism and Developmental Disorders*, n.º 30, 2000, págs. 415-421.

DeLong, G., «Children with autistic spectrum disorder and a family history of affective disorder», *Developmental Medicine and Child Neurology*, n.º 36, 1994, págs. 647-688.

DeLong, G. y J. Dwyer, «Correlation of family history with specific autistic subgroups: Asperger's syndrome and bipolar affective disease», *Journal of Autism and Developmental Disorders*, n.º 18, 1988, págs. 593-600.

DeMyer, M., J. Hingtgen y R. Jackson, «Infantile autism reviewed: a decade of research», *Schizophrenic Bulletin*, n.º 7, 1981, págs. 388-451.

Dewey, M., «Living with Asperger's Syndrome», en U. Frith (comp.), *Autism and Asperger's Syndrome*, Cambridge, Cambridge University Press, 1991.

Dhossche, D., «Brief report: catatonia in autistic disorders», *Journal of Autism and Developmental Disorders*, n.º 28, 1998, págs. 329-331.

Dickerson Mayes, S. y S. Calhoun, «Ability profiles in children with autism: influence of age and IQ», *Autism*, n.º 7, 2003, págs. 65-80.

Dickerson Mayes, S., S. Calhoun y D. Crites, «Does DSM-IV Asperger's disorder exist?», *Journal of Abnormal Child Psychology*, n.º 29, 2001, págs. 263-272.

Dissanayake, C., «Change in behavioural symptoms in children with High Functioning Autism and Asperger syndrome: evidence for one disorder?», *Australian Journal of Early Childhood*, n.º 29, 2004, págs. 48-57.

Donnelly, J. y J. P. Bovee, «Reflections on play: recollections from a mother and her son with Asperger Syndrome», *Autism*, n.º 7, 2003, págs. 471-476.

Duchaine, B., T. Nieminen-von Wendt, J. New y T. Kulomaki, «Dissociations of visual recognition in a genetic prosopagnosic: evidence for separate developmental processes», *Neurocase*, n.º 9, 2003, págs. 380-389.

Dunn, W., «Development and validation of the Short Sensory Profile», en W. Dunn (comp.), *The Sensory Profile Examiners' Manual*, San Antonio, TX, Psychological Corporation, 1999a.

—, *Sensory Profile*, San Antonio, TX, Psychological Corporation, 1999b.

Dunn, W., B. Smith Myles y S. Orr, «Sensory processing issues associated with Asperger syndrome: a preliminary investigation», *American Journal of Occupational Therapy*, n.º 56, 2002, págs. 97-102.

Edmonds, G. y D. Worton, *The Asperger Love Guide: A Practical Guide for Adults with Asperger's Syndrome to Seeking, Establishing and Maintaining Successful Relationships*, Londres, Sage Publications, 2005.

Ehlers, S. y C. Gillberg, «The epidemiology of Asperger's Syndrome: A total population study», *Journal of Child Psychology and Psychiatry*, n.º 34, 1993, págs. 1.327-1.350.

Ehlers, S., C. Gillberg y L. Wing, «A screening questionnaire for Asperger syndrome and other high-functioning autism spectrum disorders in school age children», *Journal of Autism and Developmental Disorders*, n.º 29, 1999, págs. 129-141.

Ehlers, S., A. Nyden, C. Gillberg, A. Dahlgren-Sandberg, S. O. Dahlgren, E. Hjelmquist y A. Oden, «Asperger syndrome, autism and attention disorders: a comparative study of the cognitive profiles of 120 children», *Journal of Child Psychology and Psychiatry*, n.º 38, 1997, págs. 207-217.

Eisenmajer, R., M. Prior, S. Leekham, L. Wing, J. Gould, M. Welham y B. Ong, «Comparison of clinical symptoms in autism and Asperger's disorder», *Journal of the American Academy of Child and Adolescent Psychiatry*, n.º 35, 1996, págs. 1.523-1.531.

Eisenmajer, R., M. Prior, S. Leekham, L .Wing, , B. Ong, J. Gould y M. Welham, «Delayed language onset as a predictor of clinical symptoms in Pervasive Developmental Disorders», *Journal of Autism and Developmental Disorders*, n.º 28, 1998, págs. 527-533.

Ekkehart, F., A. Staufenberg y M. Kells, «High risk or offending conduct in Asperger's syndrome: a forensic neuropsychiatric AS outpatient clinic cohort», trabajo presentado en el primer International Symposium on Autism Spectrum Disorder in a Forensic Context, Copenhagen, Dinamarca, septiembre de 2005.

Ekman, P., *Emotions Revealed: Recognizing Faces and Feelings to Improve Communication and Emotional Life*, Nueva York, Times Books, 2003.

Epstein, T. y J. Saltzman-Benaiah, «Tourette syndrome and Asperger syndrome: overlapping symptoms and treatment implications», en K. Stoddart (comp.), *Children, Youth and Adults with Asperger Syndrome: Integrating Multiple Perspectives*, Londres, Jessica Kingsley Publishers, 2005.

Everall, I. P. y A. Le Couteur, «Firesetting in an adolescent boy with Asperger's Syndrome», *British Journal of Psychiatry*, n.º 157, 1990, págs. 284-287.

Fast, Y., *Employment for Individuals with Asperger Syndrome or Non-Verbal Learning Disability: Stories and Strategies*, Londres, Jessica Kingsley Publishers, 2004.

Fein, D., P. Dixon, J. Paul y H. Levin, «Brief report: pervasive developmental disorder can evolve into ADHD: case illustrations», *Journal of Autism and Development Disorders*, n.º 35, 2005, págs. 525-534.

Fine, C., J. Lumsden y R. J. R. Blair, «Dissociation between theory of mind and executive functions in a patient early left amygdale damage», *Brain Journal of Neurology*, n.º 124, 2001, págs. 287-298.

Fine, J., G. Bartolucci, G. Ginsberg y P. Szatmari, «The use of intonation to communicate in Pervasive Developmental Disorders», *Journal of Child Psychology and Psychiatry*, n.º 32, 1991, págs. 777-782.

Fine, J., G. Bartolucci, P. Szatmari y G. Ginsberg, «Cohesive discourse in Pervasive Developmental Disorders», *Journal of Autism and Devolopmental Disorders*, n.º 24, 1994, págs. 315-329.

Fitzgerald, M., *The Genesis of Artistic Creativity: Asperger's Syndrome and the Arts*, Londres, Jessica Kingsley Publishers, 2005.

Fitzpatrick, E., «The use of cognitive behavioural strategies in the management of anger in a child with an autistic disorder: an evaluation», *Good Autism Practice*, n.º 5, 2004, págs. 3-17.

Fleisher, M., *Making Sense of the Unfeasible: My Life Journey with Asperger Syndrome*, Londres, Jessica Kingsley Publishers, 2003.

—, *Survival Strategies for People on the Autism Spectrum*, Londres, Jessica Kingsley Publishers, 2006.

Fransella, F. (comp.), *The Essential Practitioner's Handbook of Personal Construct Psychology*, Chichester, John Wiley and Sons, 2005.

Frazier, J., R. Doyle, S. Chiu y J. Coyle, «Treating a child with Asperger's disorder and comorbid bipolar disorder», *American Journal of Psychiatry*, n.º 159, 2002, págs. 13-21.

Frith, U., *Autism: Explaning the Enigma*, Oxford, Basil Blackwell, 1989 (trad. cast.: *Autismo: hacia una explicación del enigma*, Madrid, Alianza, 2009).

—, «Emanuel Miller lecture: Confusions and controversies about Asperger syndrome», *Journal of Child Psychology and Psychiatry*, n.º 45, 2004, págs. 672-686.

Frith, U. y F. Happé, «Autism: beyond "theory and mind"», *Cognition*, n.º 50, 1994, págs. 115-132.

—, «Self-consciousness and autism. What is it like to be autistic?», *Mind and Language*, n.º 14, 1999, págs. 1-22.

Gabor, D., *How to Start a Conversation and Make Friends*, Nueva York, Simon and Schuster, 2001 (trad. cast.: *Cómo iniciar una conversación y hacer amigos*, Barcelona, Amat, 2002).

Gadow, K. y C. DeVincent, «Clinical significance of tics and Attention-Deficit Hyperactivity Disorder (ADHD) in children with Pervasive Development Disorder», *Journal of Child Neurology*, n.º 20, 2005, págs. 481-488.

Gagnon, E., *Power Cards: Using Special Interests to Motivate Children and Youth with Asperger Syndrome and Autism*, Kansas, Autism Asperger Publishing Company, 2001.

Gallucci, G., F. Hackerman y C. Schmidt, «Gender identity disorder in an adult male with Asperger's syndrome», *Sexuality and Disability*, n.º 23, 2005, págs. 35-40.

Garnett, M. y T. Attwood, «The Australian Scale for Asperger's Syndrome», en T. Attwood (comp.), *Asperger's Syndrome: A Guide for Parents and Professionals*, Londres, Jessica Kingsley Publishers, 1998 (trad. cast.: *El síndrome de Asperger: una guía para la familia*, Barcelona, Paidós, 2008).

Gepner, B. y D. Mestre, «Brief report: Postural reactivity to fase visual motion differentiates autistic from children with Asperger syndrome», *Journal of Autism and Developmental Disorders*, n.º 32, 2002, págs. 231-238.

Ghaziuddin, M., «A family history study of Asperger syndrome», *Journal of Autism and Developmental Disorders*, n.º 35, 2005a, págs. 177-182.

—, *Mental Health Aspects of Autism and Asperger Syndrome*, Londres, Jessica Kingsley Publishers, 2005b.

Ghaziuddin, M., E. Butler, L. Tsai y N. Ghaziuddin, «Is clumsiness a marker of Asperger syndrome?», *Journal of Intellectual Disability Research*, n.º 38, 1994, págs. 519-527.

Ghaziuddin, M. y L. Gerstein, «Pedantic speaking style differentiates Asperger's syndrome from high-functioning autism», *Journal of Autism and Developmental Disorders*, n.º 26, 1996, págs. 585-595.

Ghaziuddin, M. y J. Greden, «Depression in children with autism/

pervasive developmental disorders: a case-control family history study», *Journal of Autism and Developmental Disorders*, n.º 28, 1998, págs. 111-115.

Ghaziuddin, M. y K. Mountain Kimchi, «Defining the intellectual profile of Asperger syndrome: comparison with High-Functioning Autism», *Journal of Autism and Developmental Disorders*, n.º 34, 2004, págs. 279-284.

Ghaziuddin, M., P. Quinlan y N. Ghaziuddin, «Catatonia in autism: a distinct subtype?», *Journal of Intellectual Disability Research*, n.º 49, 2005, págs. 102-105.

Ghaziuddin, M., J. Shakal y L. Tsai, «Obstetric factors in Asperger syndrome: comparison with high functioning autism», *Journal of Intellectual Disability Research*, n.º 39, 1995, págs. 538-543.

Ghaziuddin, M., P. Thomas, E. Napier, G. Kearney, L. Tsai, K. Welch y W. Fraser, «Brief report: brief syntactic analysis in Asperger syndrome: a preliminary study», *Journal of Autism and Developmental Disorders*, n.º 30, 2000, págs. 67-70.

Ghaziuddin, M., L. Tsai y N. Ghaziuddin, «Brief report: Violence in Asperger Syndrome – a critique», *Journal of Autism and Developmental Disorders*, n.º 21, 1991, págs. 349-354.

—, «Brief report: A comparison of the diagnostic criteria for Asperger syndrome», *Journal of Autism and Developmental Disorders*, n.º 22, 1992, págs. 643-649.

Ghaziuddin, M., W. Wieder-Mikhail y N. Ghaziuddin, «Comorbidity of Asperger Syndrome: a preliminary report», *Journal of Intellectual Disability Research*, n.º 42, 1998, págs. 279-283.

Gillberg, C., «Asperger's Syndrome in 23 Swedish children», *Developmental Medicine and Child Neurology*, n.º 31, 1989, págs. 520-531.

—, «Clinical and neurobiological aspects of Asperger syndrome in six family studies», en U. Frith (comp.), *Autism and Asperger Syndrome*, Cambridge, Cambridge University Press, 1991.

—, «Asperger syndrome and High Functioning Autism», *British Journal of Psychiatry*, n.º 171, 1998, págs. 200-209.

—, *A Guide to Asperger Syndrome*, Cambridge, Cambridge University Press, 2002.

Gillberg, C. y E. Billstedt, «Autism and Asperger syndrome: coexistence with other clinical disorders», *Acta Psychiatrica Scandinavica*, n.º 102, 2000, págs. 321-330.

Gillberg, C. y L. Souza, «Head circumference in autism, Asperger syndrome, and ADHD: a comparative study», *Developmental Medicine and Child Neurology*, n.º 44, 2002, págs. 296-300.

Gillberg, C., S. Ehlers, H. Schaumann, G. Jacobsson, S. Dahlgren, R. Lindblom, A. Bagenholm, T. Tjuus y E. Blinder, «Autism under age 3 years: a clinical study of 28 cases referred for autistic symptoms in infancy», *Journal of Child Psychology and Psychiatry*, n.º 31, 1990, págs. 921-934.

Gillberg, C., C. Gillberg, M. Råstam y E. Wentz, «The Asperger Syndrome (and high-functioning autism) Diagnostic Interview (ASDI): a preliminary study of a new structured clinical interview», *Autism*, n.º 5, 2001, págs. 57-66.

Gillberg, C. e I. C. Gillberg, «Asperger Syndrome: Some epidemiological considerations: a research note», *Journal of Child Psychology and Psychiatry*, n.º 30, 1989, págs. 631-638.

Gillberg, C. y M. Råstam, «Do some cases of anorexia nervosa reflect underlying autistic-like conditions?», *Behavioural Neurology*, n.º 5, 1992, págs. 27-32.

Gillberg, I. C., C. Gillberg, M. Råstam y M. Johansson, «The cognitive profile of anorexia nervosa: a comparative study including a community based sample», *Comprehensive Psychiatry*, n.º 37, 1996, págs. 23-30.

Gilliam, J., *GADS Examiner's Manual*, Austin, TX, PRO-ED, 2002.

Gillot, A., F. Furniss y A. Walter, «Anxiety in high-functioning children with autism», *Autism*, n.º 5, 2001, págs. 277-286.

Goldberg, M., S. Mostofsky, L. Cutting, E. Mahone, B. Astor, M. Denckla y R. Landa, «Subtle executive impairment in children with autism and children with ADHD», *Journal of Autism and Developmental Disorders*, n.º 35, 2005, págs. 279-293.

Goldstein, G., C. Johnson y N. Minshew, «Attentional processes in autism», *Journal of Autism and Developmental Disorders*, n.º 31, 2001, págs. 433-440.

Goldstein, S. y A. Schwebach, «The comorbidity of pervasive developmental disorder and attention deficit hyper-activity disorder: results of a retrospective chart review», *Journal of Autism and Developmental Disorders*, n.º 34, 2004, págs. 329-339.

Gowen, E. y C. Miall, «Behavioural aspects of cerebellar function in adults with Asperger syndrome», *The Cerebellum*, n.º 4, 2005, págs. 279-289.

Graham, P., *Cognitive Behaviour Therapy for Children and Families*, Cambridge, Cambridge University Press, 1998.

Grandin, T., «My experiences as an autistic child and review of selected literature», *Journal of Orthomolecular Psychiatry*, n.º 13, 1984, págs. 144-174.

—, «Teaching tips from a recovered autistic», *Focus on Autistic Behaviour*, n.º 3, 1988, págs. 1-8.

—, «Sensory problems in autism», trabajo presentado en el congreso anual de la Autism Society of America, Buena Park, California, 1990.

—, *Thinking in Pictures and Other Reports from My Life with Autism*, Nueva York, Doubleday, 1995 (trad. cast.: *Pensar en imágenes: mi vida con el autismo*, Barcelona, Alba, 2006).

Grandin, T. y S. Barron, *Unwritten Rules of Social Relationships: Decoding Social Mysteries Through the Unique Perspectives of Autism*, Arlington, TX, Future Horizons, 2005.

Grandin, T. y K. Duffy, *Developing Talents: Careers for Individuals with Asperger Síndrome and High-Functioning Autism*, Kansas, Autism Asperger Publishing Company, 2004.

Grave, J. y J. Blissett, «Is cognitive behavior therapy developmentally appropriate for young children? Review of the evidence», *Clinical Psychology Review*, n.º 24, 2004, págs. 399-420.

Gray, C., *Comic Strip Conversations*, Arlington, Future Education, 1994.

—, «Social Stories™ and Comic Strip Conversations with students with Asperger Syndrome and High-Functioning Autism», en E. Schopler, G. Mesibov y L. J. Kunce (comps.), *Asperger's Syndrome or High-Functioning Autism?*, Nueva York, Plenum Press, 1998.

—, «Gray's guide to compliments», suplemento en *The Morning News*, n.º 11, 1999.

—, *My Social Stories Book*, Londres, Jessica Kingsley Publishers, 2002a.

—, *The Sixth Sense II*, Arlington, TX, Future Horizons, 2002b.

—, «Gray's guide to bullying parts I-III», *The Morning News*, n.º 16, 2004a, págs. 1-60.

—, «Social Stories 10.0», *Jenison Autism Journal*, n.º 15, 2004b, págs. 2-21.

Green, D., G. Baird, A. Barnett, L. Henderson, J. Huber y S. Henderson, «The severity and nature of motor impairment in Asperger's syndrome: a comparison with specific developmental disorder of motor function», *Journal of Child Psychology and Psychiatry*, n.º 43, 2002, págs. 655-668.

Green, J., A. Gilchrist, D. Burton y A. Cox, «Social and psychiatric functioning in adolescents with Asperger Syndrome compared with conduct disorder», *Journal of Autism and Developmental Disorders*, n.º 30, 2000, págs. 279-293.

Gresley, L., «Cognitive adaptation to the diagnosis of Asperger syndrome and the relationship with depression and adjustment», tesis doctoral, University of Exeter, 2000.

Grigorenko, E., A. Klin, D. Pauls, R. Senft, C. Hooper y F. Volkmar, «A descriptive study of hyperlexia in a clinically referred sample of children with developmental delays», *Journal of Autism and Developmental Disorders*, n.º 32, 2002, págs. 3-12.

Griswold, D., G. Barnhill, B. Smith Myles, T. Hagiwara y R. Simpson, «Asperger Syndrome and academic achievement», *Focus on Autism and Other Developmental Disabilities*, n.º 17, 2002, págs. 94-102.

583

Groden, J., A. Diller, M. Bausman, W. Velicer, G. Norman y J. Cautella, «The development of a stress survey schedule for persons with autism and other developmental disabilities», *Journal of Autism and Developmental Disorders*, n.º 31, 2001, págs. 207-217.

Groft, M. y M. Block, «Children with Asperger syndrome: implications for general physical education and youth sports», *Journal of Physical Education, Recreation and Dance*, n.º 74, 2003, págs. 38-46.

Gunter, H., M. Ghaziuddin y H. Ellis, «Asperger syndrome: tests of right hemisphere functioning and interhemispheric communication», *Journal of Autism and Developmental Disorders*, n.º 32, 2002, págs. 263-281.

Hadcroft, W., *The Feeling's Unmutual: Growing Up with Asperger Syndrome (Undiagnosed)*, Londres, Jessica Kingsley Publishers, 2005.

Hadwin, J., S. Baron-Cohen, P. Howlin y K. Hill, «Can we teach children with autism to understand emotions, belief, or pretence?», *Development and Psychopathology*, n.º 8, 1996, págs. 345-365.

Hagiwara, T. y B. S. Myles, «A multimedia social story intervention: teaching skills to children with autism», *Focus on Autism and Other Developmental Disabilities*, n.º 14, 1999, págs. 82-95.

Hallett, M., M. Lebieclausko, S. Thomas, S. Stanhope, M. Dondela y J. Rumsey, «Locomotion of autistic adults», *Archives of Neurology*, n.º 50, 1993, págs. 1.304-1.308.

Happé, F., «An advanced test ot theory of mind: understanding of story characters' thoughts and feelings by able autistic, mentally handicapped, and normal children and adults», *Journal of Autism and Developmental Disorders*, n.º 24, 1994, págs. 129-154.

Hare, D. J., «The use of Cognitive-Behavioural Therapy with people with Asperger Syndrome: a case study», *Autism*, n.º 1, 1997, págs. 215-225.

Hare, D. J., J. Jones y C. Paine, «Approaching reality: the use of personal construct assessment in working with people with Asperger syndrome», *Autism*, n.º 3, 1999, págs. 165-176.

Hare, D. J. y C. Malone, «Catatonia and autistic spectrum disorders», *Autism*, n.º 8, 2004, págs. 165-176.

Hare, D. J. y C. Paine, «Developing cognitive behavioural treatments for people with Asperger's syndrome», *Clinical Psychology Forum*, n.º 110, 1997, págs. 5-8.

Harpur, J., M. Lawlor y M. Fitzgerald, *Succeeding in College with Asperger Syndrome: A Student Guide*, Londres, Jessica Kingsley Publishers, 2004.

Harrison, J. y D. Hare, «Brief report: Assessment of sensory abnormalities in people with autistic spectrum disorders», *Journal of Autism and Developmental Disorders*, n.º 34, 2004, págs. 727-730.

Hawkins, G., *How to Find Work That Works for People with Asperger Syndrome*, Londres, Jessica Kingsley Publishers, 2004.

Hay, D., A. Payne y A. Chadwick, «Peer relations in childhood», *Journal of Child Psychology and Psychiatry*, n.º 45, 2004, págs. 84-108.

Hebebrand, J., K. Henninghausen, S. Nau, G. Himmelmann, E. Schulz, H. Schafer y H. Remschmidt, «Low body weight in male children and adolescents with schizoid personality disorder or Asperger's disorder», *Acta Psychiatrica Scandinavica*, n.º 96, 1997, págs. 64-67.

Heider, F. y M. Simmel, «An experimental study of apparent behaviour», *American Journal of Psychology*, n.º 57, 1944, págs. 243-259.

Heinrichs, R., *Perfect Targets: Asperger Syndrome and Bullying: Practical Solutions for Surviving the Social World*, Kansas, Autism Asperger Publishing Company, 2003.

Hénault, I., *Asperger's Syndrome and Sexuality: From Adolescence Through Adulthood*, Londres, Jessica Kingsley Publishers, 2005.

Hermelin, B., *Bright Splinters of the Mind*, Londres, Jessica Kingsley Publishers, 2001.

Hill, E., S. Berthoz y U. Frith, «Cognitive processing of own emotions in individuals with autistic spectrum disorder and in their relatives», *Journal of Autism and Developmental Disorders*, n.º 34, 2004, págs. 229-235.

Hillier, A. y L. Allinson, «Beyond expectations: autism, understanding embarrassment, and the relationship with theory of mind», *Autism*, n.° 6, 2002, págs. 299-314.

Hinton, M. y L. Kern, «Increasing homework completion by incorporating student interests», *Journal of Positive Behaviour Interventions*, n.° 1, 1999, págs. 231-234, 241.

Hippler, K. y C. Klicpera, «A retrospective analysis of the clinical case records of "autistic psychopaths" diagnosed by Hans Asperger and his team at the University Children's Hospital, Vienna», en U. Frith y E. Hill (comps.), *Autism: Mind and Brain*, Oxford, Oxford University Press, 2004.

Hodges, E., J. Malone y D. Perry, «Individual risk and social risk as interacting determinants of victimization in the peer group», *Developmental Psychology*, n.° 32, 1997, págs. 1.033-1.039.

Holaday, M., J. Moak y M. Shipley, «Rorschach protocols from children and adolescents with Asperger's disorder», *Journal of Personality Assessment*, n.° 76, 2001, págs. 482-495.

Holtmann, M., S. Bolte y F. Poutska, «Letters to the editor: ADHD, Asperger syndrome and High Functioning Autism», *Journal of the American of Child and Adolescent Psychiatry*, n.° 44, 2005, pág. 1.101.

Howlin, P., «Assessment instruments for Asperger syndrome», *Child Psychology and Psychiatry Review*, n.° 5, 2000, págs. 120-129.

—, «Outcome in high-functioning adults with autism with and without early language delays: implications for the differentiation between autism and Asperger syndrome», *Journal of Autism and Developmental Disorders*, n.° 33, 2003, págs. 3-13.

—, *Autism and Asperger Syndrome: Preparing for Adulthood*, 2.ª ed., Londres, Routledge, 2004.

Howlin, P., J. Alcock y C. Burkin, «An eight year follow-up of a specialist supported employment service for high ability adults with autism or Asperger syndrome», *Autism*, n.° 9, 2005, págs. 533-549.

Howlin, P. y A. Asgharian, «The diagnosis of autism and Asperger syndrome: findings from a survey of 770 families», *Developmental Medicine and Child Neurology*, n.° 41, 1999, págs. 834-839.

586

Howlin, P., S. Baron-Cohen y J. Hadwin, *Teaching Children with Autism to Mind-Read: A Practical Guide*, Chichester, John Wiley and Sons, 1999.

Howlin, P. y P. Yates, «The potencial effectiveness of social skills groups for adults with autism», *Autism*, n.º 3, 1999, págs. 299-307.

Hubbard, A., «Academic modifications», en B. Smith Myles (comp.), *Children and Youth with Asperger Syndrome: Strategies for Success in Inclusive Settings*, Thousand Oaks, CA, Corwin Press, 2005.

Hughes, C., J. Russell y T. Robbins, «Evidence for executive dysfunction in autism», *Neuropsychologia*, n.º 32, 1994, págs. 477-492.

Hurlburt, R., F. Happé y U. Frith, «Sampling the form of inner experience in three adults with Asperger's Syndrome», *Psychological Medicine*, n.º 24, 1994, págs. 385-395.

Isager, T., S. Mouridsen, B. Rich y N. Nedergaard, «Autism spectrum disorders and criminal behaviour: a case control study», trabajo presentado en el primer International Symposium on Autism Spectrum Disorder in a Forensic Context, Copenhagen, Dinamarca, septiembre de 2005.

Ivey, M., L. Heflin y P. Alberto, «The use of Social Stories to promote independent behaviours in novel events for children with PDD-NOS», *Focus on Autism and Other Developmental Disabilities*, n.º 19, 2004, págs. 164-176.

Iwanaga, R., C. Kawasaki y R. Tsuchida, «Brief report: Comparison of sensory-motor and cognitive function between autism and Asperger syndrome in preschool children», *Journal of Autism and Developmental Disorders*, n.º 30, 2000, págs. 169-174.

Jackson, L., *Freaks, Geeks and Asperger Syndrome: A User Guide to Adolescence*, Londres, Jessica Kingsley Publishers, 2002.

Jackson, N., *Standing Down Falling Up: Asperger's Syndrome from the Inside Out*, Bristo, Lucky Duck Publishing, 2002.

Jacobs, B., *Loving Mr Spock, Understanding an Aloof Lover: Could it be Asperger Syndrome?*, Londres, Jessica Kingsley Publishers, 2006.

Jacobsen, P., *Asperger Syndrome and Psychotherapy: Understanding Asperger Perspectives*, Londres, Jessica Kingsley Publishers, 2003.

—, «A brief overview of the principles of psychotherapy with Asperger's syndrome», *Clinical Child Psychology and Psychiatry*, n.° 9, 2004, págs. 567-578.

James, I., *Asperger's Syndrome and High Achievement: Some Very Remarkable People*, Londres, Jessica Kingsley Publishers, 2006.

Jansson Verkasalo, E., T. Kujala, K. Jussila, L. Matila, I. Moilanen, R. Naatanen, K. Suominen y P. Korpilahti, «Similarities in the phenotype of the auditory neural substrate in children with Asperger syndrome and their parents», *European Journal of Neuroscience*, n.° 22, 2005, págs. 986-990.

Johnson, M., *Managing with Asperger Syndrome*, Londres, Jessica Kingsley Publishers, 2005.

Jolliffe, T., R. Lansdown y T. Robinson, «Autism: a personal account», *Communication*, n.° 26, 1992, págs. 12-19.

Jones, R., C. Quigney y J. Huws, «First-hand accounts of sensory perceptual experiences in autism: a qualitative analysis», *Journal of Intellectual and Developmental Disability*, n.° 28, 2003, págs. 112-121.

Jordan, R., «School based intervention for children with specific learning difficulties», en M. Prior (comp.), *Learning and Behavior Problems in Asperger Syndrome*, Nueva York, The Guilford Press, 2003.

Joseph, R., L. McGrath y H. Tager-Flusberg, «Executive dysfunction and its relation to language ability in verbal school-age children with autism», *Developmental Neuropsychology*, n.° 27, 2005, págs. 361-378.

Kadesjo, B. y C. Gillberg, «Tourette's disorder: epidemiology and comorbidity in primary school children», *Journal of the American Academy of Child and Adolescent Psychiatry*, n.° 39, 2000, págs. 548-555.

Kadesjo, B., C. Gillberg y B. Hagberg, «Autism and Asperger

syndrome in seven-year-old children: a total population study», *Journal of Autism and Developmental Disorders*, n.º 29, 1999, págs. 327-331.

Kaland, N., A. Moller-Nielsen, K. Callesen, E. L. Mortensen, D. Gottlieb y L. Smith, «A new "advanced" test of theory of mind: evidence from children and adolescents with Asperger syndrome», *Journal of Child Psychology and Psychiatry*, n.º 43, 2002, págs. 517-528.

Kanner, L., «Autistic disturbances of affective contact», *Nervous Child*, n.º 2, 1943, págs. 217-250.

Kendall, P. C., *Child and Adolescent Therapy: Cognitive Behavioural Therapy Procedures*, Nueva York, The Guilford Press, 2000.

Kerbel, D. y P. Grunwell, «A study of idiom comprehension in children with semantic-pragmatic difficulties», *International Journal of Language and Communication Disorders*, n.º 33, 1998, págs. 23-44.

Kerbeshian, J. y L. Burd, «Asperger's syndrome and Tourette syndrome: the case of the pinball wizard», *British Journal of Psychiatry*, n.º 148, 1986, págs. 731-736.

—, «Case study: comorbidity among Tourette's syndrome, autistic disorder and bipolar disorder», *Journal of the American Academy of Child and Adolescent Psychiatry*, n.º 35, 1996, págs. 681-685.

Kerbeshian, J., L. Burd y W. Fisher, «Asperger's Syndrome: to be or not to be?», *British Journal of Psychiatry*, n.º 156, 1990, págs. 721-725.

Kerr, S. y K. Durkin, «Understanding of thought bubbles as mental representations in children with autism: implications for Theory of Mind», *Journal of Autism and Developmental Disorders*, n.º 34, 2004, págs. 637-647.

Kim, J. A., P. Szatmari, S. E. Bryson, D. L. Streiner y F. Wilson, «The prevalence of anxiety and mood problems among children with autism and Asperger Syndrome», *Autism*, n.º 4, 2000, págs. 117-132.

Kleinhans, N., N. Akshoomoff y D. Delis, «Executive functions in autism and Asperger's disorder: flexibility, fluency and inhibition», *Developmental Neuropsychology*, n.º 27, 2005, págs. 379-401.

Kleinman, J., P. L. Marciano y R. L. Ault, «Advanced Theory of Mind in high-functioning adults with autism», *Journal of Autism and Developmental Disorders*, n.º 31, 2001, págs. 29-36.

Klin, A., «Attributing social meaning to ambiguous visual stimuli in higher-functioning autism and Asperger syndrome: the Social Attribution Task», *Journal of Child Psychology and Psychiatry*, n.º 41, 2000, págs. 831-846.

Klin, A., A. Carter y S. S. Sparrow, «Psychological assessment of children with autism», en D. J. Cohen y F. R. Volkmar (comps.), *Handbook of Autism and Pervasive Developmental Disorders*, 2.ª ed., Nueva York, Wiley, 1997.

Klin, A., W. Jones, R. Schultz, F. Volkmar y D. Cohen, «Defining and quantifying the social phenotype in autism», *American Journal of Psychiatry*, n.º 159, 2002a, págs. 895-908.

—, «Visual fixation patterns during viewing of naturalistic social situations as predictors of social competence in individuals with autism», *Archives of General Psychiatry*, n.º 59, 2002b, págs. 809-816.

Klin, A., S. Sparrow, W. Marans, A. Carter y F. Volkmar, «Assessment issues in children and adolescents with Asperger syndrome», in A. Klin, F. Volkmar y S. Sparrow (comps.), *Asperger Syndrome*, Nueva York, Guilford Press, 2000.

Klin, A. y F. Volkmar, «Asperger's Syndrome», en D. J. Cohen y F. Volkmar (comps.), *Handbook of Autism and Pervasive Developmental Disorders*, Nueva York, Guilford Press, 1997.

Klin, A., F. Volkmar, S. Sparrow, D. Cicchetti y B. Rourke, «Validity and neuropsychological characterization of Asperger Syndrome: convergence with Nonverbal Learning Disabilities Syndrome», *Journal of Child Psychology and Psychiatry*, n.º 36, 1995, págs. 1.127-1.140.

Knickmeyer, R., S. Baron-Cohen, P. Raggatt y K. Taylor, «Foetal testosterone, social relationships, and restricted interests in chil-

590

dren», *Journal of Child Psychology and Psychiatry*, n.º 46, 2005, págs. 198-210.

Koning, C. y J. Magill-Evans, «Social and language skills in adolescent boys with Asperger syndrome», *Autism*, n.º 5, 2001, págs. 23-36.

Konstantareas, M., «Anxiety and depression in children and adolescents with Asperger syndrome», en K. Stoddart (comp.), *Children, Youth and Adults with Asperger Syndrome: Integrating Multiple Perspectives*, Londres, Jessica Kingsley Publishers, 2005.

Kopp, S. y C. Gillberg, «Selective mutism: a population based study», *Journal of Child Psychology and Psychiatry*, n.º 32, 1997, págs. 43-46.

Kracke, I., «Developmental prosopagnosia in Asperger syndrome: presentation and discussion of an individual case», *Developmental Medicine and Child Neurology*, n.º 36, 1994, págs. 873-876.

Kraemer, B., A. Delsignore, R. Gundelfinger, U. Schnyder y U. Hepp, «Comorbidity of Asperger syndrome and gender identity disorder», *European Journal of Child and Adolescent Psychiatry*, n.º 14, 2005, págs. 292-296.

Krug, D. y J. Arick, *Krug Asperger's Disorder Index*, Austin, TX, PRO-ED, 2002.

Kurita, H., «Brief report: delusional disorder in a male adolescent with high-functioning PDDNOS», *Journal of Autism and Developmental Disorders*, n.º 29, 1999, págs. 419-423.

Kutscher, M., *Kids in the Syndrome Mix of ADHD, LD, Asperger's, Tourette's, Bipolar and More*, Londres, Jessica Kingsley Publishers, 2005.

Ladd, G. y B. K. Ladd, «Parenting behaviours and parent-child relationships: correlates of peer victimization in kindergarten», *Developmental Psychology*, n.º 34, 1998, págs. 1.450-1.458.

Lainhart, J. y S. Folstein, «Affective disorders in people with autism: a review of published cases», *Journal of Autism and Developmental Disorders*, n.º 24, 1994, págs. 587-601.

Landa, R., «Social language use in Asperger syndrome and High-Functioning Autism», en A. Klin, F. Folkmar y S. Sparrow

591

(comps.), *Asperger Syndrome*, Nueva York, The Gilford Press, 2000.

Landa, R. y M. Goldberg, «Language, social and executive functions in high-functioning autism: a continuum of performance», *Journal of Autism and Developmental Disorders*, n.º 35, 2005, págs. 557-573.

LaSalle, B., *Finding Ben: A Mother's Journey Through the Maze of Asperger's*, Nueva York, Contemporary Books, 2003.

Laurent, A. y E. Rubin, «Challenges in emotional regulation in Asperger Syndrome and High Functioning Autism», *Topics in Language Disorders*, n.º 24, 2004, págs. 286-297.

Lawson, W., *Life Behind Glass: A Personal Account of Autism Spectrum Disorder*, Londres, Jessica Kingsley Publishers, 1998.

—, *Understanding and Working with the Spectrum of Autism: An Insider's View*, Londres, Jessica Kingsley Publishers, 2001.

—, *Sex, Sexuality and the Autism Spectrum*, Londres, Jessica Kingsley Publishers, 2005.

Ledgin, N., *Asperger's and Self-esteem: Insight and Hope Through Famous Role Models*, Arlington, TX, Future Horizons, 2002.

Lee, A. y R. P. Hobson, «On developing self-concepts: a controlled study of children and adolescents with autism», *Journal of Child Psychology and Psychiatry*, n.º 39, 1998, págs. 1.131-1.144.

Leekham, S., S. Libby, L. Wing, J. Gould y C. Gillberg, «Comparison of ICD-10 and Gillberg's criteria for Asperger syndrome», *Autism*, n.º 4, 2000, págs. 11-28.

Linblad, T., «Communication and Asperger syndrome: the speech-language pathologist's role», en K. Stoddart (comp.), *Children, Youth and Adults with Asperger Syndrome: Integrating Multiple Perspectives*, Londres, Jessica Kingsley Publishers, 2005.

Lincoln, A., E. Courchesne, B. Kilman, R. Elmasian y M. Allen, «A study of intellectual abilities in high-functioning people with autism», *Journal of Autism and Developmental Disorders*, n.º 18, 1988, págs. 505-524.

Little, L., «Middle-class mothers' perceptions of peer and sibling

592

victimization among children with Asperger syndrome and non-verbal learning disorders», *Issues in Comprehensive Pediatric Nursing*, n.º 25, 2002, págs. 43-57.

Long, M., «Roses and cacti», en K. Rodman (comp.), *Asperger's Syndrome and Adults: Is Anyone Listening?*, Londres, Jessica Kingsley Publishers, 2003.

Lord, C., S. Risi, L. Lambrecht, E. Cook, B. Leventhal, P. DiLavore, A. Pickles y M. Rutter, «The Autism Diagnostic Observation Schedule, Generic: A standard measure of social and communication deficits associated with the spectrum of autism», *Journal of Autism and Developmental Disorders*, n.º 30, 2000, págs. 205-223.

Lord, C., M. Rutter y A. Le Couteur, «Autism Diagnostic Interview, Revised: A revised version of a diagnostic interview for caregivers of individuals with posible pervasive developmental disorders», *Journal of Autism and Developmental Disorders*, n.º 24, 1994, págs. 659-685.

Lorimer, P. A., «The use of Social Stories as a preventative behavioural intervention in a home setting with a child with autism», *Journal of Positive Behavior Interventions*, n.º 4, 2002, págs. 53-60.

Lovecky, D., *Different Minds: Gifted Children with AD/HD, Asperger Syndrome, and Other Learning Deficits*, Londres, Jessica Kingsley Publishers, 2004.

Loveland, K. A. y B. Tunali, «Social scripts for conversational interactions in Autism and Downs Syndrome», *Journal of Autism and Developmental Disorders*, n.º 21, 1991, págs. 177-186.

Lyons, V. y M. Fitzgerald, «Humor in autism and Asperger syndrome», *Journal of Autism and Developmental Disorders*, n.º 34, 2004, págs. 521-531.

—, «Early memory and autism: Letter to the editor», *Journal of Autism and Developmental Disorders*, n.º 35, 2005, pág. 683.

Mahoney, W. J., P. Szatmari, J. E. MacLean, S. E. Bryson, G. Bartolucci, S. D. Walter, M. B. Jones y L. Zwaigenbaum, «Reliability and accuracy of differentiating Pervasive Developmental Disorder subtypes», *Journal of the American Academy of Child and Adolescent Psychiatry*, n.º 37, 1998, págs. 278-285.

Manjiviona, J., «Assessment of specific learning difficulties», en M. Prior (comp.), *Learning and Behavior Problems in Asperger Syndrome*, Nueva York, The Guilford Press, 2003.

Manjiviona, J. y M. Prior, «Comparison of Asperger síndrome and high-functioning autistic children on a test of motor impairment», *Journal of Autism and Developmental Disorders*, n.º 25, 1995, págs. 23-39.

—, «Neuropsychological profiles of children with Asperger syndrome and autism», *Autism*, n.º 3, 1999, págs. 327-356.

Marriage, K., T. Miles, D. Stokes y M. Davey, «Clinical and research implications of the co-ocurrence of Asperger's and Tourette's Syndrome», *Australian and New Zealand Journal of Psychiatry*, n.º 27, 1993, págs. 666-672.

Marriage, K. J., V. Gordon y L. Brand, «A social skills group for boys with Asperger's Syndrome», *Australian and New Zealand Journal of Psychiatry*, n.º 29, 1995, págs. 58-62.

Martin, I. y S. McDonald, «An exploration of causes of non-literal language problems in individuals with Asperger syndrome», *Journal of Autism and Developmental Disorders*, n.º 34, 2004, págs. 311-328.

Matthews, A., *Making Friends: A Guide to Getting Along with People*, Singapur, Media Masters, 1990 (trad. cast.: *Haciendo amigos: tácticas para la perfecta convivencia*, Madrid, Iberonet, 1994).

Mawson, D., A. Grounds y D. Tantam, «Violence and Asperger's Syndrome: a case study», *British Journal of Psychiatry*, n.º 147, 1985, págs. 566-569.

Mayes, L., D. Cohen y A. Klin, «Desire and fantasy: a psychoanalytic perspectiva on theory of mind and autism», en S. Baron-Cohen, T. Tager-Flusberg y D. Cohen (comps.), *Understanding Other Minds: Perspectives From Autism*, Oxford, Oxford Medical Publications, 1993.

594

Mayes, S. y S. L. Calhoun, «Non-significance of early speech delay in children with autism and normal intelligence and implications for DSM-IV Asperger's Disorder», *Autism*, n.º 5, 2001, págs. 81-94.

McDougle, C., L. Kresch, W. Goodman y S. Naylor, «A case controlled study of repetitive thoughts and behaviour in adults with autistic disorder and obsessive compulsive disorder», *American Journal of Psychiatry*, n.º 152, 1995, págs. 772-777.

McGee, G., R. Feldman y L. Chernin, «A comparison of emotional facial display by children with autism and typical preschoolers», *Journal of Early Intervention*, n.º 15, 1991, págs. 237-245.

McGregor, E., A. Whiten y P. Blackburn, «Teaching theory of mind by highlighting intentions and illustrating thoughts: a comparison of their effectiveness with three-year-olds and autistic subjects», *British Journal of Developmental Psychology*, n.º 16, 1998, págs. 281-300.

Mercier, C., L. Mottron y S. Belleville, «Psychosocial study on restricted interest in high-functioning persons with pervasive developmental disorders», *Autism*, n.º 4, 2000, págs. 406-425.

Mesibov, G. B., «Social skills training with verbal autistic adolescents and adults: a program model», *Journal of Autism and Developmental Disorders*, n.º 14, 1984, págs. 395-404.

Micali, N., S. Chakrabarti y E. Fombonne, «The broad autism phenotype: findings from an epidemiological survey», *Autism*, n.º 8, 2004, págs. 21-37.

Miedzianik, D., *My Autobiography*, Nottingham, Child Development Research Unit, University of Nottingham, 1986.

Miller, J. N. y S. Ozonoff, «Did Asperger's cases have Asperger Disorder? A research note», *Journal of Child Psychology and Psychiatry*, n.º 38, 1997, págs. 247-251.

—, «The external validity of Asperger Disorder: lack of evidence from the domain of neuropsychology», *Journal of Abnormal Psychology*, n.º 109, 2000, págs. 227-238.

Minshew, N., G. Goldstein y D. Siegel, «Neuropsychologic functioning in autism: profile of a complex information processing disorder», *Journal of the International Neuropsychological Society*, n.º 3, 1997, págs. 303-316.

Miyahara, M., M. Tsujii, M. Hori, K. Nakanishi, H. Kageyama y T. Sugiyama, «Brief report: Motor incoordination in children with Asperger syndrome and learning disabilities», *Journal of Autism and Developmental Disabilities*, n.º 27, 1997, págs. 595-603.

Molloy, C., K. Dietrich y A. Bhattacharya, «Postural stability in children with Autism Spectrum Disorder», *Journal of Autism and Developmental Disorders*, n.º 33, 2003, págs. 643-652.

Molloy, H. y L. Vasil, *Asperger Syndrome, Adolescence and Identity: Looking Beyond the Label*, Londres, Jessica Kingsley Publishers, 2004.

Murray, D. (comp.), *Coming Out Asperger: Diagnosis, Disclosure and Self-confidence*, Londres, Jessica Kingsley Publishers, 2006.

Murray, D., M. Lesser y W. Lawson, «Attention, monotropism and the diagnostic criteria for autism», *Autism*, n.º 9, 2005, págs. 139-156.

Murrie, D., J. Warren, M. Kristiansson y P. Dietz, «Asperger syndrome in forensic settings», *International Journal of Forensic Mental Health*, n.º 1, 2002, págs. 59-70.

Myer, R., *Asperger Syndrome Employment Workbook: An Employment Workbook for Adults with Asperger Syndrome*, Londres, Jessica Kingsley Publishers, 2001.

Myles, B. S., S. J. Bock y R. L. Simpson, *Asperger Syndrome Diagnostic Scale Examiner's Manual*, Austin, TX, Pro-Ed, 2001.

Nass, R. y R. Gutman, «Boys with Asperger's disorder, exceptional verbal intelligence, tics and clumsiness», *Developmental Medicine and Child Neurology*, n.º 39, 1997, págs. 691-695.

National Autistic Society, *Employing People with Asperger Syndrome: A Practical Guide*, Londres, The National Autistic Society, 2005.

Newsom, E., «Pathological demand-avoidance syndrome», *Communication*, n.º 17, 1983, págs. 3-8.

Nieminen-von Wendt, T., «On the origins and diagnosis of Asperger syndrome: a clinical, neuroimaging and genetic study», disertación académica, Medical Faculty, University of Helsinki, 2004.

Nieminen-von Wendt, T., L. Metsahonkala, T. Kulomaki, S. Aalto, T. Autti, R. Vanhala, O. Eskola, J. Bergman, J. Hietala y L. Von Wendt, «Increased presynaptic dopamine function in Asperger syndrome», *Clinical Neuroscience and Neuropathology*, n.º 15, 2004, págs. 757-760.

Njiokiktjien, C., A. Verschoor, L. de Sonneville, C. Huyser, V. op het Veld y N. Tornear, «Disordered recognition of facial identity and emotions in three Asperger type autists», *European Journal of Child and Adolescent Psychiatry*, n.º 10, 2001, págs. 79-90.

Norris, C. y J. Dattilo, «Evaluating effects of a Social Story intervention on a young girl with autism», *Focus on Autism and Other Developmental Disabilities*, n.º 14, 1999, págs. 180-186.

North, A., A. Russell y G. Gudjonsson, «An investigation of potential vulnerability during police interrogation of adults with autism spectrum disorder: a focus on interrogative suggestibility and compliance», trabajo presentado en el primer International Symposium on Autism Spectrum Disorder in a Forensic Context, Copenhagen, Dinamarca, septiembre de 2005.

Nyden, A., C. Gillberg, E. Hjelmquist y M. Herman, «Executive function/attention deficits in boys with Asperger syndrome, attention disorder and reading/writing disorder», *Autism*, n.º 3, 1999, págs. 213-228.

Nylander, L. y C. Gillberg, «Screening for autism spectrum disorders in adult psychiatric out-patients», *Acta Psychiatria Scandinavica*, n.º 103, 2001, págs. 428-434.

Olweus, D., «Victimization by peers: antecedents and long-term outcomes», en K. H. Rubin y J. B. Asenddorf (comp.), *Social Withdrawal, Inhibition, and Shyness in Childhood*, Hillsdale, NJ, Lawrence Erlbaum Associates, 1992.

—, *Bullying at School: What We Know and What We Can Do*, Oxford, Blackwell, 1993.

597

O'Neill, M. y R. Jones, «Sensory-perceptual abnormalities in autism: a case for more research?», *Journal of Autism and Developmental Disorders*, n.º 27, 1997, págs. 283-293.

Organización Mundial de la Salud, *Internacional Classification of Diseases*, 10.ª ed., Ginebra, Organización Mundial de la Salud, 1993.

Ozonoff, S., I. Cook, H. Coon, G. Dawson, R. Joseph, A. Klin, W. McMahon, N. Minshew, J. Munson, B. Pennington, S. Rogers, M. Spence, H. Tager-Flusberg, F. Volkmar y D. Wrathall, «Performance on Cambridge Neuropsychological Test Automated Battery Subtests sensitive to frontal lobe function in people with autistic disorder: evidence from the collaborative programs of excellence in autism network», *Journal of Autism and Developmental Disorders*, n.º 34, 2004, págs. 139-150.

Ozonoff, S., N. García, E. Clark y J. Lainhart, «MMPI-2 personality profiles of high functioning adults with Autism Spectrum Disorders», *Assessment*, n.º 12, 2005a, págs. 86-95.

Ozonoff, S. y J. Millar, «Teaching Theory of Mind: a new approach to social skills training for individuals with autism», *Journal of Autism and Developmental Disorders*, n.º 25, 1995, págs. 415-433.

Ozonoff, S., M. South y J. Miller, «DSM-IV defined Asperger syndrome: cognitive, behavioural and early history differentiation from high-functioning autism», *Autism*, n.º 4, 2000, págs. 29-46.

Ozonoff, S., M. South y S. Provencal, «Executive functions», en F. Volkmar, R. Paul, A. Klin y D. Cohen (comps.), *Handbook of Autism and Pervasive Developmental Disorders*, 3.ª ed., Nueva Jersey, John Wiley and Sons, 2005b.

Pakenham, K., K. Sofronoff y C. Samios, «Finding meaning in parenting a child with Asperger syndrome: correlates of sense making and benefit finding», *Research Developmental Disabilities*, n.º 25, 2004, págs. 245-264.

Palmen, S., H. Hulshoff, C. Kemner, H. Schnack, S. Durston, B. Lahuis, R. Kahn y H. Van Engeland, «Increased grey matter volume in medication-naïve high-functioning children with autism spectrum disorder», *Psychological Medicine*, n.º 35, 2005, págs. 561-570.

Palmer, A., *Realizing the College Dream with Autism or Asperger Syndrome: A Parent's Guide to Student Success*, Londres, Jessica Kingsley Publishers, 2006.

Paradiz, V., *Elijah's Cup: A Family's Journey into the Community and Culture of High Functioning Autism and Asperger's Syndrome*, Nueva York, The Free Press, 2002.

Paul, R., A. Augustyn, A. Klin y F. Volkmar, «Perception and production of prosody by speakers with Autism Spectrum Disorders», *Journal of Autism and Developmental Disorders*, n.º 35, 2005, págs. 205-220.

Paul, R., S. Spangle-Looney y P. Dahm, «Communication and socialization skills at ages two and three in "late-talking" young children», *Journal of Speech and Hearing Research*, n.º 34, 1991, págs. 858-865.

Paul, R. y D. Sutherland, «Asperger Syndrome: the role of the speech-language pathologists in schools», *Perspectives on Language, Learning and Education*, n.º 10, 2003, págs. 9-15.

Pennington, B. F. y S. Ozonoff, «Executive functions and developmental psychopathology», *Journal of Child Psychology and Psychiatry Annual Research Review*, n.º 37, 1996, págs. 51-87.

Pepler, D. y W. Craig, «What should we do about bullying? Research into practice», *Peacebuilder*, n.º 2, 1999, págs. 9-10.

Perlman, L., «Adults with Asperger disorder misdiagnosed as schizophrenic», *Professional Psychology: Research and Practice*, n.º 31, 2000, págs. 221-225.

Perry, R., «Misdiagnosed ADD/ADHD: re-diagnosed PDD», *Journal of the American Academy of Child and Adolescent Psychiatry*, n.º 37, 1998, págs. 113-114.

—, «Early diagnosis of Asperger's disorder: lessons from a large clinical practice», *Journal of the American Academy of Child and Adolescent Psychiatry*, n.º 43, 2004, págs. 1.445-1.449.

Person, B. y S. Branden, «An investigation of the prevalence of ASD in patients in the forensic psychiatric clinic in Vaxjo», trabajo presentado en el primer International Symposium on Autism Spectrum Disorder in a Forensic Context, Copenhagen, Dinamarca, septiembre de 2005.

Pietz, J., F. Ebinger y D. Rating, «Prosopagnosia in a preschool child with Asperger syndrome», *Developmental Medicine and Child Neurology*, n.º 45, 2003, págs. 55-57.

Piven, J., J. Harper, P. Palmer y S. Arndt, «Course of behavioral change in autism: a retrospective study of high-IQ adolescents and adults», *Journal of the American Academy of Child and Adolescent Psychiatry*, n.º 35, 1996, págs. 523-529.

Piven, J. y P. Palmer, «Psychological disorder and the broad autism phenotype: evidence from a family study of multiple-incidence autism families», *American Journal of Psychiatry*, n.º 156, 1999, págs. 557-563.

Pozzi, M., «The use of observation in the psychoanalytic treatment of a 12-year-old boy with Asperger's syndrome», *International Journal of Psychoanalysis*, n.º 84, 2003, págs. 1.333-1.349.

Prior, M. y W. Hoffmann, «Neuropsychological testing of autistic children through an exploration with frontal lobe tests», *Journal of Autism and Developmental Disorders*, n.º 20, 1990, págs. 581-590.

Pyles, L., *Hitchhiking Through Asperger Syndrome*, Londres, Jessica Kingsley Publishers, 2002.

Rajendran, G. y P. Mitchelle, «Computer mediated interaction in Asperger's syndrome: the bubble dialogue program», *Computers and Education*, n.º 35, 2000, págs. 189-207.

Rapin, I., *Children with Brain Dysfunction*, Nueva York, Raven Press, 1982 (trad. cast.: *Disfunción cerebral en la infancia: neurología, cognición, lenguaje y conducta*, Madrid, Martínez Roca, 1987).

Råstam, M., C. Gillberg, I. C. Gillberg y M. Johansson, «Alexithymia in anorexia nervosa: A controlled study using the 20-item Toronto Alexithymia Scale», *Acta Psychiatrica Scandinavica*, n.º 95, 1997, págs. 385-388.

600

Råstam, M., C. Gillberg y E. Wentz, «Outcome of teenage onset anorexia nervosa in a Swedish community based sample», *European Journal of Child and Adolescent Psychiatry*, n.º 12, suplemento 1, 2003, págs. 178-190.

Ray, F., C. Marks y H. Bray-Garretson, «Challenges to treating adolescents with Asperger's syndrome who are sexually abusive», *Sexual Addiction and Compulsivity*, n.º 11, 2004, págs. 265-285.

Realmuto, A. y G. J. August, «Catatonia in autistic disorder: a sign of comorbidity or variable expresión?», *Journal of Autism and Developmental Disorders*, n.º 21, 1991, págs. 517-528.

Reaven, J. y S. Hepburn, «Cognitive-behavioural treatment of obsessive-compulsive disorder in a child with Asperger syndrome», *Autism*, n.º 7, 2003, págs. 145-164.

Reitzel, J. y P. Szatmari, «Cognitive and academic problems», en M. Prior (comp.), *Learning and Behavior Problems in Asperger Syndrome*, Nueva York, The Guilford Press, 2003.

Rhode, M. y T. Klauber, *The Many Faces of Asperger's Syndrome*, Londres, Karnac Books, 2004.

Rieffe, C., M. Terwogt y L. Stockman, «Understanding atypical emotions among children with autism», *Journal of Autism and Developmental Disorders*, n.º 30, 2000, págs. 195-202.

Rigby, K., *Bullying in Schools: And What To Do About It*, Londres, Jessica Kingsley Publishers, 1996.

Rinehart, N., J. Bradshaw, A. Brereton y B. Tonge, «Movement preparation in High-Functioning Autism and Asperger Disorder», *Journal of Autism and Developmental Disorders*, n.º 31, 2001, págs. 79-88.

Ringman, J. y J. Jankovic, «Occurrence of tics in Asperger's syndrome and autistic disorder», *Journal of Child Neurology*, n.º 15, 2000, págs. 394-400.

Rodman, K., *Asperger's Syndrome and Adults... Is Anyone Listening? Essays and Poems by Partners, Parents and Family Members of Adults with Asperger's Syndrome*, Londres, Jessica Kingsley Publishers, 2003.

601

Rogers, M. F. y B. S. Myles, «Using Social Stories and Comic Strip Conversations to interpret social situations for an adolescent with Asperger's syndrome», *Intervention in School and Clinic*, n.º 38, 2001, págs. 310-313.

Rogers, S., L. Benneto, R. McEvoy y B. Pennington, «Imitation and pantomime in high-functioning adolescents with autism spectrum disorders», *Child Development*, n.º 67, 1996, págs. 2.060-2.073.

Rogers, S. y S. Ozonoff, «Annotation: What do we know about sensory dysfunction in autism? A critical review of the empirical evidence», *Journal of Child Psychology and Psychiatry*, n.º 46, 2005, págs. 1.255-1.268.

Rourke, B., *Nonverbal Learning Disabilities: The Syndrome and the Model*, Nueva York, The Guilford Press, 1989.

Rourke, B. y K. Tsatsanis, «Nonverbal learning disabilities and Asperger syndrome», en A. Klin, F. Volkmar y S. Sparrow (comps.), *Asperger Syndrome*, Nueva York, Guilford Press, 2000.

Rowe, C., «Do Social Stories benefit children with autism in mainstream primary school?», *British Journal of Special Education*, n.º 26, 1999, págs. 12-14.

Rubin, K., *The Friendship Factor*, Nueva York, Viking, 2002.

Rumsey, J. y S. Hamburger, «Neuropsychological divergence of high-level autism and severe dyslexia», *Journal of Autism and Developmental Disorders*, n.º 20, 1990, págs. 155-168.

Russell, A., D. Mataix Cols, M. Anson y D. Murphy, «Obsessions and compulsions in Asperger syndrome and high functioning autism», *British Journal of Psychiatry*, n.º 186, 2005, págs. 525-528.

Russell, E. y K. Sofronoff, «Anxiety and social worries in children with Asperger syndrome», *Australian and New Zealand Journal of Psychiatry*, n.º 39, 2004, págs. 633-638.

Russell, J., *Autism as an Executive Disorder*, Oxford, Oxford University Press, 1997 (trad. cast.: *El autismo como trastorno de la función ejecutiva*, Madrid, Panamericana, 2000).

Russell Burger, N., *A Special Kind of Brain: Living With Nonver-*

bal Learning Disability, Londres, Jessica Kingsley Publishers, 2004.

Rutherford, M. D., S. Baron-Cohen y S. Wheelwright, «Reading the Mind in the Voice: a study with normal adults and adults with Asperger syndrome and high-functioning autism», *Journal of Autism and Developmental Disorders*, n.º 32, 2002, págs. 189-194.

Rutter, M., A. Le Couteur y C. Lord, *Autism Diagnostic Interview, Revised*, Los Ángeles, CA, Western Psychological Services, 2003.

Sainsbury, C., *Martian in the Playground: Understanding the Schoolchild with Asperger's Syndrome*, Bristol, Lucky Duck Publishing, 2000.

Sanders, R., *Overcoming Asperger's: Personal Experience and Insight*, Murfreesboro, TN, Armstrong Valley Publishing Company, 2002.

Santosi, F., K. Powell Smith y D. Kincaid, «A research synthesis of Social Story interventions for children with Autism Spectrum Disorders», *Focus on Autism and Other Developmental Disabilities*, n.º 19, 2004, págs. 194-204.

Scattone, D., S. M. Wilczynski, R. P. Edwards y B. Rabian, «Decreasing disruptive behaviours of children with autism using Social Stories», *Journal of Autism and Developmental Disorders*, n.º 32, 2002, págs. 535-543.

Schatz, A., A. Weimer y D. Trauner, «Brief report: Attention differences in Asperger syndrome», *Journal of Autism and Developmental Disorders*, n.º 32, 2002, págs. 333-336.

Schneider, E., *Discovering My Autism*, Londres, Jessica Kingsley Publishers, 1999.

Schroeder, A., *The Socially Speaking Game*, Wisbech, LDA, 2003.

Scott, F. J., S. Baron-Cohen, P. Bolton y C. Brayne, «The CAST (Childhood Asperger Syndrome Test): preliminary development of a UK screen for mainstream primary-school-age children», *Autism*, n.º 6, 2002, págs. 9-31.

Scragg, P. y A. Shah, «Prevalence of Asperger's syndrome in a secure hospital», *British Journal of Psychiatry*, n.º 165, 1994, págs. 679-682.

Segar, M., «The Battles of the Autistic Thicker», <http://autismand-computing.org.uk/marc1.en.html>.

Sheindlin, Judge J., *You Can't Judge a Book by it's Cover: Cool Rules for School*, Nueva York, HarperCollins, 2001.

Shore, S., *Beyond the Wall: Personal Experiences with Autism and Asperger Syndrome*, Kansas, Autism Asperger Publishing Company, 2001.

—, (comp.), *Ask and Tell: Self-Advocacy and Disclosure for People on the Autism Spectrum*, Kansas, Autism Asperger Publishing Company, 2004.

Shriberg, L., R. Paul, J. McSweeney y A. Klin, «Speech and prosody characteristics of adolescents and adults with high-functioning autism and Asperger syndrome», *Journal of Speech, Language and Hearing Research*, n.º 44, 2001, págs. 1.097-1.115.

Shu, B., F. Lung, A. Tien y B. Chen, «Executive function deficits in non-retarded autistic children», *Autism*, n.º 5, 2001, págs. 165-174.

Silva, J., M. Ferrari y G. Leong, «The case of Jeffrey Dahmer: sexual serial homicide from a neuropsychiatric developmental perspective», *Journal of Forensic Science*, n.º 47, 2002, págs. 1.347-1.359.

Silver, M. y P. Oakes, «Evaluation of a new computer intervention to teach people with autism or Asperger syndrome to recognize and predict emotions in others», *Autism*, n.º 5, 2001, págs. 299-316.

Siponmaa, L., M. Kristiansson, C. Jonson, A. Nyden y C. Gillberg, «Juvenile and young adult mentally disordered offenders: the role of child neuropsychiatric disorders», *Journal of the American Academy of Psychiatry and the Law*, n.º 29, 2001, págs. 420-426.

Slater-Walker, G. y C. Slater-Walker, *An Asperger Marriage*, Londres, Jessica Kingsley Publishers, 2002.

Slee, P., «Peer victimization and its relationship to depression among Australian primary school students», *Personal and Individual Differences*, n.º 18, 1995, págs. 57-62.

Smith, C., «Using Social Stories with children with autistic spectrum disorders: an evaluation», *Good Autism Practice*, n.º 2, 2001, págs. 16-23.

Smith, I., «Motor functioning in Asperger syndrome», en A. Klin, F. Volkmar y S. Sparrow (comps.), *Asperger Syndrome*, Nueva York, The Guilford Press, 2000.

Smith, I. y S. Bryson, «Gesture imitation in autism: 1. Nonsymbolic postures and sequences», *Cognitive Neuropsychology*, n.º 15, 1998, págs. 747-770.

Smith, P., D. Pepler y K. Rigby (comps.), *Bullying in Schools: How Successful Can Interventions Be?*, Cambridge, Cambridge University Press, 2004.

Smith Myles, B., T. Hilgenfeld, G. Barnhill, D. Griswold, T. Hagiwara y R. Simpson, «Analysis of reading skills in individuals with Asperger syndrome», *Focus on Autism and Other Developmental Disabilities*, n.º 17, 2002, págs. 44-67.

Smith Myles, B., K. Tapscott Cook, N. Miller, L. Rinner y L. Robbins, *Asperger Syndrome and Sensory Issues: Practical Solutions for Making Sense of the World*, Kansas, Autism Asperger Publishing Company, 2000.

Smyrnios, S., «Adaptative behaviour, executive functions and theory of mind in children with Asperger's syndrome», tesis, Victoria University of Technology, Melbourne, Australia, 2002.

Sobanski, E., A. Marcus, K. Henninghausen, J. Hebebrand y M. Schmidt, «Further evidence for a low body weight in male children and adolescents with Asperger's disorder», *European Journal of Child and Adolescent Psychiatry*, n.º 8, 1999, págs. 312-314.

Soderstrom, H., M. Råstam y C. Gillberg, «Temperament and character in adults with Asperger syndrome», *Autism*, n.º 6, 2002, págs. 287-297.

Sofronoff, K., T. Attwood y S. Hinton, «A randomised controlled trial of a CBT intervention for anxiety in children with Asperger syndrome», *Journal of Child Psychology and Psychiatry*, n.º 46, 2005, págs. 1.152-1.160.

Soloman, M., B. Goodlin-Jones y T. Anders, «A social adjustment enhancement intervention for high-functioning autism, Asperger's syndrome and Pervasive Developmental Disorder NOS», *Journal of Autism and Developmental Disorders*, n.º 34, 2004, págs. 649-668.

South, M., A. Klin y S. Ozonoff, The Yale Special Interest Interview, medida no publicada, 1999.

South, M., S. Ozonoff y W. McMahon, «Repetitive behavior profiles in Asperger syndrome and high-functioning autism», *Journal of Autism and Developmental Disorders*, n.º 35, 2005, págs. 145-158.

Sponheim, E. y O. Skjeldal, «Autism and related disorders: epidemiological findings in a Norwegian study using ICD-10 diagnostic criteria», *Journal of Autism and Developmental Disorders*, n.º 28, 1998, págs. 217-227.

Ssucharewa, G. E., «Die schizoiden Psychopathien im Kindesalter», *Monatschrift fur Psychiatrie und Neurologie*, n.º 60, 1926, págs. 235-261.

Ssucharewa, G. E. y S. Wolff, «The first account of the syndrome Asperger described? Translation of a paper entitled "Die schizoiden Psychopathien im Kindersalter"», *European Journal of Child and Adolescent Psychiatry*, n.º 5, 1996, págs. 119-132.

Stahlberg, O., H. Soderstrom, M. Råstam y C. Gillberg, «Bipolar disorder, schizophrenia and other psychotic disorders in adults with childhood onset AD/HD and/or autism spectrum disorders», *Journal of Neural Transmission*, n.º 111, 2004, págs. 891-902.

Stanford, A., *Asperger Syndrome and Long-term Relationship*, Londres, Jessica Kingsley Publishers, 2003.

Stuart-Hamilton, I., *An Asperger Dictionary of Everyday Expressions*, Londres, Jessica Kingsley Publishers, 2004.

Sturm, H., E. Fernell y C. Gillberg, «Autism spectrum disorders in children with normal intellectual levels: associated impairments and subgroups», *Developmental Medicine and Child Neurology*, n.º 46, 2004, págs. 444-447.

Sunday Mail, The, entrevista con Daniel Tammet, 5 de junio de 2005, pág. 69.

Sverd, J., «Tourette syndrome and autistic disorder: a significant relationship», *American Journal of Medical Genetics*, n.º 39, 1991, págs. 173-179.

Swaggart, B. L., E. Gagnon, S. J. Bock, T. L. Earles, C. Quinn, B. S. Myles y R. L. Simpson, «Using Social Stories to teach social and behavioural skills to children with autism», *Focus on Autistic Behavior*, n.º 10, 1995, págs. 1-16.

Swettenham, J., S. Baron-Cohen, J. C. Gómez y S. Walsh, «What's inside a person's head? Conceiving of the mind as a camera helps children with autism develop an alternative theory of mind», *Cognitive Neuropsychiatry*, n.º 1, 1996, págs. 73-88.

Szatmari, P., «Perspectives on the classification of Asperger syndrome», en A. Klin, F. Volkmar y S. Sparrow (comps.), *Asperger Syndrome*, Nueva York, Guilford Press, 2000.

—, *A Mind Apart*, Nueva York, Guilford Press, 2004 (trad. cast.: *Una mente diferente: comprender a los niños con autismo y síndrome de Asperger*, Barcelona, Paidós, 2006).

Szatmari, P., L. Archer, S. Fisman, D. Streiner y F. Wilson, «Asperger's syndrome and autism: differences in behaviour, cognition, and adaptative functioning», *Journal of the American Academy of Child and Adolescent Psychiatry*, n.º 34, 1995, págs. 1.662-1.671.

Szatmari, P., G. Bartolucci y R. Bremner, «Asperger's syndrome: comparison of early history and outcome», *Developmental Medicine and Child Neurology*, n.º 31, 1989a, págs. 709-720.

Szatmari, P., R. Bremner y J. Nagy, «Asperger's syndrome: a review of clinical features», *Canadian Journal of Psychiatry*, n.º 34, 1989b, págs. 554-560.

Szatmari, P., L. Tuff, A. Finlayson y G. Bartolucci, «Asperger's syndrome and autism: neurocognitive aspects», *Journal of the American Academy of Child and Adolescent Psychiatry*, n.º 29, 1990, págs. 130-136.

Tanguay, P., *Nonverbal Learning Disabilities at School: Educating*

Students with NLD, Asperger Syndrome and Related Conditions, Londres, Jessica Kingsley Publishers, 2002.

Tani, P., M. Joukamaa, N. Lindberg, T. Nieminen-von Wendt, J. Virkkala, B. Appelberg y T. Porkka-Heiskanen, «Asperger syndrome, alexithymia and sleep», *Neuropsychobiology*, n.º 49, 2004, págs. 64-70.

Tani, P., N. Lindberg, B. Appelberg, T. Nieminen-von Wendt, L. von Wendt y T. Porkka-Heiskanen, «Childhood inattention and hyperactivity symptoms self-reported by adults with Asperger syndrome», *Psychopathology*, n.º 39, 2006, págs. 49-54.

Tantam, D., «Asperger's syndrome», *Journal of Child Psychology and Psychiatry*, n.º 29, 1988a, págs. 245-253.

—, «Lifelong eccentricity and social isolation: Asperger's Syndrome or Schizoid Personality Disorder?», *British Journal of Psychiatry*, n.º 153, 1988b, págs. 783-791.

—, «Asperger's Syndrome in adulthood», en U. Frith (comp.), *Autism and Asperger's Syndrome*, Cambridge, Cambridge University Press, 1991.

—, «Adolescence and adulthood of individuals with Asperger Syndrome», en A. Klin, F. Volkmar y S. Sparrow (comps.), *Asperger Syndrome*, Nueva York, Guilford Press, 2000a.

—, «Psychological disorder in adolescents and adults with Asperger disorder», *Autism*, n.º 4, 2000b, págs. 47-62.

Tantam, D., C. Evered y L. Hersov, «Asperger's Syndrome and ligamentous laxity», *Journal of the American Academy for Child and Adolescent Psychiatry*, n.º 29, págs. 892-896.

Taylor, B., E. Miller, C. Farrington, M. Petropoulos, I. Favot-Mayaud, J. Li y P. Wraight, «Autism and measles, mumps and rubella vaccine: no epidemiological evidence for a causal association», *Lancet*, n.º 353, 1999, págs. 2.026-2.029.

Teitelbaum, O., T. Benton, P. Shah, A. Prince, J. Kelly y P. Teitelbaum, «Eshkol-Wachman movement notation in diagnosis: the early detection of Asperger's syndrome», *Proceedings of the National Academy of Science USA*, n.º 101, 2004, págs. 11.909-11.914.

Thiemann, K. S. y H. Goldstein, «Social Stories, written text cues and video feedback: effects on social communication of children with autism», *Journal of Applied Behavior Analysis*, n.º 34, 2001, págs. 425-446.

Tirosh, E. y J. Canby, «Autism and hyperlcxia: a distinct syndrome?», *American Journal on Mental Retardation*, n.º 98, 1993, págs. 84-92.

Toal, F., D. Murphy y K. Murphy, «Autistic spectrum disorders: lessons from neuroimaging», *British Journal of Psychiatry*, n.º 187, 2005, págs. 395-397.

Tonge, B., A. Brereton, K. Gray y S. Einfeld, «Behavioural and emotional disturbance in high-functioning autism and Asperger Syndrome», *Autism*, n.º 3, 1999, págs. 117-130.

Towbin, K., A. Pradella, T. Gorrindo, D. Pine, y E. Leibenluft, «Autism spectrum traits in children with mood and anxiety disorders», *Journal of Child and Adolescent Psychpharmacology*, n.º 15, 2005, págs. 452-464.

Turner, M., «Toward an executive dysfunction account of repetitive behaviour in autism», en J. Russell (comp.), *Autism as an Executive Disorder*, Oxford, Oxford University Press, 1997.

Twachtman-Cullen, D., «Language and communication in High-Functioning Autism and Asperger Syndrome», en E. Schopler, G. Mesibov y L. Kunce (comps.), *Asperger Syndrome or High-Functioning Autism*, NuevaYork, Plenum Press, 1998.

Volden, J. y C. Lord, «Neologisms and idiosyncratic language in autistic speakers», *Journal of Autism and Developmental Disorders*, n.º 21, 1991, págs. 109-130.

Volkmar, F. y A. Klin, «Diagnostic issues in Asperger syndrome», en A. Klin, F. Volkmar y S. Sparrow (comps.), *Asperger Syndrome*, Nueva York, Guilford Press, 2000.

Volkmar, F., A. Klin y D. Pauls, «Nosological and genetic aspects of Asperger syndrome», *Journal of Autism and Developmental Disorders*, n.º 28, 1998, págs. 457-463.

Voors, W., *The Parent's Book About Bullying: Changing the Course of Your Child's Life*, Center City, MN, Hazelden, 2000 (trad. cast.: *Bullying, el acoso escolar: el libro que todos los padres deben conocer*, Barcelona, Oniro, 2005).

Weimer, A., A. Schatz, A. Lincoln, A. Ballantyne y D. Trauer, «"Motor" impairment in Asperger syndrome: evidence for a deficit in proprioception», *Developmental and Behavioral Pediatrics*, n.º 22, 2001, págs. 92-101.

Welchew, D., C. Ashwin, K. Berkouk, R. Salvador, J. Suckling, S. Baron-Cohen y E. Bullmore, «Functional disconnectivity of the medial temporal lobe in Asperger's syndrome», *Biological Psychiatry*, n.º 57, 2005, págs. 991-998.

Wellman, H. M., S. Baron-Cohen, R. Caswell, J. C. Gómez, J. Swettenham, E. Toye y K. Lagattuta, «Thought-bubbles help children with autism acquire an alternative theory of mind», *Autism*, n.º 6, 2002, págs. 343-363.

Wellman, H. M., M. Hollander y C. Schult, «Young children's understanding of thought bubbles and of thoughts», *Child Development*, n.º 67, 1996, págs. 768-788.

Welton, J. y J. Telford, *What Did You Say? What Do You Mean? An Illustrated Guide to Understanding Metaphors*, Londres, Jessica Kingsley Publishers, 2004.

Wentz, E., J. Lacey, G. Waller, M. Råstam, J. Turk y C. Gillberg, «Childhood onset neuropsychiatric disorders in adult eating disorder patients: a pilot study», *European Journal of Child and Adolescent Psychiatry*, n.º 14, 2005, págs. 431-437.

Wentz Nilsson, E., C. Gillberg, C. I. Gillberg y M. Råstam, «Ten year follow-up of adolescent onset anorexia nervosa: personality disorders», *Journal of the American Academy of Child and Adolescent Psychiatry*, n.º 38, 1999, págs. 1.389-1.395.

Werth, A., M. Perkins y J. Boucher, «Here's the weavery looming up», *Autism*, n.º 5, 2001, págs. 111-125.

White, B. B. y M. S. White, «Autism from the inside», *Medical Hypotheses*, n.º 24, 1987, págs. 223-229.

Wilkinson, L., «Supporting the inclusion of a student with Asperger syndrome: a case study using Conjoint Behavioural Consultations and self-management», *Educational Psychology in Practice*, n.º 21, 2005, págs. 307-326.

Willey, L. H., *Pretending to be Normal: Living with Asperger's Syndrome*, Londres, Jessica Kingsley Publishers, 1999.

—, *Asperger Syndrome in the Family: Redefining Normal*, Londres, Jessica Kingsley Publishers, 2001.

Williams, D., *Nobody Nowhere: The Remarkable Autobiography of an Autistic Girl*, Londres, Jessica Kingsley Publishers, 1998.

Williams, J., F. Scott, C. Stott, C. Allison, P. Bolton, S. Baron-Cohen y C. Brayne, «The CAST (Childhood Asperger Syndrome Test): test accuracy», *Autism*, n.º 9, 2005, págs. 45-68.

Williams, T. A., «A social skills group for autistic children», *Journal of Autism and Developmental Disorders*, n.º 19, 1989, págs. 143-155.

Wing, L., «Asperger's Syndrome: a clinical account», *Psychological Medicine*, n.º 11, 1981, págs. 115-130.

—, «Manifestations of social problems in high-functioning autistic people», en E. Schopler y G. B. Mesibov (comps.), *High-Functioning Individuals With Autism*, Nueva York, Plenum Press, 1992.

Wing, L. y A. Attwood, «Syndromes of autism and atypical development», en D. Cohen y A. Donnellan (comp.), *Handbook of Autism and Pervasive Developmental Disorders*, Nueva York, John Wiley and Sons, 1987.

Wing, L., S. R. Leekham, S. J. Libby, J. Gould y M. Larcombe, «The Diagnostic Interview for Social and Communication Disorders: background, inter-rater reliability and clinical use», *Journal of Child Psychology and Psychiatry*, n.º 43, 2002, págs. 307-325.

Wing, L. y A. Shah, «Catatonia in autistic spectrum disorders», *British Journal of Psychiatry*, n.º 176, 2000, págs. 357-362.

Wolff, S., *Loners: The Life Path of Unusual Children*, Londres, Routledge, 1995.

—, «Schizoid personality in childhood», en E. Schopler, G. Mesibov y L. Kunce (comps.), *Asperger Syndrome or High-Functioning Autism*, Nueva York, Plenum Press, 1998.

Woodbury Smith, M., J. Robinson, S. Wheelwright y S. Baron-Cohen, «Screening adults for Asperger syndrome using the AQ: a preliminary study of its diagnostic validity in clinical practice», *Journal of Autism and Developmental Disorders*, n.º 35, 2005, págs. 331-335.

Yoshida, Y. y T. Uchiyama, «The clinical necessity for assessing Attention Deficit/Hyperactivity Disorder (AD/HD) symptoms in children with high functioning Pervasive Developmental Disorders (PDD)», *European Journal of Child and Adolescent Psychiatry*, n.º 13, 2004, págs. 307-314.

Yoshida, Y., T. Uchiyama, S. Tomari, N. Izuka, N. Hihara e Y. Muramatsu, «Setter for use when telling a child that he or she has an ASD», póster presentado en la National Autistic Conference, Londres, 2005.

Youell, B., «Matthew: from numbers to numeracy: from knowledge to knowing in a ten-year-old boy with Asperger's syndrome», en A. Álvarez y S. Reid (comps.), *Autism and Personality: Findings from the Tavistock Autism Workshop*, Londres, Routledge, 1999.

Índice analítico y de nombres

Nota: los números de página en *cursiva* hacen referencia a figuras y tablas.

613

624

SP
616.858832 A886

Attwood, Tony
Guía del síndrome de
Floating Collection WLNF
06/16